Oscar saggi

Delle stesse autrici

nella collezione Oscar

I bambini sono cambiati
L'età incerta

Di Silvia Vegetti Finzi

nella collezione Oscar

Il bambino della notte
Freud e la nascita della psicoanalisi
Quando i genitori si dividono
Il romanzo della famiglia
Storia della psicoanalisi
Volere un figlio

Silvia Vegetti Finzi
Anna Maria Battistin

A piccoli passi

La psicologia dei bambini
dall'attesa ai cinque anni

OSCAR MONDADORI

I edizione Saggi ottobre 1994
I edizione Oscar saggi maggio 1997

ISBN 978-88-04-44303-2

Questo volume è stato stampato
presso Mondadori Printing S.p.A.
Stabilimento NSM - Cles (TN)
Stampato in Italia. Printed in Italy

Anno 2009 - Ristampa 20 21

www.silviavegettifinzi.net

Indice

A piccoli passi

Introduzione

ninna-nanna dell'Infanzia fuggita
è fuggita in fretta in fretta
è fuggita in bicicletta

Non è mai stato facile allevare un bambino, educarlo, vivere accanto a lui cogliendo tutta la ricchezza di questo rapporto. Ma ora ci sembra particolarmente difficile perché sappiamo che i primi anni di vita sono decisivi: le esperienze infantili condizionano il carattere, influenzano le scelte future, prefigurano gli obiettivi e lo stile di vita.

Questa diffusa consapevolezza si traduce spesso in senso di responsabilità e in desiderio di saperne di più sui bambini, sulle modalità e i rischi che ogni crescita comporta.

Sono ormai molti i genitori che, per affrontare un compito così determinante per il destino individuale e collettivo, cercano di affinare la loro sensibilità e accrescere le loro competenze, preparandosi per tempo all'impresa, senza trascurare alcuna occasione per imparare e per interrogarsi. Tutto questo è abbastanza nuovo, ma non deve stupirci. Non è strano piuttosto che si frequenti una scuola, si studi e si sostengano esami impegnativi per guidare un'automobile, mentre ci si affida all'abitudine o all'improvvisazione per allevare ed educare un bambino?

È vero che le generazioni precedenti sono cresciute senza ricorrere a manuali ed esperti, ma la vita era molto diversa: gli scambi tra generazioni erano frequenti e ravvicinati. In famiglia i ragazzi assimilavano un certo «saper fare» con i più piccoli, vivendo quotidianamente con loro, in mezzo a una schiera di fratelli, cugini, vicini di casa. Ora invece si può diventare genitori senza aver mai preso in braccio un neonato o sgridato un bambino.

Dopo il primo momento di stupore e di entusiasmo subentra spesso, nello stato d'animo dei nuovi papà e delle nuove mamme, un senso di inadeguatezza e di sconforto al quale non possono certo ovviare i molteplici e contraddittori messaggi dei mass media

Le insistenti offerte di prodotti di consumo, come merendine, succhi di frutta, pannolini, scarpette e giubbotti, esortano a un rapporto con il bambino attento e coinvolgente, che si esaurisce però nella soddisfazione di innumerevoli e più o meno artificiosi bisogni corporei.

Questo modello risulta nello stesso tempo eccessivo e insufficiente perché il primo e più importante bisogno di ogni bambino è quello di instaurare una buona relazione con gli adulti che lo accudiscono, principalmente con i genitori. Un'esigenza tutt'altro che facile da soddisfare in una società dominata dalla produttività e dall'efficientismo, dove il tempo del lavoro erode progressivamente quello dell'intimità e degli affetti.

Di fronte alle imprevedibili e perentorie richieste di un bambino, vi è allora la tentazione di trovare soluzioni rapide e sicure, come quelle suggerite dai manuali tecnici di tipo professionale. Ma, nei rapporti umani, è inutile e controproducente cercare un ricettario che prescriva, in ogni circostanza, che cosa pensare, dire o fare, offrendoci la soluzione precostituita di tutti i problemi. Ogni bambino è diverso dall'altro e ciascuno si aspetta dai propri genitori un atteggiamento che nasca dall'esclusività del loro rapporto, come dimostra l'impossibilità di trattare i figli tutti allo stesso modo. Ciò che si chiede a un genitore non è che possieda, come nei quiz, la risposta rapida e giusta per ogni domanda, ma che sia disposto a cogliere i messaggi che il bambino, attraverso vari segnali, gli invia.

In ogni caso l'atteggiamento di disponibilità e di ascolto è molto più importante delle soluzioni escogitate, tanto più che i bambini sanno essere molto indulgenti con i genitori maldestri e pasticcioni, se li sentono animati dalle migliori intenzioni. Quando poi insorgono impreviste difficoltà di comportamento, i genitori più premurosi e attenti si rivolgono al pediatra o allo psicologo perché curi il bambino. Ma è troppo facile attribuire al piccolo ogni responsabilità: i problemi non sono certo soltanto suoi, coinvolgono piuttosto tutto il sistema di comunicazioni nel quale è inserito: il rapporto tra i genitori, lo stato d'animo di entrambi, la loro storia personale, le loro aspettative.

Quanto più il bambino è piccolo, tanto più è sensibile a ogni minima vibrazione degli equilibri familiari. Con questo non ci si aspetta che i genitori si mantengano, in ogni occasione, lontani e imperturbabili come gli dei. Tanto più che minuscole dissonanze, lievi opacità, intervalli nell'accudimento aiutano il bambino a crescere, anche attraverso sentimenti di frustrazione e di rabbia, purché commisurati alle sue capacità di tolleranza e di recupero.

Qualora esistesse, il genitore perfetto sarebbe dannoso perché non permetterebbe mai al figlio di staccarsi da lui. Accontentiamoci dunque di essere, come suggerisce lo psicologo Donald W. Winnicott, genitori «abbastanza buoni». Cioè adulti disposti a considerare se stessi come parte in causa nelle difficoltà del bambino e, se necessario, a mettersi in crisi ma anche capaci di apprendere dall'esperienza in modo da non ripetere i medesimi errori. Il più attendibile rilevatore della buona qualità delle relazioni genitori-figli è il piacere che provano a stare insieme, a fare le cose in comune.

I primi anni del bambino richiedono molta dedizione dai suoi genitori, ma il compito non risulta gravoso se essi riescono a cogliere tutti i vantaggi che derivano dal partecipare a un'esperienza d'infanzia. Identificandosi con il proprio figlio, possono infatti recuperare quelle carenze che hanno lasciato un'ombra sul loro passato, lenire le eventuali cicatrici provocate dall'incuria e dal disamore. Ma non solo, a contatto con il suo piccolo corpo, così capace di indurre intimità e di esprimere piacere, possono riscoprire la loro stessa corporeità, le loro pulsioni più vitali, spesso sacrificate ai comportamenti sociali.

Inoltre un bambino porta nella casa una dimensione nuova, fatta di fantasia, di creatività, di gioco, che colora la monotonia della vita quotidiana. Quando pretende, da piccolo tiranno, di giocare con noi, inserisce con prepotenza, nella nostra esistenza ridotta a una sola dimensione – quella della razionalità calcolante – spazi impagabili di disinteresse e di libertà.

Accanto a lui è possibile rivivere la leggerezza e l'allegria dell'infanzia per poi riprendere la consueta posizione d'adulto, purché si sappia, almeno per qualche ora, scendere dal piedestallo, rinunciando alla rassicurante identità sociale, al confortante ruolo precostituito. Come sostiene lo psicoanalista Wilhelm Reich, la maturità di un adulto si misura soprattutto dalla sua capacità di giocare.

Vi è invece, nella nostra società, una certa impazienza di fronte all'inefficienza infantile: si ha fretta che i bambini crescano e che diventino al più presto come noi, anche se non ci piacciamo poi tanto, e vorremmo essere più felici.

Non sarebbe allora meglio crescere insieme? Magari a piccoli passi, come il titolo stesso del libro suggerisce? Piccoli passi che si riferiscono, com'è evidente, al momento essenziale in cui il bambino comincia a muoversi sulle sue gambe, traballante e coraggioso, impaurito e avido di indipendenza nel medesimo tempo. Ma che alludono anche al procedere dello sviluppo infantile, al suo avanzare attraverso prove ed errori, con imprevedibili accelerazioni e altrettanto imprevedibili regressioni, che magari si rivelano rincorse per saltare più lontano.

La metafora vale poi anche per l'adulto, al quale si consiglia di indugiare, entro certi limiti, nella straordinaria esperienza di genitore di un bambino piccolo. Di non considerarla un compito impegnativo e gravoso da portare a termine il più presto possibile, ma un'occasione unica, preziosa, spesso irripetibile, di condividere l'avventura più meravigliosa della vita.

Oltre a ciò, vorremmo che la lettura del libro aiutasse gli adulti a riflettere sulla complessità delle questioni che si pongono quando in casa c'è un bambino. Per questo abbiamo cercato di mettere in luce la filigrana dell'inconscio, che si sottende a ogni esperienza razionale e cosciente, creando sottili legami che non sempre seguono il filo delle intenzioni consapevoli. Ma non è tanto importante «vedere tutto», quanto riconoscere che «tutto non si può vedere»: c'è nell'altro, anche nel più piccolo, una zona di intimità e di segreto che chiede di essere, come un'oasi ecologica, rispettata e protetta.

Niente è peggio dell'eccesso educativo, della vocazione a sorvegliare e punire in nome di una morale autoritaria, che il bambino non sa né può condividere. Non crediamo, come gli stoici, che i bambini nascano buoni e che la società li corrompa. Vi è, in ogni nuovo nato, un corredo di amore e di odio, di curiosità e di paura, di disponibilità e di rifiuto, che gli adulti possono soprattutto indirizzare verso mete positive o negative.

In ogni caso il bambino non è creta inerte nelle nostre mani, ma ci attira, seduce o allontana con capacità comunicative che plasmano e mutano gli scambi che intrecciamo con lui.

Non per questo il rapporto adulto-bambino è automaticamente paritetico: il potere dell'adulto è indubbiamente predominante. Ma sta a lui ridurre il divario, senza tuttavia annullarlo, perché i bambini non sanno che farsene di genitori immaturi quanto loro. Né di genitori lontani e intransigenti, talmente affascinati dal figlio ideale da non accorgersi di quello reale.

I cuccioli della nostra specie nascono inetti e vulnerabili e rimangono così a lungo dipendenti dalle cure materne, che la sicurezza costituisce il primo requisito della loro sopravvivenza. Per crescere hanno bisogno di essere sorretti da un sentimento profondo di fiducia, alimentato da un'accettazione senza riserve, dalla garanzia di sentirsi amati per ciò che sono e non per ciò che dovrebbero essere. In particolare nei primi anni di vita, l'educazione può aiutarli a crescere favorendo e incoraggiando l'espressione delle loro potenzialità, piuttosto che interferire, con indebiti interventi, su processi evolutivi che, pur seguendo tempi e percorsi diversi, finiscono poi per approdare, salvo incidenti di percorso, alla medesima meta: l'autonomia.

Spesso, invece, i genitori non sanno attendere né tenersi in disparte. Poiché proiettano sul bambino le loro delusioni e le loro aspirazioni, pretendono che realizzi ciò che nella loro vita è rimasto irrisolto. Per evitare questa indebita confusione tra sé e il figlio, tra la propria e la sua storia, è opportuno che gli adulti si interroghino sulla qualità dei loro sentimenti verso di lui, spesso inquinati da paure, gelosie, rivalse che hanno radici profonde e lontane.

Benché non esista l'amore allo stato puro, è sempre possibile depurare il flusso degli affetti dagli elementi eccessivi e perturbanti, privilegiando la tenerezza, particolarmente adatta al fragile equilibrio emotivo dei più piccoli. E la prima espressione di un atteggiamento tenero è proprio quella di cogliere le ragioni e le emozioni dell'altro e di interrogarsi sulle proprie.

Per questo il libro procede, di fronte a ogni problema posto dai bambini, chiedendosi in primo luogo «perché?».

Solo se avremo compreso i motivi che li inducono a piangere, a fare i capricci, mentire o dire parolacce, sapremo come comportarci, senza reagire automaticamente, seguendo impulsi, pregiudizi o generici suggerimenti «tecnici».

Le risposte prefabbricate sono tanto più inadeguate in quanto il bambino cambia, in particolare nei primi anni, con una velocità tale da indurci a mutare, di giorno in giorno, valutazioni e metodi educativi. Lo stesso capriccio ha un significato molto diverso se accade a due o a quattro anni e, di conseguenza, la nostra reazione non può essere la stessa. Per afferrarne appieno il senso, dobbiamo però prendere in considerazione anche l'adulto al quale è diretto, chiederci se siamo stati noi a suscitarlo con un comportamento troppo rigido o, al contrario, troppo permissivo.

A questo scopo il libro si propone di indurre chi legge a riflettere sulla sua relazione con il bambino, inscrivendola nel sistema di relazioni che regolano la famiglia, dove padre, madre, figlio/a sono posizioni relative, che hanno bisogno di riconoscersi reciprocamente per definirsi e per cambiare.

Poiché i protagonisti dell'avventura educativa sono molteplici e mutevoli, la forma del dialogo si presta particolarmente a orchestrare una varietà di voci, dove ciascuno possa ritrovare il proprio punto di vista e confrontarlo con quello degli altri.

Attraverso la trama delle domande e delle risposte il lettore può affinare i suoi strumenti di osservazione e di comprensione del bambino. Ma ci si attende anche che, lungo il percorso, possa ritrovare il bambino che è in lui perché sono proprio i nostri residui d'infanzia che ci consentono di stabilire, con i più piccini, un'intima, segreta consonanza.

Questo libro, che inizia con la gestazione e l'attesa del nuovo nato, è il primo di una trilogia che si propone di accompagnarlo sino all'adolescenza. In questo compito abbiamo tenuto conto, per quanto possibile, dei più recenti sviluppi della psicologia e della psicoanalisi. Così come della differenza tra maschi e femmine, che richiede un atteggiamento diverso nei loro confronti.

È stato arduo concentrare in un volume la vicenda evolutiva dei primi cinque anni di vita, i più complessi, i più decisivi. Durante i quali il bambino si tramuta da cucciolo a persona umana, apprendendo nello stesso tempo le fondamentali abilità psicomotorie e i principali processi di pensiero. Con l'acquisizione del linguaggio, il bambino si trasforma da essere «parlato» a essere «parlante», partecipando agli scambi sociali come soggetto più che come oggetto. A questo punto cessa di essere un'appendice della madre per trovare il suo posto nella famiglia, mettendosi alla prova in una trama di relazioni amorose e ostili con i genitori che lo confermeranno nella sua identità sessuale e lo orienteranno nel suo futuro sentimentale e sociale.

Si tratta di un percorso positivo, mirato all'indipendenza e all'autonomia, non certo privo di sacrifici dal momento che richiede di superare il pensiero onnipotente della primissima infanzia, retto dal principio di piacere (voglio tutto subito), per integrarlo con quello di realtà (quando sarà possibile). Siamo consapevoli, inoltre, che i bambini crescono in una società che cambia rapidamente, presentando sempre nuove difficoltà, come l'incremento dei ritmi di lavoro, il doppio ruolo svolto dai genitori, per cui ciascuno deve saper integrare le carenze dell'altro, la crescente influenza dei mass media, coi loro messaggi carichi di sessualità e di violenza.

Poiché mai, come nei primi cinque anni di vita del bambino, si pongono agli adulti tanti e tali problemi, non abbiamo voluto sacrificare la qualità dell'analisi alla quantità dei temi trattati. Ci riserviamo pertanto di analizzare, nel prossimo volume, le situazioni familiari particolari: le separazioni e le ricomposizioni del nucleo familiare, i figli nati da inseminazione artificiale e quelli adottati o affidati, magari provenienti da società e culture lontane. In quanto costituiscono forme nuove di convivenza umana, queste situazioni sollecitano quesiti nuovi, ma le esigenze fondamentali dei più piccoli restano le stesse, così come le loro linee di sviluppo.

Ci auguriamo che questo libro sia solo l'inizio di un dialogo collettivo che riporti il bambino nel posto che gli spetta, al centro della società e della cultura, riconsegnando all'infanzia il suo compito, quello di prospettare un futuro possibile, aperto all'utopia e alla speranza.

Ringraziamo, per i preziosi suggerimenti: Giovanna Bestetti, Agata Buda, Gabriella De Poli, Elena Magnoni Ferrari e Daria Modenesi. Grazie anche a Vivian Lamarque che ha scandito lievemente il testo con le sue ninne-nanne.

Le ninne-nanne cullano i bambini
ma anche le mamme

Le ninne-nanne di Vivian Lamarque sono tratte da *Il libro delle ninne-nanne*, Edizioni Paoline, 1988.

Parte prima

Genitori si diventa

I
Il desiderio di un figlio

ninna-nanna per un bambino
un bambino che nascerà
la ninna-nanna si prepara
presto qualcuno la canterà

È sempre più raro, oggi, che un bambino sia figlio della fatalità, del caso, dell'incontrollabile potere procreativo del sesso. Sempre più spesso, invece, è figlio del desiderio. La diffusione della contraccezione sicura, a partire dagli anni settanta, ha profondamente cambiato il modo di diventare genitori: un figlio nasce quando lo si vuole davvero, non quando «arriva», come succedeva in passato. Ma la sua nascita non è solo voluta, desiderata. È anche decisa, programmata, rinviata in base a ragioni personali, economiche e sociali che contrastano con la «legge del desiderio». E ne limitano la libertà, l'irruenza, l'imprevedibilità.

«Un figlio, sì», dicono in molti. «Ma "dopo".» Quando si è sicuri di potergli dare tutto ciò di cui ha bisogno e forse anche di più. E senza togliere nulla a se stessi, senza restringere troppo il ventaglio di possibilità che la vita offre. E che da giovani sono ancora in gran parte da sperimentare: nel lavoro come nella vita privata, affettiva. Sono soprattutto le donne, oggi, che tendono a rinviare sempre più in là nel tempo la nascita di un figlio, a volte fino ai limiti dell'età fertile, quando è la stessa biologia femminile a porre l'aut-aut: o adesso, o mai più.

«Un figlio posso averlo sempre», si pensa. «Ma la possibilità di affermarmi nel lavoro, di crearmi una vera indipendenza economica, è adesso, che me la gioco.» Il rinvio nell'affrontare la maternità non è però dovuto solo al desiderio di realizzare prima se stesse, nel lavoro, per non sentirsi poi frustrate, insoddisfatte. Spesso è anche la consapevolezza della precarietà degli affetti e dell'instabilità della coppia che induce a mettere fra parentesi il desiderio di maternità, per dargli voce e corpo quando si è più sicure di garantire al figlio un padre responsabile e presente, vicino a lui.

Lo spazio del desiderio

Stabilità affettiva, sicurezza economica, realizzazione personale: sono certezze che si cerca di raggiungere prima di mettere al mondo un figlio, oggi

Ed è proprio questo che contribuisce a una maternità e una paternità più consapevoli. Ma non c'è il rischio che questa programmazione così razionale condizioni troppo il desiderio di un figlio, mettendo quasi in naftalina gli impulsi più vitali, in attesa del momento più adatto?

La possibilità di decidere quando avere un figlio è un fenomeno nuovo che porta a enfatizzare il momento della scelta, rendendola estremamente razionale, ponderata. Si programma così la nascita di un figlio come si programma un cambiamento di lavoro o l'acquisto di una casa: in base ai vantaggi e agli svantaggi che questa decisione comporta. Ma il desiderio di un figlio non può sottostare sempre e comunque alla logica della ragione. È qualcosa di molto forte, istintivo, «passionale», che proviene anche dalle regioni dell'inconscio. E fa irruzione nel legame di coppia, sulla scena familiare, magari proprio nel momento meno opportuno dal punto di vista economico, sociale: quando si è ancora impegnati a pagare le rate per l'acquisto della casa, quando c'è in vista un cambiamento di lavoro, di città, quando si aspetta una promozione...

Sono momenti della vita che sembrano i meno adatti alla nascita di un figlio. E che possono però coincidere con una fase del rapporto di coppia, in cui si fa più forte il desiderio di avere un bambino, di diventare genitori. È per questo che non sempre la programmazione può rispondere ai bisogni più profondi, interiori di un uomo e di una donna che si amano. Sono bisogni istintivi, spontanei, che scaturiscono da sentimenti e passioni che non si possono controllare, né tanto meno programmare a mente fredda.

È importante riuscire a dare spazio anche all'imprevisto e, nei limiti del possibile, accettare che accada qualcosa di non completamente programmato. Se non ci pensa la ragione, è l'inconscio a volte che lo fa: è il caso di molte donne, decise a rinviare la maternità che, un giorno qualsiasi, «dimenticano» la pillola. L'inconscio si sa imporre a dispetto di tutto, ma tocca poi alla ragione accogliere il nuovo progetto di vita, fargli posto nella mente e nel cuore.

Il sentimento di paternità

A differenza di quanto succedeva in passato, oggi sono proprio gli uomini a esprimere con più decisione il desiderio di un figlio, e per ragioni più affettive, che sociali. Da che cosa nasce questa nuova «passione» dell'uomo per la paternità?

Fino a qualche generazione fa, in un passato ancora recente, l'uomo voleva un figlio per garantire la discendenza, per avere un ruolo nella vita privata e nella società come «padre di famiglia», e anche per confermare la propria virilità. Oggi invece il desiderio di paternità è più legato a sentimenti, sogni, fantasie spesso inconsci. Il figlio che l'uomo desidera generare, è anche figlio del suo narcisismo: è un bambino immaginato come la parte migliore di sé, ciò che si sarebbe voluto essere e non si è stati, un bambino al quale dare tutto ciò che si avrebbe voluto avere e non si è avuto.

È questo che trasforma la paternità in una nuova «passione» dell'uomo di oggi: il sogno di un figlio è legato più agli aspetti interiori della propria identità, del proprio «io», che non agli aspetti sociali. Anche perché spesso gli uomini hanno imparato ad accettare alcune insicurezze e fragilità della parte infantile di sé. E questo li rende più inclini a raccogliere i messaggi e le fantasie inconsce, legate a un sogno di paternità più affettivo che sociale.

Questo nuovo sentimento della paternità, che rende più intenso nell'uomo il desiderio di un figlio, sembra scontrarsi con la grande incertezza del ruolo paterno che oggi domina la scena familiare. A quali modelli, quindi, può riferirsi un uomo nell'immaginarsi padre?

La grande rivoluzione della famiglia, alla quale assistiamo da tempo, sembra aver messo in scacco la figura del padre tradizionale. E le nuove immagini, cui rimanda la paternità, sono ancora molto confuse. Non esistono più modelli «forti», immutabili, come il padre autoritario di un tempo: il capofamiglia, che dettava le regole, imponeva le leggi ed esigeva obbedienza e ordine. Da questo vuoto di potere, sta emergendo ora una nuova figura di padre: un re senza scettro, che sa scendere dal suo piedestallo per vivere più in sintonia con la propria donna e il proprio bambino.

È quindi una figura meno distante, più a contatto con le esperienze quotidiane: anche perché oggi l'uomo è più capace di un tempo di accettare e utilizzare le componenti «femminili» della propria personalità, come la tenerezza. Si tratta di una trasformazione del tutto nuova, ancora in atto, destinata a scontrarsi coi residui più tradizionali dell'idea di virilità, che ciascun uomo continua a portare dentro di sé.

La paternità sta attraversando una fase di travaglio, di rielaborazione che si riflette nei legami familiari: tuttavia, questo tentativo di riformulare in una prospettiva nuova il ruolo di padre può modificare in modo positivo i rapporti fra genitori e figli.

Il bambino immaginario

Fantasie, sogni, desideri: è attraverso l'immaginazione che la figura del figlio comincia a prendere forma, nella mente della madre, durante la gravidanza. Ed è questo «bambino immaginario» che ogni donna comincia ad amare, a sentire suo, nel periodo dell'attesa. E il padre? Come immagina il proprio figlio?

Sia la madre che il padre intrecciano fantasie attorno al bambino che verrà, ancora tutto da inventare: un processo interiore molto importante per diventare genitori. Si prepara così non solo la culla, il corredo, la stanza. Ma anche uno spazio mentale, affettivo, dove accogliere l'ospite. Tuttavia sono molto diversi i modi in cui il «bambino immaginario» irrompe nella fantasia e nei sogni dei futuri genitori.

L'uomo immagina di solito un bambino reale, già nato e magari un po' cresciuto, un trottolino con le scarpine ai piedi, pronto a seguirlo nelle sue attività. Pensa di giocare con lui, di tenerlo vicino mentre si dedica al bricolage, o a qualche altro hobby. Oppure di portarlo con sé allo stadio, in montagna, in barca, a pescare in riva a un fiume... Prima ancora che nasca, proietta già il figlio in una realtà futura, dai contorni precisi, come i comportamenti e le azioni che lo legheranno al bambino. È quindi un modo già molto attivo, concreto di immaginare il figlio e la relazione con lui, basato sul «fare insieme».

La donna invece tende a immaginare il bambino ancora come parte di se stessa, all'interno del suo corpo e della sua mente. Lo nutre di fantasie mutevoli, in gran parte inconsce, che si riallacciano alla sua stessa infanzia e ai suoi sogni di bambina, quando fantasticava un figlio per sé giocando alle bambole. È il bambino del sogno, il «bambino della notte», sedimentato nell'inconscio femminile che riemerge in gravidanza: e proprio per questo le fantasie sono così mutevoli e illimitate. Per la donna, il bambino immaginario può essere «tutto»: biondo o bruno, con gli occhi azzurri o castani, maschio o femmina... E, se lo immagina già nato, è un bambino ancora molto piccolo, da tenere racchiuso fra le braccia, da nutrire, coprire, riscaldare, coccolare.

Questa diversità nell'immaginare il futuro bambino rispecchia già in gravidanza un diverso atteggiamento, maschile e femminile, paterno e materno, verso il figlio. Da un lato la madre si accinge a proteggerlo, nutrirlo affettivamente e fisicamente. Dall'altro il padre si prepara invece ad incrementare la sua autonomia, la sua voglia di crescere.

Maschio o femmina?

Sarà maschio o femmina? Ormai attraverso l'ecografia si può conoscere il sesso del bambino molto prima che nasca. Alcuni preferiscono saperlo, altri no. Perché? E che effetto ha l'intrusione della tecnologia nelle fantasie dei genitori?

Conoscere il sesso del nascituro pone certamente un limite preciso, ben definito alle fantasie dei genitori, le circoscrive nell'ambito di un genere, maschile o femminile. E questo limita anche quell'elaborazione fantastica, molto creativa, che aiuta i genitori a costruire dentro di sé un'immagine mentale del figlio aperta a tutte le possibilità, senza distinzione di sesso.

Nelle *rêveries*, i sogni ad occhi aperti, il «vagheggiamento» dei genitori attorno al figlio che nascerà, riaffiora anche il romanzo della propria famiglia e dei suoi personaggi-chiave: è attorno a questi che ruotano i desideri, le aspettative in un continuo alternarsi di possibilità. Chissà... potrà essere come il nonno, ingegnere, razionale, sicuro, solido. Oppure imprevedibile e geniale, come la zia artista. Avrà gli occhi azzurri, come la nonna. Oppure scuri, profondi, come il padre...

Questo lavorio dell'immaginazione non è privo di efficacia: predispone infatti i genitori ad accogliere il bambino, trasmettendogli anche i propri desideri più positivi, il proprio augurio di vita. Finché la fantasia dei futuri genitori si esprime in un ventaglio molto ampio di possibilità, l'avvenire del bambino resta aperto, non pregiudicato dai loro desideri. Se gli si lascia spazio, sarà poi lui stesso a pretendere, a poco a poco, di essere accettato per ciò che è e non per ciò che avrebbe potuto essere.

Naturalmente conoscere il sesso del nascituro può essere utile a molti genitori e non solo per preparare il corredino più adatto a lui o a lei o per sapere se vi sarà una nascita gemellare. Soprattutto quando c'è una preferenza molto forte – speriamo che sia maschio, speriamo che sia femmina – può evitare di farsi trovare impreparati di fronte ad una possibile delusione. Nell'attesa, i genitori possono elaborare e superare la frustrazione iniziale e accogliere così il figlio, bambino o bambina che sia, con la gioia che merita.

Sta quindi ai genitori decidere, se preferiscono conoscere il sesso del nascituro. Senza dimenticare tuttavia che, quanto più si sa sul bambino, tanto più lo si rende reale, sottraendolo alla elaborazione fantastica ed esiliandolo dalla propria immaginazione.

II
Gravidanza e parto

ninna-nanna ninna-nanna
dorme un bambino dentro la mamma

L'attesa del primo bambino rappresenta un periodo di grande trasformazione per entrambi i genitori: un lungo rito di passaggio dalla condizione di figli a quella di madre e padre che rimette in gioco la loro stessa identità, ne rimescola le carte. Ma è nella donna che questo cambiamento è più profondo, radicale: modifica insieme al corpo anche l'immagine che ha di sé, della propria femminilità.

Se la donna in passato tendeva a mascherare la gravidanza o a circondarla di un alone esclusivamente materno, ora questo evento sembra rappresentare invece una stagione «gloriosa» della femminilità, non priva di un suo particolare fascino: non si nasconde più il pancione, per un senso di pudore e a volte di vergogna, quasi fosse una «deformità», ma lo si porta con orgoglio.

Anche questa nuova «visibilità» della gravidanza è un segno dei tempi: oggi la maternità è un'esperienza sempre più rara, a volte unica, nella vita della donna. E quindi più preziosa, da vivere pienamente, senza mortificare alcuna parte di sé. E senza rinunciare a sentirsi femminili e attraenti come prima: con qualcosa in più, come la nuova vita che si porta dentro.

Questo figlio, che comincia ad abitare la mente della donna nutrendosi dei suoi pensieri, i suoi sogni, le sue fantasie, è anche qualcosa di molto concreto: un «altro», che abita il suo corpo e si nutre della sua sostanza, man mano che cresce dentro di lei. Un ospite che non è più uno sconosciuto, misterioso e invisibile come un tempo.

Sull'esistenza segreta che precede la nascita, la scienza ha squarciato molti veli: ormai si sa tutto o quasi dello sviluppo biologico del feto, a partire dalla fecondazione. Non solo, ma questa conoscenza è stata resa visibile a tutti da tecniche ecografiche sempre più sofisticate, che hanno fissato nelle immagini la trasformazione della cellula in embrione e poi in feto, seguendo via via le tappe del suo sviluppo fino alla nascita.

Sappiamo così che a quindici giorni dalla fecondazione il codice genetico è già racchiuso in sintesi nella più grande molecola mai riscontrata in natura, il DNA. *Al primo mese il cuore batte come quello di un atleta in corsa: 144 colpi, il doppio del battito materno. A due mesi i muscoli delle braccia e delle gambe appena abbozzate accennano i primi movimenti mentre lo stomaco comincia a funzionare. A tre mesi si delinea la sua fisionomia: l'incavo degli occhi, la bocca, le mani, i piedi, il sesso.*

Al quarto mese, quando l'embrione si trasforma in feto, prende davvero la forma di un essere umano in miniatura. Di lì a poco, verso il quinto mese, inizia lo sviluppo dell'organo che contraddistingue la nostra specie, il cervello, la cui maturazione avrà termine molto più avanti, verso i quattordici anni. Negli ultimi mesi di gravidanza le tappe progressive dello sviluppo cerebrale e dei centri nervosi segnano altrettante straordinarie trasformazioni nella vita del feto, che lo rendono sempre più simile al bambino che nascerà.

Ora è «qualcuno»: e lo manifesta con le attività motorie, i comportamenti, le reazioni, i gesti, le espressioni che rivelano le prime percezioni sensoriali. Apre e chiude la bocca, come un pesciolino nell'acqua, si nutre, succhia il pollice, distingue i gusti. Sente e ascolta. Nuota. Cambia posizione per «mettersi più comodo». Vede. Dorme. E a volte sembra quasi che sorrida, come se stesse sognando…

La vita prenatale

Oggi si sa che il feto non è un essere amorfo, passivo, un piccolo robot capace solo di movimenti automatici, come si credeva un tempo, ma è dotato di una sua indole, di una sua sensibilità… La nuova immagine che abbiamo di lui influisce anche sul modo di vivere la gravidanza?

L'attesa di un figlio è sempre stata un'esperienza importante, carica di significati emotivi profondi, nella vita delle donne, ma oggi è vissuta con maggior consapevolezza: questa è l'enorme differenza, rispetto alle ultime generazioni. Come abbiamo visto, non rappresenta più una obbediente accettazione del destino, quanto una scelta. Si aspetta un figlio che si è desiderato, voluto, scelto. E questo rende più attento e consapevole anche il rapporto fra la gestante e il feto, fin dall'inizio della gravidanza.

Non solo, ma le scoperte scientifiche a dir poco sconvolgenti che in questi ultimi decenni hanno contribuito a fare luce sulla vita fetale, hanno creato una nuova certezza: si sa che anche i nove mesi di gestazione fanno parte integrante della nostra vita. Lo avevano intuito da sempre i cinesi, che per antica tradizione calcolano i compleanni a partire dal concepimento, e non dalla nascita. In questa «anticipazione» vi è una profonda saggezza, che la scienza moderna ha trovato modo di dimostrare.

Oltre agli studi sullo sviluppo biologico del feto, esiste anche una «psicologia della vita prenatale»? Quali sono le scoperte più significative?

Negli ultimi mesi di gestazione si assiste alla formazione e allo sviluppo del cervello e dei centri nervosi. Questo naturalmente non significa che nel feto esista già una «mente» capace di pensare. Esistono però, sia pure abbozzati in modo rudimentale, i prerequisiti genetici dello sviluppo del pensiero: le «forme» che poi riceveranno e modelleranno i vari processi mentali. Ed è questo l'aspetto forse più affascinante della vita prenatale al quale in questi ultimi tempi gli scienziati hanno dedicato molte ricerche, sia nel campo della neurofisiologia sia della psicologia. Con risultati sorprendenti che rendono sempre più vera la suggestiva intuizione di Freud: «C'è molta più continuità fra la vita uterina e la prima infanzia di quanto non faccia supporre l'impressionante cesura della nascita».

Nell'utero materno il feto, attraverso una specie di «apprendistato», prepara gli strumenti per sopravvivere dopo la nascita: come la suzione del pollice, una delle sue occupazioni preferite da quando, verso il quinto mese, riesce a portare il dito alla bocca. E percepisce anche un'infinità di sensazioni, piacevoli o meno, alle quali si abitua. Alcune gli rimarranno impresse per tutta la vita, dandogli un senso di tranquillità, di sicurezza: come le pulsazioni del cuore materno, che ritroverà immutate quando la mamma lo stringe al seno.

Più avanti quel ritmo lo porterà ad amare la musica, la danza, il rullio del treno... Allo stesso modo, appena nato, sarà in grado di riconoscere la voce della madre, distinguendola da ogni altra. E riconoscerà anche voci, suoni, rumori di cui gli è giunta più spesso l'eco: come la voce del papà, o la musica che risuona in casa.

E ha già le sue preferenze. Come è emerso da ricerche che utilizzano l'ecografia e l'elettroencefalogramma, il feto è in grado di valutare gli stimoli e di reagire di conseguenza: aggiungendo zucchero al liquido amniotico, lo si vede assumere un'espressione beata, mentre se si rende il liquido più amaro fa smorfie di disgusto. Altre osservazioni hanno rilevato che tutti sembrano preferire la musica classica, come Mozart, o i ritmi lenti e dolci, come il blues, al rock, che invece li irrita.

Il feto esprime anche una sua indole particolare?

I risultati delle più recenti ricerche hanno messo in luce che ogni feto ha un suo preciso temperamento, con caratteristiche ben evidenti, che si ritrovano dopo la nascita. Si è visto infatti che tratti fondamentali del carattere, come l'estroversione, la voracità, la timidezza, il nervosismo, il modo più o meno rapido di reagire agli stimoli sono già riscontrabili negli atteggiamenti più ricorrenti del feto nell'utero.

Lo dimostra fra l'altro una ricerca condotta dalla psicoanalista Alessandra Pioltelli, che insieme ad altri studiosi ha osservato attraverso l'ecografia i comportamenti di alcuni feti, confrontandoli con quelli assunti poi dagli stessi bambini dopo la nascita. Giulio, ad esempio, che se ne stava placido a leccare la placenta e il cordone ombelicale, si è rivelato poi un bambino tranquillo e «gran mangiatore». Gianna invece, che rimaneva tutta rannicchiata in un angolo dell'utero, quasi sempre immobile, si è dimostrata poi una bambina timida, paurosa, chiusa in se stessa. Infine Pino, che nella vita prenatale appariva estremamente vivace, reattivo, «curioso» di tutto, ha mantenuto anche dopo la nascita il suo brillante temperamento estroverso.

Si sa che lo stress in gravidanza crea un clima poco positivo sia per la madre che per il futuro bambino. E non sempre si può evitarlo, soprattutto quando si è costrette a lavorare fino all'ultimo giorno o quasi…

Non sempre è «obbligatorio» mantenere ritmi stressanti di vita e di lavoro anche negli ultimi mesi di gravidanza. Per molte gestanti al contrario è una scelta di cui sono orgogliose. «Nella mia vita non è cambiato niente» dicono. Oppure: «Faccio tutto come prima, e va benissimo». «Mi comporto come se nulla fosse.» «Fino al sesto mese nessuno si era accorto che ero incinta: neanche mia madre.»

Con questa «negazione» della gravidanza e degli inevitabili cambiamenti che comporta, la donna evita di mettere in crisi l'equilibrio precedente. E si difende così dall'ansia. Si priva però anche di una esperienza fondamentale che non può essere ridotta ad un evento ginecologico. Non basta ascoltare i consigli del medico, durante le visite di controllo. Occorre anche ascoltare se stesse, seguire i propri mutamenti interiori e condividere questa esperienza di trasformazione col proprio compagno. Una maternità vissuta pienamente rappresenta un'occasione irripetibile di arricchimento per entrambi.

La coppia in gravidanza

Sono lontani i tempi in cui la donna incinta sembrava rinunciare alla propria femminilità, in favore di un'immagine solo materna, asessuata. Questa nuova capacità di far coesistere la donna e la madre è un cambiamento davvero diffuso? E che effetti ha la gravidanza sull'identità femminile?

L'identità sessuale, così come si comincia a costruire nell'infanzia, è anzitutto corporea. È inevitabile quindi che la trasformazione del corpo porti ad una rielaborazione della propria identità. Ed è in questa luce che si può capire la nuova tendenza ad erotizzare insieme alla gravidanza anche la nuova immagine materna di sé. Al di là degli eccessi di narcisismo femminile che traspaiono a volte nei mass media, la tendenza a non contrapporre più maternità e sessualità è molto positiva: serve alla donna a ricomporre una nuova immagine di sé, senza rinunciare alla propria identità femminile.

Un tempo questa contrapposizione, sancita dalle regole sociali più tradizionali, andava a scapito dell'unità e dell'armonia della figura femminile: da un lato la moglie-madre, quasi santificata sull'altare della famiglia; e dall'altro l'amante, oggetto di ogni desiderio, sull'altare del sesso. La ricomposizione di questi due aspetti della femminilità nella donna-madre ne evita la frattura, e tutti i falsi moralismi e le ipocrisie di cui era carica.

Questa conquista si riflette in modo positivo sulla vita di coppia. Fino agli anni cinquanta-sessanta, l'attività sessuale in gravidanza veniva addirittura scoraggiata dai medici, con falsi pretesti, come il rischio di recare danno al feto o di aborti, pericoli che la stessa ricerca ginecologica ha da tempo smentito. Tranne nei casi di gravidanza a rischio, una donna può avere una vita sessuale ricca e soddisfacente per quasi tutti i nove mesi.

Ciò è molto importante anche per il padre. L'interruzione di ogni intimità fisica lo faceva sentire escluso dalla gestazione, dal processo procreativo in atto nel corpo della donna. La continuità dei rapporti sessuali lo rende invece più vicino alla moglie, più partecipe della sua esperienza. Sente che il corpo della donna non appartiene solo al bambino. E lo stesso atto sessuale può apparire, come in alcune fantasie primitive, il proseguimento di quello fecondativo: come se l'uomo continuasse a dar forma al feto, ad alimentarlo, partecipando così al processo della gestazione.

Oggi il futuro padre si sente sempre meno escluso dalla gravidanza. In che modo vi partecipa, vi è coinvolto?

Sì, c'è una maggiore capacità dell'uomo di condividere quel misterioso evento che la donna vive dentro di sé, con la gravidanza. E lo dimostra in molti modi, anche attraverso la tenerezza del contatto corporeo, della vicinanza fisica, e non solo sessuale: come quando carezza il pancione, o vi accosta l'orecchio per sentire il battito cardiaco. Partecipa alla felicità, alla soddisfazione, all'orgoglio della donna per il bambino che cresce dentro di lei. Ma anche alle sue ansie, alle sue preoccupazioni. La accompagna dal ginecologo, ai corsi di preparazione al parto, sceglie con lei il corredino, la culla, il nome. Si sente meno lontano dal bambino anche attraverso la visibilità dell'ecografia. E ne è fiero al punto da esibirla come distintivo sul risvolto della giacca, per comunicare così di essere in attesa di un figlio: una moda anni addietro molto diffusa negli Stati Uniti.

Sono fenomeni di costume passeggeri, magari un po' scenografici. Ma rivelano un cambiamento profondo, una partecipazione molto più intensa dell'uomo alla gravidanza, su tutti i piani: fisico, immaginativo e affettivo. Basti pensare che fino a poco tempo fa l'uomo addirittura non parlava di questo evento, come se la cosa non lo riguardasse, almeno fino alla nascita. Oggi invece ne parla, condivide con gli altri l'attesa di diventare padre prima, e la crescita del bambino poi. Quelli che erano considerati discorsi «da donna», sono diventati discorsi «da genitori».

Anche la gravidanza più felice, solare, non è mai del tutto priva di ombre: ansie, incertezze, paure sia su se stessi sia sul figlio che nascerà. Perché?

Diventare genitori significa rimettere in gioco la propria identità, rielaborarla: e questa trasformazione comporta anche sentimenti conflittuali, ambivalenti che possono creare dubbi e timori. «Sarò una buona madre?», «Sarò un buon padre?» Interrogativi che portano inevitabilmente a riflettere su se stessi, sulla propria vita, ora che si sta per dare vita a un figlio.

Si torna così a pensare all'infanzia, ai legami con i genitori, agli aspetti più profondi e a volte ancora oscuri, irrisolti della propria storia. È naturale quindi che la gioia, la soddisfazione, la felicità di diventare genitori siano a volte offuscate da ansie, incertezze, paure. Che spesso non si accettano, si negano, si «rimuovono».

Invece è importante riconoscere anche gli aspetti più ombrosi, sotterranei di questa fase di passaggio verso la maternità e la paternità: sono proprio i sentimenti rimossi, censurati, non accettati che creano maggiore ansietà.

I conflitti nascosti e i loro sintomi

Nei primi mesi di gravidanza la donna soffre spesso di disturbi fisici apparentemente privi di una vera causa organica: come le nausee, che costitui sono un chiaro sintomo psicosomatico. Perché? E che cosa «somatizza» la donna incinta, con questi disturbi?

C'è un quadro di sintomi fisici, privi di una vera causa organica, che compaiono soprattutto nei primi e negli ultimi mesi di gravidanza: disturbi psicosomatici, appunto, che rappresentano l'espressione corporea di un'ansia interiore che si reprime, a cui non si dà voce né ascolto. E che trova il suo unico sbocco nel sintomo fisico.

Quanto più la donna idealizza l'attesa del figlio, e non ammette di avere problemi, dubbi, conflitti, ambivalenze nei confronti della maternità, tanto più emergono lievi disturbi, che esprimono in modo simbolico uno stato di inquietudine, di malessere interiori. La nausea, ad esempio, è stata interpretata come un inconscio desiderio di espulsione, come un sentimento ambivalente verso il figlio. Si manifestano così quelle pulsioni aggressive nei confronti del bambino che non trovano spazio nella mente della madre.

Nel corso di questi nove mesi inoltre la donna riscopre il profondo legame infantile vissuto con la propria madre: un recupero importante per entrambe. Ma a volte, insieme al passato, ritornano anche i conflitti e le incomprensioni rimasti irrisolti, che proprio la gravidanza dà ora l'opportunità di superare, costruendo così un rapporto più maturo e più ricco di valenze positive fra la futura mamma e la nonna: un'alleanza di cui potrà giovarsi anche il bambino che nascerà.

Come accettare questi conflitti, proprio ora che ci si dispone a vivere solo con sentimenti di amore e di accettazione totale il figlio che si porta dentro? E da che cosa nascono?

Anche le pulsioni aggressive sono del tutto naturali, fisiologiche quasi. Sono l'altra faccia dell'amore, quella più in ombra, e ne riflettono l'ambivalenza, presente in ogni sentimento autentico, vitale: anche nell'amore materno che sta prendendo forma, in gravidanza. La nascita di un figlio è un evento che non prevede ritorno: non lascia nulla, «come prima». Non si potrà cancellarlo mai, dalla nostra vita. Il figlio ci rende genitori per sempre.

Questo avvenimento irreversibile pone la donna di fronte a conflitti più immediati e più intensi che non l'uomo. Il figlio invade il suo corpo, prima ancora che la sua vita. Sta diventando madre, e non cesserà mai di esserlo. Questo può spaventare, creare ansia: anche quando si desidera intensamente un bambino, si è felici, e si comincia ad amarlo. Riconoscere che nell'amore ci sono anche forme di ostilità, paure, pulsioni aggressive, è il modo migliore per evitare di essere in balia di un'ansia incontrollabile, indefinita, senza parole o pensieri che la possano esprimere. Quando la mente tace, è il corpo a dar voce, con i suoi sintomi, alle emozioni represse

E l'uomo, come manifesta il suo coinvolgimento emotivo e gli eventuali conflitti che l'attesa del figlio può suscitare?

Più delle pulsioni aggressive, è il sentimento di esclusione dal legame segreto fra madre e figlio e dal processo generativo che può creare inquietudini nell'uomo. Di solito le manifesta in modo meno diretto, meno corporeo. Ma non sempre è così: c'è chi tende ad identificarsi con la donna incinta, e allora mangia di più, ingrassa, diventa più «tondo», come lei.

Altri invece si identificano col bambino: e regrediscono a stadi infantili, ammalandosi come facevano da piccoli per attirare su di sé l'attenzione. E a volte hanno proprio quelle malattie esantematiche che non avevano avuto nell'infanzia: come il morbillo, gli orecchioni, la varicella. C'è poi chi si identifica invece nella coppia madre-feto e sembra condividerne la vulnerabilità: aumenta così in molti padri «in attesa» la tendenza a farsi male, a moltiplicare il numero dei piccoli incidenti, soprattutto quando si tratta del primogenito.

Il parto

Per quanto una donna si prepari, non è mai del tutto pronta all'esperienza del parto e del suo dolore. C'è sempre qualcosa di imprevedibile, di traumatico, che sembra sfuggire alla comprensione... E spesso si prova un enorme senso di solitudine, anche in mezzo a un via vai di camici bianchi. Perché?

Non è strano che una donna che partorisce si senta spesso terribilmente sola, con la sua fatica, il suo dolore, le sue paure. Oggi il parto è stato completamente «medicalizzato»: e se da un lato si è quasi del tutto eliminato il rischio di mortalità della madre e del bambino, dall'altro la medicina ha trasformato questo evento, di per sé fisiologico, naturale, in una specie di «operazione chirurgica» in cui l'aspetto umano, personale, emotivo passa in secondo piano, quando non viene del tutto eclissato.

La donna si sente in questo modo privata di ogni intimità, derubata quasi delle sue emozioni più vive, autentiche, che tende a nascondere, a reprimere, adeguandosi al clima asettico della sala parto. Anche quando si adotta il metodo della «nascita dolce», c'è scarso interesse per la partoriente che viene seguita soprattutto dal punto di vista medico, clinico, spesso con una intrusione eccessiva di tecniche di controllo, come il monitoraggio. Ogni attenzione è rivolta al bambino, come se madre e figlio non fossero profondamente coinvolti nella stessa vicenda di traumatico distacco l'uno dall'altra.

Non possiamo però dimenticare che solo da poco il parto ha cessato di essere un «affare di donne», gestito esclusivamente al femminile e vissuto nel chiuso della propria casa, al riparo degli affetti familiari, dove le emozioni potevano essere liberamente espresse. Fino a cinquant'anni fa infatti l'ostetricia non faceva parte della ginecologia: il parto veniva affidato alle levatrici, che si tramandavano pratiche e conoscenze acquisite con l'esperienza personale, senza che venissero codificate in manuali.

Non c'è da stupirsi quindi se la medicina, iniziando finalmente ad occuparsi del parto, l'abbia fatto utilizzando l'unica chiave interpretativa di cui disponeva: quella clinica, che riguarda la patologia, il sintomo, la malattia da curare piuttosto che la fisiologia di un evento naturale che provoca non solo dolore ma emozioni profonde. Se negli ultimi tempi le cose stanno cambiando, e in molte cliniche e ospedali si cerca ormai di creare un ambiente e un clima che diano un senso di minor estraneità e solitudine alla partoriente, lo si deve soprattutto alle donne: le uniche che hanno davvero qualcosa da dire sulla complessità di questa esperienza.

Perché si tende ancora così spesso a sottovalutare l'aspetto emotivo e psicologico del parto?

Nella nostra società c'è sempre stato un muro di silenzio intorno al parto, che ha radici lontane: nell'atteggiamento «fobico», da parte maschile, verso il corpo della gestante e il momento cruciale della nascita. Una «fobia» che risale alle origini della nostra stessa cultura, a cominciare dall'Antico Testamento. Da sempre legato al senso di colpa e di espiazione, il dolore del parto continua ad essere considerato qualcosa di opaco, privo di senso, che sfugge ad ogni possibilità di conoscenza, di comprensione: dunque, una esperienza negativa, da rimuovere al più presto, oggi anche attraverso l'anestesia.

Dal punto di vista delle implicazioni emotive più profonde, che fanno da substrato a questo antico «dolore», la psicoanalisi, che si è sempre occupata e si occupa di tutte le esperienze più intime, mute, indicibili, prive di visibilità e di parola della vita umana, non ha mostrato – almeno fino a qualche tempo fa – alcun interesse per il parto. Ci si è occupati del «trauma» della nascita, dell'atto di venire al mondo, così come viene vissuto dal bambino. Ma non del mettere al mondo, del partorire. Solo pochi psicoanalisti – fra i quali, in Italia,

Franco Fornari – si sono occupati del significato più profondo di questa esperienza, per una donna.

Questa assenza di riferimenti culturali comuni rende più difficile per la donna essere consapevole, in questo frangente, delle emozioni, delle fantasie e delle paure da cui si sente sommersa, come da una lava incandescente che sfugge ad ogni possibilità di controllo. E di comprensione. È anche per questo che si tende a dimenticare presto il parto e il suo dolore, mentre il senso di solitudine di fronte a sentimenti ed emozioni così poco condivisibili con gli altri lascia a poco a poco spazio alla gioia, alla soddisfazione, all'orgoglio per la riuscita di un'impresa così grande e così estenuante: l'aver messo al mondo un figlio.

In una società che in teoria esalta la maternità e in pratica la emargina, la rende «difficile» da vivere proprio nel momento in cui si compie, solo la donna può restituire al parto tutto il suo valore, il suo significato, acquisendo insieme all'orgoglio per il proprio sesso anche una maggior sicurezza in se stessa.

Qual è il significato più profondo del parto, nella vita della donna? Quali sentimenti, emozioni, fantasie mette in moto questo evento così «meraviglioso» e nello stesso tempo così sconvolgente?

Il parto è un evento centrale nella vita della donna, un passaggio importante nell'evoluzione della sua femminilità: rappresenta l'espressione stessa della sua potenza generativa, giunta al suo culmine. Lo scenario interiore in cui si svolge l'atto di dare alla luce un figlio è simile ad un campo di battaglia, dove si lotta per il predominio della vita sulla morte. Il rischio di perire di parto, purtroppo molto diffuso in passato, è ora quasi del tutto scomparso. Ma riaffiora ancora nell'immaginario femminile come un pericolo contro cui lottare con tutte le proprie forze, soprattutto nella fase espulsiva: non a caso nella mitologia greca la protettrice del parto era Artemide, la vergine guerriera.

È la contiguità della vita con la morte che rende «sconvolgente» l'esperienza del parto, anche oggi che la potenza generativa della donna è stata clinicamente imbrigliata, controllata e protetta dal potere medico. Per quanto l'idea stessa di morte abbia subito una profonda rimozione nella nostra cultura – che la mette in scena di continuo, ma la spoglia di ogni autentico significato – il parto rappresenta l'«ora della verità»: nell'atto stesso di mettere al mondo il proprio figlio, la donna avverte in modo oscuro, indecifrabile, ma dirompente, che questa nuova vita contiene in sé anche la sua fine.

La nascita rappresenta così uno scacco all'illusione di onnipotenza che si accompagnava alla gravidanza, quando la capacità generativa sembrava assoluta, priva di limiti. Non solo, ma mentre la donna dà alla luce una nuova vita, avverte anche la fine della perfetta unità fra madre e figlio vissuta nella gravidanza. D'ora in poi non si sarà mai più due in uno.

Proprio in questo momento, così carico di emozioni contrastanti, fa irruzione il passato più lontano: nel partorire il figlio, ogni donna rivive inconsciamente anche la propria nascita, il suo essere partorita. Torna così a fondersi con la propria madre e nello stesso tempo si differenzia da lei, diventando madre a sua volta. In un certo senso l'esperienza del parto ci riporta alle origini della nostra stessa vita. E ripropone la stessa frattura, la stessa scissione vissuta allora nel segno di un duplice dolore: quello fisico, visibile, del parto, e quello più nascosto, invisibile, della perdita dell'unità corporea tra madre e figlio.

È questo dolore, da sempre soggetto a censura e a rimozione, che andrebbe invece riconosciuto ed elaborato, per restituire significato e comprensione anche alle emozioni più nascoste e profonde del parto, quelle legate all'esperienza di separazione, di perdita e di «lutto» che si accompagnano alla felicità della nascita; evitando così di essere in balia di una angoscia senza nome, senza significato, che rende talora incontrollabile anche il dolore fisico.

Il «trauma» della nascita

E il bambino? Anche per lui la nascita è un evento drammatico, un «trauma»?

In un certo senso la nascita è il trauma per eccellenza: è la ferita, la lacerazione che diventa il prototipo di tutte le altre esperienze traumatiche che l'esistenza ci riserva. Un evento drammatico, che tuttavia non è così negativo come può sembrare. È vero che qualcosa finisce, che una parentesi si chiude. Ma è altrettanto vero che si apre il grande scenario di una nuova esistenza, con tutte le sue promesse di felicità e tutte le sue possibilità ancora intatte.

E il nuovo nato lo «sa», lo sente, come sente pulsare la vita in tutte le fibre del suo tenero corpo, che sebbene appaia fragile, vulnerabile, è molto più forte, più resistente di quanto si pensi. Rispetto alle altre specie animali, il cucciolo dell'uomo è «prematuro», impreparato a vivere e bisognoso più di ogni altro di protezione e di cure prolungate. E tuttavia è dotato di una potenzialità vitale che lo aiuta a sopravvivere anche in condizioni estreme di fame e di freddo, alle quali difficilmente un adulto potrebbe resistere.

Certo, non è mai facile venire al mondo. Anche quando si cerca di attenuare gli elementi più aggressivi, sconvolgenti della nascita, come accade con il «parto dolce», questo evento conserva sempre una dose ineliminabile di violenza. Improvvisamente il feto si trova catapultato fuori dalla sua nicchia protettiva, dove ha vissuto per nove mesi al riparo da tutto, cullandosi beatamente nel liquido tepore dell'utero, avvolto da una penombra rosata, in un clima di suoni attutiti, di movimenti ovattati.

È un mondo che crolla, con la nascita. E la fine del «paradiso terrestre» si accompagna alla prima percezione del rischio, della paura, soprattutto nel lento, difficile passaggio attraverso il canale del parto, durante la fase espulsiva: mai la vita e la morte sono vicine come in questo momento. Non solo, appena superato questo ostacolo, il nuovo nato si trova ad affrontare il primo, doloroso impatto con la realtà del suo nuovo mondo: l'aria gli penetra improvvisamente nei polmoni fino a fargli male, la luce gli trafigge gli occhi, voci estranee lo invadono, mentre viene scosso, strattonato, auscultato, pulito, lavato, frugato in ogni parte del corpo...

Benché il neonato non abbia ancora «coscienza» di quanto avviene, certamente è in grado di percepire in modo molto acuto ogni sensazione fisica che si accompagna al brusco passaggio dal corpo della madre al mondo esterno. «Che voglia di tornare indietro! Che tutto torni come prima!» Il suo grido risuona come una protesta, un rimpianto. Ma anche un addio a un mondo che finisce per sempre, e che non sarà dimenticato mai più: l'indefinibile nostalgia che talora ci assale in momenti diversi dell'esistenza trova qui le sue più profonde radici.

Nello stesso tempo però, mentre il bambino si lascia alle spalle il suo «paradiso perduto», sente di aver superato una difficile prova. E avverte un senso di trionfo: nonostante tutto, è vivo, forte, attivo. Posto sul ventre della madre, il piccolo la annusa, riconosce in lei il suo precedente nido e, guidato da una intuitiva geografia del suo corpo, risale sino al seno, cercando quel capezzolo dal quale sgorgherà per lui la vita: è questa la sua prima fonte di nutrimento, ma anche il primo incontro, il primo dono d'amore, da cui trae la propria sicurezza di base. Dopo il trauma del parto, e la prima grande separazione della nascita, la vita ricomincia da qui, da una relazione che madre e figlio riscoprono e costruiscono insieme.

In che modo si può rendere meno doloroso, meno brutale questo primo grande distacco?

In passato si considerava il neonato come un oggetto, incapace non solo di pensare, di capire, ma anche di «sentire», di soffrire. Oggi si sa che non è così. E si cerca di rendere più dolce, meno brutale il distacco della nascita, rispondendo al bisogno fondamentale del neonato di ritrovare al più presto ciò che sente perduto: il corpo della madre, oltre a un ambiente silenzioso, ovattato, protettivo, che gli restituisca sensazioni il più possibile simili a quelle della vita intrauterina.

Spesso la luce forte, accecante dei riflettori al neon ferisce gli occhi del neonato come una lama, provocando insieme al dolore del nervo oculare anche un senso di paura. Inoltre le voci, le grida, gli «ordini» di routine in sala parto rimbombano come un frastuono assordante nelle sue orecchie, abituate a sentire i rumori come un'eco lontana, filtrati dalla coltre della placenta. Anche il contatto con l'acciaio gelido della bilancia e i gesti bruschi di mani estranee che lo afferrano per i piedi e lo scuotono nel vuoto hanno un impatto violento sul neonato, abituato al tepore dell'utero e alla morbida carezza delle sue mucose.

Fra i primi a riconoscere la violenza del parto per il neonato, e la sua sofferenza, è stato il ginecologo francese Frédérick Leboyer, che ha messo a punto un metodo per attenuare le sensazioni di dolore e di paura attraverso la cosiddetta «nascita dolce». In un ambiente di luci soffuse, voci basse, movimenti discreti, in cui la «sacralità» della nascita non viene cancellata da un concitato efficientismo medico, il neonato viene subito «restituito» alla madre, in modo da ritrovare nel contatto di pelle con il suo grembo, con il suo seno anche il calore di quell'unione che ha appena sentito spezzarsi.

Ormai da tempo la «lezione Leboyer» è stata accolta dalle strutture mediche, se non alla lettera, nelle sue indicazioni fondamentali. La vicinanza immediata con la madre, per esempio, facilita nel bambino l'illusione – che si manterrà intatta nei primi mesi di vita – di essere ancora una cosa sola con lei, favorendo così il graduale superamento di questa prima grande separazione. Da parte della madre, sentire il figlio vicino subito dopo il parto favorisce quella naturale empatia che la rende capace di immedesimarsi nel bambino, di riconoscere i suoi bisogni, e di sentirsi a sua volta una cosa sola, con lui.

Nessuno può ricordare la propria nascita: come ogni altra esperienza dei primissimi anni di vita, anche questa rimane sepolta nella memoria. Ma quali tracce rimangono, nella mente?

Il ricordo della nascita subisce una duplice rimozione. È cancellato dalla memoria non solo dall'«amnesia infantile», come avviene per tutte le molteplici esperienze dei primi anni di vita, ma anche dalla tendenza, che permane ben oltre l'infanzia, a rimuovere tutto ciò che provoca un dolore e una sofferenza intollerabili. Tracce indelebili di questo evento rimangono però impresse nel nostro inconscio, dal quale riaffiorano quando sfuggono al controllo della ragione, della coscienza vigile: come avviene nei sogni. E a volte anche in alcune particolari situazioni della nostra vita.

È il caso di alcune fobie, angosce inspiegabili che danno un senso di vuoto, di vertigine, di soffocamento e rievocano insieme alle sensazioni che si sono provate nascendo anche la stessa «paura della vita». Le sensazioni traumatiche della nascita possono riemergere anche in alcuni disturbi psicosomatici infantili, privi di una reale causa organica: come alcune forme di asma precoce, che provoca difficoltà di respirazione e senso di soffocamento. Non a caso gli attacchi avvengono soprattutto quando il bambino si trova a rivivere il «dramma della separazione»: dalla madre, dalla famiglia, dalla casa, da un amico... Da qualcuno o da qualcosa a cui è particolarmente legato e che gli viene a mancare.

Non sempre però il ricordo della nascita, quando riaffiora, è sinonimo di sofferenza, di angoscia. Al contrario, nei sogni ha spesso un significato positivo: rivela il desiderio di un grande cambiamento, di una «rinascita» che spesso fa da contrappunto a fasi di radicale trasformazione della nostra vita. È il caso di chi sogna di emergere salvo da una situazione angosciante, carica di rischio, come l'attraver samento di un tunnel, di un canale, cui fa seguito un senso di grande liberazione: come di fronte a una nuova vita che ci si apre davanti.

Il parto cesareo

In questi ultimi anni si è assistito ad un aumento indiscriminato del parto cesareo, in molti casi consigliato o imposto più per motivi «organizzativi» dell'équipe medica, che clinici. Perché?

Facendo dell'ostetricia una branca della ginecologia, la scienza medica non si è limitata a proteggere la coppia madre-bambino dai rischi del parto. Quasi inevitabilmente ha anche interferito con la sua naturalità, modificandone il ritmo e lo svolgimento. In passato si cercava di affrettare il momento della nascita col parto pilotato e iniezioni di ossitocina anche in assenza di un reale pericolo fetale.

Da quando il calo delle nascite ha cominciato a svuotare i reparti di ostetricia, si è assistito invece a un aumento del parto cesareo: si interviene così chirurgicamente non solo per evitare stati di sofferenza fetale, ma in molti casi per poter organizzare il lavoro dell'équipe medica secondo una «tabella di marcia» non più lasciata al «caso» del parto naturale, che segue tempi e ritmi non sempre prevedibili.

In quest'ultimo periodo si sta verificando, fortunatamente, una inversione di tendenza: l'intrusione della chirurgia non è più così massiccia e indiscriminata come alcuni anni fa, grazie anche alla denuncia delle ostetriche e dei medici più sensibili a questo problema. E la stessa «retromarcia» è avvenuta anche per quei tipi di anestesia che, oltre a eliminare il dolore, tolgono ogni consapevolezza alla partoriente. Ormai sono le stesse donne che tendono sempre più spesso a rifiutarla: va bene abbassare la soglia del dolore, ma senza togliere la coscienza di quello che sta avvenendo. «Voglio essere presente» dicono. «Voglio poter ricordare la nascita di mio figlio.»

Che ricordo ha la donna del parto cesareo?

A differenza di quanto avviene col parto naturale, la donna conserva sul proprio corpo un ricordo tangibile di questo evento, la cicatrice addominale. Ricorda anche il dolore, che segue l'intervento chirurgico, quando emerge dall'anestesia. Ma non ha alcuna memoria del parto, della nascita, che ha vissuto solo attraverso il corpo. E questo vuoto della coscienza non è privo di conseguenze.

L'assenza di ogni ricordo fa sì che di questa esperienza non si conservi traccia: a livello più profondo, inconscio, è come se la gravidanza continuasse ancora, all'infinito. Resta così la sensazione di una «attesa senza fine» che spesso riemerge nei sogni: «È strano» dicono molte donne. «Continuo a sognare di essere ancora incinta...» «Mi sembra di essere lì lì per partorire. Ma improvvisamente mi sveglio...»

Non è detto però che la mancata esperienza del parto renda più difficile il rapporto col figlio. Può esserci al primo impatto un senso di maggiore «estraneità»: ma di solito viene elaborato e superato in fretta, attraverso l'emozione dei primi contatti e l'esperienza dell'allattamento. Tuttavia è sempre qualcosa di importante che viene sottratto alla donna e al bambino: un passaggio più lento e naturale dalla gestazione alla maternità, dalla vita intrauterina all'essere al mondo. E proprio per questo il parto cesareo dovrebbe essere strettamente limitato ai casi di reale necessità.

Ai bambini nati col taglio cesareo viene risparmiato il «trauma» del parto, il suo dolore. Che cosa rappresenta per loro l'esperienza della nascita? Come reagiscono al primo impatto con la vita?

Per loro la nascita è un'esperienza quasi del tutto passiva, indotta e diretta dall'esterno: la vivono quindi in modo meno doloroso, traumatico ma anche meno partecipe, coinvolgente. Questo momento fondamentale dell'esistenza rimane dentro di loro come qualcosa di ancora sospeso, non vissuto: un'attesa che non si è del tutto realizzata, una lacuna nella loro storia. Proprio come succede alle loro madri, che non hanno «vissuto» il parto, e non ne conservano alcun ricordo.

Questa mancata esperienza sembra condizionare il bambino soprattutto quando la nascita avviene senza essere preceduta da nessun travaglio, quando passa inavvertitamente dall'utero al mondo esterno, atterrando fra noi come un piccolo extraterrestre. L'impatto con la realtà, privo del filtro materno, risulta più forte, più crudo per il piccolo nato col taglio cesareo rispetto agli altri. E in molti casi il bambino nato senza fatica si rivela meno estroverso, meno attivo e avido di nutrimento dei suoi coetanei. Come i sommozzatori che emergono troppo rapidamente dagli abissi, sembra aver bisogno di una «camera di decompressione», prima di affrontare l'ambiente esterno.

Per certi aspetti è più «impreparato» degli altri bambini ad affrontare il mondo: e la vicinanza di una figura materna gli è ancora più necessaria, per fargli da filtro in ogni nuova esperienza. Ma, nei primi giorni dopo il parto cesareo, la donna è più debole e sofferente di chi invece ha avuto un parto naturale sia a causa dell'intervento chirurgico che ha subito, sia per il senso di artificiosa intrusione nel suo corpo e nella sua mente che questo intervento le ha provocato. Anche lei ha quindi bisogno di trovare, nelle persone più care, qualcuno che le sia d'aiuto e le dia un sostegno non solo concreto, ma affettivo, psicologico, in modo da renderle più facile avvicinarsi al figlio. E sostenerlo a sua volta nel suo primo impatto con la vita.

I bambini prematuri

Un tempo, i bambini che nascevano prematuri avevano scarse possibilità di sopravvivenza. Oggi, con l'aiuto della scienza, possono vivere, crescere e affrontare il futuro come tutti gli altri bambini, anche quando il parto avviene molto prima del termine. Aumentano così i neonati che dopo il parto sono accolti dall'incubatrice, invece che dalle braccia della mamma. E vivo-

no le prime settimane, a volte i primi mesi di vita, in ospedale. Come influisce sul bambino questo prolungato distacco, subito dopo la nascita?

Anche se in questi ultimi anni le tecniche adottate per salvare i prematuri sono sempre meno dolorose e invasive, non si può evitare al bambino insieme all'incubatrice, ai tubi, agli aghi per nutrirlo, questo primo impatto tecnologico con la vita, che lo sottrae alle braccia e alle cure materne. È un impatto che si cerca però di attutire, di rendere più «umano» con molti accorgimenti.

Oggi il neonato non è più un numero, «la seconda culla a sinistra»: ha il suo nome impresso sulla spalliera. E anche per i medici e gli infermieri che lo curano, è già qualcuno, una persona diversa da ogni altra: Stefano, Francesca, Ilaria... Ma soprattutto lo è per i genitori che non sono più costretti, come avveniva fino a pochi anni fa, a vedere il bambino solo durante gli orari di visita, e a guardarlo da lontano, confuso in mezzo agli altri piccoli prematuri, oltre la parete di vetro della sala di isolamento, senza mai poterlo toccare.

Adottando mille precauzioni, la mamma e il papà possono rimanere accanto al bambino anche tutto il giorno, se lo desiderano, insieme o alternandosi nelle visite. Non solo, ma possono toccare, carezzare il bambino, tenerlo vicino a sé nell'apposito marsupio. E anche nutrirlo, sia pure attraverso un tubicino o un contagocce. Tutto questo li rende più partecipi alla vita del neonato: il piccolo non si confonde più ai loro occhi con tutti gli altri corpicini chiusi nelle incubatrici, ma viene sentito subito come il proprio figlio, diverso da ogni altro. Attraverso la presenza quasi costante, la vicinanza fisica, il contatto di pelle, si stabilisce un rapporto che rassicura i genitori. E che si riflette sul bambino, favorendo anche la sua crescita fisica.

Le loro carezze, i loro sorrisi, le loro parole, attutiscono certamente l'impatto ospedaliero con la vita e rendono meno traumatico il prolungato distacco dalla madre, subito dopo la nascita. Il piccolo prosegue così, come in un limbo ben protetto, la crescita intrauterina bruscamente interrotta dal parto. Ma proprio perché è nato così «in fretta», tenderà a rallentare le successive tappe dello sviluppo. E a camminare o a parlare un po' «dopo»: come se avesse bisogno di riprendere fiato, di darsi tempo, lui che è nato «prima».

Come reagiscono i genitori alla nascita prematura del figlio? E come può influire questo evento sul loro rapporto col bambino?

La reazione più immediata è quasi sempre una grande felicità e un grande sollievo nel sapere che il figlio è salvo, che può comunque vivere, anche se pesa pochissimo. L'immensa gioia e la meraviglia per il «miracolo» sono sentimenti che restano, anche man mano che il piccolo cresce, viene portato a casa e inizia così una vita «normale». Ma dopo la prima ondata di felicità in alcuni genitori affiora a volte anche un vago, imprecisato senso di colpa.

La madre può sentirsi meno «brava» delle altre mamme, che mettono al mondo il figlio quando è ora, al momento giusto, evitandogli così non solo i rischi, i pericoli della nascita prematura, ma anche il disagio dell'incubatrice, la mancanza del seno materno, quel lungo periodo di cure complicate, lontano da casa... Si sente in qualche modo «colpevole», per non essere stata in grado di adempiere la sua funzione materna.

Nel padre invece il senso di colpa coinvolge più la sua identità di uomo, che non il ruolo paterno: in alcuni casi tende infatti a sentirsi meno «virile», come se la gestazione incompiuta del figlio potesse dipendere da una minor «potenza» del suo seme, da una debolezza della sua capacità fecondativa. In entrambi i casi, sia per la madre che per il padre, si tratta naturalmente di fantasie, che non hanno nulla a che vedere con la realtà: ma, come succede spesso, i sensi di colpa riguardano molto più il nostro immaginario che non i fatti reali.

Comunque, anche quando i genitori sono immuni da queste fantasie, la nascita prematura tende sempre a renderli un po' più apprensivi nei confronti del figlio: come se corresse sempre qualche rischio in più, rispetto agli altri bambini. Talvolta è necessaria una maggiore attenzione, soprattutto nel primo anno di vita. Ma non deve mancare, fra tanti accorgimenti, quello più importante: di non trasmettere mai al figlio l'impressione di essere più fragile, più delicato, più «a rischio» degli altri, come se fosse «prematuro» per tutta la vita.

Benché questa fantasia sia smentita dagli stessi dati scientifici sullo sviluppo dei bambini nati prima del termine, può influire sul figlio molto più di ogni dato reale: se i genitori lo ritengono fragile, insicuro, «incapace», fatalmente anche il piccolo finirà per sentirsi così. È importante quindi non riversare su di lui questa idea di estrema fragilità, evitando di formulare una «profezia che si autoavvera».

Il papà in sala parto

Oggi la partecipazione dell'uomo alla gravidanza culmina con la sua presenza in sala parto. Si è passati così dal tradizionale divieto a varcare quella porta, a una specie di obbligo ad assistere di persona alla nascita del fi glio: difficile sottrarsi, anche per chi ne farebbe a meno. Perché? E quali effetti può avere per l'uomo e per la vita di coppia?

Mentre una volta voler essere vicini alla moglie nel momento del parto era ritenuta un'intrusione imbarazzante, oggi si è creato il problema opposto. La presenza in sala parto è ormai così diffusa, che molti padri sono indotti ad affrontare questa esperienza per non essere diversi dagli altri. E per il timore di deludere o offendere la moglie, che a sua volta si sentirebbe diversa dalle altre puerpere.

Certo è positivo che il padre abbia la possibilità di assistere alla nascita del figlio: ma dovrebbe essere veramente una scelta libera, da fare insieme. È inutile negare che molti uomini hanno paura del sangue e del dolore. E che può essere un'esperienza sconvolgente, per alcuni, assistere a un evento così «meraviglioso», ma anche così viscerale, che può lasciare tracce profonde sul piano emotivo. Benché si tenda a razionalizzare e a giudicare positiva questa esperienza, emozioni tanto intense non si cancellano del tutto: e possono avere effetti che turbano la vita di coppia.

La nascita è un evento molto forte, carico di vitalità e di felicità, che evoca però il suo contrario, la morte e il dolore. Tutto questo può interferire con la ripresa della sessualità, togliendole aspetti ludici, di gioco e di piacere. Per alcuni uomini, poi, assistere al parto e alla sofferenza della donna nel mettere al mondo il figlio, può suscitare sensi di colpa che agiscono nell'inconscio, e creano una specie di divieto sessuale.

Probabilmente è difficile in questa fase di entusiasmo, di partecipazione collettiva dei padri all'evento della nascita, sottrarsi a questa esperienza. E dire: «No, aspetto fuori». Ma per chi non se la sente, è davvero meglio evitarla aiutando la moglie a capire che non necessariamente la sua assenza in sala parto è un segno di disamore, di scarso coinvolgimento; al contrario, può essere proprio l'opposto.

Chi può sostituire l'uomo, come presenza familiare, amica vicino alla donna che partorisce?

Storicamente il parto è sempre stato un evento femminile. Ed è proprio questa tradizione che bisognerebbe recuperare, con la presenza di figure femminili accanto alla partoriente: la madre, la sorella, l'amica, l'ostetrica in cui si ha fiducia. Con loro la donna può condividere un'esperienza che è sempre stata solo delle donne, tramandata da madre in figlia: questa condivisione la rassicura sul piano emotivo e rende più facile, naturale, il parto. Naturalmente senza togliere nulla al sostegno, altrettanto positivo, di figure maschili: come l'ostetrico o il padre, se lo desidera veramente.

La ripresa della sessualità

L'esperienza del parto può rendere più difficile la ripresa della vita sessuale non solo per l'uomo che vi ha assistito, ma anche per la donna che l'ha vissuta. Perché? E in quali casi ci sono difficoltà maggiori?

C'è una maggior tendenza a rinviare la ripresa dei rapporti sessuali oltre il limite necessario, fisiologico, soprattutto nelle donne che hanno avuto un parto traumatico, molto doloroso, dal quale hanno riportato lesioni. Per fortuna sono mali che si dimenticano, come dicevano le nostre nonne. Ma non sempre si dimenticano in fretta. Per alcune l'oblio non è così immediato: l'idea del dolore, della perdita del controllo di sé, continuano a infiltrarsi nella mente. E possono rendere intollerabile, almeno per qualche mese, l'idea della ripresa dei rapporti sessuali.

Altre tendono invece a rifiutare il sesso, perché si sentono appagate dalla maternità, al punto da non desiderare altro. Oppure vivono in modo contraddittorio il legame materno e quello coniugale, come due strade che non possono congiungersi. Questo porta a enfatizzare il rapporto col bambino, con un eccesso di coinvolgimento e di aspettative, che si riflette negativamente sul legame di coppia, mentre rende troppo stretto, simbiotico quello col figlio.

È qui che entra in gioco il padre, il cui ruolo è appunto quello di riprendere il proprio posto nel triangolo familiare appena formato. Ed è lui che, attingendo a una nuova sensibilità maschile, può aiutare la moglie a superare questi turbamenti della femminilità. Dopo il puerperio, la loro storia d'amore interrotta dalla brusca cesura del parto, può ricominciare di nuovo, se l'uomo si impegna a sedurre ancora una volta la propria donna, proprio nel senso letterale del termine, riconducendola a sé come durante il primo corteggiamento.

Nella vita coniugale ci sono fasi, come quella del dopo parto, in cui la coppia deve sapersi ricostituire per mantenere vivo un amore che sembra usurpato dal nuovo venuto. È importante per tutti, anche per il bambino, che una «buona madre» sia anche una «buona moglie».

III
«Sarò una buona madre?»
L'amore materno e la sua ambivalenza

ninna-nanna ninna-nanna
com'è nuova questa mamma
non sa nemmeno una ninna-nanna

C'è quasi sempre un senso di meraviglia, di stupore e di infinito sollievo, di fronte al proprio bambino, appena nato. È il trionfo della vita, dopo la ferita del parto. La felicità, dopo il dolore. Ma questo essere fragilissimo, incapace di sopravvivere senza cure e senza amore, è anche una persona del tutto nuova, un bambino reale, in carne e ossa, spesso così diverso da come lo si era immaginato: quasi uno sconosciuto. Che crea anche un vago senso di estraneità e di timore: «Come farò a capirlo, sarò capace di amarlo nel modo giusto, di aiutarlo a vivere?». A poco a poco si infiltrano così sentimenti meno nitidi, più confusi e indecifrabili della felicità iniziale, che si vela di una incomprensibile malinconia.

«Sono felice: e allora, perché piango?» si chiedono molte mamme. È difficile infatti sfuggire a quel lieve senso di depressione che coglie quasi tutte le donne a pochi giorni dalla nascita del figlio. Una volta si chiamava il «pianto del latte». Oggi ha il nome di una musica lenta, dolce e triste che evoca invece il pianto dell'anima: blues del dopo parto, o babyblues. Così un grande psicologo dell'infanzia, Donald W. Winnicott ha definito quel leggero stato di depressione che colpisce circa l'80 per cento delle donne verso il quarto, quinto giorno dopo il parto. E che di solito scompare, nel giro di poche settimane, senza lasciare traccia.

Ma il ritirarsi in se stesse, l'infinito dubitare della madre sulle proprie capacità, le proprie risorse, sul significato stesso dell'aver messo al mondo un figlio, rivela un aspetto più in ombra, meno conosciuto, dell'amore materno: la sua ambivalenza. Per quanto idealizzato, sublimato, questo amore resta pur sempre un sentimento umano. E quindi vivo, mutevole, mai definito una volta per tutte. E ambivalente: capace cioè di assorbire anche sentimenti che sembrano in contrasto con le sue caratteristiche più riconosciute, accettate, come la tenerezza, la dedizione, la gioia.

Invece ci si accorge subito che non è così: che ci sono anche i dubbi, i ti-

mori, il senso di incapacità e di colpa, per questa inadeguatezza, che la donna esprime all'inizio con una leggera forma di depressione dopo il parto. E più avanti, man mano che il bambino cresce, con sentimenti che sembrano aver poco a che fare con l'amore: come il senso di fatica, l'insofferenza, a volte la collera.

E guai se così non fosse. Non è di sentimentalismo, che ha bisogno un bambino: ma di un affetto vero, che non si finge sublime, al di sopra di tutto. Come non ha bisogno di una «mamma perfetta». Ma «abbastanza buona», sì: capace di tollerare sia la fatica e la preoccupazione dell'essere madre, sia i lati più oscuri, ambivalenti del suo amore. Riconoscerli e accettarli è il modo migliore per non sentirsi sopraffatte da inutili paure e sensi di colpa.

La depressione dopo il parto

«Perché mi sento così lontana, distaccata? Forse non amo abbastanza il mio bambino?» Per molte donne, la leggera forma di depressione dopo il parto provoca quasi un senso di colpa, come se non avessero il diritto di sentirsi un po' tristi, malinconiche, in questo momento felice. Perché? E da che cosa nasce questo sentimento «depressivo»?

Anche dopo le gravidanze e i parti più sereni, c'è sempre un velo di malinconia, che appare spesso incomprensibile. Invece è del tutto naturale, fisiologico quasi, sentirsi un po' depresse. Non solo, ma dopo il grande sconvolgimento del parto, questa breve fase di depressione è una parentesi salutare per la donna: è un «ritiro delle emozioni» che le permette anche di sottrarsi al bambino, e di pensare a se stessa, prima di dedicarsi anima e corpo a lui, evitando così un investimento emotivo troppo forte sul figlio.

Ma il blues del dopo parto è naturale anche perché la nascita provoca nella donna un lutto psicologico. Questo primo grande distacco fisico, questa improvvisa, violenta cesura del legame simbiotico col figlio, simbolizzata dal taglio del cordone ombelicale, si accompagna inevitabilmente anche a un sentimento di perdita: il venir meno della figura del figlio immaginario, quel «bambino della notte» che nel corso della gravidanza ogni donna ha formato dentro di sé nutrendolo di fantasie illimitate.

Plasmato dalle speranze, i sogni, i desideri che risalgono alla stessa infanzia della donna, questo bambino luminoso è quanto di meglio ogni madre possa pensare, immaginare, inventare. Una luminosità appena offuscata, soprattutto negli ultimi mesi di gravidanza, da ombre, dubbi, paure: «Sarà sano? Sarà integro? Avrà "tutto a posto"?». È pur sempre un bambino ancora indefinito, indeterminato, che può essere «tutto», proprio come nelle fantasie di onnipotenza infantile: una figura interiore di figlio che ha accolto su di sé tutte le proiezioni di desiderio e paura della madre. La nascita segna così la fine della vita tutta interiore, immaginaria, del bambino lunare e l'avvento, sulla scena del mondo, del suo doppio, il bambino reale. Non dobbiamo però dimenticare che oltre a questa lieve malinconia vi è una depressione più grave, provocata dalla solitudine e dall'abbandono in cui si trovano molte madri quando ritornano a casa con il loro bambino.

Dal «bambino della notte» al figlio reale

Che cosa provoca nella donna questo primo impatto col figlio reale, un bambino ben definito, e quindi limitato nella sua unicità?

Al «bambino della notte», con la nascita, si contrappone quello che io chiamo il «bambino del giorno», che emerge finalmente dall'inconscio materno. Al lungo sogno notturno della gravidanza si sostituisce così la realtà, con tutti i suoi limiti. È inevitabile quindi provare quel senso di vaga, inconsapevole delusione, che si accompagna sempre alla fine di un sogno: anche di fronte al bambino più bello, più dolce, più caro. Non è più un caleidoscopio di immagini mutevoli, come i desideri: è quel bambino, e nessun altro. Per sempre.

Ogni donna sente, istintivamente, che è necessario rinunciare al bambino del sogno: questo «fantasma notturno» deve essere abbandonato, sia pure a poco a poco. Se non rinuncia a questo ideale, la madre troverà sempre il figlio inadeguato, deludente. E gli comunicherà questo senso di inadeguatezza, di delusione: «Tu non sei il figlio che desideravo, che immaginavo. Non sei il bambino che ho sempre atteso».

Come si riflette sul figlio, nel corso del tempo, l'incapacità della madre di abbandonare questa immagine ideale?

Qualsiasi cosa accada nella vita non si sentirà mai all'altezza di questo antico ideale materno, impossibile da raggiungere. Ci sono persone, nella vita adulta, che sono magari bellissime, affascinanti, intelligenti, ricche di qualità, di doti particolari. Eppure, qualsiasi riconoscimento ottengano, non riescono mai a sentirsi del tutto soddisfatte di sé, adeguate. È il caso di donne molto attraenti, come Marilyn Monroe, per esempio, che certo, sul piano razionale, oggettivo ammettono la loro bellezza. Ma inconsciamente continuano a sentirsi «brutte», proprio perché è mancato loro il riconoscimento iniziale più importante, quello materno.

La madre è il primo specchio in cui si riflette il bambino: ciascuno assorbe dentro di sé le immagini che vede riflesse nei suoi occhi, il suo sguardo, la sua voce, i suoi gesti prima ancora che nelle sue parole. Per questo è importante rinunciare almeno in parte ai propri desideri inconsci, in modo da riflettere sul bambino non solo l'amore, ma anche l'orgoglio, la soddisfazione di essere madre di quel figlio, diverso da ogni altro. Anche da quello immaginario.

Sembra impossibile cancellare di colpo tutto quello che si è immaginato, desiderato, sognato per il figlio nei nove mesi di gravidanza, e anche prima. Come avviene questo passaggio dalla fantasia alla realtà, questo adattamento che rende capace la donna di amare il suo bambino così com'è, e non come vorrebbe che fosse?

Sicuramente il bambino immaginario, ideale, non viene immediatamente cancellato dall'evento della nascita, ma permane nella mente della madre. Si adattano così a poco a poco fantasie e desideri a una realtà certo diversa, ma ricca di sorprese che rende il bambino vero spesso più affascinante e amabile di quello del sogno. C'è in ogni neonato una capacità istintiva, genetica quasi, di attrarre a sé, di sedurre l'adulto, con una specie di fascinazione immediata e nello stesso tempo remota, che riporta all'infanzia stessa del genere umano.

Nel mistero indecifrabile di questo fascino è racchiuso il «segreto» di ogni neonato, ciò che lo rende pur così piccino, fragile e indifeso, già capace di porsi come persona nella relazione con l'altro, di interagire. Si sviluppa così a poco a poco un processo di reciproco adattamento, fra il bambino e la madre, che favorisce in modo spontaneo, naturale, l'abbandono degli infiniti desideri rispetto al figlio.

Nei primi mesi di vita, il bambino si stacca progressivamente da uno stato di fusione psicologica, emozionale con la madre. E nello stesso tempo anche la mamma si stacca dai suoi sogni, dalle sue fantasie per accogliere il proprio figlio, così com'è. È un processo importante, perché solo a questo punto si comunica al bambino un'accettazione totale, che sarà alla base della stima di sé: la fiducia in se stessi e nelle proprie capacità.

Le aspettative materne

È naturale però continuare a nutrire delle aspettative, nei confronti del figlio. E immaginarlo non più fra le ombre dei propri sogni, ma proiettato nella realtà del futuro, con tutti i progetti e le possibilità che offre. Queste aspettative possono condizionare troppo il destino del figlio?

La personalità del bambino si evolve e si arricchisce anche attraverso i desideri che i genitori nutrono nei suoi confronti: purché siano realistici, ragionevoli e tengano conto del nucleo più profondo della sua personalità, accettando la sua indole, le sue inclinazioni, così come si manifestano man mano che cresce.

Le naturali aspettative dei genitori dovrebbero quindi limitarsi a sostenere e a potenziare lo sviluppo degli aspetti più positivi della personalità del figlio. Possono invece condizionare negativamente questo sviluppo, quando sono eccessive, a senso unico: mirano cioè alla soddisfazione dei propri desideri, piuttosto che di quelli del bambino.

Questa prospettiva distorta può verificarsi quando i genitori sono insoddisfatti di sé, o della loro relazione di coppia e, soprattutto, quando questa insoddisfazione, questo scontento non vengono riconosciuti in modo consapevole, esplicito. Si tende in questo modo a proiettare sul bambino aspettative e desideri eccessivi, che rappresentano una compensazione di qualcosa che manca o ci delude in noi stessi o nel partner.

Una donna scontenta della sua vita sentimentale spesso si attende di essere ripagata dal figlio, dalle soddisfazioni che saprà darle, soprattutto se considera il proprio compagno un uomo deludente, non all'altezza delle sue necessità o dei suoi ideali. Si aspetterà così che sia il figlio a colmare queste mancanze, riversando su di lui un eccesso di pretese, sia affettive che sociali. Allo stesso modo anche il padre può esprimere questo bisogno di compensazione, attraverso il figlio.

Quando invece l'insoddisfazione riguarda se stessi, la propria vita, può succedere ad entrambi i genitori di attendersi una specie di «rivincita» dal figlio: che avrà così il compito di colmare le loro aspirazioni deluse, piuttosto che le proprie.

Che effetti può avere sul figlio questo carico eccessivo di aspettative, da parte dei genitori?

Per fortuna, nella maggior parte dei casi, i bambini trovano già da piccoli la forza di affermare se stessi, rifiutando le pretese dei genitori di compensare le loro stesse mancanze, di soddisfare le loro personali ambizioni. Questa rivendicazione di autonomia può suscitare però conflitti molto forti, che nascono dalla paura di perdere l'amore dei genitori. Può succedere che il bambino tenda a compiacere le loro aspettative, rinunciando alle proprie, per essere il più possibile come loro lo desiderano, per realizzare il loro ideale.

Vi è così il rischio che si sviluppi un «falso sé», che si sovrappone alla sua personalità più autentica, cancellandola. Nello sforzo di adeguarsi alle attese dei genitori, il bambino si comporta «come se» non fosse lui stesso a vivere le proprie esperienze, la propria vita: ma un altro, costruito a immagine e somiglianza delle aspettative degli adulti.

L'eccesso di compiacenza può impedire al bambino e poi all'adulto di provare emozioni e sentimenti autentici, di essere in sintonia con i propri bisogni più profondi. Queste personalità «come se», benché spesso appaiano realizzate e felici, nascondono dentro di sé un bambino infelice che non riesce a gridare la propria rabbia, un bambino che, essendo stato troppo buono, non è riuscito a vivere in prima persona, a essere veramente se stesso.

Tenerezza e aggressività

L'altra faccia dell'amore è il suo contrario: come tutti i grandi sentimenti, è ambivalente. E contiene anche elementi sia pure nascosti, spesso inconsci, di aggressività e a volte di odio. Ma con i figli? Come vivere gli aspetti meno «ideali» dell'amore materno?

C'è ancora oggi una retorica molto forte dell'amore materno: una idealizzazione che provoca in molte madri l'incapacità di accettare momenti di stanchezza, di irritazione, di insofferenza, e a volte anche di collera e di aggressività nei confronti del figlio, senza sentirsi in colpa. Si preferisce così negare questi sentimenti, reprimerli, esiliarli nell'inconscio, dove però continuano ad agire, a nostra insaputa: col rischio che tutta questa energia rompa poi la diga della censura. E si esprima in modo incontrollabile, inconsulto. È il caso di madri tenerissime, che improvvisamente si lasciano andare a scoppi di rabbia incomprensibili a loro stesse, per motivi del tutto banali.

Quindi è importante sapere che anche l'aggressività è una componente dell'amore materno: solo in questo modo si può accettarla ed elaborarla, trasformandola in qualcosa di positivo nella relazione col figlio. Che a sua volta la esprime in modo del tutto spontaneo, primitivo, già da piccolo, quando morde il seno della madre o le tira i capelli. E più avanti quando alterna manifestazioni di amore assoluto, con eccessi opposti. E magari grida, di fronte a una proibizione che non capisce o a un'ingiustizia che non può accettare: «Mamma, ti odio!».

Non è strano: l'aggressività è un impulso vitale, necessario per sopravvivere, che fa parte della stessa natura dell'uomo, della sua eredità storica. Questo impulso può essere distruttivo, quando viene vissuto allo stato puro, senza la mediazione della ragione e della coscienza. Nella sua forma più elaborata, consapevole, si trasforma invece in una spinta vitale estremamente positiva: è un modo di aggredire la vita, affrontando i suoi conflitti e cogliendone le occasioni, senza tirarsi indietro.

In che modo l'aggressività materna può rappresentare una spinta vitale positiva, anche per il bambino?

È importante che le componenti aggressive, sempre presenti in ogni rapporto, siano temperate dalla corrente di tenerezza che caratterizza l'istinto genitoriale verso il cucciolo. Solo così l'amore si depura di ogni elemento distruttivo, anche quando esprime tratti di aggressività. Il rapporto materno porta con sé l'espressione della tenerezza: un sentimento che già conosce chi da piccolo l'ha ricevuto dalla propria madre. E può ora riversarlo sul figlio.

Chi invece ne è stato privato, può crearlo, dentro di sé, attraverso la consapevolezza di questa mancanza e la possibilità di dare a un altro proprio ciò che non si è ricevuto. Poiché il genitore si identifica con il figlio, i sentimenti positivi che suscita in lui gli servono per recuperare le gratificazioni che gli sono mancate nell'infanzia, per cicatrizzare la ferita lasciatagli dal disamore. In questo senso la vita ci concede sempre una replica.

Non solo, ma è lo stesso bambino che aiuta la madre a scoprire la tenerezza, attraverso quella misteriosa, indecifrabile capacità di seduzione che contraddistingue i cuccioli, in particolare quelli umani. E che risveglia nella donna il primo sentimento materno: la tenerezza, appunto.

Come si riflette sul bambino questa forma particolare di aggressività materna, temperata dalla tenerezza?

Il bambino ha bisogno di un amore materno autentico, che sappia esprimere nel modo più positivo anche le pulsioni aggressive, senza reprimerle o mascherarle. Questo gli serve per capire che l'aggressività non è necessariamente qualcosa di «brutto», di «cattivo», che appartiene solo a lui, ma che una componente di odio fa parte dell'amore: e che può essere controllata dalla ragione. Impara così a non sentirsi sempre e comunque in colpa.

Non solo, ma l'aggressività materna serve al bambino perché favorisce il distacco dalla madre. Tutte le volte che ci si allontana da qualcuno, che si rinuncia a un legame molto stretto, si mettono in atto pulsioni aggressive: lo si vede bene, nei momenti cruciali dello sviluppo infantile. Rifiutare queste pulsioni, da parte della madre, significa impedire o rendere più difficile un salutare e progressivo distacco, indispensabile perché il figlio acquisti autonomia.

Si rischia così di rinchiudersi in un rapporto simbiotico, che risponde alla logica infantile del «tutto o niente». O il bambino è tutto mio, oppure non esiste. O è assolutamente buono, oppure assolutamente cattivo. O è accettato, oppure rifiutato. Questa logica del bianco o nero, priva di mezze misure, è dominata da inconsce fantasie di onnipotenza materna, che rendono più difficile avere col figlio un rapporto duttile, mobile, pronto ad accogliere anche le componenti diverse, eterogenee di questo legame: come l'aggressività e la necessità del distacco.

La mamma apprensiva

È naturale che una mamma si preoccupi per il proprio figlio. E cerchi di proteggerlo, tenerlo al riparo dai pericoli, evitare che gli succeda qualcosa di male. A volte però questa giusta preoccupazione materna si trasforma in una apprensione eccessiva. E si ha paura di tutto. Perché?

Una madre diventa apprensiva quando teme che possa sempre succedere qualcosa di male al figlio. Vede pericoli dappertutto, anche dove non ce ne sono: e non stacca mai gli occhi dal suo bambino, sempre pronta a corrergli in soccorso, a proteggerlo, a difenderlo da minacce spesso inesistenti. E anche a sostituirsi a lui, evitandogli compiti ed esperienze essenziali per crescere, nel timore che sbagli, che non sia in grado di farcela da solo. Perché lo sente sempre fragile, vulnerabile, impotente di fronte alle difficoltà.

Questo succede quando la madre continua a confondersi col figlio, anche man mano che cresce, e non riesce ad accettare quel distacco mentale, che la porta a considerarlo una persona autonoma, capace di pensare e agire per proprio conto: lo tratta così come un oggetto delicatissimo, prezioso, che appartiene solo a se stessa. La totale impotenza attribuita al figlio, è il riflesso di un inconscio sentimento di onnipotenza materna. È per questo che molte mamme si attribuiscono doveri e poteri eccessivi: pensano di dovere e potere tutto, in cambio di un'infinita gratitudine, da parte del figlio.

L'apprensione materna è spesso il risvolto non solo di questa idea di onnipotenza infantile nel rapporto col figlio, ma anche di pulsioni aggressive non risolte. Chi ha sempre paura che gli capiti qualcosa di male, proietta all'esterno la propria aggressività: un impulso intollerabile, perché contiene appunto il sospetto di poter far male al bambino. È questo spostamento fuori di sé di una fantasia spesso inconsapevole e inaccettabile che la induce a vedere pericoli dappertutto, come se il male fosse sempre in agguato.

Ancora una volta dunque è importante riconoscere che nell'amore materno esistono anche pulsioni aggressive che si possono elaborare, trasformare: solo così la madre si sentirà rassicurata, meno apprensiva. E cesserà di riversare sul figlio le sue paure.

Come si riflette sul bambino l'eccessiva apprensione materna?

Il bambino tende a fare quello che la madre gli comunica. E se gli invia continuamente questo messaggio: «Sei fragile, vulnerabile, incapace di farcela da solo», il bambino si sente così. Tende quindi a essere molto passivo, dipendente da lei. Ma anche maldestro, insicuro e molto più a rischio degli altri bambini. Sono proprio i figli di madri troppo apprensive, a essere i meno capaci di cavarsela da soli.

Se invece la mamma ammette di non essere così onnipotente, nel bene e nel male, riconosce anche che il figlio non è così vulnerabile e che può correre i rischi della crescita senza eccessivi pericoli. Questo non significa naturalmente che debba venir meno la responsabilità materna, l'atteggiamento vigile.

«Non mi preoccupo, ma me ne occupo» diceva al proprio figlio una mamma attenta, ma non apprensiva. Senza continue ed eccessive intrusioni nella vita del bambino, la madre può vegliare su di lui in modo duttile, silenzioso, mantenendosi ad una giusta distanza e lasciandogli muovere i primi passi nel mondo in modo sempre più autonomo, senza prevaricarlo.

È importante insomma rinunciare all'idea totalizzante del rapporto madre-figlio, sempre giocato sulla polarità del «tutto o niente». Quest'idea ancora infantile della maternità può rendere più difficile stabilire un rapporto armonioso, equilibrato col figlio. Di fronte alle inevitabili delusioni, che ogni bambino crescendo dà ai genitori, ci possono essere reazioni che sembrano addirittura azzerare l'amore, proprio come reagiscono i bambini alle frustrazioni. Un atteggiamento adulto, di pazienza, di tolleranza rende invece capaci di concedere al figlio la libertà di cui ha bisogno come dell'aria per respirare.

Le prime delusioni

Come affrontare in modo equilibrato le delusioni, le frustrazioni che un bambino inevitabilmente provoca, man mano che cresce?

Ogni bambino è destinato a deludere in qualche misura le aspet tative materne, anche quando si è abbandonata l'immagine del «figlio ideale», e lo si ama accettandolo così com'è. Succede quando nei momenti cruciali della crescita attraversa fasi di regressione: torna piccino, diventa goffo, maldestro, riprende a fare la pipì a letto, vuole di nuovo il biberon... Lo sviluppo infantile non segue un percorso lineare, costante. Ha battute di arresto e movimenti di retromarcia. Se il bambino «torna indietro», spesso è solo per prendere la rincorsa e saltare più in alto al prossimo ostacolo. Saperlo è già un modo per non sentirsi deluse, preoccupate. E per non riversare su di lui la propria insoddisfazione.

Ma il figlio può deludere la madre anche in molti altri modi. Quando è troppo aggressivo, crudele, spietato, come lo sono a volte i bambini, allorché si confrontano con sentimenti e conflitti più grandi di loro. In certi casi il piccolo dimostra che il suo «amore è interessato», parassitario: appena ha ottenuto ciò che vuole, si dimentica della mamma, come se non esistesse più. Altre volte la offende, oppure è sospettoso, rifiuta il cibo preparato da lei, mentre dimostra provocatoriamente di apprezzare quello della zia. Oppure è arrabbiato, scontroso con la mamma, ma sorride agli altri che commentano estatici: «Com'è carino...».

A volte sono sufficienti delusioni banali, per indurre una mamma a «non amare» il figlio, come ha osservato Donald W. Winnicott, e per essere di nuovo pronta ad amarlo subito dopo. È proprio questo il segreto della mamma «abbastanza buona»: la capacità di «odiare» a volte il suo bambino, senza mai «fargliela pagare».

Il rapporto con la propria madre

Nell'amore materno entrano in gioco molti sentimenti, spesso contrapposti: tenerezza e aggressività, dedizione e richiesta di gratitudine, appagamento e insoddisfazione, senso di onnipotenza e paura, apprensione, grandi aspettative e delusione... Come influisce nell'equilibrio di questo rapporto materno così ricco, vitale, ma anche complesso, difficile, l'eredità che la figlia ha ricevuto dalla propria madre, nel suo primo legame con lei?

Il rapporto tra madre e figlia è il più importante nella vita di ogni donna. Proprio per questo, è anche il più difficile, il più conflittuale.

È dal superamento degli antichi rancori che nasce la nuova donna, e poi la nuova madre, pronta a raccogliere e a riversare sul figlio gli aspetti più positivi del suo primo legame. Ma anche chi questi contrasti non li ha superati, e soffre ancora per la mancanza di una «mamma buona», trova nella maternità l'occasione di rivivere quel rapporto iniziale d'amore materno che le è mancato. E di diventare lei stessa la buona madre che non ha avuto.

Nella gravidanza e nella relazione col figlio si rivivono anche le proprie esperienze infantili, è vero. Ma il ritorno del passato non ne determina necessariamente la ripetizione. Al contrario, se vi sono state carenze, insoddisfazioni, delusioni, queste esperienze possono essere recuperate, modificate e rese positive proprio attraverso una maggior consapevolezza di ciò che può rendere felice un bambino. La maternità rappresenta una seconda chance che consente a ciascuna di saldare positivamente i crediti contratti nella propria infanzia.

Il passato ritorna in modo nocivo solo quando le esperienze negative non sono state elaborate: quando il dolore, la sofferenza, la rabbia non sono stati «pensati», o sono stati dimenticati troppo presto, lasciando strascichi di aggressività e ostilità di cui si è inconsapevoli. È importante invece che le proprie esperienze infantili trovino una collocazione non solo nel tempo – è stato quello che è stato – ma anche dentro di noi, in modo da essere in pace con noi stesse e con la nostra storia. Si evita così che il passato irrompa nel presente, con tutta la forza incontrollabile di sentimenti e conflitti inconsci, solo apparentemente «dimenticati».

In fondo tutti i genitori, anche i migliori, non sono privi di «colpe» agli occhi dei figli. Ed è proprio quando si perdonano queste colpe, vere o presunte che siano, che si diventa adulti. La maternità è un evento che facilita il perdono, e la pacificazione col proprio passato. Diventa così più facile il riavvicinamento alla propria madre, e una nuova forma di comprensione, ora che se ne condivide lo stesso destino. Come nel gioco della matrioska russa, ogni donna è contenuta nel corpo di un'altra donna che a sua volta ne contiene un'altra e questa un'altra ancora: è nel passaggio di madre in figlia che consiste la specifica genealogia femminile.

E il padre, come interviene sui contrastanti sentimenti della madre verso il suo bambino?

Il padre, come abbiamo già visto nel corso dell'attesa, guarda più lontano della madre, proietta più di lei il bambino nel futuro, lo vede già cresciuto quando è ancora «in fasce».

La mamma invece vive con tale intensità ogni momento del suo rapporto col figlio che spesso si smarrisce nel presente, nel qui e ora dei problemi immediati. Come si suol dire, rischia di perdersi «in un bicchier d'acqua». La concentrazione l'aiuta a cogliere i bisogni, le variazioni d'umore, i desideri, i malesseri del bambino, ma li amplifica oltre misura, come se fossero sottoposti a una lente di ingrandimento.

Il marito, che rimane più distaccato, può perciò aiutarla in molti modi. Innanzitutto può alleggerire la pressione dell'accudimento dedicando un poco del suo tempo al bambino. Non solo, ma può offrire alla moglie occasioni di distrazione e di svago dentro e fuori la famiglia. Sappiamo che una gratificante vita sessuale e sentimentale favorisce, nel modo migliore, il distacco della coppia madre-figlio. La donna «troppo mamma» è spesso la conseguenza di una relazione coniugale poco avvincente, che non costituisce un'alternativa al legame naturale col bambino.

In ogni frangente, infine, il marito può aiutarla minimizzando le sue preoccupazioni. Dicendole, ad esempio: «Ma non è mai morto nessuno per così poco!», quando il bambino si fa male. Oppure: «Ma lascia che provi!», quando si cimenta con nuove difficoltà.

I due punti di vista – la relativa miopia materna e la relativa presbiopia paterna – diventano così complementari e il bambino cresce, come dev'essere, nelle coordinate del tempo.

IV
La mamma che lavora

ninna-nanna ninna-nanna
si accende la sera
è tornata la mamma

«Arrivederci a stasera!»: comincia presto, per la donna che lavora, il distacco quotidiano dal figlio. Di solito a cinque mesi dal parto, quando scatta il termine del permesso di maternità concesso dalla legge. A volte qualche mese più tardi, quando la madre può permettersi di usufruire di un periodo più lungo di aspettativa, non retribuito. In molti casi anche prima, soprattutto quando la donna svolge un'attività autonoma, in proprio, e non può o non desidera protrarre troppo a lungo il periodo di inattività lavorativa.

Sono tante, in Italia, le donne che si trovano ad affrontare contemporaneamente maternità e lavoro: circa quattro milioni, secondo i dati ISTAT. *Ed è proprio questa una delle scommesse più difficili dell'emancipazione femminile: essere donne libere, autonome, economicamente indipendenti, capaci di affermare anche attraverso il lavoro la parità con l'uomo, senza rinunciare a essere madri.*

Una sfida che la società non sembra ancora pronta ad accogliere pienamente. Anche se in teoria nessuno disconosce il valore collettivo, sociale della maternità, si continua a penalizzare la madre che lavora, da un lato rendendo spesso più lenta e difficile la sua evoluzione professionale, e dall'altro lesinando il tempo necessario per uno sviluppo armonioso di quel primo legame materno col bambino, così importante per il destino dell'individuo, l'adulto che sarà domani.

Alla naturale preoccupazione materna nel rapporto con un bambino così piccolo, ancora in gran parte da conoscere, si aggiunge inevitabilmente l'ansia di staccarsi dal figlio e affidarlo alle cure di altri, fino a sera. Nascono così nuovi dubbi, incertezze, timori: «Che cosa sarà successo in queste otto ore? Fino a che punto il mio bambino avrà sofferto per la mia mancanza? Quante esperienze mi vengono sottratte, quanti gesti, quanti messaggi, quanti piccoli, preziosi segnali della sua crescita mi sfuggono? E, soprattutto, crescerà bene anche senza di me, senza avermi sempre vicino? O ne risentirà, più avanti negli anni?».

Una donna «spezzata»?

Otto ore di lavoro non sono poche. A volte sembrano addirittura un'eternità per chi ha lasciato il figlio piccolo al nido oppure a casa, con la nonna, la suocera, la baby-sitter... Per evitare un carico eccessivo di ansia, che si riflette in modo negativo sia nel lavoro che nel rapporto col figlio, quando si torna a casa, è possibile scindere questi due aspetti della propria vita? E pensare solo al lavoro, quando si è al lavoro, e solo al figlio, quando si è con lui, come consiglia qualcuno?

È piuttosto difficile per una mamma che riprende il lavoro affidando il bambino ancora così piccolo alle cure di altri operare questa scissione: la capacità di concentrarsi sul lavoro, quando si è fuori casa e viceversa, si acquista solo col tempo. Nel suo primo impatto col lavoro, è naturale che la donna si senta «incollocabile». Quando è al lavoro non può evitare di pensare al figlio, di immaginarsi con lui a casa. E viceversa quando è a casa non sempre può lasciare dietro di sé, fuori dalla porta, i residui della giornata di lavoro.

Questa «incollocabilità» si supera man mano che si acquista una maggior fiducia in se stesse, come madri. Ci si accorge che il bambino cresce bene lo stesso, che il legame con lui, quando ci si ritrova, non è meno vivo, meno ricco di prima. Anche il piccolo si abitua, senza troppo dolore, al distacco del mattino ed è pronto ad accogliere la mamma la sera, senza bronci, ripicche o manifestazioni di indifferenza, come se volesse «fargliela pagare».

L'importante è che la donna non si senta imprigionata nella gabbia del lavoro e, in caso di bisogno, esiliata da casa: ad esempio quando il bambino si ammala. Sapere che in caso di necessità si può avere un periodo di congedo senza perdere il posto, è già un enorme sollievo: una possibilità che esiste quasi sempre in Italia, dove la Legge che tutela le lavoratrici madri è fra le migliori del mondo. Naturalmente nel caso venga applicata, perché sappiamo che alcuni datori di lavoro cercano di eluderla e che – fenomeno sempre più esteso – le donne stesse spesso non osano fruire dei suoi benefici per paura di essere licenziate o quanto meno svantaggiate. Ma la civiltà di un paese si misura sulla capacità di investire, sin dalla nascita, sui propri figli.

La ripresa del lavoro

C'è un «momento giusto», per tornare al lavoro?

L'ideale sarebbe poter riprendere il lavoro quando si è stabilito un buon rapporto col bambino e la preoccupazione materna non rappresenta più un'ansia quasi fisiologica, ma ha raggiunto un suo punto di equilibrio. Questo avviene quando il «cordone ombelicale» psicologico, emotivo che permane dopo il parto, si fa via via meno forte, più flessibile. E sia la mamma sia il bambino cominciano ad uscire dal magico cerchio in cui si fondevano nei primi mesi, dopo la nascita. A questo punto la madre è in grado di affidare anche ad altri le cure del proprio bambino, e di staccarsi da lui, ogni giorno, per poi ritrovarlo la sera, senza ansie eccessive.

Se si decide di portare il bambino al nido, il momento migliore sarebbe dopo il primo anno, quando il piccolo comincia a camminare, è capace di dire le prime parole, ha già acquisito in una forma ancora rudimentale, appena abbozzata, le prime «competenze sociali»: muoversi fra gli altri e comunicare.

A questa età il bambino si è già in parte separato mentalmente dalla madre, non si confonde più con lei, riconosce gli altri ed è curioso di tutto ciò che accade attorno a lui. Ancora in bilico fra l'attaccamento alla madre e il desiderio di avventura, di autonomia, può compensare la separazione dalla mamma e la sua mancanza con la nuova attrazione che esercita su di lui il mondo esterno, di cui il nido rappresenta un microcosmo.

E se non è possibile aspettare tanto?

Se per motivi economici o per scelta personale non è possibile aspettare il varco del primo anno di età, allora sarebbe meglio riprendere il lavoro verso i cinque, sei mesi, evitando di far coincidere il distacco con quella fase dello sviluppo infantile, che si colloca intorno agli otto mesi, quando il bambino, oltre a percepire una separazione più netta dalla madre, manifesta anche una certa paura degli estranei. L'impatto con le maestre e i piccoli compagni del nido, o con una baby-sitter sconosciuta, non farebbe che acuire questa paura, prolungando così questo breve ma cruciale passaggio della sua crescita. In ogni caso l'ideale sarebbe poter tornare al lavoro gradualmente, ad esempio con una prima fase part-time, oppure utilizzando l'orario ridotto concesso alle madri fino a quando il figlio compie un anno: questo consente ad entrambi un adattamento più graduale e più sereno alla separazione.

Non tutte le donne desiderano ritardare, per quanto possibile, la ripresa del lavoro dopo il parto. Sembra quasi che molte non vedano l'ora di rituffarsi nella vita di prima. Perché?

Ci sono ancora molti ricatti sociali, che tendono a emarginare la donna-madre dal lavoro. Anche chi non rischia di perdere il posto, può temere di essere assegnata a mansioni meno qualificate o di veder frustrate le sue ambizioni di carriera, se non rientra al più presto. Esistono anche motivi economici molto concreti, soprattutto per chi svolge una attività autonoma, che spingono a riprendere il lavoro il più presto possibile: a volte a poche settimane dal parto.

Ma, indipendentemente da tutto questo, molte giovani madri tendono ad abbreviare, piuttosto che a prolungare quella fase «sabbatica», che permette loro di dedicarsi a tempo pieno al neonato, senza sobbarcarsi di altri impegni extradomestici. È un fenomeno abbastanza diffuso, la rinuncia volontaria e la fretta di occuparsi d'altro, dopo la nascita del figlio. «Tutto il giorno a casa, da sola col bambino, mi annoio», dicono in molte.

Anche in questi casi, la ripresa quasi immediata del lavoro non rappresenta solo una fuga dalla noia, come apparentemente può sembrare. È soprattutto una fuga dalla solitudine, dall'isolamento in cui troppo spesso si trovano a vivere le madri oggi. Molte di loro si sentono davvero estraniate dal mondo, spesso chiuse in un appartamentino all'interno di enormi edifici dove vige la legge dell'anonimato e ci si limita a scambiare qualche frettoloso saluto coi vicini.

In questa solitudine, una giovane mamma può temere un eccessivo coinvolgimento col bambino. E sentirsi assorbita, risucchiata da un legame ancora ignoto, per lei: il ruolo di madre che improvvisamente si trova ad assumere. Diventa così meno facile intrecciare col figlio una vera relazione, che renderebbe molto più vivace e meno pesante la solitudine a due.

E non è strano: oggi si diventa madri senza avere magari mai visto un neonato. Questa mancanza di esperienze, che un tempo era naturale acquisire nelle famiglie allargate, dove c'era quasi sempre un bambino da crescere, rende difficile per molte donne cogliere i messaggi del neonato, interagire con lui e appassionarsi a questa relazione: quasi fosse difficile risvegliare dentro di sé l'istinto materno.

L'istinto materno

Il mitico «istinto materno». tanto in discussione, è davvero un mito, qualcosa di estraneo alla nostra realtà attuale?

Si pensa che la capacità di entrare in sintonia col proprio bambino appena nato, di dialogare con lui, di cogliere i suoi messaggi non verbali, di capire e addirittura di prevedere i suoi bisogni faccia parte del cosiddetto «istinto materno»: che venga da sé, insieme al bambino, come qualcosa di insito nella stessa natura femminile. Invece non sempre è così. È dalla cultura della maternità, non solo dalla natura, che nasce e si forma la competenza materna. Un tempo si trasmetteva di madre in figlia quasi per contatto, mentre le si stava vicino nella cura dei fratellini. Si imparava da lei oppure da altre madri – sorelle, zie, parenti – un «saper fare» che oggi è sempre più raro acquisire nel corso dell'infanzia e dell'adolescenza.

Spesso anche la mancanza di altre donne, con le quali comunicare, rende meno facile il risveglio di un naturale «istinto materno». Si acuiscono invece i timori, le paure. E anche il desiderio di fuga. Si cerca così di ritrovare nel lavoro la sicurezza già acquisita, «qualcosa che si sa fare», mentre si delega ad altri quello che si ha paura di non saper fare: curare e crescere il proprio bambino.

Per colmare questa mancanza di fondo è necessaria una nuova cultura della maternità: una forma di educazione al ruolo di madre che possa sostituire sempre più rare esperienze dal vivo, restituendo valore alla maternità attraverso la conoscenza dei suoi significati psicologici, affettivi ed etici.

Ritrovarsi alla sera

Spesso la madre che lavora cerca quasi di farsi «perdonare» dal bambino la sua assenza, colmandolo al ritorno di regalini costosi ed eccessivi. Anche questo è un aspetto del consumismo, una tendenza a trasferire sugli oggetti emozioni e sentimenti che non si riesce a comunicare in altro modo?

Il dono sostituisce una comunicazione affettiva più profonda solo quando la mamma, appena tornata a casa, si limita a dare qualcosa al bambino, per poi immergersi in altri compiti familiari, senza più concedergli una vera attenzione.

Diverso è invece quando il gesto donativo non si esaurisce in sé, ma viene accompagnato da una comunicazione affettuosa. Allora il regalino che la mamma porta al figlio, tornando a casa la sera, diventa qualcosa di molto importante: è un oggetto magico, un talismano che passando dalle sue mani a quelle del bambino, gli comunica: «Ho pensato a te». Diventa quasi un piccolo rito, fra loro, questa «sorpresa» serale. Ricordo che mio figlio, da piccolo, correndomi incontro, mi chiedeva: «Dov'è il cosa mi hai portato?», rivelando così di aver compreso la connessione tra l'oggetto e il gesto.

Molti genitori si sentono delusi dalla continua richiesta di regalini, come se la loro presenza non bastasse a far felice il figlio. Ma prima di «condannarlo», bisogna cercare di capirlo. Il bambino, che si è sentito privato della presenza della mamma, le chiede, attraverso il dono, una riparazione simbolica. Non è il valore dell'affetto che gli interessa (questo lo apprenderà poi dagli adulti), ma il riconoscimento del debito che la mamma ha contratto nei suoi confronti e che il dono serve appunto a saldare. Se comprendiamo il senso della sua domanda, non ci sentiremo sfruttati e non cercheremo di ingraziarcelo acquistando regali costosi.

In fondo gli basta una cosa da nulla: un cioccolatino, una caramella, una figurina, un giocattolino. È sempre un messaggio d'amore per il piccolo: la mamma non mi ha dimenticato mentre era via. Non solo, ma crescendo il bambino non si limiterà a ricevere questo segno di affetto. Lo ricambierà, correndo incontro alla mamma con qualcosa per lei: uno scarabocchio, una figurina fatta col pongo, un fiore di carta...

Da questo scambio di doni il bambino apprende che si può anche dare, e non solo ricevere. Ed è una conquista importante: imparando a dire «grazie» e a riconoscere, attraverso la gratitudine, quello che ha ricevuto, comincia ad uscire dall'egocentrismo e dalla dipendenza passiva per assumere a poco a poco una posizione più attiva nelle relazioni con gli altri.

Il bisogno di aiuto

Spesso è la stanchezza, la tensione, lo stress a rendere meno facile un rapporto sereno, armonioso col figlio. Come evitare di sentirsi troppo stanche e nervose?

Certo le madri oggi non hanno una vita facile: e da subito, prima ancora di decidere se riprendere il lavoro o no. Già al ritorno dalla clinica si trovano quasi completamente sole, prive dei molteplici sostegni che offriva un tempo la famiglia estesa. Solo pochi giorni dopo il parto, la donna si trova così a dover «funzionare» a pieno regime. Per molte è quasi un punto d'onore dimostrare di non aver bisogno di nessuno, di farcela da sole. Non vedono l'ora di raggiungere la piena efficienza, di dimostrarsi autosufficienti in tutto: non solo nella cura del bambino, ma anche nelle attività familiari e sociali.

Tutto questo implica uno sforzo eccessivo, che produce stanchezza, tensione, nervosismo. Per evitarlo, bisognerebbe rinunciare all'orgoglio di fare tutto da sole. E imparare a chiedere aiuto: in primo luogo al marito, ma anche alla madre, alla sorella, alle amiche, subito dopo il parto, senza aspettare che la ripresa del lavoro renda più arduo il problema. Non bisognerebbe avere tanta fretta di «togliersi la vestaglia», appena rientrate dalla clinica. Ma riaffermare invece il diritto a quella situazione di privilegio che un tempo la società riconosceva alla puerpera: nei famosi quaranta giorni dopo il parto, ogni donna veniva esonerata da incarichi familiari e sociali, per potersi occupare pienamente di sé e del bambino. Un lusso che bisognerebbe tornare a concedersi.

La sospensione da ogni altro impegno in questo periodo rende più facile un buon inizio, nel rapporto tra madre e figlio: è la fase in cui si comincia a conoscere il proprio bambino, i suoi ritmi biologici, la sua indole, il suo modo di reagire agli stimoli e di esprimere i suoi bisogni. Ed è anche la fase di più intensa preoccupazione per la madre. Il neonato è esigente, richiede una continua attenzione. Anche quando dorme, ci si china su di lui per vedere se ha il viso sereno, se è nella posizione giusta, se respira bene...

Dare spazio, fin dall'inizio, a questa preoccupazione materna, in modo da viverla fino in fondo, è il modo migliore per superarla senza troppe ansietà e sensi di colpa. E sentirsi così più tranquille, sicure di sé, quando si riprende il lavoro.

Anche allora non basta l'aiuto di chi si prende cura del bambino in assenza della madre. Occorre che la donna sia capace di farsi aiutare dividendo i compiti col marito, quando torna a casa la sera, affaticata e a volte nervosa. Pensare «non ho bisogno di nessuno, ce la faccio da sola» è una forma di orgoglio femminile che va a scapito dei reali bisogni della madre e del figlio, della serenità del loro rapporto.

Spesso si rinuncia a farsi aiutare perché ci si accorge che le cose si complicano anziché facilitarsi. «Me la sbrigo meglio e più in fretta da sola», dicono molte mamme...

L'aiuto che si riceve non è quasi mai un aiuto ideale. Oltre a saperlo chiedere quindi bisogna anche saperlo accettare, adattandosi ai limiti di chi, bene o male, ci dà una mano. La capacità di affidare al padre compiti tradizionalmente materni, richiede certo molta pazienza, molta tolleranza: dopotutto, l'uomo deve ancora imparare. All'inizio sarà un po' goffo, maldestro, e dovrà farsi aiutare a sua volta per trovare le cose, mettere i pannolini, dare il biberon... Ma intanto apprende: soprattutto se non si sminuiscono i suoi sforzi, criticando la sua incompetenza iniziale.

Si sa che il modo in cui un uomo tratta un bambino piccolo è molto diverso da quello della donna. Lo prende in braccio in modo più brusco, lo tiene meno vicino a sé, ha dei gesti più giocosi che protettivi, scherza col piccolo come se fosse già più grande... Bisogna saper accettare questi modi diversi, senza dimenticare che anche il bambino ha i suoi margini di adattabilità. Si sente più protetto dalle braccia femminili, e più sostenuto invece da quelle maschili.

Ma, per quanto l'atteggiamento del padre possa sembrare inadeguato, rispetto a quello materno, ha una sua funzione emancipatoria: offre al bambino stimoli più attivi che lo aiutano ad uscire a poco a poco dalla passività e dalla dipendenza di un rapporto esclusivamente materno. Il nuovo papà può così affiancarsi alla madre, nella cura del bambino, in modo complementare, senza aspettare che il figlio sia già più grande per cominciare ad occuparsi attivamente di lui. Basta dargli il tempo, il modo e l'occasione di imparare. E anche la donna che lavora potrà così sentirsi meno stanca, più tranquilla e serena, quando prende fra le braccia il figlio, alla sera.

A chi affidare il bambino

Molte mamme, al momento di ritornare al lavoro, si chiedono se sia meglio lasciare il bambino alla nonna o a una baby-sitter. Come risolvere questa indecisione?

Credo che, per quanto possibile, sia meglio non abusare della disponibilità dei nonni: spesso hanno raggiunto, dopo una vita dedicata alla famiglia, una fase di insperata libertà. Perché privarli delle nuove possibilità che offre questa «seconda giovinezza»?

La «nonnità» deve essere fatta più di piaceri che di doveri: l'accudimento quotidiano di un bambino piccolo rappresenta un carico spesso troppo pesante. Talvolta è la nonna stessa che si propone con insistenza. Ma l'eccessivo entusiasmo rischia di provocare la gelosia della mamma che si sente prevaricata e sospinta ancora una volta nella condizione di figlia. Certo, è molto importante per il bambino poter godere della presenza dei nonni. Ma, per rivelare tutte le sue potenzialità di fantasia, di permissività, di gioco, di cui è ricco questo incontro, è meglio che nasca da occasioni spontanee, desiderate da tutti, e non sia invece una necessità quotidiana.

Come scegliere la baby-sitter? E come essere sicuri che sia proprio la persona giusta?

Salute, equilibrio, affidabilità, competenza: sono le caratteristiche più ovvie, che costituiscono già una prima discriminante nella scelta di una baby-sitter. Ma alla persona alla quale ci accingiamo ad affidare nostro figlio, non le pulizie di casa, possiamo chiedere anche qualcosa di più: un sentimento immediato di fiducia e di simpatia. È giusto quindi che la mamma non si limiti a una valutazione esteriore, razionale e cosciente, ma interroghi anche il suo cuore.

In certi casi, nonostante ogni giudizio favorevole, rimane un'ombra di sfiducia, una punta di irritazione, una sensazione di scontento alle quali è bene prestare ascolto. Sono impressioni che il bambino coglie al volo, guardando la madre. E che influenzano il suo modo di giudicare le persone, di comportarsi con loro, soprattutto quando è ancora molto piccolo. Decide così se deve «restare sulle sue», oppure sciogliersi in un sorriso, non lasciarsi neppure toccare, oppure farsi abbracciare...

È importante, per il bambino, che possa crearsi un clima di grande intimità con la baby-sitter: è lei che dovrà nutrirlo, lavarlo, vestirlo, metterlo a letto, consolarlo nei momenti di nostalgia e di sconforto. In una parola, è lei che dovrà occuparsi di lui, ogni giorno, per molte ore invece della mamma. Dobbiamo perciò saper cogliere il suo messaggio, se si mostra diffidente, se osserva di sottecchi la nuova venuta.

La baby-sitter tra mamma e bambino

Come facilitare l'adattamento del bambino a una persona ancora del tutto estranea?

Almeno per una settimana è meglio che la nuova baby-sitter rimanga accanto alla mamma, come un'amica, inserendosi gradualmente nei suoi scambi col bambino, quando viene esplicitamente autorizzata. Meglio lasciargli il tempo di abituarsi a lei, piuttosto che prevaricare il suo riserbo con manifestazioni di affetto e di entusiasmo ancora premature.

La mamma si allontanerà un poco per volta, dapprima per un'ora, poi per un pomeriggio, avendo sempre cura di parlare col figlio, di dirgli: «Me ne devo andare per un po' di tempo, ma tornerò al più presto. Stai buono. Vedrai che la tata avrà buona cura di te, come la mamma». E al ritorno: «Vedi che sono tornata, che non ti abbandono, che ora mi dedico soltanto a te».

Probabilmente il piccolo non capisce il significato del discorso, ma il semplice suono delle parole rassicura la mamma stessa mentre le pronuncia. E, di conseguenza, anche il figlio. Il piccino, scelto in quel momento come interlocutore privilegiato, si sente preso sul serio, come un adulto. Le parole, pronunciate col cuore, vibrano di emozioni che si colgono al volo, a qualsiasi età: anche a pochi mesi. Troppo spesso parliamo dei bambini ma non con i bambini. Come se fossero una cosa e non una persona. L'uomo nasce nel linguaggio ed è dalle parole che gli vengono rivolte che ottiene il suo più importante riconoscimento.

Dal canto suo, se il bambino non riesce ad esprimersi con le parole, lo farà col corpo. Molte forme inspiegabili di vomito, di diarrea, di singhiozzo, sono un modo per «urlare» alla mamma: «Non posso più andare avanti così, aiutami!». Ma se si è mantenuta, almeno in parte, quella segreta sintonia che si era stabilita durante la gravidanza, non c'è bisogno di giungere a tanto: la mamma sentirà risuonare in sé il disagio del suo bambino e, riconoscendolo, gli darà voce e ascolto.

A volte si crea una certa rivalità fra la mamma e la baby-sitter. Perché? E come superare questo scoglio?

È quasi inevitabile che una mamma provi sentimenti di gelosia nei confronti di un'altra donna che si sostituisce a lei nelle cure del bambino, per tante ore al giorno. E che a volte le «ruba» momenti irripetibili della sua crescita: come le prime parole o i primi passi. L'alleanza fra donne è una conquista, non un dato di fatto già acquisito. E sarà tanto più facile condividere con un'altra donna il proprio legame col figlio se la mamma che lavora si libera da inutili sensi di colpa: spesso è proprio questo sentimento che la induce a vedere nella baby-sitter una rivale che usurpa il suo posto. E la punisce.

Nella mia esperienza mi è capitato di constatare anche l'altro risvolto di questa rivalità. Succede quando una baby-sitter non ha risolto il suo desiderio di maternità. Cerca di compensare così questa insoddisfazione fantasticando di essere la mamma del bambino che le viene affidato e illudendosi di prendere davvero il posto della madre reale: una figura che tende a cancellare, nel legame col bambino, quasi per gioco.

Questa sovrapposizione ha però un effetto negativo per il piccolo, che si sente al centro di un doloroso conflitto di proprietà. La sua reazione più immediata, molto spesso, è il rifiuto dell'«intrusa»: anche se la baby-sitter si occupa di lui nel migliore dei modi, viene costantemente respinta, senza motivi apparenti, visibili. È il suo modo di esprimere il malessere per un conflitto altrettanto invisibile, che rimane nascosto nell'inconscio.

Per evitare queste situazioni che creano disagio nel bambino è meglio che le posizioni siano sempre chiare: la baby-sitter non è la mamma. E non deve prenderne il posto. Per questo è bene che mantenga sempre un certo distacco «professionale», senza naturalmente svuotare il rapporto col bambino delle sue componenti emotive e affettive, rendendolo arido, freddo.

Nella scelta della baby-sitter è importante l'età?

Quando il bambino è ancora molto piccolo, a volte è meglio una baby-sitter matura, che rappresenti quasi una nonna per lui, mentre una baby-sitter giovane può essere più adatta quando il bambino è più grande: la prima sa essere più protettiva, la seconda più stimolante. In ogni caso quello che conta veramente, molto più dell'età anagrafica, è la disponibilità profonda a occuparsi del bambino in modo «materno» senza volersi sostituire alla madre.

V

C'è bisogno di un padre

ninna-nanna ninna-nanna
il papà fa la mamma
culla culla il suo bambino
lo addormenta pian pianino

Dopo un periodo di latitanza, o di scarsa presenza, la figura del padre ha fatto ormai da tempo la sua ricomparsa sulla scena familiare. Ma è una figura ancora imprecisa, con un ruolo non ben definito, come un personaggio in cerca d'autore. Certo non è più, o lo è sempre meno, il padre di una volta, che accentrava su di sé l'autorità, la legge, la disciplina, mentre la madre dominava incontrastata nel mondo degli affetti e delle cure quotidiane. Oggi la divisione dei ruoli non è più così netta. E capita sempre meno che il padre rappresenti il «giudice supremo», nei confronti dei figli, quando infrangono i principi, trasgrediscono le regole: «Stasera lo dico a papà», è un'antica minaccia materna che sembra quasi del tutto scomparsa dal lessico familiare.

Poteva essere una figura ingombrante, minacciosa, punitiva, questo vecchio padre di una volta, e rappresentare un modello così autorevole, irraggiungibile da non permettere mai al figlio di identificarsi con lui, di prendere il suo posto, nella vita adulta. «Tutto quello che mi ingiungevi, era senz'altro un comandamento divino. Fui ridotto all'obbedienza, ma ne ricevetti un danno interiore», scriveva Franz Kafka nella sua famosa Lettera al padre. *Ma poteva anche essere un grande maestro di vita, che lasciava la sua tavola delle leggi ben impressa nell'anima. Ed equilibrava il peso dell'influenza materna nello sviluppo del bambino. Come scriveva un grande poeta, Goethe: «Di mio padre ho la statura, il modo vigoroso e serio di comportarsi nella vita. Di mia madre ho la natura gioiosa e il piacere di raccontare storie…».*

Oggi non solo non esistono più in famiglia questi due ruoli così chiaramente contrapposti e complementari, il padre e la madre. Ma c'è il rischio che il papà si trasformi in una seconda mamma, raddoppiando la dose di maternage *assorbita dal figlio. Non sempre è così, naturalmente. Molti mali della società, oggi, sembrano comunque derivare proprio dalla carenza di un solido «principio paterno», che regoli e indirizzi la vita dell'indivi-*

duo, già nell'infanzia. Mentre il segno di una eccessiva impronta materna si rivela in molti adolescenti con la tendenza ad aspettarsi tutto dagli altri, dalla società, come da una grande madre disposta a dare tutto senza chiedere niente in cambio. E senza imporre norme, regole, principi: col rischio di non essere mai veramente in grado di prendere in mano la propria vita, in modo autonomo e responsabile, lasciandosi cullare nel limbo della passività e della dipendenza.

Alla ricerca di un ruolo

Il bisogno di un vero padre si fa sempre più forte, oggi, sia nella famiglia che nella società. Ma fino a che punto ne sono consapevoli i nuovi papà? E in che modo cercano di ritrovare un ruolo paterno?

Il bisogno così diffuso di stabilire un nuovo «principio paterno» all'interno della famiglia, nasce proprio dalla consapevolezza, ormai altrettanto diffusa, di quanto sia importante la figura di un padre che abbia una funzione di equilibrio, rispetto alla madre, nello sviluppo psicologico, affettivo e sociale del bambino. Il primo ad esserne consapevole è proprio il nuovo papà: gli uomini oggi sono molto più attenti di quanto non lo fossero quindici, vent'anni fa, alla sfera del privato, ora che la crisi dei valori sociali rende meno forte il desiderio di affermazione nella vita pubblica, nel lavoro e nella politica.

Il nuovo papà è anche consapevole che il vecchio modello trasmessogli dal proprio padre risulta ormai inutilizzabile, dopo la rivoluzione generazionale degli anni settanta, che ha messo in crisi l'autoritarismo sia nella famiglia sia nelle istituzioni. È quindi necessario trovare altri modelli, e costruire nuove forme di relazione. In questa ricerca di nuove vie, i papà più giovani stanno sperimentando la possibilità di entrare in rapporto col figlio da subito, nelle prime cure quotidiane, finora dominio esclusivo della donna, senza più aspettare la soglia dei due, tre anni, quando il bambino aveva già acquisito la prima «competenza sociale», il linguaggio. Questo avvicinamento immediato induce a una conoscenza più profonda del figlio, che passa attraverso il contatto corporeo, i gesti, le sensazioni, le emozioni e non solo le parole. E che aiuta a sviluppare nell'uomo anche doti fin qui poco riconosciute, «al maschile»: come l'intuito, la sensibilità, la tenerezza.

È davvero tanto diffuso questo nuovo comportamento?

Certamente la presenza più ravvicinata del padre nel corso dei primi diciotto mesi di vita, così importanti nello sviluppo del nucleo più profondo della personalità del bambino, quello «emozionale», ha in parte rivoluzionato il modo di essere padre. Ma è un fenomeno ancora abbastanza relativo: molto dipende dal tipo di ambiente, di cultura, e anche di inclinazione personale.

In alcuni casi si tratta di un comportamento di superficie, dettato più dalla moda che da un reale coinvolgimento: ed ecco che il papà, dopo una prima fase di grande entusiasmo, alle prese con borotalco e biberon, preferisce ritirarsi dalla scena, in attesa di «tempi migliori». Ma c'è anche chi rinuncia subito quasi impaurito, di fronte al neonato, e mostra una certa ripugnanza ad occuparsene, come se fosse pericoloso per lui immischiarsi in «cose da donne».

Fra l'uomo che teme quasi una mutazione genetica, nel «fare da mamma» al bambino, e quello che invece lo fa con piacere, quando è necessario, c'è naturalmente tutta una fascia intermedia. Non manca poi, come è emerso da recenti ricerche sui «nuovi papà», chi invece si immerge nel nuovo ruolo assumendo comportamenti esasperati: si identifica in modo eccessivo nel modello materno, al punto da non abbandonare più con il figlio questo tipo di relazione. Anche quando il bambino cresce, continua a fargli da mamma. E magari esaspera proprio gli aspetti materni meno positivi, come l'attaccamento eccessivo, l'apprensione, l'iperprotettività, l'ansia. Oppure si mette in competizione con la madre, come se volesse prenderne il posto, offrendo così al bambino un'immagine paterna molto confusa, ambigua.

Il papà che fa da mamma

Non c'è il rischio che il papà che fa anche da mamma, quando è necessario, possa confondersi con la madre agli occhi di un bambino piccolo?

Molto dipende da come il padre si comporta col bambino. E questo comportamento ha a che fare col suo modo di sentirsi uomo e padre anche a livello profondo, inconscio. A differenza di quanto si può pensare, è proprio l'uomo «virile» che può occuparsi meglio del neonato, e avere con lui quel contatto corporeo, immediato, dal quale era tradizionalmente escluso, senza sovrapporsi alla mamma. È invece la confusione interiore dell'uomo rispetto alla propria identità maschile, il suo atteggiamento psichico, mentale, che può alterare e rendere ambigua la figura paterna.

Bisogna infatti distinguere le cure quotidiane, fisiche, corporee, alle quali oggi partecipa anche l'uomo, dal significato più profondo della funzione paterna, che – come quella materna – è soprattutto psichica, mentale. In questo senso il padre rappresenta, oggi come sempre, nell'universo familiare il polo maschile, opposto e complementare a quello femminile: è colui che separa il bambino dalla madre, inducendolo ad uscire dal suo stato iniziale di dipendenza passiva per assumere un atteggiamento più attivo e autonomo verso se stesso e la propria vita.

Esiste nel bambino, già appena nato, una predisposizione biologica a questa distinzione di ruolo, che inizialmente passa attraverso le sensazioni corporee. Già nelle prime settimane di vita è in grado di distinguere l'uomo dalla donna, il padre dalla madre, utilizzando i suoi riflessi. E lo si vede dalle sue reazioni a stimoli sensoriali di cui avverte istintivamente la differenza, anche sul piano emotivo.

Come un bambino appena nato può distinguere il papà dalla mamma?

L'uomo non «sa di latte». Ha un odore diverso, una pelle più ruvida, una muscolatura più forte, una voce più profonda. Offre quindi al neonato un ventaglio di sensazioni fisiche nettamente separate da quelle che riceve nel contatto con la mamma. Se il padre non nutre dentro di sé la fantasia di sostituirsi alla madre, di essere come lei, meglio di lei, può compiere i medesimi gesti, che solo apparentemente sono gli stessi. Può tenere il neonato in braccio, cullarlo, dargli il biberon, cambiarlo, consolarlo quando piange, con atteggiamenti maschili, che lo contraddistinguono.

Ha gesti meno teneri, protettivi: invece di tenerlo in posizione reclinata, come fa la madre, lo tiene più verticale. Lo discosta da sé, piuttosto che avvilupparlo in un abbraccio, gli offre la spalla, come sostegno, e non il petto. Per divertirlo, lo tiene in alto, sopra il suo capo, gli fa fare l'aeroplano, il vola-vola, oppure lo tiene sulle ginocchia, a cavalluccio. Con la bambina i suoi gesti si fanno però più trattenuti e protettivi, come se la sentisse più delicata, vulnerabile.

L'abbraccio materno, invece, è un gesto di avvolgimento totale, un modo di fondersi col bambino, come se la madre lo cullasse ancora dentro di sé. Tra loro non c'è quasi bisogno di comunicare: sono una cosa sola.

Anche nel gioco la mamma mantiene un atteggiamento di protezione, di coinvolgimento totale, mentre il padre ha un modo di relazione meno morbido, avvolgente, più scherzoso e irriverente. Il diverso significato simbolico dei gesti è quindi molto evidente: «Stammi vicino, ti proteggo io», comunica la madre stringendo il bambino contro il suo seno. «Vai pure, ti sostengo io», sembra dire invece il padre, alzando il bambino verso l'alto, pronto però a offrirgli una spalla su cui appoggiarsi, se ne ha bisogno.

Non c'è bisogno quindi di femminilizzarsi, di mimetizzarsi. I nuovi papà possono occuparsi del bambino da subito, rimanendo quello che sono: un uomo e un padre. E la donna? Come vede l'intromissione dell'uomo in questo suo primo legame col figlio? È davvero contenta, di condividerlo con lui?

Apparentemente sono le madri, per prime, a sollecitare l'aiuto del padre, nelle cure del figlio. Ma non sempre sono pronte ad accettare questo spostamento di ruolo. C'è ancora chi lo sente come un'invasione di campo, una «appropriazione indebita». Lo si vede da come la mamma non distoglie lo sguardo dal bambino, quando lo tiene in braccio il padre. Oppure trova il modo di cogliere qualcosa che non va, e di «riprenderselo»: perché piange, sembra a disagio, tende le braccia verso di lei.

Non sempre è facile per la donna cedere lo scettro del suo tradizionale dominio sul figlio. Spesso «fa finta» di accettare l'aiuto del padre, ma poi lo allontana, appena ne ha l'occasione. Quando nella coppia ci sono problemi irrisolti, può succedere che la donna affidi al figlio il compito di allontanare il marito, chiudendosi in un legame esclusivo con lui: magari per poi lamentarsi che il papà è geloso e che tende ad estraniarsi da loro.

C'è ancora una certa perplessità e incoerenza, insomma, di fronte all'interferenza del padre nel legame materno col bambino. Al punto che talvolta, anche chi si lamenta della scarsa presenza del marito, della mancanza del suo aiuto, in fondo è inconsciamente soddisfatta di questa assenza. Sola col bambino, la madre può intrecciare con lui un legame esclusivo, di possesso totale, realizzando così il sogno segreto della sua infanzia: il desiderio di un bambino tutto per sé. È una fantasia infantile molto presente nell'inconscio della donna, che può trovare un suo spazio nei momenti di gioco col figlio. Ma è bene confinarla nel territorio della fantasia per poter lasciar spazio nella realtà al padre.

Quando il padre non c'è

Oggi sono molte le donne che si trovano a crescere un figlio da sole, o quasi: ragazze madri, ma anche donne separate, divorziate, che nella vita quotidiana devono assumere un doppio ruolo, materno e paterno. Fino a che punto può influire sui figli la mancanza del padre?

In molti casi, è quasi inevitabile che la donna sola si trovi ad assumere un doppio ruolo nei confronti del bambino: è lei che lo segue, lo consola, lo protegge, lo rassicura. Ed è sempre lei che gli offre i primi stimoli sociali: lo sospinge fuori, nel mondo, favorendo la sua autonomia, e indicandogli le norme da seguire. A volte lo punisce, per poi tornare a consolarlo, assumendo così di volta in volta un ruolo paterno o materno.

Per spezzare questo cerchio è importante che il bambino trovi, all'interno della famiglia, un altro riferimento maschile, paterno. Può essere il nonno, uno zio, un amico della madre. Oppure il suo nuovo compagno: purché sia una figura stabile, solida, un uomo che rappresenti un sostegno per il bambino, in alternativa alla madre. E che renda più facile anche per lei il compito di crescere un figlio da sola. In questo modo si può colmare quel vuoto che pesa su entrambi e non solo sul bambino.

A livello più profondo non bisogna dimenticare però che c'è sempre, in ogni bambino, un'immagine di padre: quella che la madre ha formato nella propria mente, custodito nel proprio cuore. E che gli trasmette in una serie infinita di modi, dai meno consapevoli ai più espliciti. Anche se il padre è assente nella famiglia, è sempre ben presente nella mente del bambino, come lo è in quella della madre.

Qual è l'immagine di padre che ogni donna trasmette al figlio?

Psicologicamente il padre è, per il bambino, colui che la madre gli indica come tale. Non è detto che sia quello naturale, biologico. È l'uomo nel quale la donna ha più fiducia, che le dà un più forte senso di sicurezza, anche riguardo al futuro. Attorno a questa figura maschile confluiscono i ricordi dell'infanzia, i sogni dell'adolescenza, le esperienze della maturità.

Si forma così un mosaico interiore di immagini, in cui ha quasi sempre un posto di rilievo la figura del proprio padre, il nonno materno. Quando un matrimonio è infelice, succede spesso che la donna «scavalchi» il padre del bambino per indicare al figlio, come ideale maschile, la figura del nonno. Nei casi migliori invece le due immagini non si contrappongono, ma si integrano o si confermano a vicenda.

Sono quindi almeno due le generazioni di uomini che confluiscono nella figura paterna che la madre trasmette al bambino. Prima, attraverso un linguaggio interiore, evoca nel figlio la sua immagine di uomo e di padre. E poi in modo più esplicito, la conferma attraverso le parole e i comportamenti. L'«idea» di padre, così come si forma nei primi anni di vita, influirà sullo sviluppo psicologico e affettivo del bambino soprattutto verso i tre anni, quando la funzione paterna diventerà determinante per la costruzione della sua identità.

Il rapporto di coppia

Come influisce sul bambino il tipo di rapporto di coppia che c'è fra i genitori?

Un bambino percepisce, di riflesso, attraverso la madre, la qualità del rapporto che esiste fra i genitori, anche nei suoi aspetti più intimi, segreti. Come affermava una grande psicoanalista francese, Françoise Dolto, la sessualità della madre influisce quasi inevitabilmente sul suo legame col figlio, a cominciare dai primi mesi di vita. Una donna che ha una vita sessuale emotivamente ricca, appagante, non avrà motivo di cercare «compensazioni» affettive nel legame col figlio o di riversare su di lui le sue frustrazioni. Sarà invece più facile per lei soddisfare i bisogni del figlio senza chiedere nulla in cambio.

È evidente poi che l'atteggiamento del padre, il suo modo di comportarsi nelle vicende quotidiane e di sostenere la moglie, anche sul piano affettivo e psicologico, gioca un ruolo importante per l'equilibrio e il benessere della donna. E quindi della madre. Se è di sostegno alla moglie, lo è anche per il bambino.

Il modo di interagire dei genitori fra loro si riflette sul bambino, nel bene e nel male, anche quando non è ancora in grado di capire che cosa sta avvenendo intorno a lui. Il neonato assorbe come una spugna il clima di serenità, di gioia, che avverte nell'ambiente familiare, come pure la tensione, i conflitti, le ansietà.

In ogni caso, quando esistono motivi di insoddisfazione – che in modo più o meno acuto emergono quasi sempre nella vita di coppia – è bene non coinvolgere il bambino, tenendolo al riparo dalle proprie discussioni o dalle manifestazioni di delusione, insofferenza, a volte rabbia. Si evita così che i malumori di coppia facciano irruzione nella vita del figlio, trasformandolo in complice dell'uno o dell'altro, e sminuendo così ai suoi occhi l'immagine del padre o della madre.

La funzione paterna

Qual è la «funzione paterna» nello sviluppo mentale del bambino? E perché, nonostante i grandi mutamenti della famiglia, è sempre verso i tre anni che la figura del padre acquista maggior rilievo, e diventa determinante nella vita del figlio?

Anche se cambia la famiglia, e si modificano i ruoli sociali dei genitori, il padre e la madre continuano a mantenere funzioni ben distinte nello sviluppo mentale e affettivo del figlio. Oggi come sempre la figura materna continua a essere centrale nei primi tre anni di vita, finché il bambino raggiunge una propria autonomia che gli consente di separarsi dalla madre e di riconoscersi come individuo.

Solo allora, verso il terzo anno, il bambino comincia davvero ad emergere dall'universo materno, femminile. E a rivolgersi all'altro, il padre. Si delinea così nella sua mente l'eterno triangolo che da sempre segna l'infanzia di ognuno di noi.

Attraverso questo primo rapporto a tre il bambino si confronta con sentimenti nuovi, che irrompono nella sua vita affettiva come un fiume in piena. L'amore si alterna all'odio, l'ammirazione alla rivalità, la gelosia al senso di colpa, come si alternano i desideri e le paure che popolano la sua fantasia.

Il bambino si trova così al centro di un romanzo familiare che si ripete di genitori in figli. E che si sviluppa attorno a un conflitto antico come il mito greco di Edipo. Per il bambino la grande sfida è la rinuncia al desiderio di conquista della madre e il superamento della rivalità col padre, per potersi identificare con lui, come primo modello maschile. Per la bambina invece cambiano le pedine, sulla scacchiera edipica; ma non il gioco: non è la regina, il suo obiettivo, ma il re, il padre; il primo uomo della sua vita.

Un gioco complesso, sia per il maschio che per la femmina, che può trovare un'infinità di sbocchi. E che rappresenta, come diceva Freud, la chiave di volta attorno a cui si struttura la personalità dell'individuo e la sua identità sessuale.

Il riconoscimento del padre

In che modo i genitori possono aiutare il bambino in questa fase centrale della crescita, in cui comincia a costruire la propria identità sessuale?

Per sentirsi maschio o femmina il bambino ha bisogno del riconoscimento profondo della sua identità sia da parte della madre che del padre. Ed esiste una grande differenza, fra i due. Il riconoscimento materno è più implicito. Il bambino lo riceve soprattutto nei primissimi anni di vita attraverso correnti sotterranee di rassicurazione e di valorizzazione. Si crea così quella fiducia di base, che costituisce il nucleo più profondo della sua personalità, quello emozionale e affettivo.

Il riconoscimento paterno è invece più esplicito, più legato all'agire che all'essere: e contribuisce a creare l'autostima, la sicurezza nelle proprie capacità, la conferma di sé come individuo sociale che sa vivere e muoversi nel mondo. È importante che il padre esprima al figlio maschio l'orgoglio per la loro somiglianza e per l'appartenenza allo stesso sesso: «Sei come me». Senza prenderlo in giro, sminuirlo, farlo sentire inferiore, quando si sente assurdamente sfidato: vediamo chi corre più svelto, chi gioca meglio con le macchinette elettroniche, chi mangia il gelato più in fretta... Meglio rassicurarlo dicendogli: «Quando sarai più grande, lo saprai fare anche tu: come me».

Allo stesso modo è importante che il padre confermi, con lo stesso orgoglio, la femminilità della bambina: «Sei come la mamma». E che non la derida, né al contrario la prenda troppo sul serio, quando gioca a «fare la donna», rivaleggiando con la madre. A entrambi, sia maschio sia femmina, è importante che il padre non si limiti a dire: «Sono orgoglioso di te», quando superano una prova, ottengono un successo «sociale». Ma che riconosca, con altrettanto orgoglio, le differenze sessuali nel maschio e nella femmina, e ne apprezzi le qualità. Sulla base di questo riconoscimento originario, i figli saranno poi liberi di costruire la propria identità sessuale e di scegliere il modo di viverla.

Chi è un buon padre, oggi?

Lo è chi cerca per tentativi, per prove, spesso anche per errori, di essere un buon padre secondo modelli e comportamenti ancora in gran parte da inventare, da sperimentare. Un padre che oggi vediamo sempre più spesso, attorno a noi: che non ha sicurezze trionfalistiche, che è capace di mettersi in discussione, che è disposto ad affrontare le crisi e i conflitti inevitabili nel passaggio dalla condizione di figlio a quella di padre. E a modificarsi.

Un uomo che è pronto a riflettere su se stesso, ad ascoltarsi. E che è capace di entrare in modo più duttile nella relazione col figlio, abbandonando l'idea di una figura paterna statica, monolitica, sempre uguale a se stessa, poco adatta a rispondere ai mutamenti e alle trasformazioni che ogni bambino attraversa nel corso della sua crescita.

Un uomo che ha dei dubbi, anche come padre. E che è capace di ammetterli, senza lasciarsi sopraffare dall'ansia. Che sa accettare quelle parti infantili di sé, che gli rendono più facile capire il figlio e i suoi comportamenti, senza però comportarsi lui stesso «da bambino»: per esempio mostrandosi geloso della coppia madre-figlio e ritirandosi dalla scena familiare, quasi per ripicca. Un uomo insomma che sa essere in sintonia col figlio, mutando il proprio ruolo man mano che cresce, senza mai rinunciare alle proprie responsabilità.

Parte seconda

Crescere insieme

VI

Il significato del pianto

ninna-nanna del Re del Pianto
che beveva in un bicchiere
tutto pieno di lacrime nere

Appena nato il suo pianto è un grido alla vita, la conferma del suo essere al mondo. È vivo, respira, sta bene: e lo dice piangendo. Ma poi? Perché piange un neonato? Che cosa ci comunica con questo suo primo linguaggio, modulato sui toni di emozioni intense, a volte violente, ma ancora confuso, inarticolato? E soprattutto come rispondere quando strilla, non perché ha fame o soffre di qualche malessere, ma, almeno apparentemente, senza motivo? Molte mamme istintivamente sentono il pianto del loro bambino come un richiamo che risuona dentro di loro a volte disperato, a volte rabbioso, a volte triste, sconsolato: «Perché mi lasci solo? Ho bisogno di te, del tuo calore, della tua compagnia». E accorrono subito per consolarlo, calmarlo, coccolarlo. Per vederlo al più presto ritornare felice.

Ma c'è anche chi, rispondendo ad ogni suo richiamo, teme di viziarlo sin da piccolo, di farne un prepotente, un tiranno. Come Marisa, che ha un bimbo di due mesi. E ricorda che, quando era ancora in gravidanza, sua suocera le raccomandava: «Ascolta me, lascialo piangere! Altrimenti se ne approfitta. Guarda i miei figli: io ho fatto così e sono cresciuti benissimo». Non mancano poi gli elogi del pianto: allarga i polmoni, rafforza il carattere, scarica le energie in eccesso.

Il primo dialogo

Si rischia davvero di viziare un bambino accorrendo sempre al suo pianto?

È assurdo pensare di viziare un bambino così piccolo, consolandolo quando esprime piangendo la sua inquietudine, il suo disagio. Nei primi mesi di vita non ha ancora una percezione di sé come persona distinta dagli altri: impossibile quindi che faccia i capricci o le bizze lamentandosi per niente, per farci dispetto. Se piange, c'è sempre una ragione.

Anche quando è sazio, pulito e al caldo nella culla, con le sue lacrime il neonato lancia un messaggio, formula una domanda. Spesso è infelice perché si sente solo. E questa sensazione corrisponde, sia pure in modo ancora fisico, a un sentimento di totale abbandono, come se sprofondasse in un vuoto opaco, privo di immagini, di riferimenti. Piangendo cerca allora un appiglio per uscire dalla sua improvvisa disperazione. La comparsa di una figura materna gli è necessaria per ricostituire la fiducia di base, per sentirsi capace di vivere. In un primo tempo sarà convinto che è stato il suo pianto a far materializzare la madre e si sentirà onnipotente. È una illusione, la sua, ma una illusione necessaria, almeno in questa prima fase della sua vita, quando non riesce ancora a distinguere se stesso dalla madre. E si confonde con lei, col suo seno, la sua voce, il suo sorriso.

Ci sono altri motivi che scatenano strilli e lacrime nel bambino, oltre al senso di abbandono?

Certamente. Un bambino può piangere anche per una causa opposta: per un sovraccarico di tensione, quando c'è troppa gente intorno a lui ed è frastornato da voci, rumori, luci, da un eccesso di stimoli. Nel suo grido affiora allora la nostalgia di quel paradiso perduto che è stato per lui, fino a poco prima, l'utero materno, di cui conserva ancora la memoria sensoriale di totale appagamento e quiete. Sensazioni che la madre può ricreare, almeno per un poco, isolandosi con lui, lontano da tutti, in un angolo tranquillo dove il piccolo può calmarsi tra le sue braccia.

A volte il neonato piange in modo così irrefrenabile che non si riesce a calmarlo: tutto intento a sfogare la sua rabbia, sembra quasi respingere ogni tentativo di consolarlo. «Che cosa si può fare per lui?», si chiedono allora i genitori che si sentono esclusi e incapaci.

Per un bambino piccolo il pianto non è solo un mezzo di comunicazione, un modo per dialogare con la madre. Talvolta è anche una necessità: gli serve per scaricare l'ansia e acquietarsi a poco a poco. Anche quando lo teniamo in braccio, gli parliamo, lo coccoliamo, spesso non smette di piangere, ma continua, fra sé e sé, in modo sempre meno disperato, più pacato. Perché fargli fretta? Lasciamogli tutto il tempo di cui ha bisogno per rassicurarsi. E sentirsi di nuovo felice.

Non è strano che ci siano momenti in cui il neonato preferisce isolarsi nella sua rabbia «inconsolabile», staccando i contatti con il mondo. Come non è strano che in altri momenti appaia lontano, enigmatico, quasi intento a riflettere fra sé e sé. E non gradisca che si faccia irruzione nel suo isolamento. Sono momenti preziosi, che è bene rispettare, senza interferire. È il modo in cui il neonato comincia a elaborare il suo «segreto», a costruire il suo nucleo interiore più profondo formando dentro di sé le sue prime immagini mentali. Inutile quindi sentirsi esclusi o incapaci: meglio tenersi in disparte, attenti al primo segnale di richiamo. E pronti a riprendere il dialogo.

Un linguaggio da decifrare

Soprattutto all'inizio, il pianto del bambino ha il suono di una lingua straniera, difficile da decifrare. Come coglierne il vero significato per poter rispondere nel modo più adatto, più giusto?

Per quanto possa, a volte, apparire indecifrabile, siamo di fronte a un linguaggio universale, che non conosce confini. Tutti i neonati strillano allo stesso modo, forse perché hanno tutti gli stessi bisogni, e, probabilmente, gli stessi desideri: cibo, calore, pulizia, le cure necessarie alla loro sopravvivenza. Ma anche desiderio di contatto fisico, di gioco, di dialogo, di tenerezza, altrettanto importanti per imparare a vivere.

Quando i bambini piangono, la loro domanda non è mai precisa e circostanziata. Sentono un disagio vago, oscuro, una tensione senza immagini che proviene dall'interno del corpo e perciò si contorcono, lanciando una serie di strilli privi di contenuto. La loro voce esprime qualcosa di confuso, una inquietudine diffusa, che prende forma, almeno inizialmente, dalla risposta che ricevono.

A vagiti più o meno simili ogni mamma risponde a modo suo e, straordinariamente, il più delle volte è il modo giusto. Perché? Loro stesse non saprebbero darne una ragione convincente. «È la reazione che mi viene più immediata, spontanea», si limitano a dire. E spesso è proprio la spontaneità che guida verso la risposta più adatta al bambino, in quel momento.

Perché la madre è capace più di chiunque altro di tranquillizzare il suo bambino?

Esiste tra madre e figlio una segreta sintonia che si è costituita a poco a poco nel corso della gravidanza. Hanno vissuto insieme nove mesi. E in questo periodo si è formata tra loro una relazione esclusiva e profonda, che non si interrompe con la nascita. Ma continua attraverso modi ed espressioni diversi: dopo il dialogo viscerale e ininterrotto della vita prenatale, quando ancora l'uno si fondeva interamente nell'altro, inizia ora una comunicazione nuova, a due, seguendo il *leit motiv* della domanda infantile e della risposta materna. Col suo pianto, il bambino cerca soprattutto di ristabilire un contatto con la madre, riallacciando il filo di un dialogo che sembrava spezzato.

Anche il papà può consolarlo

Questo significa che solo la mamma può occuparsi nel modo migliore del neonato che piange?

No di certo: può occuparsi del neonato il padre, con altrettanta sensibilità e attenzione. Ma anche chiunque non sia estraneo al piccolo e abbia verso di lui un atteggiamento tenero, affettuoso, disponibile. Naturalmente la figura più importante per il bambino, soprattutto nei primissimi anni di vita, resta la madre. Tuttavia può essere sostituita, quando è necessario, da un'altra figura materna.

Non bisogna poi dimenticare che il rapporto madre-figlio non è statico, sempre uguale a se stesso, immutabile. Inizialmente la madre deve essere aiutata a mantenere e consolidare il suo attaccamento al piccolo standogli vicino un tempo sufficiente perché si stabilisca tra loro un legame privilegiato, un canale di comunicazione così intenso e sicuro da reggere tutte le successive separazioni.

Vi è però il rischio che la donna si senta sola e, soprattutto se è molto giovane, imprigionata nella funzione materna. Per evitarlo bisogna sostenerla affettivamente e aiutarla materialmente: anche dandole il cambio nelle cure del bambino, quando si sente troppo stanca. O ha bisogno di distrarsi.

Vi sono poi mamme così possessive che non tollerano di essere sostituite neppure per un attimo. Preferiscono crollare piuttosto che chiedere aiuto. Come ho già detto, la capacità di ammettere la propria insufficienza aiuta invece il padre a inserirsi nella coppia madre-figlio, a responsabilizzarsi, a sentirsi anche lui indispensabile.

Per alternarsi nella cura del bambino è bene stabilire dei «turni» fra moglie e marito? E decidere, ad esempio, «a chi tocca» alzarsi di notte, preparare il biberon, portare il piccolo a passeggio?

È inutile decidere a tavolino se, di notte, debba alzarsi il padre o la madre e così via. Meglio trovare un ritmo spontaneo, un'intesa profonda piuttosto che affidarsi a una contrattazione di tipo aziendale, sempre inadeguata ai rapporti nella famiglia.

E se la madre si sente stanca, depressa, nervosa, come potrà affrontare questo compito così coinvolgente?

Innanzitutto cercando di non colpevolizzarsi per questi sentimenti negativi. La madre perfetta non esiste e, potremmo dire, «per fortuna!». Sappiamo che elementi di aggressività, corretti dalla tenerezza, servono per mettere in moto un progressivo allontanamento dal bambino, per ritornare a rivolgere i propri interessi al marito, agli altri figli, alla casa, al mondo esterno. Tuttavia le mamme fanno fatica ad accettare i propri limiti. Molto più dei padri.

È una nottataccia quella che sta vivendo la famiglia di Fabio, un neonato in preda al suo primo raffreddore! Entrambi i genitori sono accorsi più volte al suo pianto. All'ennesima chiamata, il padre mormora, cercando al buio le ciabatte: «Stavolta lo strozzo!». Poi, dopo averlo calmato, ritorna a letto e riprende subito sonno. Quando è la volta di Patrizia, la sua giovane mamma, anche lei pensa stizzita: «Che rompi...!». Ma subito si sente in colpa per questa ostilità: teme di far male al bambino e di essere oscuramente punita per la sua inadeguatezza. L'ideale della mamma perfetta la opprime con le sue eccessive pretese, impedendole di prender sonno e... di essere, il giorno dopo, una mamma «abbastanza» buona.

La risposta «giusta»

Quasi ogni mamma oggi ha qualche nozione di puericultura e di psicologia infantile: che uso può farne?

Questa cultura diffusa ha cambiato profondamente il modo di allevare i bambini. Rispetto al passato, vi è maggior conoscenza dello sviluppo infantile, più attenzione per le esigenze dei piccoli, più consapevolezza dei nostri errori ma anche delle possibilità che ci sono date di aiutarli a crescere nel modo migliore. Tuttavia le norme astratte e generiche, per quanto convincenti, vanno sempre ritagliate a misura di *quel* particolare bambino. Sta alla madre trasformare le informazioni che ha ricevuto dagli esperti nei gesti più adatti al piccolo, e più adeguati a quel momento, quel luogo, quella determinata circostanza. E questo avviene di solito in modo quasi spontaneo.

Vi è infatti una capacità materna, chiamata empatia, che consiste nel mettersi nei panni del piccolo, nel sentire il suo disagio come se fosse il proprio, nell'accogliere dentro di sé il suo malessere. Sappiamo che, quando il neonato strilla rattrappendo le gambe, probabilmente è in preda a dolori viscerali. Ma è ben diverso applicare la nozione appresa da un libro, in modo asettico, astratto, e cercare invece di comprendere la sofferenza che il bambino ci comunica in modo così diretto, immediato.

La mamma non è solo corpo accogliente, ma anche mente capace di ricevere il dolore, la rabbia, l'angoscia senza nome e di restituirle al piccolo «metabolizzate», cioè rese tollerabili, accettabili. È lei che pensa al posto del bambino, o meglio, insieme a lui, filtrando le sue emozioni, almeno fino a quando non sarà in grado di farlo da solo.

Tutto quello che sa può esserle di aiuto soltanto se non diviene un ricettario, se non la induce a cercare la reazione giusta, la risposta esatta, al di fuori del dialogo con il suo bambino.

Se non esiste la risposta esatta, esistono però infiniti modi per rispondere al pianto di un bambino... E non tutti lo consolano, lo rassicurano, lo acquietano. Anzi, a volte sembrano ottenere l'effetto contrario.

È vero. Può succedere, quando la mamma si sente inghiottita nella spirale di angoscia che il bambino comunica con il suo pianto. L'ansia, l'inquietudine che le si leggono in viso, che traspaiono dalla sua voce e dai suoi gesti, vengono così trasmessi al piccolo, che assorbe ogni sua emozione come una spugna. E questo, invece di rassicurarlo, non fa che accrescere il suo disagio.

Non dimentichiamo che il bambino «valuta» ogni esperienza anche attraverso le reazioni della madre. Reazioni che possono essere incontrollate, soprattutto quando viene svegliata di soprassalto nel cuore della notte, oppure quando il bambino è malato. È opportuno in ogni caso fermarsi un attimo, ricomporsi, respirare a fondo, uscire dal sonno, dal sogno o dal panico prima di entrare nella stanza del bambino e di chinarsi sulla sua culla. Il piccolo, così vulnerabile, ha bisogno di trovare nell'adulto tranquillità, sicurezza, fiducia in se stesso... speranza.

Le reazioni del bambino

Quali sono i comportamenti più adatti per restituire al bambino tranquillità e sicurezza?

Per consolare il figlio ogni mamma trova il modo per lei più spontaneo e naturale. Quello che ha sperimentato con piacere nella sua infanzia, ma anche quello che avrebbe desiderato e che invece le è stato negato. Molte volte, il gesto più immediato consiste nel prenderlo in braccio, stringerlo al seno, accarezzarlo, baciarlo sulle guance, come per contenere le sue ansie attraverso il contatto fisico e la tenerezza che esprime.

Ciascuna ha poi un suo particolare linguaggio affettivo. C'è la mamma *nutritiva* che tende a calmare il disagio del bambino con qualcosa di dolce e di caldo, la mamma *termica* che lo copre sino al mento e quella *motoria* che lo culla al ritmo del suo passo, portandolo avanti e indietro per la stanza e così via. In ogni caso, il bambino si acquieta più facilmente se la mamma accompagna i suoi atti con parole dolci, vezzeggiativi, interiezioni pacate, espressioni ripetute. La parola, carica d'affetto, può essere un farmaco portentoso. Da piccoli come da grandi.

E i bambini, come reagiscono ai differenti comportamenti materni?

Molto dipende dal loro temperamento: non sempre ciò che va bene per l'uno soddisfa anche l'altro. Continuando a lamentarsi, il piccolo comunica alla mamma la sua «disapprovazione». E lei reagisce di conseguenza, modificando il suo atteggiamento. Ma, nella maggior parte dei casi, i bambini si adeguano ai comportamenti materni, li interiorizzano, li fanno propri.

È curioso notare come le prime risposte materne tendano a conformare i modi con i quali il bambino, più tardi, cercherà di consolarsi dalle frustrazioni. L'ipernutrito chiederà qualche cosa di buono da mangiare: «Mi dai una caramella?». E, molti anni dopo, una sigaretta, un bicchiere di whisky... Qualcuno indosserà due golf o si avvolgerà in una coperta, perché ogni delusione gli suscita un terribile senso di freddo. Un altro ancora si attaccherà al telefono alla ricerca di una voce amica. L'abbraccio, poi, è la forma più immediata e diffusa di consolazione.

È strano, ma in un modo o nell'altro le prime risposte che riceviamo influenzano le domande che poi formuliamo. Il passato non ci determina ma ci condiziona.

Come evitare di condizionare troppo il bambino con i nostri comportamenti?

Sarebbe meglio dare risposte variate, non stereotipate, ai bisogni e ai desideri che il bambino esprime piangendo. Il segreto di una buona risposta consiste soprattutto nel non utilizzarla come un «tappo» per farlo tacere, per placare semplicemente il bisogno fisiologico che manifesta. Se ad esempio, la mamma gli offre cibo solo per colmare il vuoto della fame, così come si riempie un recipiente, lo tratta come un oggetto, non come una persona. E non c'è nulla di peggio che sentire ignorata la propria umanità.

Il gesto meccanico offende chi lo riceve e, in casi estremi, può mettere in pericolo la vita stessa del bambino. Molte anoressie precoci sono un tentativo di respingere un rapporto che uccide psicologicamente, anche a costo di morire fisicamente. Qualunque sia la richiesta che il bambino ci rivolge, essa racchiude sempre una domanda d'amore.

La mamma comprende il suo bambino quando, porgendogli una caramella, gli trasmette anche un altro messaggio: «So che non è solo questo che vuoi, ma è il mio modo per dirti: ti amo». Una comunicazione implicita che ritroviamo anche nei rapporti affettivi tra adulti.

Ci sono casi in cui non è possibile accorrere tempestivamente o nel modo più opportuno al richiamo del bambino. È inevitabile. Ma quanto può soffrirne?

Nessuno cresce senza frustrazioni: vi è sempre uno scarto tra il desiderio del bambino e la risposta che riceve. Ma questo inevitabile divario serve proprio per contenere la sua onnipotenza, senza bisogno di infliggergli delusioni intenzionali. È inutile pensare «Lo lascio piangere, così impara!», basta la vita a insegnare a vivere.

Se siamo impegnate in un compito urgente, che non possiamo interrompere, si può rispondere al bambino, da lontano: «Aspetta. Fra poco arrivo». Spesso basta il suono della voce a rassicurarlo: la mamma non è scomparsa. Tornerà come è sempre tornata. Il bambino impara così, a poco a poco, anche la pazienza dell'attesa.

In queste circostanze, mentre il piccolo modera il suo desiderio (voglio tutto subito!), anche la mamma limita la sua onnipotenza (posso dargli tutto, subito!). Rinunciando ad essere perfetta, impara ad essere giusta. In tal modo crescono insieme, giorno per giorno e, quasi inavvertitamente, lasciano che il padre si inserisca fra loro.

Il bambino che piange sempre e quello che non piange mai

Ci sono neonati difficili, che piangono sempre, e altri che non piangono mai. Molto dipende dall'indole, dal tipo di vulnerabilità emotiva, di sensibilità... Ma fino a che punto può influire anche l'ambiente, la famiglia, il legame con i genitori?

Ogni bambino è diverso dall'altro, si sa. Questo vale anche nella stessa famiglia, tra fratelli. C'è quello più fragile, più delicato, più piagnucoloso. E quello più calmo, più tranquillo, più forte. Lo si vede già dalla nascita. Tuttavia anche il bambino più vulnerabile non «piange sempre». E quello più forte non è vero che «piange mai». Il «troppo» e il «mai» sono condizioni che devono impensierire, come tutti gli eccessi.

Se un bambino sano si lamenta di continuo, probabilmente c'è qualcosa nell'ambiente familiare che gli crea un senso di disagio, di malessere. Forse è sommerso da troppi stimoli, si sente catapultato in un mondo caotico, dove non riesce a trovare uno spazio per sé, in cui sentirsi «a posto».

Magari, per dormire, viene depositato sopra un letto qualsiasi, oppure la sua culla viene spostata da una stanza all'altra o ancora orari e abitudini continuano a variare. Viene così a mancare quella stabilità nello spazio e nel tempo di cui ogni neonato ha bisogno: un ritmo di vita elastico ma con precisi punti di riferimento.

Se i genitori lavorano, il pianto eccessivo e prolungato del bambino può rivelare qualcosa che non va nella relazione con chi si prende cura di lui durante la loro assenza. Anche qui si tratta soprattutto di saper ascoltare, con attenzione, con amore il significato del suo pianto. E, naturalmente, di modificare, se necessario, la situazione che lo mette a disagio.

E il bambino che non piange mai?

Dopo i primi tre, quattro mesi, è naturale che il bambino divenga più silenzioso, più calmo. Se si è sentito compreso, corrisposto, ogni volta che ha lanciato i suoi messaggi, a poco a poco ha costruito dentro di sé la sicurezza che le sue domande troveranno sempre una risposta. Allora non ha più bisogno di usare solo il pianto come linguaggio: man mano che i mesi passano, ha a disposizione molti altri mezzi per comunicare.

Se invece non piange quasi mai, nemmeno nei primi mesi di vita, può aver perso la fiducia: non si aspetta più nessuna risposta alle sue domande. L'assenza di pianto corrisponde così a una mancanza di comunicazione, al ritiro in se stessi, nell'indifferenza, nell'apatia, nell'isolamento. È questa l'estrema difesa dei bambini che si sentono totalmente abbandonati, come talvolta accade durante prolungati ricoveri in ospedale. Dopo aver pianto invano di dolore, di rabbia, di disperazione, ora tacciono. Sono ormai convinti che nessuno li ascolti.

Altri bambini trovano invece un modo indiretto per esprimere il proprio malessere: poiché la voce non serve, fanno parlare il corpo. Molti disturbi, privi di una vera causa organica, vanno interpretati come un messaggio. Mattia non è contento che la mamma abbia ripreso a lavorare in un bar, seppure a orario ridotto. E cerca di dirglielo rigurgitando violentemente la poppata della sera, quella che gli somministra subito prima di uscire. Luisa invece sfoggia un vistoso eritema sulle gambe da quando è entrata nel nido. Valeria si abbandona a scariche diarroiche da quando è stata affidata a una nuova baby-sitter che non le piace. Luca si rifiuta di crescere da quando si è accorto che l'interesse di tutta la famiglia si accentra sulla grave malattia della nonna.

Quando un bambino più grande, magari nell'età dell'asilo, scoppia in pianto, spesso lo si redarguisce o lo si schernisce come «piagnone». È giusto questo comportamento?

Di solito gli adulti reagiscono in modo molto diverso di fronte al pianto dei maschi o delle femmine. Con i primi si è più intolleranti, quasi venissero meno agli ideali di forza e di freddezza del loro sesso. Ma è uno stereotipo che si sta ormai abbandonando. Di fronte a un dolore ciascuno reagisce secondo il suo temperamento ed è ingiusto reprimerlo.

È il caso di adottare invece un atteggiamento fermo quando i bambini usano il pianto come un ricatto per ottenere ciò che vogliono, come un modo per impedire il dialogo e il confronto.

Riconoscere i suoi bisogni

Nel dialogo col bambino può esserci il rischio che la madre confonda i propri bisogni con quelli del figlio?

Non dimentichiamo che i bambini crescono e che i neonati lo fanno particolarmente in fretta. A poco a poco anche il bambino più buono, più compiacente, farà sentire la sua volontà, dimostrando di essere diverso da come lo immagina la mamma. Che a sua volta non sempre risponde perfettamente alle aspettative del figlio. Ci sarà sempre un'attesa un po' eccessiva, una incomprensione, una delusione che creeranno una incrinatura nella sfera dei loro rapporti. Se il piccolo, nel primo periodo di vita, ha ricevuto cure materne abbastanza buone, sarà poi in grado di sopportare le piccole, inevitabili frustrazioni senza farne un dramma.

La mamma, prima confusa con il suo stesso corpo, con le sue stesse emozioni, verrà man mano riconosciuta come separata e autonoma. Il neonato sente di non averla perduta quando conserva dentro di sé la sua immagine, un ricordo fatto di sensazioni tattili, di sapori, di odori, di colori, di suoni. Siamo in grado di capire che ha raggiunto questa fondamentale conquista se, quando ha fame o si sente solo, volge lo sguardo alla porta dalla quale la madre entrerà nella stanza.

La capacità di prevedere e di attendere è la prova che il bambino ha superato la disperazione della primitiva angoscia di abbandono e che guarda ormai al mondo con fiducia. Certamente non gli mancheranno nel corso dell'infanzia – e purtroppo anche della vita adulta – motivi per piangere. Ma non sarà più l'unico modo con cui esprimere il proprio dolore. Ciascuno troverà aiuto e conforto in un linguaggio più elaborato e complesso: quello delle parole.

Nel frattempo i genitori hanno imparato ad amare, senza esigere nulla in cambio. Una delle esperienze che ci arricchiscono di più in una società utilitaristica come la nostra, fondata su un calcolo rigoroso del dare e dell'avere, che lascia ben poco spazio alla generosità incondizionata.

VII
Tutti insieme nel lettone?

ninna-nanna di un lettone
pieno pieno di bambini
vuoti e tristi quei lettini

Il letto dei genitori è quasi sempre stato il luogo di una intimità segreta, proibita ai bambini. E spesso la stessa camera matrimoniale costituiva uno spazio «protetto», di cui era solitamente vietato infrangere i limiti, salvo in rare occasioni. Non mancavano naturalmente le eccezioni: nella vita contadina, ad esempio, questo divieto era meno sentito. O veniva a cadere del tutto, come nei casi di estrema povertà e di mancanza di spazio: al punto da essere costretti a dormire tutti nella stessa camera e a volte nello stesso letto.

Oggi non è più così. Anche se la sessualità dei genitori è sempre circondata dal massimo segreto e rimane in gran parte un mistero per i bambini, si tende sempre più spesso a condividere con loro il letto, nell'intimità del sonno. I motivi sono molti: perché il piccolo altrimenti non si addormenta, la sera. Perché si sveglia di notte, e vuole stare vicino. Perché fa brutti sogni. A volte, semplicemente perché fa piacere così: anche quando si sa che dormire tutti insieme nel lettone è in contrasto con le regole e i consigli di pediatri e psicologi.

«Certo, dormire insieme crea un maggior contatto fisico e una maggiore intimità fra genitori e figli», riconosce una mamma. «Ma perché tanta paura? A me, da piccola, tutto questo è mancato molto. E non solo di notte, quando piangevo tutta sola nel mio lettino, piena di terrore per i brutti sogni. Ma anche di giorno non ricordo nessun tipo di contatto fisico coi miei genitori a parte qualche rara carezza, o il bacio della buona notte: come se loro non avessero un corpo. E in qualche modo rifiutassero anche il mio.»

La maggior parte dei genitori calano un velo di censura su questa forma di intimità notturna all'insegna di una fisicità così ravvicinata da rendere labili le barriere del pudore. E riconoscono soltanto i motivi pratici che hanno creato l'abitudine di tenere con sé il bambino nel lettone. «È l'unico modo per farlo dormire», dicono alcuni. «E di riuscire a dormire anche noi, senza essere costretti a passare notti insonni.» Non mancano poi i motivi affettivi: «Come lasciarlo riaddormentare tutto solo, in preda alle sue paure, quando si sveglia perché fa un brutto sogno?». O ancora: «Si sente escluso, nella sua cameretta. Lo si vede che soffre, si sente solo, messo da parte...».

Divieto d'accesso: perché?

Esistono davvero delle buone ragioni per tenere con sé il bambino nel lettone? E fino a che punto è opportuno invece mantenere ben salda la vecchia regola del «divieto d'accesso»?

La cosa migliore è che il bambino dorma subito non solo nel suo lettino, ma nella sua stanza, se è possibile: e questo dal primo giorno, quando arriva a casa dalla clinica. Se si vive in un appartamento piccolo, dove non c'è una cameretta tutta per lui, è bene creare comunque una separazione fra l'ambiente in cui dormono i genitori e quello del bambino. Lo si può fare mettendo un paravento fra il letto e la culla. Oppure sistemando il piccolo appena fuori dalla camera dei genitori, in uno spazio riparato, da trasformare in una sua nicchia.

Già appena nato è importante che ogni bambino abbia uno spazio per sé, nella famiglia: prima di tutto come persona, nella mente dei genitori, che ne riconoscono l'unicità, l'individualità. Un riconoscimento che trova una conferma concreta nello spazio fisico che si ritaglia per lui nell'ambiente familiare: un luogo separato che lo aiuti ad elaborare a poco a poco la sua autonomia dalla coppia dei genitori.

Ma i bambini non sembrano affatto apprezzare questa separazione notturna che spesso vivono nel segno della solitudine, del distacco, dell'esclusione. E per molti genitori è difficile resistere al loro pianto, alle loro suppliche...

È un ricatto infantile che non nasce in modo autonomo, ma viene suggerito dallo stesso comportamento dei genitori. Se un bambino insiste per essere portato nel lettone, spesso è perché è questa la risposta che ha ricevuto al suo pianto. E che trova naturale trasformare in domanda, tradurre in richiesta. È già successo. Perché non dovrebbe succedere ancora? Per questo è un'abitudine che è bene evitare fin dall'inizio.

Nonostante i pianti e le suppliche non è poi così drammatico che il bambino viva il distacco notturno dai genitori anche come solitudine, separazione, esclusione: sono sentimenti inevitabili nello sviluppo infantile, che rappresentano altrettante «prove» da affrontare e da superare a poco a poco, per poter crescere e staccarsi dai genitori. Si tratta quindi di aiutarlo in questo percorso, consolandolo quando piange di notte perché si sente solo, ha paura, ha fatto un brutto sogno, ma senza portarlo con sé nel lettone: altrimenti questa diventerà una specie di soluzione magica a ogni forma di paura.

La difesa dell'intimità

E l'intimità della coppia? Come mai in alcuni casi il desiderio del bambino di dormire abitualmente coi genitori finisce per prevalere su questa loro naturale esigenza?

A volte non c'è neppure bisogno che il bambino insista tanto. Sono gli stessi genitori, oppure l'uno o l'altro dei due, che quasi senza accorgersene danno al figlio questa abitudine, prevenendo così le sue richieste. Di solito succede quando la sua presenza è funzionale alla coppia: l'intrusione di un terzo, il bambino, serve a tacitare o a rinviare nel tempo problemi difficili da affrontare, come il rifiuto o la difficile ripresa della sessualità, da parte di uno o di entrambi.

Il bambino nel lettone offre così l'alibi per rinunciare ad una intimità divenuta difficile da gestire, evitando non solo i rapporti sessuali, ma anche i problemi che ne scaturirebbero. Spesso è proprio per questo che, in modo più o meno consapevole, si tende a non opporre alcuna resistenza alle richieste «invasive» del piccolo. Quando si instaura questa abitudine è bene riflettere e cercare di capire fino a che punto la presenza del bambino nel lettone sia «necessaria» alla coppia. In questi casi, infatti, si invertono i ruoli: sono i genitori ad avere bisogno del figlio, per mantenere un loro equilibrio, e non viceversa, come invece è giusto che sia.

Esiste davvero il rischio di una promiscuità eccessiva fra genitori e figli, a dormire nello stesso letto, anche quando il bambino è ancora molto piccolo?

Spesso si pensa al bambino piccolo come ad un essere angelicato, ancora estraneo alla sfera degli stimoli sessuali ed erotici. Invece non è così: già nel primo anno di vita il bambino è estremamente ricettivo alle percezioni sensoriali e a tutto ciò che evocano, anche sul piano delle emozioni. Certo ha bisogno di una vicinanza corporea che gli comunichi affetto, tenerezza: ma sempre entro i limiti del pudore e del rispetto per l'intimità dell'altro.

Limiti che vengono a cadere quando il contatto fisico diventa troppo intimo, stimolante, avvolgente: come succede a letto, nel sonno, quando il corpo è totalmente rilassato, privo di controllo. Non solo, ma un motivo di turbamento in più per il bambino è l'enorme differenza fra il suo corpo, ancora così minuto, fragile, vulnerabile e quello dei genitori che gli appare gigantesco e provoca in lui un misto di attrazione e paura. È come un piccolo Gulliver, che rischia di essere schiacciato dalle loro figure incombenti: una fantasia che riaffiora più avanti, come incubo notturno, in molti bambini abituati a dormire coi genitori da piccoli.

Una promiscuità eccessiva

Quali effetti può avere sullo sviluppo affettivo e sessuale del bambino questa abitudine?

È una forma di promiscuità che tende ad accentuare la dipendenza infantile dai genitori, rendendo più difficile il processo di separazione dalle loro figure e la conquista di una reale autonomia. Per evitare questa maggior difficoltà di distacco, è importante che il bambino sappia, fin dall'inizio, qual è il suo posto nella famiglia, in modo anche simbolico. E questo posto non è certo all'interno della coppia dei genitori e del loro legame più intimo, segreto, di cui il letto coniugale è simbolo.

Il bambino deve insomma sentirsi al di fuori della coppia che formano i genitori: altrimenti può crearsi dentro di lui l'illusione di potersi sostituire al padre o alla madre. O di poterli separare, intromettendosi fra loro. Un'illusione che può interferire negativamente sullo sviluppo di una sessualità rivolta all'esterno della famiglia, senza eccessivi condizionamenti.

Tre anni: la «porta chiusa»

Intromettersi fra i genitori, separarli, prendere il posto della mamma o del papà a fianco di uno di loro: è proprio quello che sembra desiderare ogni bambino verso i tre anni. E cerca allora di intrufolarsi fra loro nel lettone, anche quando non gli è mai stata data questa abitudine. Perché? E come comportarsi?

Verso i tre anni è quasi inevitabile che un bambino desideri varcare la «porta chiusa» della camera dei genitori e scoprire i loro segreti, sull'onda di una nuova curiosità che nasce dalla scoperta delle differenze sessuali e dalle prime fantasie infantili sulla fecondazione e la nascita. Che cosa avviene fra loro, dietro quella porta? Perché tanto mistero? E perché lo escludono dal loro legame? Sono domande che affiorano in ogni bambino, a questa età, in modo ancora confuso, oscuro, insieme a quelle più esplicite sulla nascita e sul sesso. E che lo spingono a intrufolarsi nel letto matrimoniale anche quando non gli è stata data questa abitudine.

Ancora una volta, è inutile tergiversare: meglio dire «no» e basta. La coppia coniugale ha una sua sfera di intimità, anche al di fuori del vero e proprio rapporto sessuale, alla quale non è giusto che il bambino partecipi. Né quando è ancora molto piccolo. Né, tanto meno, verso i tre anni, quando insieme al risveglio di una sessualità più evoluta, meno indifferenziata, si manifesta anche un particolare attaccamento verso uno dei genitori, di solito quello di sesso opposto.

Sembrano davvero dei piccoli innamorati, i bambini, a questa età. Scoprono sentimenti del tutto nuovi, come la gelosia, la rivalità, il desiderio di possesso. E non nascondono le loro fantasie. «Quando sarò grande, mi sposerai?» chiede il maschietto alla mamma, mentre la bambina cerca di catturare tutta l'attenzione del padre, e inventa per lui piccoli giochi di seduzione.

Tutto questo il bambino lo vive e lo elabora sul piano della fantasia, dell'immaginazione. Ed è importante che i genitori stiano al gioco, senza permettere che le fantasie dei bambini trovino conferma in esperienze reali: come dormire insieme nel letto matrimoniale.

Questa barriera fra le prime fantasie edipiche infantili e la realtà nasce da un divieto antico quanto la nostra cultura, la nostra stessa civiltà: il tabù dell'incesto, che stabilisce una invalicabile separazione fra la sessualità dei genitori e quella dei figli. È con questo divieto e con questa esclusione che ogni bambino deve misurarsi.

Le eccezioni alla regola

Mai nel lettone con mamma e papà: è una regola ferrea, che non ammette eccezioni? Oppure ci sono casi in cui si può trasgredire?

Come ogni regola, anche questa ha le sue eccezioni: purché naturalmente l'eccezione non diventi la regola. A volte è bene avere un po' di tolleranza, di flessibilità di fronte alle richieste del bambino. Nulla vieta che, in casi particolari, lo si porti con sé, nel lettone, per farlo addormentare, riportandolo poi nel suo lettino. Si evita così di condividere, insieme al sonno, anche un'intimità che non va condivisa. E nello stesso tempo si dà modo al bambino di sentirsi rassicurato, protetto, quando, in momenti particolarmente difficili della sua crescita, si fa più forte il bisogno della vicinanza dei genitori, per potersi addormentare tranquillo.

In alcune fasi dello sviluppo infantile, il bambino sembra ritornare piccino, in balia di angosce difficili da contenere, che gli rendono più penoso il distacco serale e più drammatico il risveglio notturno. Allora il letto dei genitori può rappresentare quel «contenimento fisico» di cui ha bisogno nel momento critico del passaggio dalla veglia al sonno. Questo bisogno emerge anche di fronte a cambiamenti improvvisi che, contrastando la natura fondamentalmente abitudinaria del bambino, incrinano la sicurezza che trae dalla ripetitività degli eventi quotidiani.

Può succedere, ad esempio, quando si cambia casa, per un trasloco, una vacanza, un breve soggiorno da parenti o amici. Oppure quando un evento straordinario sconvolge le abitudini familiari. Si crea così una situazione nuova, inaspettata, che disorienta il bambino, gli provoca ansia, nervosismo. In questi casi, addormentarsi accanto ai genitori diventa un rito rassicurante, che lo acquieta. Dopo, può continuare a dormire tranquillo nel suo lettino.

Ma se è sempre meglio evitare di dormire insieme, tutta la notte, nel lettone, di giorno invece le cose cambiano. Il corpo non è più così abbandonato come nel sonno: c'è più controllo, più consapevolezza da parte dei genitori. E allora stare insieme nel letto coniugale, magari la domenica mattina, quando c'è più tempo per indugiare dopo il risveglio, può essere un momento di gioia, di allegria, di piacere condiviso: una festa per tutti, dopo una settimana di lavoro che spesso porta ciascuno per strade diverse.

VIII
Allattamento:
di che cosa si nutre il bambino

ninna-nanna mamma d'amore
con il latte dentro il cuore

Non c'è forse niente di più naturale del gesto di una donna che allatta al seno il suo bambino. Come non c'è niente di più istintivo, per il neonato, della ricerca del seno materno: qualcosa di morbido, dolce e caldo che sa ritrovare subito, anche al buio, tastando alla cieca il corpo della madre, guidato dall'olfatto. Una prima fonte di nutrimento e di amore che riconosce d'impulso, quasi fosse ancora una parte di sé. E a cui si aggrappa succhiando con tutta l'avidità della sua fame, mentre il suo sguardo si perde negli occhi della madre, fissandola con la stessa intensità con cui succhia il latte.

Eppure non sempre è così «naturale» questa forma di allattamento che ristabilisce una specie di unità corporea fra madre e figlio dopo la nascita. Se oggi c'è il biberon a sostituire artificialmente il seno materno, in passato c'erano le balie. Allora era il ceto sociale a creare una discriminante fra le donne che allattavano e quelle che si sottraevano a questo compito: come se nutrire il figlio al seno fosse qualcosa di troppo «viscerale», disdicevole per chi apparteneva alle classi più alte. Dalla fine dell'Ottocento in poi è stata invece l'ingerenza medica sempre più massiccia a sottrarre alla madre la funzione di nutrice, trasformando l'allattamento in una pratica essenzialmente pediatrica, a scapito della spontaneità e della naturalezza di questa prima forma di relazione fra mamma e bambino. Non si trattava più semplicemente di nutrire il lattante, stabilendo con lui un intenso dialogo emotivo. Ma di tenere tutto sotto un rigido controllo, allo scopo di evitare al neonato ogni possibile rischio.

Bilancia alla mano, prima e dopo la poppata, tutta tesa a controllare il peso, i tempi, gli orari, la madre veniva così distolta dal significato più profondo dell'allattamento, mentre l'ansia di «non sbagliare» soffocava in parte quell'intuito materno che rendeva ogni donna capace di rispondere nel modo migliore ai bisogni del figlio, adeguandosi ai suoi ritmi e alle sue richieste. E non a caso questa intrusione medica, che espropriava la donna della sua capacità di autoregolarsi nell'allattare, ha coinciso anche con una sempre più diffusa «mancanza di latte» nelle puerpere.

Tutto questo ha contribuito, negli anni sessanta, al boom dell'allattamento artificiale. Bastava poco per indurre la madre a ripiegare sul biberon: la montata lattea che ritardava, o non sembrava sufficiente, il neonato che succhiava «poco», le complicazioni nel riprendere il lavoro... Finché ci fu una radicale inversione di tendenza: non solo i pediatri ripresero a privilegiare il latte materno, come alimento più adatto alla crescita fisiologica del neonato. Ma si riconobbe anche l'importanza dell'allattamento al seno nello sviluppo emotivo e psicologico del bambino, e sul suo stesso rapporto con il cibo e l'alimentazione negli anni successivi.

Il «ritorno al seno»

Ormai da anni si assiste ad un sempre più diffuso «ritorno al seno». Che cosa rende così importante questa forma di allattamento nel primo legame fra mamma e bambino?

La «ricerca del seno», da parte del neonato e il dono che ne fa la madre, offrendo il suo latte per nutrirlo, rappresentano per entrambi un ritorno a quello stato di simbiosi che hanno vissuto nel corso della gestazione. È quasi un nuovo cordone ombelicale che si riannoda a tratti fra loro, e che serve a ricucire la ferita della nascita, creando l'illusione di essere ancora una cosa sola.

C'è un legame così intenso, impenetrabile fra madre e figlio nell'allattamento, che chiunque se ne sente escluso: anche il padre. All'interno di questo cerchio magico si crea fra i due una perfetta simmetria: alla voracità del piccolo, al suo desiderio di riempire il vuoto della fame col flusso del latte, corrisponde il desiderio della madre di allattare, e di sentire il suo seno svuotarsi a poco a poco, colmando il bambino del suo nutrimento al ritmo della suzione.

A questa sintonia di sensazioni si accompagna un dialogo silenzioso, che non ha bisogno di parole: basta il linguaggio del corpo e dello sguardo. Mentre il bambino succhia il latte, fissa i suoi occhi in quelli della madre e spesso non li distoglie per tutta la poppata, quasi fosse legato a lei da un incantesimo segreto, che avvince l'uno all'altra: proprio come succede fra innamorati, quando lo sguardo dell'uno si perde in quello dell'altro, in modo reciproco.

Gli occhi della mamma diventano così il primo specchio in cui si riflette il bambino soprattutto nel momento dell'allattamento, quando il suo sguardo è tutto assorto nel figlio e nelle emozioni che suscita dentro di lei.

Che cosa vede il neonato negli occhi della mamma che lo allatta? Perché è così catturato dal suo sguardo?

Nelle pupille materne il neonato intravede una sorta di riflesso di se stesso e, grazie alle sensazioni che ne riceve, incomincia a formare, in modo ancora indistinto, nebuloso, una prima immagine interiore di sé. Per questo ne è incantato, come lo sarà più avanti di fronte allo specchio. Ma nel luccichio degli occhi della madre coglie qualcosa di assolutamente diverso: una ammirazione sconfinata, una sorta di stupore affascinato che non ritroverà mai più negli occhi di nessuno. Viene istintivo a una mamma guardare così il suo bambino, mentre lo allatta: e senza saperlo gli fornisce un sostegno fondamentale per il suo sviluppo futuro.

È proprio a partire da questa iniziale «ammirazione» incondizionata della madre che comincia a formarsi dentro di lui una grande certezza: di essere accettato, amato, valorizzato. E quindi di potersi a sua volta accettare, amare, valorizzare. Mentre si nutre di latte, si imbeve anche di questo primo, essenziale riconoscimento materno: sei mio figlio, sei tutto ciò che di buono e di bello può esistere al mondo. Ti amo per quello che sei, perché esisti. Il bambino assorbe questo messaggio, giorno dopo giorno, poppata dopo poppata. Nasce così quella fiducia di base nel proprio «essere» che, man mano che cresce, gli infonderà sicurezza in se stesso, e nella propria capacità di «fare».

Che tracce rimangono di queste prime esperienze così importanti, di cui non si conserva alcun ricordo preciso? E come riaffiorano nella vita adulta?

L'amnesia infantile che ricopre di una coltre di oblio i primi anni di vita sembra cancellare dalla memoria il ricordo di queste prime esperienze. Di cui però rimangono tracce profonde nell'inconscio di ciascuno di noi, dove continuano a vivere di una vita propria, che influisce sulla nostra esistenza, guidandola sul filo di questi ricordi sommersi, «rimossi» dalla coscienza.

Dell'antica fusione con la madre vissuta prima di nascere, nel suo utero, e rivissuta poi attraverso l'allattamento, rimane un'eterna, insuperabile nostalgia, come di un paradiso perduto che si cerca di ritrovare in ogni successiva scelta d'amore. È proprio questo l'incantesimo che ogni innamoramento sembra ricreare. Ma l'impossibilità di rivivere il passato, e nello stesso tempo di «dimenticarlo», fa sì che la persona amata non corrisponda mai pienamente alle nostre aspettative, ai nostri desideri inconsci. Che continuano comunque ad alimentare l'illusione, facendola rinascere, dopo ogni scacco, dalle sue stesse ceneri, come l'araba fenice.

La fase orale

Quali sono gli aspetti più significativi di questa prima fase dello sviluppo psichico infantile, che coincide con l'allattamento? E come si riflettono, nella vita mentale del bambino?

Nella dinamica dell'allattamento, si sviluppa anche il primo rapporto umano del bambino. Non è solo un modo per soddisfare il primo impulso vitale alla sopravvivenza, la fame. È anche la prima forma di relazione, molto variegata, duttile, ambivalente, che il bambino intreccia col mondo circostante, ancora racchiuso nella figura della madre e del suo seno.

In questo primo rapporto, il bambino cerca anche una forma di contatto fisico che gli dia calore, che lo avvolga e lo protegga. Il modo in cui viene vissuto questo primo «attaccamento» dà l'*imprinting*, delinea il modello delle future forme di relazione con gli altri. Il bisogno di un contatto fisico rassicurante è più forte dello stesso istinto di sopravvivenza, in tutto il mondo animale e non solo nella specie umana: lo dimostrano ricerche effettuate su piccoli topi, che isolati e privi di qualsiasi contatto, rifiutano il latte che viene loro offerto. E preferiscono lasciarsi morire di fame. Lo stesso avviene nei casi, fortunatamente molto rari, di anoressia neonatale: il lattante, abbandonato a se stesso in un ambiente freddo, ostile, da cui si sente rifiutato, reagisce chiudendosi in se stesso. E rifiutando il latte.

Ma la fame costituisce anche un potente «organizzatore psichico» in questa prima fase dello sviluppo infantile, che Freud definì «orale»: è proprio attraverso l'esperienza del seno, dell'allattamento e della suzione che il bambino comincia ad organizzare una prima idea di sé, e della propria identità in relazione col mondo circostante.

Sappiamo che il neonato è dotato di una sua particolare intelligenza percettiva, «corporea». E il momento di maggior percezione del mondo circostante in relazione a se stesso e ai propri impulsi più vitali è proprio quello della fame, che va di pari passo con le prime capacità di sviluppo psichico, mentale. Sono due momenti che coincidono: da un lato il bambino si apre al cibo, al nutrimento, alla soddisfazione dei propri impulsi «orali»; e dall'altro si apre al mondo, attraverso il flusso di latte che continua a unirlo alla madre, da cui trae un nutrimento anche affettivo e mentale.

È questa la fase in cui la madre, ad esempio attraverso lo sguardo, come abbiamo visto, trasmette al bambino il valore che attribuisce al suo stesso «essere al mondo», come persona, senza chiedergli ancora alcuna dimostrazione, alcuna prova delle sue doti e delle sue capacità. La sicurezza iniziale che ne deriva rende più facile entrare poi nel flusso della vita in modo duttile, aperto alle nuove esperienze e alle nuove relazioni, fiduciosi di essere accettati e valorizzati come lo si è stati la prima volta, nella fase «orale» dell'allattamento. Inoltre questa fiducia profonda in se stessi e negli altri mette al riparo dalla paura del rifiuto, un terreno minato su cui proliferano tutti quei meccanismi di difesa che si mettono in atto per proteggersi dall'insicurezza di fondo.

Più in generale, dal punto di vista mentale, attraverso la fame il bambino sperimenta l'impulso a «mettere dentro», a incorporare ciò che è buono. E a «buttare fuori», espellere ciò che è cattivo, come succede quando sputa il rigurgito acido o qualcosa che non gli piace. Non si tratta solo di una dinamica fisiologica, organica. È proprio da questi impulsi iniziali che nasce la tendenza a introiettare ciò che ci appare «buono» e a proiettare all'esterno, fuori di noi, ciò che invece appare «cattivo»: due elementi fondamentali nell'organizzazione psichica di ciascuno, nel suo rapporto con gli altri e con il mondo.

Desideri e frustrazioni

Non sempre la madre può soddisfare immediatamente le richieste del bambino, quando ha fame. E il piccolo reagisce in modo disperato, come se il mondo gli crollasse attorno...

Non è strano che il neonato reagisca con rabbia e disperazione quando si accorge che la mamma non c'è, e insieme a lei scompare anche il seno. Inizialmente confonde ancora se stesso col corpo materno, che vive come una parte di sé: qualcosa che può dominare e assoggettare completamente ai suoi desideri, anche attraverso il magico richiamo del pianto. Ma presto si accorge che questo non avviene, non sempre.

Impara così a conoscere a poco a poco la madre come figura separata, ora presente e ora assente, che sfugge al suo totale dominio. Ed è doloroso accorgersi che il controllo «onnipotente» su questa fonte di vita o di morte, è solo un'illusione. Di qui il senso di frustrazione e di rabbia del bambino contro «la mamma che non c'è», che esprime a volte con gesti aggressivi, quando le morde il seno o cerca di graffiarla, quasi per punirla. Ma anche per ristabilire il possesso di questo oggetto meraviglioso, essenziale per la sua vita.

Certo è penoso per il bambino abbandonare l'illusione di un potere assoluto sulla madre. E lo fa secondo la logica infantile del bianco o nero, del tutto o niente. Rinuncia alla propria «onnipotenza», attribuendola alla madre. Per la prima volta ha così la percezione della sua totale dipendenza da lei, che avverte in modo limitativo, doloroso: ma è proprio questo sentimento apparentemente negativo che lo spinge a rendersi via via sempre più indipendente e autonomo.

Non solo, ma l'assenza della madre, quando non è troppo frequente o prolungata, è addirittura «necessaria» allo sviluppo psichico del bambino. È attraverso la percezione della sua mancanza che il figlio comincia anche a uscire dal magma confuso della simbiosi con la madre, ad avvertire la propria separatezza, a distinguersi da lei. E il suo pianto si fa via via meno disperato, quando la mamma non c'è: ormai «sa» che non è scomparsa per sempre. Che ritornerà, come è sempre tornata.

È proprio nell'attesa di questo ritorno, della ricomparsa del «seno che non c'è», che il bambino costruisce le sue prime immagini mentali: il suo «primo pensiero», fatto di sensazioni che riemergono dalla memoria sull'onda della nostalgia, del desiderio. E riempiono il vuoto della mancanza, proprio come succede da adulti, quando si «pensa» a qualcuno che ci è caro e che in quel momento ci manca.

Le prime pulsioni aggressive

Come reagire quando il bambino sembra rivoltarsi contro la mamma che lo allatta? E le morde il seno, come se volesse aggredirla o «divorarla»?

L'inevitabile alternarsi di presenza e assenza della figura materna crea sempre un senso di frustrazione per i desideri orali insoddisfatti nel neonato. Che scarica poi la sua «rabbia», e le sue pulsioni aggressive, attaccando il seno della madre, quando finalmente la ritrova. Naturalmente non è piacevole sentirsi mordere o graffiare. Tuttavia è importante non sgridare il piccolo, e tanto meno punirlo. Meglio riconoscere la sua aggressività, in modo diretto: «Lo so che sei arrabbiato con me: ma non posso esserti sempre vicino...», «Ora basta, così mi fai male: hai giocato abbastanza...» e così via, in modo fermo e sereno, scegliendo le parole e i gesti che vengono più spontanei.

In questo modo il bambino non si sente colpevole della sua aggressività: sa che può esprimerla senza timore di perdere l'amore della madre, che ne riconosce i motivi. Ed è pronta ad accogliere anche le sue pulsioni ostili restituendole filtrate dal gioco, dallo scherzo. Si depura così l'aggressività infantile delle sue componenti più violente, distruttive, trasformandola in un impulso sano, positivo, che favorisce la comunicazione. E si evita che il bambino accumuli dentro di sé oscuri sensi di colpa, e angosce di punizione, che trasformano il desiderio di «divorare» la madre, per averla dentro di sé e non perderla mai più, in paura di essere divorati: proprio come nella fiaba di *Cappuccetto Rosso...*

Allattamento al biberon

Ormai c'è quasi una «mistica» dell'allattamento al seno. Ma non tutte le donne possono farlo: perché hanno poco latte, o sono troppo stanche, debilitate dopo il parto. Altre invece non lo desiderano: e scelgono il biberon per motivi pratici o estetici...

Bisogna distinguere fra giustificazioni esplicite e motivi più profondi che inducono una madre a rifiutare l'allattamento al seno. A volte si tratta di paure facilmente superabili, come l'ansia di sentirsi inadeguate. Oppure di angosce più nascoste, inconsce, come la fantasia di essere «divorate» dal figlio. Sono casi in cui una donna ha bisogno di essere ascoltata, sostenuta da qualcuno più esperto di lei, capace di consigliarla, e magari di esortarla verso la scelta più giusta: qualcuno che sappia ascoltare non tanto le sue giustificazioni, quanto le emozioni che traspaiono dalle sue parole e rivelano la disponibilità o il rifiuto verso l'allattamento al seno.

Ma c'è anche l'eccesso opposto: la volontà di allattare a tutti i costi, quando invece sarebbe sconsigliabile sia per la mamma sia per il bambino. A volte si tratta di una «necessità» che nasce da un desiderio vero, profondo. Ma non sempre è così. Può anche essere l'altra faccia, meno nota, del rifiuto inconscio ad allattare: un rifiuto di cui ci si sente colpevoli, e che si tenta di superare ad ogni costo.

Se il rifiuto materno è davvero forte, è sempre meglio il biberon: si evita così di trasformare l'allattamento «naturale» in qualcosa di artificioso, di imposto che complica il rapporto fra madre e figlio invece di facilitarlo.

La rinuncia ad allattare al seno appare spesso come una grave perdita per chi vorrebbe farlo, e non può: come se togliesse qualcosa di importante al suo bambino. Ma è proprio così?

È una rinuncia, una perdita che può essere compensata e superata in molti modi: basta che l'allattamento artificiale non diventi una delle tante incombenze della giornata, da svolgere in modo quasi meccanico, automatico; ma che mantenga intatto il suo significato di comunicazione profonda, fra mamma e bambino.

Certo manca il contatto diretto col seno, il piacere condiviso della suzione. Ma non bisogna dimenticare che il bambino è dotato di una sensorialità acutissima, diffusa. Può così compensare la «mancanza del seno» con un'infinità di altre sensazioni. È pronto a captare la posizione accogliente, donativa della madre, mentre lo allatta, il suo profumo, soprattutto se è sempre lo stesso, tenue, delicato, la morbidezza della sua pelle, o del tessuto del suo vestito…

Anche allattando il bambino col biberon, è molto importante come lo si «tiene»: una presa ferma, né troppo stretta, né troppo debole, gli dà un senso di contenimento, di sicurezza. Senza dimenticare di consentirgli una posizione reclinata, in modo che possa guardare la madre negli occhi e ricevere quel primo messaggio d'amore che a poco a poco sarà in grado di ricambiare.

Gli orari delle poppate

È meglio allattare il bambino «a richiesta», quando piange perché ha fame, oppure stabilire orari precisi, abbastanza rigidi, secondo una vecchia tradizione «spartana» che continua ad essere riproposta anche da giovani pediatri?

Sono tanti i motivi per i quali molti pediatri, ancora oggi, insistono nel consigliare orari rigidi: per rendere più «regolare» l'alimentazione, per stabilire subito un «principio educativo», per non viziare il bambino, assecondando le sue richieste «fuori tempo»… Ma sono tutti pregiudizi che un illustre pediatra italiano, Sergio Nordio, non esita a definire «stupidi». Secondo la sua lunga esperienza l'unico «orario giusto» è quello più naturale, stabilito dal ritmo sonno-veglia del bambino. E l'unico momento giusto, per dargli da mangiare, è quando ha fame.

Come tutte le regole, anche questa naturalmente ha una sua flessibilità: attraverso l'adattamento reciproco, tra madre e figlio si stabilisce spontaneamente un orario che scaturisce dalle loro stesse esigenze, senza essere imposto da tabelle e prescrizioni «tecniche».

Se si interferisce dall'esterno su questo ritmo con regole che ne turbano l'equilibrio, si rischia di spezzare anche la sintonia fra mamma e bambino, che trova la sua espressione più completa proprio nel momento dell'allattamento. Non solo, ma è stato dimostrato che molti disturbi del sonno del neonato sono legati a disturbi dell'alimentazione, quando i ritmi naturali vengono alterati da imposizioni esterne.

Il neonato vive immerso in un mare di sonno, in cui ritrova le sensazioni dolcissime della vita prenatale. E ne riemerge quando ha fame, per aggrapparsi al seno o al biberon come a isole di latte. Si apre così, in modo spontaneo, naturale, non solo al nutrimento, ma al mondo esterno, per poi cullarsi nelle sensazioni segrete del dormiveglia e rifluire nel sonno.

Naturalmente non sempre ci si può adeguare immediatamente alle richieste del bambino. Ma è bene non interferire troppo nel suo ritmo naturale, adattandosi in modo flessibile alle sue esigenze: la fame è un istinto che non si può indurre. Soprattutto in un neonato, la cui vita è ancora quasi esclusivamente istintuale.

Il bambino «pigro»

Ci sono bambini voraci, avidi, che succhiano il latte con infinito piacere. E non creano problemi. Altri invece sono un po' pigri, lenti. Sembra quasi che non abbiano fame. Perché?

Ogni neonato ha una sua indole, che si rivela in modo più evidente proprio durante l'allattamento. Ci sono bambini vivaci, reattivi, estroversi, «prepotenti»: ed esprimono il loro temperamento proprio nel modo di soddisfare l'impulso della fame. Altri invece sono un po' apatici, chiusi in se stessi come in un bozzolo segreto, una corazza difensiva. E tendono a ritrarsi anche di fronte al seno, o al biberon. Oppure si appisolano, mentre succhiano, come se fossero indifferenti alla fame.

Questi bambini «pigri», spesso sono anche più delicati, sensibili, timorosi. E vanno stimolati dalla madre, quasi «sedotti» per aiutarli a schiudere il loro bozzolo e ad aprirsi al nutrimento, alla vita. A volte sono bambini che tendono a ritrarsi in se stessi per difendersi da un ambiente che sentono ostile, oppure carico di tensioni, eccessivamente stimolante.

Ma possono anche essere bambini «troppo amati»: si sentono così colmi di affetto, di attenzione, da ripiegare nella passività. Rinunciano ad interagire con gli altri, e ad esprimere i propri impulsi vitali, come la fame, appunto perché l'eccesso di cure, di attenzioni sembra togliere loro ogni spazio, anche quello della comunicazione, del dialogo. Di qui il rischio di ripiegare su una specie di illusoria «autosufficienza» – non chiedo nulla, non ho bisogno di nulla – dietro cui si nasconde una profonda fragilità.

È bene quindi occuparsi del bambino, stimolarlo senza però prevaricarlo, lasciandogli il tempo e il modo di elaborare le sue reazioni, le sue risposte. E di esprimere i suoi impulsi, le sue richieste anche attraverso quella misteriosa «fascinazione» che il neonato sa mettere in atto per attirare l'attenzione dell'adulto e assicurarsi in modo già «attivo» le sue cure.

Quando il papà allatta

L'allattamento crea una specie di barriera invisibile, che isola la coppia mamma-bambino in un mondo tutto loro, inaccessibile agli altri, proprio come avviene fra innamorati. Come reagisce il padre? Che cosa evoca in lui questa immagine?

C'è un legame così intimo, intenso fra madre e figlio, nel momento di allattare, che l'uomo se ne sente inevitabilmente escluso. Difficile oltrepassare la barriera del loro silenzio, e dei messaggi che si scambiano attraverso il linguaggio del corpo. La prima impressione di fronte a questa nuova immagine di «coppia» è quindi di essere spodestato: c'è un altro, il figlio, che ha preso il suo posto. Di qui un sentimento più o meno inconsapevole di gelosia, che fa tornare l'uomo un po' bambino. E anche questo è quasi inevitabile: ci sono situazioni che fanno riemergere di prepotenza la parte infantile che tutti conserviamo dentro di noi. Ci si trova allora a fare i conti con antiche emozioni, antichi conflitti vissuti nell'infanzia: come la rivalità, la paura del rifiuto, dell'abbandono, la gelosia...

Quando invece prevale l'immagine materna, vedere la propria donna che allatta al seno il figlio può avere per alcuni uomini un effetto anti-erotico: se la frattura che si crea fra l'idea di madre e quella di amante è troppo forte, diventa difficile far coincidere le due immagini. L'attrazione fisica può così subire un divieto, una censura: come se desiderare la propria donna, ora che è madre, fosse qualcosa di dissacrante, di «proibito». Questa idea di «profanazione», legata al tabù dell'incesto, naturalmente non è consapevole. E di solito si attenua col tempo, man mano che il legame fra madre e figlio si allenta, e lascia spazio al padre. E al marito.

In ogni caso, per quanto un uomo sia maturo, sarà sempre in balia di sentimenti ed emozioni contrastanti, di fronte all'immagine della propria donna che allatta, soprattutto quando si tratta del primo figlio. Il triangolo familiare che si crea con la nascita di un bambino impone sempre una fase di trasformazione nella vita e nei sentimenti di coppia. Diventare genitori è un'esperienza che modifica il rapporto fra uomo e donna: ed è proprio il superamento degli inevitabili momenti di crisi che lo rafforza e lo arricchisce.

Anche il papà può trasformarsi in «nutrice», quando si allatta al biberon. Ma fino a che punto è giusto che l'uomo assuma anche questo ruolo dall'impronta così fortemente materna, femminile?

È un aspetto tuttora in discussione per quanto riguarda la suddivisione dei ruoli nelle cure del bambino. Da parte mia sono convinta che è meglio che il padre rimanga decisamente in secondo piano, rispetto alla madre, nell'allattamento del neonato. E non solo per privilegiare le profonde componenti affettive che si sviluppano in questo primo legame di coppia fra mamma e bambino e ricreano uno stato di fusione simile a quello della vita prenatale. Ma anche perché la madre rischia di sentirsi espropriata del figlio, che appena dopo la nascita sente ancora come una parte di sé.

Questo non significa naturalmente che il papà non debba mai allattare il neonato col biberon: può proporre ad esempio di dare il cambio alla mamma. Ma senza pretenderlo. Altrimenti può scattare la competitività, la rivalità, soprattutto fra genitori molto giovani, nel tentativo di suddividere insieme alle cure anche il senso di appartenenza del figlio: di chi è questo bambino? È più mio o più tuo?

Ci sono al contrario le mamme che si lamentano dello scarso aiuto che ricevono dal marito, nelle cure del neonato. E sarebbero ben contente di poter condividere con lui tutti i compiti: ma non l'allattamento, che sentono come un loro terreno privilegiato. Spesso, più che l'aiuto concreto del padre, nell'alternarsi delle poppate, magari di notte, è importante un buon rapporto con lui, sia affettivo che sessuale. È già un buon «aiuto» per la donna, quando si occupa del figlio, avere accanto una figura di uomo e di padre che le dà valore, la sostiene, le vuole bene, la desidera. Tutto questo allevia la fatica delle cure materne. Ed evita che il bambino rappresenti una «compensazione» per tutto ciò che manca alla madre nella sua vita di coppia. Non solo, ma la buona qualità del rapporto coniugale rappresenta anche per il padre un elemento di equilibrio nella nuova relazione a tre, col figlio: tende così a scomparire la rivalità su chi dei due «possiede» la madre.

Lo svezzamento

Quando è meglio iniziare lo svezzamento? E come evitare che il passaggio ad altri alimenti possa rappresentare un problema, per il bambino?

In passato si cominciava a dare cibi diversi, solidi, al bambino verso un anno: praticamente dopo la dentizione. Poi si è passati ad uno svezzamento sempre più precoce: verso i due, tre mesi. Oggi, l'orientamento più diffuso è di aspettare verso il quinto, sesto mese: la fase in cui il latte materno comincia a diminuire e il bambino appare più incline a rinunciare a poco a poco all'allattamento.

È sempre importante affrontare questo cambiamento con gradualità, alternando il latte materno a quello vaccino e alle «pappe», inizialmente poco dense e dal sapore dolce, più simili per consistenza e gusto all'alimentazione cui il piccolo è abituato. Si passerà poi, a poco a poco, a sapori diversi, più forti o salati, e più densi, che richiedono il cucchiaino. Senza dimenticare che questo passaggio importante della crescita fisiologica non è privo di implicazioni affettive e psicologiche che coinvolgono sia il bambino che i suoi genitori.

Curiosamente, molti bambini allattati artificialmente sembrano staccarsi meno facilmente dal biberon: forse perché non è parte della madre, ma qualcosa che appartiene a loro e sulla quale, a differenza del seno, sanno di poter esercitare un maggior controllo. In ogni caso, se l'allattamento è stata un'esperienza positiva, ricca di emozioni nel rapporto fra mamma e bambino, anche l'abbandono graduale di questa abitudine non crea di solito particolari problemi.

Come vive il bambino questa tappa della sua crescita?

Lo svezzamento non rappresenta solo un cambiamento alimentare, ma anche psicologico, che tocca intimamente sia la mamma che il bambino. Per entrambi si tratta di una perdita, una rinuncia: l'abbandono non solo di un'abitudine e di un piacere condiviso, ma anche di un legame molto intenso, viscerale. Si tratta però di una rinuncia necessaria, che serve al bambino a progredire e a diventare via via più autonomo, utilizzando le risorse già acquisite.

Come altri importanti cambiamenti, anche questo è accompagnato da una certa dose di ansia: è quindi importante che lo svezzamento avvenga in modo non troppo brusco né affrettato, gradualmente, per permettere al bambino di abituarsi a poco a poco alla «novità»: come tutte le cose sconosciute, anche lo svezzamento lo incuriosisce, lo attrae per la sua diversità. E nello stesso tempo ne prova una vaga paura, che lo risospinge di tanto in tanto verso il seno o il biberon.

Questa progressiva rinuncia è compensata dal piacere di soddisfare la curiosità per gusti e cibi nuovi. Ma anche dalla consapevolezza che il seno o il biberon non sono l'unico modo per avere un rapporto intenso con la mamma. Il bambino «sa» che non la perde, insieme al latte. Ma può avere con lei un legame ugualmente profondo, anche se diverso, più vario e meno dipendente. Istintivamente la mamma sente quanto costa al bambino questa rinuncia. Trova così naturale dargli, invece del latte, più carezze, più momenti di gioco, di attenzione: per rassicurare il bambino – ma anche se stessa – che, in fondo, niente è cambiato, fra loro.

Come accorgersi se un bambino è pronto per lo svezzamento?

Ci sono segnali abbastanza precisi, che non passano inosservati. In primo luogo, l'inizio della dentizione, che avviene appunto verso i sei mesi. E si accompagna di solito a nuovi comportamenti che rivelano la disponibilità del bambino ad affrontare cose nuove, diverse. Quando la madre lo allatta, sembra meno assorto, inizia a guardarsi attorno, a rivolgere l'attenzione a qualcos'altro che lo incuriosisce, lo attrae. Ora che comincia a percepire in modo più chiaro la diversità, è pronto ad uscire dalla nicchia in cui si racchiudeva con la madre, durante l'allattamento. Un altro segnale è quando il piccolo comincia a far cadere gli oggetti: un gioco che lo diverte, lo appassiona. E col quale sperimenta il distacco da qualcosa che poi tenta di riprendere. Non si tratta solo di gesti maldestri: ma della ripetizione, nel gioco, di un distacco che sta già avvenendo dentro di lui, come processo mentale. E che lo aiuta a rinunciare, non senza un filo di rimpianto e di nostalgia, a quell'esperienza così intensa, coinvolgente, che è stato l'allattamento.

Prepararsi al distacco

Come affrontare nel modo migliore questa esperienza?

Sarebbe bene prepararsi per tempo a questo inevitabile distacco, per non trovarsi del tutto impreparate ai sentimenti spesso inconsci di perdita, di rinuncia che provoca. Sul piano razionale ogni mamma sa, che verrà il momento dello svezzamento: e per molti versi ne è felice. Significa che il bambino sta crescendo, che sta diventando più autonomo, che non avrà più un bisogno così «totale» di lei... Ciò non toglie che anche per la donna l'allattamento è l'esperienza «fusionale» più vicina alla gravidanza, che l'aiuta a sentirsi ancora una cosa sola col figlio e a superare così la frattura del parto. Entrambi si appagano in questa reciprocità che costituisce nella vita del bambino il miglior punto di partenza. Ma attenzione, non il miglior punto d'arrivo!

Dopo aver trovato ciascuno conforto nell'altro, è opportuno iniziare una lenta ma costante «marcia di allontanamento»: e questo avviene di solito in modo spontaneo, man mano che la madre allenta il legame simbiotico col neonato, per uscire dall'isolamento a due e dedicarsi di più anche a se stessa e agli altri. Comincia così a recuperare quei rapporti – col marito, con gli altri figli, con i parenti e con gli amici – che durante l'allattamento, per forza di cose, ha un po' trascurato.

Proprio questo distogliersi della madre dal legame esclusivo e privilegiato col figlio incrina la perfetta sintonia che esisteva fra loro nei primissimi mesi dopo la nascita: insieme alle nuove, piccole dissonanze si crea così fra loro uno spazio vuoto, molto salutare perché consente ad entrambi l'inserimento di altri rapporti che allentano il legame di coppia fra madre e figlio e ne favoriscono il distacco. Mentre la madre riprende la sua relazione col marito, il bambino comincia a scoprire il padre: è lui che colma, con la sua presenza, il senso di vuoto e di perdita che entrambi provano quando le tappe della crescita provvedono a separarli progressivamente l'uno dall'altra, come avviene appunto nello svezzamento.

Il «dito in bocca»

«Da quando ho smesso di allattarlo, ha preso la brutta abitudine di succhiarsi il pollice, soprattutto prima di addormentarsi»...: il «vizio» del dito in bocca è una preoccupazione ricorrente per molti genitori, specie se si protrae ben oltre il periodo dello svezzamento. C'è davvero il rischio che si deformi non solo il pollice, ma anche il palato, con effetti negativi sulla dentizione? Ed è giusto intervenire con metodi più o meno drastici per correggere questa abitudine?

È naturale che il bambino sostituisca, almeno in parte, il piacere di succhiare il seno o il biberon con la piccola consolazione del «dito in bocca». Meno naturali sono invece gli interventi di «correzione» ai quali ricorrono alcuni genitori per togliere da subito al bambino questo «brutto vizio». Ed evitare così che si deformi anche il palato. Oggi non si adottano più misure drastiche e punitive, come avveniva in passato, quando si spalmava il pollice incriminato con sostanze amare o nauseanti, si fasciavano le mani del piccolo e gli si legavano le braccia alle sponde del lettino... Ma c'è ancora chi cerca di distogliere il bambino da questo piacere mettendogli i guantini di notte, e intervenendo con rimproveri e castighi quando lo si coglie «in flagrante» durante il giorno.

Prima di reprimere nel bambino questo impulso «orale» così naturale, che si manifesta già nella vita prenatale, come si vede dalle ecografie, e a volte permane anche durante l'allattamento, è bene valutare quali siano gli svantaggi che questo nostro atteggiamento punitivo può comportare. E quali invece i rischi reali di questa abitudine. Solo quando il bambino succhia in continuazione il pollice, e lo fa per diversi anni, fino all'inizio della scuola e a volte anche oltre, questa abitudine tende effettivamente a deformare la cavità orale, spesso con effetti negativi anche sulla dentizione. Ma è raro che accada, se il bambino ha vissuto in modo abbastanza soddisfacente la fase dell'allattamento, senza trascinarsi dietro un eccessivo bisogno di compensazioni «orali». Quando succede, non si tratta di un «vizio»: nella maggior parte dei casi è invece il sintomo di un lieve disagio che bisogna aiutare il bambino a superare, soprattutto se continua a succhiarsi il pollice anche dopo i cinque anni.

Inutile preoccuparsi invece se il «dito in bocca» è solo un piacere occasionale, al quale il bambino ricorre di tanto in tanto per rassicurarsi nei momenti più difficili della giornata, come la sera, prima di addormentarsi: si tratta infatti di un comportamento del tutto innocuo, che di solito tende a scomparire verso i tre, quattro anni. In questi casi è bene ricordare che il senso di insoddisfazione, di nervosismo, di impotenza che diamo al bambino fasciandogli le mani o castigandolo, è più dannoso della stessa suzione del pollice. Si provoca così uno stato di ansia che rende più difficile al piccolo addormentarsi la sera, causando a volte una vera e propria insonnia, mentre di giorno tende a ricorrere più spesso, non visto, a questa abitudine e a protrarla più a lungo nel tempo.

Non mancano naturalmente accorgimenti utili a cui ricorrere per distogliere il bambino dalla suzione del pollice, quando è troppo frequente o permane troppo a lungo. La cosa migliore è sostituire questo piacere con un palliativo: non si può infatti togliere qualcosa che soddisfa un bisogno urgente del bambino, senza dargli nulla in cambio. La sera, prima di addormentarsi, si può lasciargli succhiare una bevanda dolce dal biberon, finché è ancora piccolo, per poi passare alla classica tazza di latte caldo.

Man mano che cresce, si possono favorire tutte quelle occupazioni manuali che danno al bambino un senso di competenza e di abilità, in modo da spostare maggiormente i suoi interessi all'esterno, distogliendolo dal ripiegarsi troppo su se stesso, e sul piacere consolatorio del «dito in bocca».

È il caso di un bambino di quattro anni, che smise definitivamente di succhiare il pollice non appena il padre cominciò a portarlo con sé la domenica a pescare. Insegnandogli a usare gli ami e la lenza, e mostrandosi orgoglioso delle sue prodezze, lo aiutò a sentirsi più «grande». Forte di questa conferma paterna, non sentì più il bisogno di mettersi il dito in bocca: come succede ogni volta che il bambino riceve dai suoi genitori un sostegno positivo alla sua voglia di crescere. E ne allontana la paura.

IX
Alimentazione

> ninna-nanna di un bambino
> che non aveva mai visto una torta
> e credeva che fosse salata
> e la sputava senza averla assaggiata

Dopo lo svezzamento la vita del bambino non ruota più attorno alla ricerca del seno, del latte, della madre. Ma c'è ancora una identificazione così forte fra il nutrimento e la figura materna, che l'alimentazione continua ad essere un riflesso del loro legame. E il rapporto col cibo l'espressione di un appetito che non si limita a soddisfare la fame ma coinvolge gli impulsi più istintivi, vitali della vita affettiva.

È naturale quindi che alle variazioni dell'appetito, al piacere o al rifiuto del cibo si attribuiscano significati che vanno oltre quelli puramente fisici, dietetici di una buona alimentazione. «Se non mangi vuol dire che non mi vuoi bene, che non dai valore a quello che faccio per te.» In fondo è questa l'idea, più o meno inconsapevole, che rende difficile accettare il rifiuto di una pietanza preparata con tanta cura, con «tanto amore»: la mamma può sentirsi «respinta», insieme al cibo. O pensare che venga utilizzato come un'arma subdola, un ricatto: «Non mangio perché sei stata "cattiva" con me». Ma non sempre è così: magari il bambino sta solo esprimendo i suoi gusti e i suoi ritmi alimentari che non necessariamente coincidono con quelli della madre.

L'alimentazione è sempre un terreno delicato di confronto quotidiano fra mamma e bambino. Oltre ad essere carico di significati affettivi, il cibo è così strettamente legato alla sopravvivenza fisica, che rischia di diventare il polo su cui si focalizza ogni interesse, la cartina di tornasole del benessere fisico e psicologico del bambino. Se mangia, va tutto bene. Se non mangia, invece... Qualcosa non va. Ma spesso si tratta solo di un segnale di superficie, che varia secondo l'indole del bambino, la fase della sua crescita e il suo stesso rapporto col cibo.

Un buon rapporto con il cibo

Oggi si dà un'estrema importanza all'alimentazione del bambino, soprattutto dal punto di vista della sua salute e della sua crescita fisica. Eppure si sa che il particolare rapporto che ognuno ha col cibo, fin da piccolo, è carico di componenti psicologiche e affettive del tutto personali, che possono facilitare o interferire con una sana alimentazione. Quali sono? E come si manifestano nei primi anni di vita?

Dopo l'allattamento, nell'alimentazione continuano a confluire insieme agli impulsi orali anche le componenti più vitali, istintive di questa prima fase dello sviluppo infantile e i sentimenti che ne scandiscono il percorso. Il cibo è qualcosa di buono da fare proprio, come l'amore della mamma. Ma anche da respingere quando si trasforma in qualcosa di «cattivo»: perché non piace, non è di proprio gusto. Perché il bambino non ne ha più vòglia, si sente sazio. Oppure perché, in quel momento, rappresenta nella sua fantasia l'altra faccia della mamma: quella «cattiva», che da fata si trasforma improvvisamente in strega, come nelle fiabe. Ed ecco che il cibo diventa la «mela avvelenata» che la matrigna offre a Biancaneve... Per poi trasformarsi di nuovo in «qualcosa di buono», che si desidera intensamente, rispecchiando così la stessa ambivalenza infantile verso la figura materna, comune a tutti i bambini.

Il particolare rapporto che ogni bambino ha col cibo dipende anche dalla sua indole e dal suo carattere, che si riflette sull'alimentazione, come su molti altri aspetti della vita quotidiana. C'è il bambino goloso, sempre pronto ad accogliere il cibo come un dono, un appagamento dei suoi desideri. E ad avventurarsi senza timori o ritrosie fra i nuovi alimenti e i loro diversi sapori, prediligendone alcuni e rifiutandone altri secondo un gusto personale che comincia già ad affermarsi in piena libertà, senza subire condizionamenti eccessivi. E spesso affronta le nuove esperienze con la stessa gioiosa aggressività che ha verso il cibo.

Ma c'è anche il bambino che vive i suoi impulsi «orali» un po' sottotono. Non si sente terribilmente deluso quando non ha quello che vuole. E quando lo ha, non scoppia di piacere, di felicità... Non tutti, da piccoli, vivono il cibo come una passione, con i suoi alti e bassi. Per alcuni, rappresenta invece qualcosa da affrontare con cautela, a volte con diffidenza, quando esula dalle abitudini e dalle certezze già acquisite: è buono, è cattivo. Di qui la poca curiosità, lo scarso entusiasmo, a volte il rifiuto deciso o il disgusto per i nuovi alimenti. E in molti casi anche per tutto ciò che è diverso, che rappresenta una novità, un cambiamento.

Desiderio, piacere, soddisfazione... Ma anche cautela, timore, diffidenza, rifiuto. Sono molte le componenti in gioco, nell'alimentazione. E spesso si alternano nello stesso bambino. Come evitare che prevalgano quelle negative, favorendo così un buon rapporto con il cibo?

Anche nell'alimentazione, come nell'allattamento, continuano a entrare in gioco sensazioni, emozioni e sentimenti molto intensi, in un continuo scambio di messaggi fra il bambino e chi lo nutre. Non si può quindi passare dall'allattamento come momento di comunicazione ad alto indice affettivo, all'alimentazione al cucchiaio come fase di minor coinvolgimento o interesse. Né dimenticare che come per l'adulto, anche per il bambino il cibo ha un suo significato, fatto di simboli, di segni, ciascuno con una sua particolare risonanza interiore: «caldo» significa tenerezza, calore; «dolce», affetto, amore, mentre particolari tipi di alimenti, come le fragole, le ciliege, la torta, il gelato danno un senso di gioia, di allegria, di festa... Ogni bambino crea poi un suo linguaggio «alimentare» privato, personale e lo modifica col passare del tempo, man mano che cambiano i suoi gusti.

Se è naturale partecipare con piacere alla gioia del bambino quando mangia con appetito quello che abbiamo preparato per lui, dovrebbe esserlo altrettanto accondiscendere ai suoi segnali di autonomia quando rifiuta qualcosa che gli sembra cattivo, non gli piace. Già da piccoli i bambini manifestano in modo spiccato le loro preferenze, per il dolce o per il salato. Inoltre ci sono un'infinità di sottogusti a cui abituarsi. Alcuni piacciono all'istante, altri richiedono più tempo per essere apprezzati. E altri ancora danno uno spiacevole senso di disgusto.

Non è mai una buona regola educativa imporre al bambino un cibo che non gli piace. Gli impulsi orali legati all'alimentazione sono così forti, da piccoli come nell'età adulta, che essere obbligati a trangugiare qualcosa che suscita disgusto e ripugnanza, viene vissuto come un «atto sadico»: una crudeltà senza motivo e senza giustificazione. Chi da piccolo ha subito queste imposizioni, spesso si porta dietro anche nell'età adulta una vera e propria idiosincrasia per alcuni cibi: al punto da provare un senso di nausea solo a sentirne l'odore. Al contrario, ritrovare i sapori che si sono amati da piccoli, suscita una specie di inspiegabile felicità venata di nostalgia che ci restituisce intatto il gusto dell'infanzia.

Mangiare da solo: quando?

Arriva il momento in cui il bambino vuole mangiare da solo, anche se è ancora «troppo presto» per imparare. Come comportarsi?

Inizialmente si può usare la tattica del doppio cucchiaio: uno al bambino, per «giocare» col cibo e imparare a nutrirsi, e uno alla mamma, per garantirgli la sua dose di nutrimento. Più avanti, verso i dodici, quindici mesi molti bambini sembrano insofferenti di ogni aiuto: vogliono proprio mangiare da soli e si appassionano al cibo come a un nuovo gioco. Anche se in questi loro primi esercizi di autonomia alimentare sporcano attorno e si imbrattano, sprecando parte della pietanza, è meglio lasciarli fare.

Nell'alimentazione, come per molte altre esperienze infantili, è sempre importante rispettare i tempi del bambino, anche se a volte non coincidono con le «tabelle di marcia» della crescita e con le sue capacità. Se si impediscono questi primi tentativi di autonomia, è probabile che gli passi la voglia di provare. E tenderà magari a farsi imboccare anche più avanti, quando invece è «troppo tardi» per continuare a farlo.

Non c'è poi da scandalizzarsi se il bambino gioca col cibo, cercando di mangiare da solo. Non c'è niente di più serio del gioco, per lui: è il suo modo di imparare, di fare esperienza. E questo è più importante del senso di disagio o di insofferenza che può suscitare sporcando attorno o sprecando un po' di cibo.

La lotta all'ultimo cucchiaio

E l'obbligo di «vuotare il piatto»? Fino a che punto è giusto mantenere salda questa vecchia regola educativa, in nome del rispetto per il cibo?

C'è una forma di etica molto radicata, soprattutto nella civiltà contadina, che vieta di sprecare il cibo: è frutto di lavoro, di fatica, e va rispettato. A questo si aggiungono altri motivi, di natura ideologica o sociale, che rendono spesso intollerabile il suo spreco, come la fame nel mondo o l'attuale situazione di crisi economica: «Pensa a chi non ha niente da mangiare!», «Ma lo sai quanto costa, oggi, la carne?» e così via... Anche se si tratta di considerazioni giuste e naturali, non dovrebbero mai trasformarsi in una fobia dello spreco, che come quella dello sporco, non consente margini di tolleranza.

Non si può negare che il cibo abbia un valore economico oltre che etico e sociale: ma, soprattutto nell'infanzia, il suo significato è essenzialmente affettivo. Solo se rappresenta «qualcosa di buono», da assimilare liberamente e respingere altrettanto liberamente, quando non piace o non se ne ha voglia, diventerà un vero valore. Meglio quindi evitare ogni rigidità eccessiva, e adottare piuttosto un atteggiamento permissivo, in modo da lasciare al bambino i suoi spazi di libertà, di piacere e di gioco anche nell'alimentazione.

Di fronte a qualsiasi tipo di rifiuto, oltre che inutile, è controproducente intavolare un braccio di ferro: «Finisci tutto quello che hai nel piatto!». Molto meglio togliere la pietanza che il bambino respinge senza tanti problemi. E naturalmente evitando di ripresentargliela davanti tale e quale al pasto successivo. Sarebbe davvero uno scherzo di cattivo gusto: avrebbe il sapore di una vendetta servita su un «piatto freddo»...

I pasti dovrebbero rappresentare un'occasione di relax, di piacere condiviso in un clima di distensione e di allegria, e non costituire momenti di tensione, di conflitto. Lasciando che il bambino esprima liberamente i suoi gusti e le sue inclinazioni alimentari, senza che siano una copia delle nostre, si incoraggerà la sua autonomia.

I ricatti affettivi

C'è il bambino che mangia, anche se non ne ha voglia, per «far contenta» la mamma. E quello che invece ogni tanto si impunta a non mangiare, quasi per farle dispetto... Anche i ricatti affettivi fanno parte dell'alimentazione. Perché? E come evitarli?

Non è strano che l'alimentazione si trasformi spesso in un campo di battaglia, più o meno mascherato, insidioso, fra madre e figlio. Man mano che il bambino cresce, il cibo diventa il simbolo non solo del loro legame, ma anche del loro progressivo e salutare distacco. È inevitabile quindi che il comportamento alimentare del bambino rifletta la sua ambivalenza interiore nei confronti della mamma. Soprattutto nelle fasi della crescita che implicano una maggior separazione, il cibo diventa il mezzo più facile per esprimere le pulsioni aggressive che sempre si accompagnano al distacco.

Naturalmente si tratta di situazioni provvisorie che si alternano ad altre in cui il bambino mangia di gusto, con grande appetito. Oppure anche controvoglia, solo per «far contenta la mamma», se sta attraversando un periodo in cui quello che più teme è di perdere il suo amore. Occorre pertanto prestare ascolto ai messaggi che il bambino lancia di volta in volta, come segnali di uno stato affettivo più generale, senza ridurli a puri sintomi alimentari. Se la mamma si impunta di fronte a un diniego, mostrandosi ferita, delusa, arrabbiata, entra in un gioco di ricatti incrociati: col risultato di prolungare nel tempo difficoltà alimentari altrimenti passeggere.

Il bambino che non mangia

E il bambino che «non mangia», che sembra quasi non avere mai fame?

Di solito succede quando l'alimentazione diventa il canale privilegiato in cui il bambino scarica tutte le sue pulsioni aggressive, naturalmente senza esserne consapevole: se bisogna continuamente sollecitarlo, incitarlo a mangiare, non lo fa apposta. A differenza di altri bambini, non riesce a esprimere in modo più diretto, immediato, attraverso i gesti o le parole, i sentimenti di ostilità, di rabbia, di paura che sono l'altra faccia, quella più in ombra, dell'amore infantile per la madre. Ad esempio, a lui non capita, come ad altri coetanei, di avventarsi contro di lei, quasi volesse picchiarla, per poi chiederle un bacio. E neppure di gridare: «Mamma, ti odio!», per poi correrle in braccio e stringersi a lei.

Il bambino «che non mangia» spesso ha un legame troppo stretto con la madre, che gli impedisce di esprimere oltre all'amore, anche l'aggressività che prova nei suoi confronti. Tende così a negare, a «rimuovere» i sentimenti negativi trasferendoli nell'alimentazione in modo del tutto inconscio. È perciò importante aiutarlo a manifestare senza troppa paura anche gli impulsi ostili, elaborandoli insieme attraverso la parola, il disegno, le fiabe, il gioco. Così come è importante sdrammatizzare l'alimentazione, che non è semplicemente un dovere, una necessità: ma anche un gioco. Spesso basta un po' di humour, per ritrovare insieme agli aspetti «ludici», giocosi, anche il desiderio e il piacere del nutrimento.

Come rendere più piacevole l'alimentazione del bambino?

È sempre meglio diversificare i menù, variare gli alimenti, in modo da renderli più appetitosi, più allettanti, magari con un tocco di fantasia, anche nel modo di presentarli. Preparare sempre le stesse pietanze, rende monotono, ripetitivo, privo di stimoli e di sorprese il momento dei pasti. Certo un bambino è felice quando la mamma gli prepara quello che preferisce: ma non tutti i giorni, altrimenti finirà per piacergli sempre meno. Anche il modo di preparare la tavola, di rendere allegro e accogliente l'ambiente in cui si mangia, creando un clima festoso, è un segno di attenzione, di cura che favorisce il piacere della convivialità. E i bambini sono molto attenti, a questi segnali.

Sono poi molto curiosi di vedere che cosa fa la mamma in cucina, come prepara i cibi. Spesso le stanno attorno e si offrono di aiutarla. Anche se a volte sono d'impiccio, è bene lasciarli partecipare. Scoprire i segreti della cucina, conoscere la misteriosa alchimia che trasforma gli alimenti in pietanze è un gioco che li appassiona, li diverte. E rende più appassionante, divertente anche l'alimentazione e i suoi riti familiari.

L'apprensione per il cibo

Ci sono bambini che hanno quasi il terrore di mangiare fuori casa. Perché?

Il rifiuto di ogni novità è più frequente quando i bambini vivono in un ambiente familiare piuttosto chiuso, poco incline a scambiare inviti. Oppure quando avvertono una certa diffidenza verso l'esterno. Che si traduce nella convinzione che solo in casa propria si mangi «bene», mentre il «cibo degli altri» diventa un veleno. A volte può essere la mamma a influire su questo atteggiamento ostile, diffidente, quando non rinuncia mai al ruolo di nutrice. E detiene il dominio esclusivo dell'alimentazione: non c'è niente di buono, fuori di casa, nessuno cucina così bene come lei...

È importante invece dare l'opportunità al bambino non solo di giocare con i suoi amici, ma anche di mangiare con loro, accettando e restituendo inviti. Sapere che ci sono modi di cucinare diversi e gustare nuovi sapori è già una forma di apertura verso gli altri, un modo di accettare e dar valore alla diversità.

«Ha mangiato?»: spesso è questa la prima cosa che le mamme chiedono quando vanno a riprendere il bambino al nido o all'asilo. E al primo segnale di disappetenza si preoccupano... È davvero un problema, il segnale di «qualcosa che non va»?

Non sempre quelli che sembrano problemi dell'alimentazione lo sono davvero. Spesso vengono ingigantiti dall'ansia, dall'apprensione che il bambino non si trovi bene in quel nido o in quell'asilo. Le paure nascoste, indefinibili si trasformano così in qualcosa di più concreto e controllabile: il timore che il bambino «non mangi abbastanza». Ai dubbi non espressi – «Gli sarà successo qualcosa di spiacevole?», «Avrà sofferto per la mia mancanza?», «Si sarà trovato bene con la maestra, con i compagni?» – si sostituisce così la domanda di rito: «Ha mangiato?».

In realtà non è un dramma se il bambino rifiuta qualche volta il cibo. Non è essenziale che mangi sempre e mangi tutto, per essere sicure che si trovi bene in quell'ambiente. Ci sono molti altri segnali che possono rivelare una situazione di disagio, di malessere, anche se «ha mangiato». Mentre può trovarsi benissimo, anche se lascia ogni tanto la pastina nel piatto.

Anche i periodi di disappetenza non sono di per sé un problema: ci sono fasi della crescita in cui è fisiologico che il bambino mangi meno, e magari cresca meno, per riprendere poi il suo appetito abituale. Come molti altri comportamenti infantili, anche quello alimentare è soggetto a variazioni. Saperle riconoscere ed accettare evita di farne un inutile dramma.

Infine non bisogna dimenticare che c'è in ogni bambino un istinto naturale ad alimentarsi secondo i suoi bisogni. Ed è bene dargli fiducia, riconoscere questa sua capacità. Come è emerso in una famosa ricerca, un gruppo di bambini lasciati liberi di scegliere di fronte ad un self-service ricco di pietanze di gusti e quantità diverse, ha saputo organizzare, ognuno a suo modo, una dieta molto equilibrata. E senza il consiglio di nessuno.

I sogni e le fiabe: mangiare ed essere mangiati

Nei sogni dei bambini, come nelle fiabe, il cibo è un elemento ricorrente. Con quali significati onirici e magici?

Nei sogni infantili il cibo esprime un desiderio che viene soddisfatto dall'inconscio onirico. E che a volte compensa una frustrazione subita nella stessa giornata. È il caso della piccola Anna, la figlia di Freud, che a diciannove mesi sognò di mangiare tutte le fragole e i fragoloni che lo stesso giorno le erano stati proibiti, perché indisposta. Non si sa cosa sognino i bambini più piccoli. Probabilmente, anche loro fantasticano spesso di mangiare: e mentre dormono a volte muovono le labbra come se stessero succhiando, con un'espressione di immensa beatitudine.

Nelle fiabe invece il cibo riacquista tutta la sua forte carica di ambivalenza, e diventa il simbolo sia del bene che del male: basti pensare alla casetta di marzapane di Hansel e Gretel che si trasforma in un'esca mortale per i due bambini, alla mela avvelenata di Biancaneve... Sul piano razionale, il cibo magico delle fiabe riflette il doppio messaggio che ogni bambino riceve sul nutrimento: il gelato, le fragole, i dolci sono qualcosa di buono, di benefico, che può diventare cattivo, pericoloso se se ne mangia troppo...

Un doppio messaggio che sul piano inconscio si estende al simbolo stesso del nutrimento, la madre capace di sdoppiarsi in due figure contrapposte nella fantasia del bambino come nelle fiabe che più lo affascinano: la fata buona, che soddisfa magicamente tutti i suoi desideri, e la strega cattiva, che invece li nega. Per fortuna, è sempre la fata che ha il sopravvento! Una lezione che il bambino impara dalle fiabe e che è pronto a trasferire nella vita.

X
Il sonno

ninna-nanna arriva la Notte
con il Sonno sotto il manto
lo depone sul cuscino
vicino vicino al mio bambino

È dormendo che il bambino appena nato passa la maggior parte del suo tempo. E per tutta l'infanzia sogna, come non gli accadrà mai più, nella vita. Da piccoli infatti si sogna circa il doppio rispetto all'adolescenza e all'età adulta. Naturalmente non si sa cosa sogni un bambino: almeno finché non comincia a parlare, le sue fantasie notturne restano un mistero. Si sa invece che sognava già prima di nascere, a partire dal settimo mese di gestazione in poi, come hanno dimostrato le più recenti ricerche ecografiche sull'alternanza, nel feto che dorme, di sonno profondo e di sonno REM *(Rapid Eyes Movement, movimento oculare rapido) che corrisponde nell'essere umano all'attività onirica. Non solo, ma il «sogno» del feto sembra alternarsi a quello della madre, come se dormendo la donna e il futuro bambino intrecciassero fra loro un misterioso dialogo onirico.*

Il neonato continua così a immergersi nel flusso di sonno e di sogni in cui si cullava prima di nascere, come se lo stesso ritmo biologico che scandisce la sua vita provvedesse a rendere più dolce e graduale questo passaggio. Ma non sprofonda nella totale inattività, nel riposo, nell'oblio. Al contrario, quando sogna il suo cervello lavora intensamente, contribuendo così a far maturare il sistema nervoso, le capacità di apprendimento e la memoria. Non solo, ma già appena nati il sogno è un mezzo per scaricare le tensioni, ricomporre il proprio equilibrio. È la bacchetta magica che permette al bambino di realizzare i suoi desideri. E più avanti, anche di mettere in scena le sue paure, di esprimere le sue inquietudini.

Nella fase di sonno profondo, privo di sogni, invece, l'arresto dell'attività mentale mette a riposo anche il complesso meccanismo del sistema nervoso proteggendone le cellule, mentre l'ipofisi – una piccola ghiandola sottostante al cervello – secerne in abbondanza il cosiddetto «ormone della crescita»: anche per questo, dormire bene significa crescere bene.

Proprio perché il sonno occupa gran parte della vita fisica e mentale del bambino, è naturale che ne rifletta anche la salute, il benessere, l'equilibrio. Come è naturale che a volte rappresenti invece il segnale di qualcosa che non va, che lo disturba. E che lo rende inquieto, nervoso, agitato anche quando dovrebbe semplicemente riposare. E lasciar riposare gli altri. «Dorme poco, dorme male. E non ci lascia dormire...»: è una delle preoccupazioni più frequenti dei genitori. Ma la spia rossa può accendersi anche per il motivo opposto: «Dorme troppo, dorme sempre...». Senza contare le turbolenze notturne del bambino che continua a svegliarsi. Oppure scambia il giorno per la notte, rifiuta di fare il pisolino di pomeriggio. «Ma dormirà abbastanza?», ci si chiede, soprattutto nei primi mesi di vita, quando l'importanza del sonno è simile a quella dell'alimentazione: due funzioni talmente intrecciate fra loro che spesso l'equilibrio o i disturbi dell'una si riflettono sull'altra e viceversa.

Il sonno e la veglia

Quante ore dovrebbe dormire un bambino? Ci sono regole per stabilire qual è la giusta dose di sonno?

In genere, per un neonato sano il sonno è la condizione normale di vita che copre quasi tutto l'arco della giornata. Si sveglia solo per mangiare, per essere cambiato e per cominciare a guardarsi attorno. Quando è sazio di latte, di mamma e di nuovi stimoli, scivola nel dormiveglia, e poi nel sonno profondo. Progressivamente, verso il secondo, terzo mese, tende a restare più sveglio, riducendo così le ore di sonno: questo non significa che sia nervoso, irritabile o malato. Significa soltanto che sta crescendo.

Ci sono genitori, e in particolare le mamme, che tendono invece a fargli mantenere immutate le ore di sonno dei primi mesi, come se fosse la dose giusta, da non modificare. O al contrario stimolano il bambino a prolungare la fase di veglia, anche quando sembra già sul punto di appisolarsi, per evitare che «dorma troppo». Si interferisce così col naturale ritmo biologico che scandisce l'alternarsi di sonno e veglia secondo un orologio interiore del tutto personale: se a un bambino bastano dieci ore di sonno, ad altri ne occorrono di più, fino ad un massimo di circa diciotto. Si tratta quindi di seguirne i ritmi, inventando in modo fluido, flessibile, le regole che meglio si adattano sia ai bisogni del bambino che alle esigenze dell'ambiente familiare, dei genitori.

Questo principio dell'«autoregolazione», ormai sostenuto dalla pediatria internazionale più avanzata, a volte sembra più difficile da applicare delle regole fisse, già prestabilite: perché implica la libertà di scegliere, di decidere, oltre ad una maggiore attenzione ai messaggi del bambino. Che non sempre è facile cogliere, per una mamma o un papà privi di qualsiasi esperienza con i neonati. Dopo qualche errore di comunicazione, si impara. E in ogni caso è un'impostazione che consente un ritmo più regolare e tranquillo di sonno-veglia, mentre le regole imposte si rivelano quasi sempre complicate, difficili e inutili. Col risultato di creare nei genitori un'ansia che viene inevitabilmente trasmessa al figlio. E non facilita certo sonni tranquilli.

Come l'alimentazione anche il sonno per il bambino è prima di tutto un piacere: qualcosa di bello, di buono, che asseconda i suoi bisogni e lo fa stare bene. È la fase in cui può distogliersi dalle sollecitazioni del mondo esterno, e rientrare in se stesso, con un contatto più diretto, profondo con le proprie percezioni corporee che riemergono nel sogno. In uno stato di salute, lo si vede con quanto piacere assapora il sonno: le guance si arrossano, il viso assume un'espressione di infinita beatitudine. «Dorme come un angelo», si dice, proprio perché si è affascinati dallo stato di totale soddisfazione che esprime.

Quali sono le prime percezioni del neonato quando emerge dal sonno? E che cosa contribuisce a rendere più stimolante il periodo di veglia, man mano che dorme di meno?

Il minor bisogno di sonno corrisponde anche ad un maggior interesse del bambino per tutto ciò che lo circonda: le ombre della stanza, la luce del sole che filtra dalla finestra, i riflessi dello specchio, il movimento della casetta delle api appesa sopra la culla. E poi le voci, i suoni, i rumori, lo scricchiolio del pavimento quando qualcuno si avvicina... Ma è attratto soprattutto dalla mamma, dal papà, dalle persone dell'ambiente familiare, che impara a conoscere sempre meglio.

Man mano che il rapporto con gli altri si fa meno confuso, indistinto, comincia anche a riconoscere i tratti del loro viso, l'espressione degli occhi, il timbro della voce, che variano col variare dell'umore, dell'emozione che manifestano: variazioni che il neonato è già in grado di cogliere con una sensibilità acutissima.

C'è un'enorme differenza fra l'interesse che il bambino rivolge alle cose o alle persone: anche gli oggetti, i giocattoli, gli utensili acquistano un significato diverso, più stimolante, divertente, se il bambino non si limita ad osservarli da solo, ma li conosce anche attraverso il tramite dei genitori, che li animano coi loro gesti, le loro parole, giocando insieme a lui.

Sarà tanto più naturale per il bambino dormire e sognare bene, quanto più la fase di veglia si è svolta in un clima sereno, tranquillo, e in un ambiente ricco di stimoli positivi, che hanno appagato la sua curiosità, il suo interesse, senza però stancarlo troppo. È difficile per un bambino addormentarsi quando si sente troppo stanco o troppo eccitato. Meglio non esagerare quindi con giochi chiassosi o troppo stimolanti. E lasciarlo tranquillo quando ci si accorge che sta per appisolarsi.

Il dormiveglia

Ci sono momenti, sia prima di addormentarsi che al risveglio, in cui il neonato sembra lontano, quasi apatico, privo di interesse anche quando si cerca di entrare in contatto con lui. E alcuni genitori temono che sia un segnale di scarsa vitalità, di «introversione», di apatia, da contrastare stimolandolo con le coccole o con i giochi... È così? O è meglio lasciare il bambino tranquillo, rispettando questa sua esigenza di solitudine?

Queste fasi di dormiveglia, che precedono il sonno o seguono il risveglio, nell'Ottocento venivano chiamate «stati crepuscolari» della mente: ai passaggi intermedi del tempo, quando non è ancora notte e non è ancora giorno, corrisponde un'analoga condizione psichica, in cui non si è ancora del tutto addormentati, né del tutto svegli. In queste fasi la mente oscilla fra la fantasia e la realtà, seguendo il flusso dell'immaginazione, e crea un mare di *rêveries*, in cui, anche da adulti, è bello potersi adagiare, senza essere disturbati da interferenze esterne. E tanto più lo è da bambini, quando il mondo della fantasia attrae spesso molto più di quello reale.

Nel neonato queste fasi «crepuscolari» sono naturalmente più frequenti, come lo è l'alternarsi del ritmo sonno-veglia. E anche se il piccolo non è ancora in grado di esprimerlo, vuole viverle in solitudine, senza essere disturbato: come succederà più avanti quando gioca da solo, tutto intento a seguire le sue fantasie. Ed è così concentrato, che a volte non sente nemmeno il richiamo dei genitori. Allo stesso modo gioca da solo anche il neonato, quando sembra racchiudersi in se stesso e isolarsi, indifferente ad ogni richiamo. È così che comincia a comunicare fra sé e sé, seguendo quello che gli passa per la mente, mentre si delineano le sue prime immagini interiori: fantasie ancora indistinte, sensazioni, ricordi, desideri, che a poco a poco prendono una forma meno confusa, più nitida.

Non sono quindi fasi di apatia. Al contrario, sono momenti molto importanti per lo sviluppo del suo pensiero creativo e della sua identità. È proprio così, ritirandosi in se stesso, che il bambino comincia a formare il mosaico delle sue prime percezioni mentali e ad elaborare la sua struttura interiore. Rispettare queste sue brevi parentesi di solitudine, di isolamento, evitando inutili interferenze e sollecitazioni, significa lasciare spazio alla sua creatività, senza invadere quella zona segreta della mente in cui ogni bambino struttura a poco a poco la sua personalità.

Meglio quindi avvicinarsi con delicatezza, senza modi bruschi, affrettati, quando si sveglia, parlandogli sottovoce ed evitando un eccesso di stimoli, di coccole, di vezzeggiamenti, che gettano una luce troppo forte sullo stato di penombra mentale in cui sta cullandosi. Allo stesso modo, quando sta per appisolarsi, meglio prendere un po' le distanze, interrompendo i giochi, le coccole, le parole, per lasciarlo immergere in se stesso: magari gioca con le mani, si succhia il pollice, ascolta i suoi vocalizzi.

Così, mentre si concentra sulle sue sensazioni corporee, comincia anche a sperimentare la capacità di star solo. E non è poco: significa che ha interiorizzato dentro di sé le figure dei genitori come «presenze buone», da cui si sente rassicurato e protetto anche in loro assenza. Naturalmente non è una conquista definitiva: ci saranno sempre momenti in cui il bambino piange, perché si sente abbandonato. E momenti in cui invece la solitudine non gli fa paura: ma è una preziosa fonte di arricchimento interiore, di creatività.

I primi disturbi del sonno

«Ci sono giorni in cui dorme benissimo. E altri invece in cui sembra nervoso, agitato...», dicono molti genitori. Spesso il sonno del bambino, con le sue variazioni, sembra registrare come un termometro lo stato di tranquillità oppure di ansia, di tensione, che c'è in famiglia. È davvero così sensibile a tutto ciò che accade attorno a lui?

Si sa che neonati e bambini hanno antenne acutissime nel cogliere sensazioni ed emozioni nell'ambiente che li circonda. Assorbono il clima emotivo come un'aria salubre, che li rafforza, li rinvigorisce quando è vivace, stimolante, sereno. Ma assorbono anche gli stati d'ansia, le tensioni che a volte intossicano l'atmosfera familiare.

È naturale quindi che tutto ciò che accade nelle fasi di veglia, per il neonato, e nel corso della giornata per il bambino più grande, si rifletta sul sonno e sui sogni. Gli sarà più difficile non solo addormentarsi, ma anche dormire e sognare bene, se il suo orizzonte è attraversato da nuvole minacciose. Oppure se vive in un ambiente troppo carico di sollecitazioni, che suscitano in lui eccitazione e nervosismo. D'altro canto può risultare controproducente anche un clima troppo «asettico», arido, privo di emozioni e di stimoli, perché crea un senso di vuoto, di noia, di atonia che non facilita certo il sonno. L'assenza di nutrimento emotivo rende difficile addormentarsi, proprio come accade quando si ha lo stomaco vuoto.

In situazioni estreme di grave disagio fisico o psicologico, il sonno può rappresentare invece un meccanismo di difesa: un tentativo di mettersi al riparo da un ambiente ostile, negativo, dal quale il bambino si sente respinto. Ma si tratta appunto di casi-limite: come quelli segnalati dallo psicologo inglese John Bowlby nei suoi studi sulla depressione di bambini separati dai genitori e affidati a istituti pubblici o ricoverati per lunghi periodi in ospedale. Dopo fasi di protesta, rabbia e disperazione, sia i neonati che i bambini più grandi, si ritiravano nell'apatia e nel sonno, difendendosi così da uno stato di angoscia e sofferenza intollerabili.

Diverso è invece il caso del bambino che «dorme troppo» perché questo sonno prolungato e profondo corrisponde al suo ritmo biologico, o a una particolare fase della crescita: come per l'alimentazione, anche il fabbisogno di sonno varia da bambino a bambino fin dalla nascita. E subisce variazioni in momenti particolari della sua vita o in alcune tappe cruciali del suo sviluppo.

Quali sono le fasi della crescita, o le situazioni particolari che possono interferire nel sonno del bambino, creando difficoltà o modificandone il ritmo regolare?

Tutto ciò che modifica la vita del bambino e le sue abitudini, crea un certo scompiglio e richiede una forma di adattamento più o meno difficile che in molti casi può riflettersi sul sonno: come la dentizione, lo svezzamento, i cambiamenti di alimentazione, le vaccinazioni, le visite dal pediatra... Ma anche l'inizio di un apprendimento importante, come i primi passi, o i cambiamenti di ambiente – l'inserimento nella scuola materna, le vacanze, un trasloco o uno spostamento – possono modificare il ritmo del sonno-veglia, o rendere più difficile il momento di addormentarsi.

Non c'è da stupirsi poi se situazioni che creano problemi affettivi – come la nascita di un fratellino, la separazione dai genitori, conflitti familiari – tendono spesso a riflettersi a boomerang sul sonno del bambino e sui suoi sogni. L'unica cosa da fare è consolarlo quando si sveglia perché ha paura o piange. E tenerlo vicino di giorno, giocare insieme a lui, parlargli e diluire così le tensioni che vive in quella fase. Passerà più in fretta e in modo più indolore. Non solo, ma come tutte le esperienze difficili dell'infanzia, una volta superata, anche attraverso sonni agitati e «brutti sogni», servirà a rendere più ricco il suo bagaglio interiore e a rafforzare la sua personalità.

L'ora della «buona notte»

«Non vuole mai andare a letto, anche se muore di sonno» dicono molti genitori. E l'ora della «buona notte» si trasforma a volte in un braccio di ferro... Perché così spesso, man mano che cresce, c'è un vero e proprio rifiuto del bambino ad addormentarsi?

Prima o poi per quasi tutti i bambini andare a letto, la sera, diventa un problema. Spegnere la luce e addormentarsi, mentre la mamma o il papà richiudono silenziosamente la porta alle spalle, significa iniziare un lungo viaggio solitario nel fondo della notte, in un'oscurità dove insieme alle ombre si addensano spesso anche ansie e paure. Il passaggio dal giorno alla notte segna inevitabilmente un distacco non solo dai genitori, ma anche dal mondo esterno, dalla vita con gli altri e da tutti i nuovi giochi, i nuovi interessi che il bambino sta scoprendo. Perché mai interrompere questo eccitante flusso di attività, di vita in comune, di comunicazione continua, per sprofondare nella solitudine, nel buio e nel silenzio dell'oblio?

Così, anche se crollano di stanchezza, molti bambini, soprattutto verso i due, tre anni, sono talmente eccitati per tutto quello che stanno vivendo, che lottano strenuamente contro il sonno. Sanno che mentre dormono la vita continua, oltre la porta chiusa della loro stanza. E vorrebbero parteciparvi fino all'ultimo, finché tutti vanno a dormire.

Non solo, ma dietro le insistenze del bambino che non vuole andare a dormire, e contratta di volta in volta un ulteriore rinvio, c'è anche una paura più profonda, inconscia, molto radicata nell'immaginario infantile: l'ansia che abbandonando il mondo, per ritirarsi nel sonno, tutto quanto esiste attorno a lui venga meno, svanisca nel nulla. Se poi sta attraversando una fase di conflitti, tensioni e sensi di colpa legati ai primi sentimenti di gelosia e di rivalità, la separazione notturna tende ad assumere i contorni minacciosi del castigo, dell'abbandono. Ed ecco che il bambino si aggrappa disperatamente alla mamma, o al papà: «Non voglio dormire! Non ancora...».

In ogni caso c'è sempre, nel rifiuto di andare a letto, o nel rinvio di questo momento, una domanda di aiuto: la richiesta di continuare la comunicazione, di mantenere vivo, presente il mondo del bambino quando teme di perderlo «per sempre». Un mondo che, almeno per tutta la prima infanzia, ruota attorno ai genitori. E se alla sera, al ritorno dal lavoro, gli è stato dedicato poco tempo, poca attenzione sarà più forte la tendenza a ritardare il momento della buona notte. Con una specie di curioso «sindacalismo» infantile, il bambino rivendica il diritto ad avere *poi* quello che gli è stato tolto *prima*, durante la giornata.

I rituali per addormentarsi

Come aiutare il bambino ad addormentarsi, allontanando le sue paure?

Ci sono molti modi per facilitare il passaggio dalla veglia al sonno. Si può lasciare accesa una piccola luce, se è soprattutto il buio che gli fa paura. Se invece è il silenzio che accentua il suo senso di solitudine, di isolamento, può accompagnarlo dolcemente nel sonno la musica di un carillon. Senza dimenticare naturalmente di lasciargli fra le braccia il suo giocattolo preferito, al quale è affezionato come a un vero amico del cuore: l'orsacchiotto, l'animaletto di peluche, la bambola... Abbracciato al suo compagno inseparabile, si sente più tranquillo, mentre si addormenta.

Prima di lasciarlo solo, è importante trovare un po' di tempo da dedicare alla «buona notte», per accompagnare il bambino a poco a poco verso il sonno: la voce della mamma o del papà è il filo ideale per seguirlo in questo percorso, soprattutto quando gli si racconta una storia, una fiaba, sempre la stessa, alla quale il bambino si affeziona per un certo periodo proprio come al suo orsacchiotto. Guai a cambiarla! È come una ninna nanna, per lui, che riascolta ogni sera con lo stesso appassionato interesse finché i suoi occhi cominciano a chiudersi, ogni volta a un punto diverso della trama.

Guai se al momento di andare a letto, non si trova il suo orsacchiotto, oppure il carillon si rompe, o si prova a raccontargli una fiaba diversa. Perché i bambini non sopportano alcun cambiamento nei rituali della buona notte?

Come tutti i rituali, anche quelli che aiutano il bambino ad addormentarsi serenamente, sono ripetivi: è proprio questa la caratteristica che li rende rassicuranti. Se qualcosa si ripete sempre allo stesso modo, senza alcuna variazione, significa che il bambino può controllarla. Non solo, ma secondo la logica del pensiero magico infantile, può estendere questo controllo sul mondo che lo circonda, sugli altri e su se stesso. Il rito serale rappresenta così un talismano benefico, che allontana le paure e permette al bambino di addormentarsi in pace con tutto e con tutti. Se invece qualcosa cambia, si modifica, c'è il rischio che la magia si spezzi: la realtà allora gli sfugge di mano, non più soggetta al suo controllo.

Meglio quindi, per quanto possibile, mantenere una certa ripetizione dei riti serali: semmai sarà il bambino a chiedere qualcosa di nuovo, di diverso, quando il vecchio rituale avrà esaurito la sua funzione. Ma se qualcosa si inceppa e fa irruzione l'imprevisto, non è un dramma. Il bambino impara che può superare i momenti difficili, come il distacco notturno, anche senza alcuna magia.

In ogni caso, il rituale della buona notte non dovrebbe mai limitarsi al momento in cui il bambino va a letto. Non si può passare da attività frenetiche, giochi chiassosi, risate che provocano uno stato di eccitazione, al sonno. Meglio prepararlo gradualmente a questo passaggio dedicandosi a qualche attività più calma, rilassante: come sfogliare insieme un libro ricco di illustrazioni, magari corredato di allegati, e di cassette musicali, lasciando che sia lui a sceglierlo.

Regole e orari

Ogni famiglia stabilisce le sue regole sull'ora in cui i bambini devono andare a letto: di solito prima delle nove. E le eccezioni? È meglio essere inflessibili, o ci sono occasioni in cui si può fare uno strappo?

Le regole del sonno dovrebbero apparire al bambino obiettive, necessarie e indiscutibili come l'alternarsi del giorno e della notte. Inutile chiedergli, come fanno molti genitori: «Andiamo a letto?», «È ora di dormire. Cosa ne dici?». La domanda autorizza l'obiezione e il diniego. In questi casi il suo parere è superfluo. Si va a letto e basta.

Ci sono tuttavia casi in cui non possiamo rimanere insensibili alle suppliche del bambino, spesso dettate da motivi che a noi adulti sembrano insignificanti, privi di importanza. E che invece per lui sono addirittura essenziali. Per capirlo, bisogna provare a mettersi nei suoi panni. È il caso di Renzo, cinque anni, che va sempre a letto alle nove: anche d'estate, quando dalla finestra socchiusa della sua cameretta gli giungono dal cortile le voci, le grida, le risa dei suoi piccoli amici che hanno invece il permesso di giocare fino alle dieci, quando il caldo si fa meno intenso. «Renzo piange e si dispera, nel sentirsi escluso dai giochi» dice la mamma. «Ma mio marito rimane inflessibile nella sua regola: a letto alle nove. E per non farlo soffrire troppo, a volte lo mando a giocare, di nascosto dal padre...»

Meglio sarebbe naturalmente che i genitori fossero d'accordo nell'infrangere a volte le regole. Ma spesso è proprio uno dei due, il più flessibile, accomodante, a capire le ragioni del bambino. E a cercare una mediazione. Nel caso di Renzo, sentirsi escluso dai giochi serali dei suoi piccoli amici equivale ad essere tagliato fuori dalla vita. E non solo per quella sera, per quell'estate: ma «per sempre». A quattro, cinque anni il bambino non ha ancora il senso del tempo: tutto avviene qui e ora, in un presente che si prolunga all'infinito. E l'isolamento dai coetanei rappresenta una reclusione e un esilio che dura, per lui, un'eternità.

Naturalmente c'è caso e caso, situazione e situazione. In generale è meglio non essere sempre inflessibili e fare a volte qualche strappo alle regole, piuttosto che far subire al bambino frustrazioni intense e prolungate che rischiano di gettare un'ombra di dolore sulla sua vita, rendendolo incline alla malinconia. Ogni volta che si «cede» alle richieste del bambino, facendo un'eccezione alle regole, è bene però non farlo casualmente, come se dipendesse dall'umore del momento. Ma spiegargli che si sono capite le sue ragioni. In questo modo non gli si dà un'impressione di incoerenza: oggi è così, e domani chissà... Gli si comunica invece che le regole esistono, ma che possono essere modificate quando ci sono buoni motivi per farlo.

Questa forma di comprensione, di empatia con i bisogni infantili, rende il bambino più sicuro di sé e quindi più disponibile a rinunciare a sua volta a qualcosa a cui tiene; ben sapendo che, anche se perde qualche battaglia, non è perduta la «guerra» che sta conducendo per l'affermazione di sé.

Il risveglio

Si fa molta attenzione ai riti della buona notte e ai problemi che possono insorgere al momento di addormentarsi. Si tende invece a sorvolare sul risveglio, al mattino, come se fosse meno importante. Perché? Sono davvero scomparsi i «rituali di famiglia» che aiutano il bambino e i suoi genitori ad iniziare bene la giornata?

Come il passaggio dalla veglia al sonno, anche il risveglio è uno dei momenti più importanti della giornata. Oggi purtroppo l'incalzare degli impegni quotidiani porta a sottovalutare l'importanza del risveglio, per iniziare bene la giornata. Si va così di fretta, che spesso non ci si accorge nemmeno di quanto nervosismo, quanta agitazione si comunicano al bambino: che invece ha spesso un risveglio lento. E avrebbe bisogno di tempi molto più lunghi, per uscire dal sonno e iniziare la vita attiva.

La mamma che lavora si trova invece nella necessità di svegliarlo bruscamente, vestirlo in fretta e furia, dargli una rapida colazione, e via, di corsa fuori di casa... Certo bisogna che il piccolo si alzi inesorabilmente, a una determinata ora, anche se dorme profondamente. E magari dice: «Lasciami finire il mio sogno!», come se fosse un bel film. Ma basterebbe anticipare l'inizio della giornata per avere più tempo per lui, e rendere più dolce, piacevole e tranquillo il suo risveglio.

Si possono ritrovare così, insieme a un ritmo più spontaneo e naturale, anche forme di intimità, di comunicazione, che nella fretta dei preparativi del mattino vanno perdute: come il rito familiare della prima colazione, ormai quasi del tutto scomparso nel nostro paese. Anche questo è un modo per salutare il giorno che inizia: sedersi tutti insieme attorno ad una tavola apparecchiata, al mattino, è un'occasione di incontro, di dialogo, di saluto prima di separarsi e di andare ciascuno per proprio conto. Se non si è assillati dalla fretta, è questo il momento più adatto per chiedere al bambino, se ne ha voglia, di raccontare i suoi sogni, quando non sono ancora svaniti dalla memoria: diventa così più graduale il passaggio dal mondo onirico a quello reale.

Anche per noi adulti è un bisogno molto diffuso, e molto umano, raccontare al mattino i sogni che più ci hanno colpito, quando il ricordo è ancora molto vivo. E tanto più lo è per i bambini, che li confondono ancora con la realtà. Ci sono sogni che «chiedono» di essere raccontati, condivisi con altri, interpretati: non in senso psicoanalitico, naturalmente. Il semplice fatto di trovare le parole per esprimere non solo la vicenda che il bambino ha sognato, ma le emozioni che ha provato a qualcuno che lo ascolta con interesse, con partecipazione, serve a dare un significato anche alle storie più assurde, illogiche, apparentemente prive di senso come spesso avviene nei sogni. Se invece il bambino è ancora troppo piccolo per poterli raccontare, il momento di incontro della prima colazione gli offre comunque l'occasione per comunicare il suo stato d'animo e condividere con gli altri le sensazioni che il sogno gli ha lasciato.

I sogni dei bambini

Che cosa sognano i bambini?

Solo quando un bambino comincia a parlare, e a volte lo fa anche nel sonno, si può avere un'idea precisa del contenuto dei suoi sogni. Prima, si può solo immaginare dall'espressione del viso, che cosa mette in scena la sua mente. Guardandolo mentre dorme, spesso ci si accorge che sta rivivendo sensazioni piacevoli: la suzione, ad esempio, che mima con i movimenti della bocca, come se stesse evocando un seno immaginario, che ritorna nella sua mente sull'onda della nostalgia e del desiderio.

E questo è un segnale importante: significa che già a poche settimane, pochi mesi, il bambino comincia a interiorizzare il mondo esterno, lo sta delineando dentro di sé come prima rudimentale forma di pensiero attraverso la memoria sensoriale, corporea. Anche sognando, il neonato si prepara a trasformare la realtà in pensiero, colmando la sua assenza con immagini mentali indotte dal ricordo.

Come avverrà poi nel corso di tutta l'infanzia, sin dalla nascita i sogni del bambino sembrano esprimere soprattutto la realizzazione di un desiderio: la ripetizione di qualcosa di estremamente piacevole che è avvenuto nel corso della giornata, e che il piccolo desidera riprovare, come la suzione del seno. Oppure sono il tentativo di compensare un desiderio «mancato»: qualcosa che il piccolo avrebbe voluto, e che gli è stato negato.

Elena, di tre anni, sogna di correre in giardino su un triciclo che le è stato portato via. Alessandro sogna invece di giocare con un trenino elettrico che nel pomeriggio, tornando dall'asilo, ha divorato con gli occhi davanti a una vetrina. Marco sogna di essere allattato ancora dalla mamma, come la vede fare col fratellino. Valeria sogna la torta di mele che non ha potuto mangiare a causa di una indigestione... E tutti, anche se non ricordano esattamente che cosa hanno sognato, si svegliano con un curioso senso di soddisfazione. Di sicuro, hanno fatto un bel sogno.

E i «brutti sogni»? Perché capita così spesso ai bambini di sognare qualcosa di pauroso, che li fa svegliare di soprassalto, pieni di terrore?

Tutti i bambini, crescendo, attraversano una fase di paure, che l'inconscio esprime nel sogno, trasformandolo in incubo, o *pavor nocturnus*. È quindi normale, anzi «necessario» che succeda, di tanto in tanto, a cominciare dai due, tre anni, quando il passaggio dalla dipendenza all'autonomia comporta ogni giorno nuove, piccole avventure non prive di pericoli, anche fisici: una caduta, una bruciatura, un taglio... Certo, i rischi attirano i bambini. A volte capita che, affrontandoli, debbano confrontarsi anche con i propri limiti: e questo li fa sentire ancora fragili, insicuri. Nascono così le prime paure reali, spesso acuite da un naturale senso di inferiorità rispetto ai loro modelli, i genitori, che invece sembrano «infallibili».

A queste paure fisiche dai contorni precisi se ne aggiungono altre, più fluttuanti, meno definite, come le fantasie infantili da cui scaturiscono. È l'età in cui fanno irruzione nella vita interiore del bambino i primi grandi conflitti della «fase edipica»: si trova così a confrontarsi con il desiderio di un amore assoluto, esclusivo per uno dei genitori, ma anche con la gelosia, la rivalità, la paura del castigo, l'angoscia per la perdita del loro affetto... Tutte ansie che il bambino cerca di controllare, esprimendole in modo simbolico, attraverso una rappresentazione visiva che dà corpo e significato alle sue fantasie: di giorno lo fa attraverso il gioco, il disegno, le fiabe. Di notte attraverso il teatro del sogno.

Paure e incubi notturni

Chi sono i «babau» che spaventano tanto i bambini nei sogni?

Verso i due, tre anni, le fantasie oniriche si popolano di ogni specie di animali «cattivi»: a cominciare dal lupo delle favole, che continua a essere il protagonista dei brutti sogni dei bambini. Ma appaiono anche l'orso, il ragno, la lucertola... O animali bellissimi, come la farfalla, che nel sogno si possono trasformare in giganti minacciosi, terribili: «Uscivo dall'asilo, e un grosso cane, un lupo mi seguiva, mi veniva sempre più vicino...», «C'era un orso, nella foresta, che è entrato in casa...», «Una farfalla, grande come tutta la stanza, scendeva sempre più in basso, mi soffocava...».

Più avanti compaiono le scene di rapimento, di inseguimento, di distruzione: e il sogno si interrompe all'improvviso, quando l'angoscia diventa insostenibile. «Stavo sprofondando in un burrone, e non c'era niente a cui aggrapparmi...», «Ero su un lago, da solo su una barca: è scoppiato un temporale, tutto è diventato nero, stavo annegando...», «C'era qualcuno che mi inseguiva, in una strada buia...», «Un uomo cattivo mi portava via...»

Tutte queste immagini, queste trame non nascono solo dalla fantasia: trovano spunto anche da fiabe, fumetti, illustrazioni di libri, cinema e televisione. Inutile dire che è meglio evitare che il bambino assista a scene televisive impressionanti e violente, soprattutto prima di andare a letto, quando potrebbero rendere ancora più angosciosi i suoi sogni. A differenza delle fiabe, che ripropongono le più svariate fantasie infantili, le raccontano lentamente, le rappresentano minutamente, ottenendo così un effetto liberatorio, la tv mette davanti agli occhi del bambino la realtà nuda e cruda, con un impatto immediato che toglie ogni possibilità di elaborazione fantastica. Meglio quindi sognare il solito, vecchio «lupo cattivo», che appartiene al mondo del bambino e della sua immaginazione, piuttosto che raccapriccianti scene di violenza che rispecchiano la realtà senza alcuna mediazione simbolica.

Perché sono soprattutto gli animali, verso i due, tre anni, a dare corpo nei sogni alle paure infantili?

Come nelle fiabe, anche nei sogni l'animale diventa il simbolo delle pulsioni aggressive, con cui il bambino comincia a confrontarsi a questa età. Affida così al lupo, all'orso il ruolo del personaggio «cattivo», che concentra su di sé l'aggressività più distruttiva. E fa tutte quelle cose terribili che il bambino fantastica inconsciamente di fare: come distruggere il grande rivale, il papà; oppure far scomparire la mamma che lo ha sgridato o il fratellino di cui è geloso. In tal modo emergono nel sogno gli impulsi più istintivi, «animali», quelli che vengono normalmente censurati dalla coscienza.

Spesso, nel sogno, una stessa figura esprime due sentimenti contrastanti, come l'aggressività e la paura, in un gioco continuo di spostamenti e di sovrapposizioni, simile a quello che avviene nell'inconscio. Quando invece è il senso di colpa che prevale, l'animale si fa minaccioso, riflettendo la paura dei genitori, del loro castigo. In questo caso spesso il sogno si trasforma in un incubo e il sonno si interrompe.

Come aiutare il bambino, quando si sveglia terrorizzato da un «brutto sogno»? E perché così spesso non si accontenta del papà e dice: «Voglio la mamma!»?

L'unica cosa che si può fare, di notte, è accorrere al suo richiamo, prenderlo in braccio e tenerlo vicino. Serve poco parlargli, dirgli: «Ma perché hai paura? È solo un sogno...». Terrorizzato com'è, non capirebbe. Senza contare che i confini fra sogno e realtà, fra «per davvero» e «per finta», a questa età è ancora molto labile. L'abbraccio è invece il gesto più rassicurante, in questi momenti: una forma di contenimento fisico, di pelle, capace di contenere, limitare anche le angosce del bambino, come succedeva quando era molto piccolo. È per questo che, in genere, è la mamma che vuole vicino: è lei che istintivamente tende a trasmettergli un senso di sicurezza, avvolgendolo in un abbraccio silenzioso, che comunica molto di più delle parole. Il papà invece, più incline a mantenere una certa distanza dalle emozioni dirompenti del figlio, di solito cerca di consolarlo facendo appello più alla ragione che al cuore: lo tiene un po' discosto da sé, lo guarda negli occhi, gli parla... Cerca di farlo «ragionare». E questo ha meno effetto, sul bambino. Non è strano quindi che dica: «Voglio la mamma!».

Di giorno, invece, quando il bambino non è più immerso nel sogno, e nella sua paura, si può tornare sull'argomento, e parlargli, farsi raccontare che cosa ha sognato, giocare con lui a sconfiggere l'animale o la situazione che gli crea tanta angoscia. È molto utile anche mettergli davanti un grande foglio bianco e un pennarello, e dirgli: «Prova a disegnare l'orso che hai sognato...». Oppure raccontargli una fiaba nuova, che rispecchia le sue paure. Sono tutti modi per limitare l'angoscia senza nome, circoscriverla, «ingabbiarla»: e renderla così meno inquietante, più controllabile. Il senso delle parole, la forma del disegno, la trama a lieto fine della fiaba servono proprio a questo.

In ogni caso è importante non colpevolizzare il bambino quando durante il giorno emergono nei suoi comportamenti segnali di gelosia e rivalità. E tranquillizzarlo anche rispetto alle sue fantasie aggressive: in fondo ognuno può immaginare, pensare qualsiasi cosa. L'importante è che non faccia nulla di male, che non «metta in atto» gli impulsi distruttivi. Come diceva il piccolo Hans, che immaginava di «uccidere il padre», nel famoso caso riportato da Freud: «In fondo, l'ho solo pensato». Il bambino comincia così a capire che c'è una profonda differenza tra fantasia e realtà, tra il pensare e l'agire. E che non è colpevole di quello che gli passa per la mente. Meno carico di sensi di colpa, anche i suoi sogni diventeranno meno paurosi.

XI

Sensazioni di pelle

ninna-nanna ninna-nanna
di una bambina delicata
che vuol essere coccolata

Senza il contatto fisico, di pelle, nessun neonato potrebbe sopravvivere. All'inizio della vita questo scambio di sensazioni immediate, epidermiche, con qualcuno che lo tiene in braccio, lo accarezza, lo coccola, lo rassicura, è un bisogno vitale, più forte della fame: e non solo per la specie umana. Anche nel mondo animale la vicinanza fisica della madre si è rivelata indispensabile per la sopravvivenza dei piccoli, come hanno dimostrato diverse ricerche a cominciare da quelle compiute negli anni cinquanta dall'etologo americano H.F. Harlow sulle scimmie Rhesus.

Sottoposti a uno stato di isolamento, senza alcun contatto né con la madre né con un suo sostituto, i cuccioli di questa specie finivano per rifiutare il nutrimento e si lasciavano morire di fame. Qualcosa di simile succede anche nei casi di anoressia precoce del lattante: quando il neonato si sente rifiutato da un ambiente ostile, indifferente, freddo o troppo conflittuale, di cui assorbe come una spugna i messaggi negativi, può reagire ritirandosi in se stesso e rifiutando il latte.

C'è comunque una sostanziale differenza fra il cucciolo dell'uomo e quello delle altre specie animali. Al bambino non basta il semplice contatto di pelle. Ha bisogno di qualcosa in più: la tenerezza. È questo il sentimento che rende davvero «umani» i nostri gesti, mentre ci prendiamo cura di lui, lo allattiamo, lo laviamo. O semplicemente lo prendiamo in braccio per tenerlo vicino, per giocare con lui, per coccolarlo. Gesti affettuosi, attenti, che hanno il tocco lieve della carezza e che trasmettono al piccolo non solo il calore della nostra pelle, ma anche l'affetto che proviamo per lui.

È per questo che il bambino ha bisogno della sua dose quotidiana di tenerezza, proprio come ha bisogno di nutrimento e di cure. Ma non sempre tutto corre liscio nei primi contatti di pelle fra genitori e figli. C'è addirittura chi tende a evitarli, per «paura di far male al bambino», quando è ancora molto piccolo. «È così fragile, delicato: ho quasi l'impressione di "romper-

lo", quando lo abbraccio», dicono alcune mamme. Altre invece subissano il piccolo di coccole in ogni momento, anche quando vorrebbe starsene tranquillo. Oppure continuano a tenerlo stretto a sé anche quando cresce, e vorrebbe svincolarsi dal loro abbraccio. Senza contare i momenti di irritazione, di nervosismo, in cui l'aggressività sembra prevalere sulla tenerezza... I contatti di pelle sono aperti a un'infinita gamma di variazioni, nel comportamento e nel significato, che danno l'impronta al proprio legame col figlio.

I primi contatti

Perché il contatto di pelle è così importante nel rapporto fra madre e figlio? E quale «impronta» ne riceve il bambino?

È proprio nella tenerezza del contatto epidermico che ha le sue radici la prima forma di attaccamento del bambino alla madre: un rapporto essenzialmente fisico, che nasce dal primo impulso ad aggrapparsi a lei per allontanare da sé la «paura della vita», del vuoto, della solitudine che lo assale subito dopo la nascita. L'«attaccamento» del piccolo alla madre si sviluppa poi in modo del tutto personale in un continuo scambio di messaggi corporei: attraverso la pelle il bambino assorbe così un'infinità di sensazioni, che si trasformano a poco a poco in emozioni, sentimenti, pensieri.

Questa sottile, delicata membrana che avvolge il nostro corpo è l'organo sensoriale più esteso e più ricettivo che possediamo. L'intensità delle sue sensazioni è tanto più forte nel bambino che vive davvero tutto «a fior di pelle», non solo il caldo e il freddo. Prima ancora di saper esprimere con le parole quello che sente, è la pelle che parla per lui in un linguaggio immediatamente visibile, trasparente, che ha il colore delle emozioni. Si arrossa di piacere, impallidisce per la paura, diventa livida di rabbia...

Non a caso anche da adulti il riferimento alla pelle come espressione di sé, della propria persona e della propria vita ritorna spesso nel linguaggio corrente: si dice comunemente «salvarsi la pelle», «vivere qualcosa sulla propria pelle», «un'antipatia di pelle»... Ma soprattutto «star bene nella propria pelle»: star bene con se stessi e con gli altri. Un sentimento che viene da lontano, da quelle prime sensazioni che ci hanno trasmesso insieme al piacere del contatto fisico anche un senso di tranquillità, di accettazione profonda, di fiducia in noi stessi e negli altri.

In passato i contatti fisici fra genitori e figli erano ridotti al minimo. I neonati venivano avvolti nelle fasce. E anche crescendo, si tendeva spesso a evitare ogni forma di intimità... E oggi?

I neonati tutti avvolti nelle fasce fino al collo come piccole mummie sono ormai un lontano ricordo. Erano i tempi in cui si considerava davvero il bambino come un corpo senz'anima, privo di una sua vita emotiva e psichica e ancora incapace di provare piacere o dolore, di amare o di odiare. Veniva così trattato come un oggetto inanimato, di maggior o minor valore secondo la classe sociale cui apparteneva.

La scoperta che l'essere umano è già dotato di una ricca e complessa attività psichica fin dalla nascita – e per certi aspetti anche prima, nell'ultima fase della vita prenatale – può essere considerata una delle più grandi conquiste dell'età moderna. Si è così restituito al bambino un'anima, un cuore, una mente, dando anche valore a quel complesso di attitudini, di capacità, di «competenze innate» che chiamiamo, forse in modo un po' semplicistico ma efficace, «istinto».

Un istinto che non è predeterminato e automatico, come quello animale. Ma nasce dalla capacità di ascoltare i messaggi che provengono dal corpo. Proprio perché il neonato ha una sensibilità cutanea molto sviluppata, attenta, «vigile», è anche più vulnerabile, sul piano emotivo: e può essere ferito più facilmente da contatti troppo poveri, discontinui, meccanici. Oppure frettolosi, distratti.

Può essere però disturbato anche da sollecitazioni corporee troppo intense o prolungate : provocano infatti uno stato di sovraeccitazione puramente sensoriale, difficile da trasformare in percezione emotiva. E questo rischia di scardinare l'equilibrio interiore del bambino, rendendolo nervoso, irritabile, «sovraeccitato», appunto. La capacità di stabilire un buon «rapporto di pelle» col proprio bambino è quindi molto importante sia per la qualità del legame che si costruisce con lui, sia per l'equilibrio del suo sviluppo emotivo e mentale.

Le coccole: una «giusta dose» di tenerezza

Il bambino ha bisogno di coccole: ogni genitore lo sa, lo sente istintivamente. Ma se un tempo si lesinavano, oggi si corre il rischio opposto: un eccesso di effusioni, di intimità fisica può disturbare l'equilibrio del bambino, come sostengono alcuni. Esiste davvero questo pericolo? E come evitarlo?

Certo, oggi si presta molta più attenzione al bambino. E si è più facilmente catturati dalla misteriosa forma di seduzione che inconsapevolmente esercita sugli adulti. C'è quindi, in alcuni casi, anche il rischio di eccedere in coccole, effusioni, giochi a fior di pelle, che provocano nel bambino una stimolazione sensoriale al limite della capacità di tolleranza, proprio come avviene col solletico.

Questi eccessi, se diventano abituali, rischiano di provocare un vero e proprio squilibrio interiore nel bambino: è ancora troppo piccolo per poter controllare emotivamente e dare una forma mentale ad una eccitazione del corpo, cui non corrisponde una capacità di pensiero altrettanto forte. Anche le coccole quindi vanno dosate, in base alla capacità del bambino di ricevere questi stimoli senza subire sollecitazioni nervose troppo intense. Per trovare questa «giusta dose» basta mantenere la caratteristica peculiare della tenerezza: la levità.

Secondo il grande psicoanalista ungherese Sándor Ferenczi, l'incapacità o la difficoltà da parte del genitore di trovare il giusto equilibrio nel contatto fisico con i figli, sono spesso dovute a una sorta di «incompatibilità» fra il linguaggio corporeo adulto e quello infantile. Nell'intimità fisica col bambino alcuni usano il «linguaggio delle passioni» come avviene fra due adulti che si amano: lo baciano sulla bocca, lo leccano, gli carezzano i genitali, lo vezzeggiano con vocaboli molto sensuali.

In questi casi il piccolo si trova trasformato in una specie di «giocattolo erotico» e a subire passivamente effusioni eccessive, alle quali non sa come rispondere. E che spesso rischiano di ferire la sua estrema sensibilità emotiva, perché esulano dall'unico linguaggio d'amore che conosce e che sa parlare: quello della tenerezza, che ha assorbito con le cure quotidiane della madre.

È questo tipo di dolce contatto, attento, vigile, in perfetta sintonia con il desiderio del bambino, che si dovrebbe ritrovare nelle coccole, per evitare l'irruzione di una sensualità che lo disorienta. E che inquina, in modo a volte traumatico, al limite dell'incesto, il legame con i genitori o con gli adulti che si occupano di lui.

La mamma «adesiva» e la mamma distante

Alcune mamme sembrano aver bisogno di un continuo contatto col bambino: non possono fare a meno di tenerlo sempre vicino a sé, anche quando, crescendo, non ha più bisogno di una vicinanza così stretta, quasi «adesiva»... Perché?

La vicinanza fisica della madre è un'esigenza primaria, per il neonato: diventa però sempre meno «necessaria», man mano che il bambino, crescendo, accumula dentro di sé una riserva di sensazioni appaganti, positive. E sulla scia del loro ricordo trasforma a poco a poco la figura materna e la sua tenerezza in immagini interiori, capaci di dargli fiducia, sicurezza e affetto anche quando non è a stretto contatto con la madre.

Anche questo fa parte del ruolo materno: la capacità di infondere sicurezza al figlio, di rispondere al suo bisogno di vicinanza fisica, per poi «lasciarlo andare», quando comincia a esprimere il desiderio di una maggiore autonomia, svincolandosi a poco a poco dal suo abbraccio. Questo vincolo diventa meno facile da sciogliere, quando è la madre che, per sua necessità, ha *bisogno* di tenere il figlio legato a sé mantenendo con lui un continuo contatto di pelle. Può succedere ad esempio quando una donna è scontenta del suo rapporto col partner, e tende a compensare la sua insoddisfazione investendo troppo sul figlio. Ma può succedere anche alle mamme che non riescono a fare a meno di mantenere, dopo i primi mesi di vita, un legame simbiotico col bambino. Ci sono poi le madri troppo protettive, apprensive, che faticano a staccarsi dal figlio, come se solo la vicinanza fisica lo mettesse al riparo dal pericolo: e ogni occasione è buona per riportarlo a sé per «riprenderselo», anche quando ha ormai quattro, cinque anni. E vorrebbe correre via...

La vicinanza fisica con la madre rischia così di diventare un'abitudine cui il figlio non sa sottrarsi, anche quando non è più una necessità, e a volte neppure un desiderio, un piacere. Ma gli stimoli sensoriali che ne riceve sono così intensi che il bambino non può più farne a meno: e in assenza della madre, del contatto con lei, tende istintivamente a ricreare lo stato di eccitazione al quale l'ha abituato con i suoi baci, le sue carezze, i suoi abbracci.

Molti bambini irrequieti, sempre in movimento, costantemente a caccia di nuovi giochi, nuove attività di cui si stancano subito, sono spesso bambini troppo legati fisicamente alla madre. Hanno bisogno di nuove sensazioni per sentirsi vivi anche in sua assenza. Per questo è importante saper diluire a poco a poco nel tempo il rapporto corporeo col proprio bambino, in modo da favorire il passaggio dal mondo fisico delle sensazioni a quello del pensiero: allora gli basterà il ricordo della mamma e della sua vicinanza, per «sentisi bene nella sua pelle». Anche quando sembrano scomparsi dalla memoria, questi ricordi rimangono ben presenti, e vivi, dentro di lui.

Ci sono mamme che hanno quasi paura di toccare il bambino, come se temessero di «fargli male», soprattutto quando è ancora molto piccolo. Altre sembrano invece temere una intimità eccessiva, oppure non hanno tempo per le coccole... I contatti fisici diventano così rarefatti, sporadici. Oppure frettolosi, automatici. Perché? E come evitare che il bambino ne risenta?

Toccare ed essere toccato è un bisogno vitale per il bambino piccolo. Un bisogno che la madre, nei casi migliori, è pronta a soddisfare in modo spontaneo, trasformandolo in desiderio, piacere. Il contatto di pelle entra così nella relazione fra madre e figlio non solo come «necessità», ma come elemento di gioco, di gioia, di comunicazione affettuosa: in una parola di tenerezza. Ma la capacità di trasformare il bisogno del bambino in piacere reciproco, condiviso, non è «innata»: molto dipende dalla personalità della donna, dalla sua storia infantile, e dal tipo di rapporto che lei stessa ha avuto con la propria madre.

Per chi non ha conosciuto nella sua infanzia il calore della tenerezza materna, è meno facile trovare i gesti, i modi per esprimerla a sua volta nella fisicità della sua relazione col figlio. La paura di sbagliare, di «far male al bambino», di creare una intimità eccessiva intralciano così il desiderio istintivo di contatto fisico, che si tende a evitare o a rendere automatico, frettoloso.

In un certo senso siamo come delle pile: attingiamo a quella carica di affettività che abbiamo incamerato dentro di noi quando eravamo bambini. Naturalmente questa «eredità» non ci proviene solo dalla madre. Ma anche dallo stile di relazione familiare, dal clima affettivo in cui siamo cresciuti. Ci sono famiglie in cui l'espressività corporea fa parte del lessico quotidiano, è un modo privilegiato di comunicazione. In altre invece il linguaggio gestuale è molto più reticente, inibito: si tende così a prediligere la parola, rispetto al contatto fisico, come succede in molti ambienti intellettuali.

Comunque sia, il piacere della fisicità nel rapporto col bambino, il gusto del gioco che fa inventare di volta in volta le coccole più adatte per divertire o consolare il piccolo, è qualcosa che non può essere imposto come un «dovere». Non si può coccolare un bambino perché così deve fare una buona madre. Prive di spontaneità, le coccole diventano qualcosa di artificioso, meccanico: e il bambino avverte subito la mancanza di slancio, di calore, di sentimento.

È inutile coccolare un bambino, quando non ci si sente «in vena», non si è dell'umore giusto per farlo. Quando si va di fretta, non si ha tempo. Oppure il gesto tenero, affettuoso non viene spontaneo. I baci, le carezze, gli abbracci sono qualcosa di prezioso, che non va sprecato svuotandolo di significato, come succede quando ai gesti esteriori non corrisponde una vera disponibilità interiore.

Molto meglio di tante inutili effusioni è quel momento di vera intimità, libero da qualsiasi condizionamento, che ogni mamma sa trovare nel corso della giornata: piccole parentesi fra le mille cose da fare, in cui può dimenticare l'assillo delle cure, delle incombenze quotidiane e rivelare la sua parte bambina, infantile, in quei giochi a fior di pelle che sono le coccole. Anche questi, sono ricordi felici che restano.

La tenerezza: un sentimento che si può «imparare»

Ci sono donne che non hanno molti ricordi felici, teneri della loro infanzia. Anche chi non ha conosciuto la tenerezza materna può imparare ad esprimerla col proprio bambino? E come?

Paradossalmente è proprio il bambino che può «insegnare» alla madre la tenerezza che non conosce, che le è mancata, da piccola. È lui che l'attira a sé, con gli infiniti richiami della seduzione infantile.

Basta saper guardare il proprio bambino, ascoltare, accogliere le sue richieste: e istintivamente anche la mamma che «non conosce la tenerezza», la assorbe, la impara. Assume così spontaneamente quegli atteggiamenti giocosi, protettivi e teneri che si esprimono con le coccole. Attraverso il bambino ha l'occasione di rivivere la propria infanzia arricchendola di sentimenti che solo ora impara a conoscere veramente. E di colmare così una mancanza di cui ha sofferto da bambina donando al proprio figlio la tenerezza che non ha ricevuto. Oppure che le è difficile ricordare.

Molto dipende naturalmente anche dal tipo di rapporto che c'è fra i genitori, dalla qualità dell'amore che li unisce. Se esiste fra loro una buona intesa sessuale, che non si limita all'erotismo, alla sensualità, ma sa dare spazio anche a momenti di tenerezza, questo «linguaggio del corpo» circola in famiglia. E si espande dalla coppia al bambino. I gesti teneri, affettuosi, delicati trovano così una loro espressione anche nei momenti più banali. A volte basta un sorriso, uno sguardo di approvazione, un cenno di complicità per trasmettere al bambino il calore della tenerezza che si prova per lui.

I nuovi papà sono davvero più capaci di tenerezza, dei padri di una volta?

È solo in queste ultime generazioni che gli uomini hanno cominciato ad imparare il linguaggio della tenerezza: un sentimento che è sempre stato considerato tipicamente femminile, in contrasto con gli stereotipi culturali della «virilità». Sono soprattutto i giovani che sanno esprimere la tenerezza spontaneamente, senza imbarazzo o vergogna. E senza timore di apparire poco «virili».

Diventa così più facile per i nuovi papà non solo riscoprire il bambino che è in loro, nei rapporti col figlio. Ma esprimere senza paura anche quella parte femminile della loro personalità che li rende capaci di grande dolcezza. E questo ha un effetto liberatorio per l'uomo, soggetto da sempre ad una serie di inibizioni che gli impediscono di rivelare queste parti di sé, non solo nella vita lavorativa e sociale ma anche in quella privata.

Diventa così un piacere giocare col figlio, coccolarlo, vezzeggiarlo divertendosi con lui in modo del tutto spontaneo, infantile. È importante però che il piacere sia reciproco. E che il papà, tornando a casa la sera, non imponga al bambino coccole, giochi quando il piccolo sembra invece interessato ad altro, oppure è stanco, e si sta appisolando. Senza contare che le effusioni improvvise, inaspettate, disorientano il bambino, che può reagire ritirandosi in se stesso e rifiutando questi soprassalti di tenerezza.

Occorre quindi che dopo una giornata di lontananza si ristabilisca un clima di confidenza, di intimità, che induce il bambino ad abbassare il livello di guardia. E a lasciarsi andare a sua volta ai giochi e alle coccole. Il rispetto dei tempi e dei desideri del bambino fa parte delle regole del gioco, nel rapporto fra genitore e figlio, anche nello scambio di tenerezza.

Figli maschi e femmine: un rapporto fisico diverso

C'è un modo diverso di coccolare i figli, di esprimere la propria tenerezza, se sono maschi piuttosto che femmine?

Con la bambina di solito la madre stabilisce un legame molto più tenero, più intimo, a cominciare dall'allattamento. E anche quando gioca con lei, la coccola, la vezzeggia, ha un contatto di pelle molto più ravvicinato e più intenso: la carezza e la bacia di più di quanto non avvenga invece col figlio maschio. Con lui ha di solito un legame diverso, «speciale», molto coinvolgente per entrambi, ma più attento alla sua individualità di persona e alla sua separatezza, anche quando è ancora molto piccolo.

È come se ci fosse, fra madre e figlio, una barriera invisibile, che impedisce i contatti troppo intensi e prolungati. Questa minore intimità è dovuta in parte al timore che il limite fra la tenerezza materna e la sensualità sia più labile, col maschio: baci e carezze evocano più facilmente la ripetizione di gesti che appartengono alla sessualità adulta, mentre con la bambina si associano di più al rapporto vissuto nell'infanzia con la propria madre.

La donna tende così a limitare spontaneamente le effusioni col figlio maschio, sia perché avverte in modo più forte il senso del pudore, sia perché ha paura, coccolandolo troppo, di farne un «mammone»: rischio che è molto meno sentito nel rapporto con la figlia. A questo si aggiunge un compito che la madre sente di avere verso il maschietto: quello di non farlo crescere simile a lei. Mantenendo con lui una maggior distanza, evitando una eccessiva intimità, è come se gli dicesse: «Tu non sei come me, devi essere diverso». Pone così istintivamente un limite ben definito all'identificazione del maschio con la propria madre.

Il tempo delle coccole non finisce mai: fanno sempre piacere, anche da adulti. Tuttavia c'è un'età, di solito verso i quattro, cinque anni, in cui il maschietto sembra quasi vergognarsi delle effusioni in pubblico: «Quando vado a prenderlo all'asilo, alla sera, non vuole più che lo baci o lo abbracci di fronte ai compagni. Come mai?» si chiedono alcune mamme. Questo non succede invece con le bambine, che rispondono sempre con slancio alle dimostrazioni d'affetto dei genitori. Perché?

Anche le coccole fanno parte di un linguaggio, di uno «stile di comunicazione» che deve inevitabilmente cambiare man mano che il bambino cresce e aumenta la distanza fra genitori e figli. Il modo di esprimere affetto e tenerezza verso un neonato, è molto diverso che con un bambino di due, tre anni. Non solo, ma baci, carezze, abbracci sono effusioni che richiedono una certa intimità, un certo pudore, soprattutto col progredire dell'età del bambino.

Nei figli maschi il «pudore dei sentimenti» diventa più forte dopo i tre anni, nella fase in cui cercano di differenziarsi dalla madre atteggiandosi a «ometti». Quando il bambino si divincola dai suoi abbracci ed evita i suoi baci di fronte ai compagni, sembra che rifiuti le sue manifestazioni d'affetto. In realtà queste esibizioni lo mettono in imbarazzo, perché contrastano con la nuova immagine di «bambino grande» che cerca di assumere, soprattutto di fronte ai coetanei. Lontano dai loro sguardi, non appena girato l'angolo della strada, in auto o a casa, sarà felicissimo invece di abbracciare con slancio la mamma, e di sentirsi di nuovo protetto dalla sua vicinanza, dopo tante ore passate lontano da lei.

Con la bambina invece le cose cambiano: le manifestazioni di affetto di solito non la imbarazzano affatto. Al contrario, sembrano far parte della stessa «natura femminile», della sua capacità di esprimere la tenerezza. Al punto che è naturale, anche fra amichette, baciarsi e abbracciarsi in pubblico, mentre i bambini tendono a esprimere il loro affetto e la loro amicizia in modo meno fisico. E meno visibile.

Tenerezza e aggressività

Nella fisicità del rapporto fra genitori e figli non c'è solo la tenerezza. Anche i gesti bruschi, gli schiaffi, le «punizioni corporali», gli improvvisi scatti di nervosismo, di rabbia sono qualcosa che il bambino vive sulla sua pelle. Quando l'aggressività rischia di trasformarsi in violenza?

È inevitabile che nel rapporto con i figli emerga anche una certa dose di irritazione, di aggressività. L'importante è che non degeneri in violenza. E che la nota dominante sia sempre la tenerezza: il sentimento che più di ogni altro avvolge, contiene, protegge. Che difende dai pericoli, dalle insidie: anche dal rischio che le proprie pulsioni aggressive si trasformino in abuso sul bambino.

Non è detto infatti che i genitori violenti non amino i propri figli: a volte li amano «troppo», al punto da identificarsi totalmente con loro. Il bambino può diventare così il bersaglio «naturale», la vittima predestinata di un senso di frustrazione e di rabbia che il genitore sposta sul figlio in quanto rappresenta inconsciamente ai suoi occhi la parte negativa di sé, quella che teme e rifiuta.

Spesso è proprio questa identificazione eccessiva, speculare, che rende il genitore violento: e allora può bastare la minima trasgressione, un capriccio, un comportamento deludente del bambino per scatenare contro di lui una aggressività incontrollata. Questo non avviene invece quando il genitore mantiene fra sé e il figlio quella giusta distanza che gli impedisce di identificarsi totalmente con lui. E gli consente di mantenere, in qualsiasi circostanza, un atteggiamento adulto, protettivo, temperato da quella tenerezza di fondo che non dovrebbe venire mai meno, neppure nei momenti di nervosismo e di rabbia.

Come reagiscono i bambini di fronte ai comportamenti aggressivi dei genitori? E quali ferite, quali cicatrici invisibili possono lasciare dentro di loro?

Quando nelle relazioni con i genitori predomina l'aggressività, il bambino può reagire in modi diversi, secondo il suo temperamento, la sua indole. C'è chi tende a far proprio l'atteggiamento dei genitori, diventando a sua volta molto aggressivo. E chi invece lo subisce passivamente, senza reagire. Ma non riesce a concepire che altri si comportino diversamente nei suoi confronti, che esistano relazioni prive di aggressività. E questo lo rende molto inibito, guardingo e sospettoso nei rapporti con gli altri. È il bambino che tende istintivamente a scansarsi, ogni volta che qualcuno gli si avvicina, o a proteggersi col braccio il viso, se qualcuno tende verso di lui la mano per carezzarlo. In ogni gesto, anche il più affettuoso, continua ad avvertire il pericolo di un'aggressione, l'ombra di un rifiuto.

In ogni caso è raro che il bambino provi sentimenti palesi di ostilità o di odio verso il genitore violento. Dopotutto è questa l'unica forma d'amore che conosce: e almeno fino all'adolescenza, quando quasi inevitabilmente scatta la ribellione, mantiene un legame molto stretto con la madre o con il padre, pur subendone quotidianamente gli abusi. Anche per questo, nei casi più gravi, quando è necessario allontanare il bambino dalla famiglia per proteggerlo dagli abusi, è molto difficile che accetti la separazione come il «minore dei mali»: al contrario tende a opporsi con tutte le sue forze. Sono questi, i suoi genitori. È questa, la sua famiglia. E non riesce a immaginarne una diversa, in cui predomini quella tenerezza, che così raramente ha avuto modo di conoscere.

Non sempre i bambini picchiati sono destinati a diventare adulti violenti, come recitano gli slogan contro la violenza familiare. Rimane tuttavia dentro di loro il segno degli abusi subiti, come una ferita ancora aperta, che solo raramente i nuovi rapporti d'amore riescono a rimarginare del tutto. La tendenza a ripetere attivamente, da adulti, le situazioni vissute passivamente nell'infanzia, porta ad assegnare inconsciamente a se stessi o al partner il ruolo di aggressore o di vittima, accentuando così le componenti sadiche o masochistiche della vita affettiva e sessuale.

Paradossalmente a volte succede che siano proprio le madri più tenere, affettuose a lasciarsi andare, in modo imprevedibile anche per loro, a improvvisi scatti di rabbia, di aggressività. Come mai? E come evitarlo?

Spesso si tratta di mamme troppo sole che stabiliscono, per compensazione, un legame troppo stretto col loro bambino: anche mentre cresce, continuano ad identificarsi con lui in modo speculare, narcisistico. E questo le rende meno capaci di tollerare le inevitabili delusioni, o i momenti difficili, che si accompagnano alla crescita del figlio: come succede ad esempio verso i due anni, l'età dei «no», delle bizze e dei capricci, quando il piccolo è in piena «crisi di opposizione» e tenta in ogni modo di affermare se stesso differenziandosi dai genitori.

In questi casi basta un gesto di rifiuto, da parte del bambino, quando si divincola da un abbraccio o scosta il viso per evitare un bacio, per deludere profondamente la madre, e farla reagire con improvvisa aggressività. Ma a volte basta un guaio inaspettato, che considera un «dispetto» intollerabile, fatto «contro» di lei: quando ad esempio il piccolo si fa la pipì addosso, proprio appena è stato lavato e cambiato, ed è pronto per uscire con la mamma. Ed ecco gli scatti di rabbia improvvisa, imprevedibile, che la madre non sa controllare e di cui è la prima a stupirsi. E a dispiacersi.

Ma il rischio maggiore di questo tipo di legame è che la madre lasci interamente al figlio il difficile compito di staccarsi da lei senza sostenerlo nella conquista della sua indipendenza. Per poter affermare la sua autonomia il bambino si trova costretto ad accentuare proprio quei comportamenti di opposizione e di rifiuto che risultano intollerabili alla madre. E ogni volta che cerca di «prendere le distanze», viene considerato un «bambino cattivo» che non vuol bene alla mamma, la rifiuta.

In realtà sta solo cercando di realizzare l'obiettivo naturale della crescita: il distacco dalla madre, dai genitori. Proprio per questo, viene fatto sentire in colpa. E il cerchio rischia di chiudersi se il bambino non ce la fa a sciogliersi da solo da questo legame: rimane così imprigionato in un rapporto troppo stretto, soffocante, che accetta passivamente senza più darsi la pena di reagire. E di affermare la propria indipendenza.

È estremamente importante quindi evitare di trasformare la tenerezza e l'affetto in una colla vischiosa, che impedisce al bambino di svincolarsi, invece di favorirne l'autonomia. Il distacco deve essere reciproco: non solo, ma è proprio la madre il miglior sostegno per il figlio in questo difficile passaggio, se invece di ostacolarlo gli spiana la strada incoraggiandolo via via a essere sempre più indipendente.

I «doppi messaggi»

Ci sono momenti in cui i bambini farebbero scappare la pazienza anche a un santo, come dicono i genitori. Capita così di alternare i gesti più affettuosi a comportamenti punitivi, aggressivi, anche senza degenerare nella violenza. Come vive il bambino questa alternanza di tenerezza e di aggressività?

Nessun genitore è così perfetto da non avere mai momenti di nervosismo e da non dimostrare mai la propria irritazione quando perde la pazienza. È quindi naturale che le pulsioni aggressive a volte si alternino alla tenerezza: purché questa alternanza non si trasformi in un «doppio legame», un doppio messaggio, come succede quando un gesto viene contraddetto dalle parole o viceversa. È il caso della madre che, a conclusione di un diverbio, dice al bambino: «Su, vieni, dammi un bacio...». E nello stesso tempo lo respinge quasi senza accorgersene, contraddicendo con un gesto di ostilità, di rifiuto la sua «proposta di pace».

Il bambino riceve così una comunicazione molto ambigua, in cui il «sì» e il «no» si sovrappongono: «Sì, vieni qui, ti voglio bene», «No, stammi lontano, non ti sopporto, non "ti voglio"». Di fronte a questo «ti amo e ti odio», non riesce a trovare una risposta: non solo non sa come reagire, se avvicinarsi alla mamma e darle un bacio, come gli chiede in modo esplicito, o al contrario scostarsi da lei, come sembra suggerire il suo gesto. Ma, a livello più profondo, non sa neppure più chi sia la madre: la fata buona, che lo aiuta, lo consola, lo protegge, o la strega cattiva, che lo umilia, lo rifiuta, lo distrugge. L'ambiguità della figura materna finisce così per estendersi anche al figlio che, di riflesso, si chiede: «E io chi sono? Il bambino "buono" o il bambino "cattivo"?».

I «doppi messaggi» hanno sempre l'effetto di disorientare il bambino, e di creare confusione nella sua mente anche quando la contraddizione che trasmettono è meno esplicita, evidente. Un bacio può essere così forte, da risultare «violento», aggressivo. E anche il gesto più rassicurante, più protettivo come l'abbraccio può avere l'effetto opposto, quando la stretta è eccessiva, al punto da dare al bambino la sensazione di essere «stritolato».

Anche l'umore incostante, imprevedibile dei genitori può rendere estremamente ambigua, contraddittoria l'alternanza di tenerezza e aggressività. Succede quando il comportamento dei genitori varia continuamente, senza alcun motivo: un giorno sorridono, se il figlio combina un guaio, e il giorno dopo lo puniscono. Un giorno lo premiano, per un successo, gli fanno festa, e il giorno dopo rimangono del tutto indifferenti, non lo guardano neppure, quando il piccolo mostra loro, tutto fiero, il risultato di una sua «opera».

In questo modo il bambino non sa mai che reazione aspettarsi dai genitori: il bacio o la sfuriata, il sorriso o lo sguardo «cattivo», l'abbraccio o la punizione. Non solo, ma non sa più che cosa è giusto e che cosa è sbagliato, che cosa ha valore, e che cosa no. L'incoerenza emotiva ha dunque un effetto molto ansiogeno, per il bambino, che non trova più punti di riferimento stabili né dentro di sé, né nei genitori: il padre e la madre diventano così figure labili, contraddittorie e imprevedibili come i loro comportamenti.

A tutti i genitori succede di sbagliare. E di comportarsi a volte in modo incoerente e incomprensibile con i figli. Come proteggerli dagli effetti più negativi?

Per evitare che gli affetti familiari si trasformino in sabbie mobili per il bambino, è importante essere consapevoli dell'ansia che provocano i doppi messaggi, come pure i cambiamenti troppo frequenti e imprevedibili di umore. E cercare di riparare il «danno», riconoscendo il proprio errore. Non c'è affatto il rischio di essere sminuiti, come genitori, né di perdere autorevolezza agli occhi del figlio, dicendogli: «Mi dispiace, ho sbagliato», «Scusami, può capitare a tutti di perdere la pazienza...».

La capacità di chiedere scusa al proprio bambino quando ci si rende conto di aver perso il controllo, di aver trasceso, o di essersi comportati in modo troppo «umorale» o ambiguo, è al contrario l'unico modo per assumere le proprie responsabilità di genitori di fronte al figlio. E tornare ad essere per lui un riferimento sicuro, che gli insegna a distinguere ciò che è giusto da ciò che è sbagliato, nel modo più convincente: riconoscendo i propri errori.

I disturbi psicosomatici della pelle

Si presta un'attenzione quasi esagerata alla cura della pelle del bambino. Non c'è prodotto abbastanza delicato, per lui: saponette, schiuma da bagno, creme, shampoo sono studiati apposta per evitare irritazioni, arrossamenti, pruriti... Ma nonostante tutte queste precauzioni, la pelle continua a essere il bersaglio preferito di molti disturbi psicosomatici infantili: dalla crosta lattea, agli eczemi, alle dermatiti atopiche e così via. Perché?

Si cerca in tutti i modi di proteggere la pelle del bambino dall'insidia degli «agenti esterni»: sostanze irritanti, germi, batteri... E oggi, con tutti i prodotti in commercio a prova di qualsiasi allergia, è abbastanza facile garantire questa protezione quotidiana. Quello che è tuttora più difficile invece è difendere la pelle dalle aggressioni interne: gli stati d'ansia, le forme di malessere, di inquietudine, alle quali la mente del bambino non riesce ancora a dare né forma né parola.

Il corpo allora parla per lui, esprime il suo disagio interiore: come avviene non solo da piccoli ma anche da adolescenti e da adulti, quando le tensioni e i conflitti interiori non riescono a essere pensati né elaborati. E trovano il loro unico sbocco nel linguaggio del corpo che li esprime attraverso la svariata gamma dei disturbi psicosomatici, privi cioè di una vera causa organica.

Uno degli organi più bersagliati è proprio la pelle, che già nella primissima infanzia, data la sua estrema sensibilità e vulnerabilità, si presta a raccogliere e a esprimere le sensazioni ancora indistinte di disagio, di malessere che prova il bambino. E che spesso sono legate a qualcosa che interferisce negativamente in quelle prime relazioni di cui il contatto pelle a pelle è proprio l'espressione più diretta e coinvolgente.

Non è strano quindi che il bambino parli del suo disagio interiore attraverso la pelle: così come si arrossa di piacere, o impallidisce di paura, può esprimere attraverso i sintomi cutanei un senso di tensione, di malessere, di irritazione, reso visibile, concreto dalle piccole ferite, le croste, il prurito e l'arrossamento della cute.

In passato erano moltissimi i bambini che soffrivano di crosta lattea, fino ad averne il viso deturpato: era un disturbo così diffuso da essere considerato quasi un esantema infantile, inevitabile come il morbillo o la varicella. Se oggi è quasi del tutto scomparsa, lo si deve proprio alla maggior attenzione che si presta al bambino e al suo bisogno di un contatto fisico tenero, rassicurante, protettivo.

Quali forme di malessere, di disagio interiore esprime il bambino attraverso i disturbi della pelle?

Proprio perché nel contatto corporeo con la madre si sono vissute le prime forme di relazione affettiva, la pelle costituisce il veicolo privilegiato per comunicare un inesprimibile disagio nel rapporto con se stessi e con gli altri: è il caso dell'acne dell'adolescente, ribelle a qualsiasi cura, che scompare non appena il ragazzo o la ragazza trovano modo di trasformare in pensiero il magma indistinto del loro malessere. E di appagare le funzioni sessuali in una soddisfacente relazione amorosa.

Nel bambino piccolo invece, che pensa ancora attraverso i genitori, assorbendo le loro emozioni, i loro sentimenti, il disturbo della pelle è spesso il sintomo speculare di una situazione di disagio della madre, del padre: riflette un loro malessere interiore che viene trasmesso al figlio, quasi «per contatto», come un virus. Di solito si tratta di una situazione conflittuale che il genitore vive a livello molto profondo, inconscio, quando non ha elaborato la propria aggressività nei confronti del figlio. Oppure quando non accetta il suo ruolo di madre o di padre.

È il caso di donne molto giovani, che sono diventate madri troppo presto, e si sentono schiacciate dal peso di questa nuova responsabilità: comunicano così al bambino il loro rifiuto, in modo del tutto inconsapevole, con un atteggiamento di scarsa tenerezza, di indifferenza, di distacco eccessivo. Oppure cadono nell'eccesso opposto trasmettendo al figlio lo stesso messaggio, ma attraverso continue effusioni prive di calore, di sentimento. Sia l'eccesso che la carenza di stimoli cutanei possono creare una situazione di squilibrio, di disordine interiore nel bambino, di cui i disturbi della pelle rappresentano in molti casi l'espressione somatica, corporea più diretta.

In che modo si possono curare questi disturbi? E quando tendono a scomparire?

Come tutti i disturbi psicosomatici anche le malattie della pelle tendono a scomparire spontaneamente non appena si affrontano e si risolvono le cause che ne sono all'origine. È il caso di una bambina di pochi mesi, affetta da una grave forma di crosta lattea che ho avuto occasione di seguire recentemente: non appena la madre ha potuto elaborare e superare attraverso una breve psicoterapia di sostegno i motivi inconsci che rendevano conflittuale il suo rapporto con la figlia, anche la crosta lattea che deturpava il viso della piccola è sparita immediatamente, senza alcuna cura specifica.

È importante quindi saper cogliere i segnali di disagio che il bambino comunica coi suoi sintomi, ascoltare i messaggi che affida alla sua pelle. E rispondergli, modificando non solo i comportamenti, ma gli atteggiamenti mentali e affettivi più profondi che influiscono in modo negativo nella relazione col figlio. Si ristabilisce così il suo equilibrio interiore e anche la sua pelle guarisce.

XII

Paura del distacco, paura degli estranei

ninna-nanna la Notte è buia
ma non fa nessuna paura
perché la Notte nera nera
è solo un Giorno vestito da sera

«Come cresce in fretta...» Lo si dice sempre, di un bambino. Ma questa impressione è più forte in alcune fasi particolari del suo sviluppo, che coincidono con grandi cambiamenti: come verso gli otto mesi, quando non è più un lattante e non è ancora un bambino che parla, cammina, si muove fra gli altri. Ma si prepara rapidamente a farlo: e lo si nota da tanti segnali. Non è più immerso in un suo mondo ovattato, in cui fa un tutt'uno con la mamma, il papà, con chi si prende cura di lui. Ora sembra irresistibilmente attratto da tutto ciò che è nuovo, diverso, poco familiare.

Distingue perfettamente i visi delle persone, ne avverte le differenze. E distingue anche le parole. Comincia a cogliere il significato di quelle che gli sono più familiari e le ripete: dare un nome alle cose e alle persone, e vedere «che effetto fa» sugli altri, è uno dei nuovi giochi che lo appassiona. Usa intenzionalmente gesti e parole per esprimere ciò che vuole: passare dalle braccia della mamma a quelle del papà, avere quel giocattolo... E comincia a trottolare in giro, a carponi, come un gattino che esplora un nuovo ambiente.

Eppure, proprio ora che sta crescendo così in fretta, ha delle brusche impennate. E a volte sembra tornare piccino, in balia di paure vecchie e nuove. Spesso riemerge in modo inaspettato l'angoscia del distacco, apparentemente sopita. «Ormai sembrava abituato a vedermi andar via al mattino» dice una mamma che lavora. «Ed ecco che adesso, quando mi vede uscire, piange e si dispera, come se non dovessi tornare mai più...» All'improvvisa recrudescenza di questa antica paura, destinata a riemergere più o meno intensamente anche più avanti, in altri periodi cruciali della sua crescita, se ne aggiunge una del tutto nuova, ma passeggera: la paura degli estranei, così diffusa e ricorrente a questa età da essere definita l'«angoscia dell'ottavo mese».

«Proprio ora che comincia a familiarizzare con gli altri, a riconoscerli, capita spesso, a sorpresa, che scoppi a piangere, appena vede un viso nuo-

vo» dice un papà. Prima non era così: la presenza di persone estranee, in casa, non lo turbava affatto. Anzi, era come se non ci fossero. Ora invece sembra quasi che veda il babau, a volte, tanto sembra atterrito. Senza contare le figuracce che fa fare ai genitori, quando ci sono «ospiti di riguardo» o amici un po' permalosi...

Una strana avversione

«Prima sorrideva a tutti. E ora piange e strilla se gli si avvicina qualcuno che non conosce...», dicono molti genitori. Perché questa improvvisa paura degli estranei, proprio verso gli otto mesi, quando il bambino sta crescendo e comincia ad aprirsi di più al mondo esterno, a tutto ciò che lo circonda?

Il comportamento del bambino verso gli estranei è sempre molto diverso da quello che ha con i genitori, i familiari. Già verso i due, tre mesi emergono segni di riconoscimento molto visibili verso la mamma, il papà, verso chi si prende cura di lui: non solo col sorriso, ma attraverso altri infiniti messaggi, il bambino esprime il desiderio di comunicare con loro, o reagisce ai loro gesti, alle loro parole. Per tutto il primo semestre mostra invece scarsa attenzione per quelle figure fluttuanti che si affacciano di tanto in tanto nella sua vita, ma con le quali non ha alcuna familiarità: sono persone estranee al suo mondo, che non suscitano in lui alcun interesse, alcuna emozione, né di attrazione né di paura.

E non importa se «sorride a tutti». Come ha dimostrato lo psicologo René Spitz nelle sue ricerche documentate da filmati sui comportamenti del bambino nel primo anno di vita, a due, tre mesi il piccolo sorride a chiunque avvicini il viso al suo, dalla mamma al passante che per la strada si china sulla sua carrozzina e gli dice: «Come sei bello!». E sorride anche se il viso non appartiene ad una persona, ma è una maschera. Purché il volto si presenti di fronte, e sia ben chiara la sua forma, la sua *Gestalt* : occhi, naso, bocca.

Col sorriso, che Spitz ha definito il «primo organizzatore psichico», il bambino dimostra di riconoscere il volto umano, comune a ogni persona nella sua forma, ma ancora indifferenziato: ogni volto estraneo in fondo è simile ad un altro, per lui. Solo verso l'ottavo mese queste immagini, che vanno e vengono attorno a lui, cominciano a rappresentare delle entità precise, come i tratti del loro viso, i loro contorni, la loro espressione. Per la prima volta non si limita più a ritrovare nella forma del loro volto qualcosa di simile ai visi che gli sono familiari, e a sorridere. Ma ne coglie la differenza. E ne ha paura: un sentimento nuovo, che appare spesso immotivato, sgradevole, «negativo». E che tuttavia rappresenta un segnale molto importante dello sviluppo mentale del bambino, tanto che Spitz definisce la paura degli estranei, il «secondo organizzatore psichico», dopo il sorriso.

Sebbene sorriso e paura siano due manifestazioni emotive di segno opposto – da un lato il piacere, la gioia, l'accettazione e dall'altro il dispiacere, l'avversione, il rifiuto – rappresentano entrambe due tappe dello stesso percorso del bambino verso il riconoscimento di se stesso, come persona separata dagli altri. Se col sorriso il bambino rivela di riconoscere nel volto umano un tratto comune a tutti, con la paura fa un passo avanti: e dimostra di saper distinguere il viso degli estranei da quelli familiari, che ha imparato a conoscere e ad amare. Riconosce così nell'estraneo una persona sconosciuta, completamente diversa dalla mamma, dal papà e da chi gli è stato sempre vicino. È questa «diversità» che gli fa paura, ora che è finalmente in grado di riconoscerla.

È soprattutto quando arriva a casa qualcuno che non conosce, che il bambino esprime insieme alla paura, anche l'antipatia, il rifiuto, mettendo in imbarazzo i genitori. Mentre succede più raramente in casa d'altri o per la strada. Come mai?

All'esterno, l'incontro con una persona sconosciuta rappresenta per il bambino un contatto casuale, passeggero, che non invade il suo spazio vitale, non minaccia il suo mondo privato: la casa. Per questo, quando qualcuno si avvicina, parla con lui o con i genitori, le sue reazioni sono meno forti, impetuose: oscillano fra la simpatia, l'indifferenza o l'antipatia, secondo l'impressione che ne riceve, o l'umore del momento.

Quando invece l'estraneo compare improvvisamente in casa, la sua irruzione inaspettata in un luogo che rappresenta anche un suo spazio interiore, fa paura al bambino. È un sentimento che costituisce un classico meccanismo di difesa contro un pericolo, in questo caso una minaccia di invasione. E il piccolo lo rivela chiaramente, anche se il nuovo arrivato non fa alcun tentativo di entrare in contatto con lui. Basta la sua presenza a dargli una sensazione di pericolo e di paura. Se poi gli si avvicina, gli parla, lo bacia, lo carezza, cerca di prenderlo in braccio, le cose peggiorano.

Spesso i genitori pensano che fosse più maturo e più socievole, prima, quando «andava con tutti», non aveva paura di nessuno. E che stia attraversando un periodo di regressione. In realtà è una fase evolutiva. Ha imparato a distinguere ciò che è familiare da ciò che è estraneo: una scoperta che da un lato lo affascina, e dall'altro provoca anche timore, ostilità, rifiuto. E non è casuale che questa reazione compaia proprio ora, che il bambino è molto più incuriosito e attratto di quanto non lo fosse prima da tutto ciò che non conosce: l'altra faccia dell'attrazione è proprio la paura.

Attrazione e paura

Questo significa che la paura del diverso, con tutte le forme di avversione che provoca, fino a sfociare nel razzismo o nell'antisemitismo, è un sentimento presente in ciascuno di noi fin dalla primissima infanzia?

Come tutti i sentimenti anche la paura del diverso è qualcosa di mobile, dinamico, aperto a infinite evoluzioni: la curiosità, l'interesse, ma anche la comprensione, la tolleranza, la solidarietà... Soprattutto ci si rende conto che non sono solo gli altri a essere «diversi» per noi, ma che anche noi lo siamo per loro. Già da bambini, l'estraneo non si identifica soltanto col nemico, qualcuno da tenere lontano e da cui difendersi. Rappresenta anche un forte polo di attrazione, di desiderio di conoscenza, inizialmente soffocati dal timore del nuovo, dello sconosciuto: che emergono però molto presto, non appena il bambino rafforza il senso di sé e la capacità di avventurarsi nel mondo che lo circonda e scoprirne con entusiasmo le molteplici diversità. È di qui che nasce la passione per i viaggi, i paesi sconosciuti, le lingue straniere...

Tuttavia questa prima forma di diffidenza che ogni bambino sperimenta, più o meno intensamente, non è così negativa come può sembrare. Al contrario, gli è utile saper distinguere il volto familiare, amico, dallo sconosciuto, ed esserne intimorito. Può in effetti trovare, più avanti, persone che lo lusingano e magari approfittano della sua ingenuità e della sua eccessiva fiducia... Naturalmente questo non vuol dire temere e rifiutare sempre e comunque gli estranei, e con loro tutto ciò che è «diverso». Semplicemente questa prima traccia di paura infantile delinea, nel futuro, un atteggiamento di riserva, di cautela, di attesa che induce a entrare in contatto con gli estranei a poco a poco, e a concedere la propria fiducia e amicizia solo quando si incomincia a conoscerli e ad apprezzarli.

Ci sono anche bambini troppo fiduciosi, che crescendo non conservano traccia di questa prima istintiva diffidenza infantile. Ricordo quando mio figlio Matteo, a tre anni, scendeva per le prime volte a giocare nei giardini del condominio alla periferia di Milano dove abitavamo allora. C'erano naturalmente i cancelli chiusi, e si poteva seguire i bambini dando un'occhiata dalla finestra. Accompagnandolo, lo preparavo: «Matteo, mi raccomando, se qualcuno ti si avvicina e ti chiede "Vuoi un gelato?", tu devi dire "No!" e chiamare la mamma». Dopo un po' gli domandavo: «Matteo, cosa fai se qualcuno ti si avvicina e ti chiede "Vuoi un gelato?" E lui, convinto: «Io ci dico sì, grazie!». Diffidare degli estranei era una «lezione» che dimenticava subito: era troppo fiducioso. E goloso.

Ci sono molti casi in cui nell'oscillazione fra paura e attrazione dell'estraneo, del diverso, prevale l'attrazione. E quindi anche quel minimo di diffidenza che è naturale avere, almeno nei primi contatti, viene a mancare. Invece una certa cautela verso gli sconosciuti è una forma di autodifesa che sarebbe meglio possedere.

Quando la paura comincia a cedere il passo alla curiosità, all'interesse, all'attrazione?

Man mano che il bambino cresce c'è una continua oscillazione fra il movimento in avanti, verso gli altri, verso l'avventura di nuove relazioni e quello all'indietro, verso le figure familiari e la sicurezza dell'abitudine. Ci sono momenti in cui il bambino sembra attirato come da una calamita da tutto ciò che è diverso, a cominciare dagli estranei. Altri ancora in cui torna a rifugiarsi nel suo mondo di sempre. Questa continua altalena fra il desiderio di novità, di avventura e di rischio, e il bisogno di protezione, di rassicurazione, scandisce coi suoi movimenti alterni, di progresso e di regressione, l'intero sviluppo del bambino.

L'alternarsi di questi impulsi opposti, ad avanzare e a ritrarsi, appare evidente quando il bambino comincia a camminare: fa qualche passo avanti, verso l'«ignoto», e poi corre indietro, fra le braccia della mamma. Ma è una tendenza che esiste anche prima: dagli otto mesi circa in poi quando il bambino comincia ad avere la percezione dell'esterno e dell'interno. Si rende conto che c'è uno spazio nella casa, e uno fuori dal suo ambiente abituale, molto più mutevole, e ne è incuriosito. Ma nello stesso tempo comincia anche ad averne timore.

Non dimentichiamo che la paura è un istinto «adattivo»: serve per proteggerci dal pericolo. Anche quando il bambino sembra averla superata, come nel caso degli estranei, ogni tanto riemerge, in modo più o meno evidente. E non è opportuno rimproverarlo, se non risponde festosamente ai complimenti di una persona sconosciuta, ma si ritrae impaurito: «Perché ti comporti così? Non è carino...». Meglio lasciar perdere e aspettare che gli passi.

Le antipatie di pelle

Crescendo molti bambini continuano a mostrare non tanto paura, ma disagio, antipatia, avversione verso alcune persone, non appena le incontrano. Perché?

È un'antipatia istintiva, «di pelle», che a volte si prova anche da adulti di fronte ad alcune persone, senza alcuna ragione plausibile: sebbene si comportino in modo gentile e inoffensivo nei nostri confronti. Una reazione che, crescendo, si impara a nascondere, a rendere meno evidente: per educazione, certamente. Ma anche perché ci rendiamo conto che il moto di avversione che proviamo è del tutto irrazionale. I bambini invece sono quasi del tutto privi di un minimo di *savoir faire* in questi casi. Non importa chi è la persona che hanno di fronte: se non gli piace, non lo nascondono. E più sono piccoli, tanto più anche il senso di disagio, di avversione, di rifiuto appare più evidente.

Dobbiamo così aspettarci che alcune persone, non si sa perché, vengano rifiutate dal bambino. Inutile cercare di convincerlo o di imporgli un atteggiamento amichevole: meglio sorvolare con diplomazia.

L'angoscia dell'abbandono

La paura degli estranei che si manifesta verso l'ottavo mese coincide anche con una maggior difficoltà di distacco dalla mamma. Solo a vederla allontanarsi il bambino si dispera come se non dovesse tornare mai più... «Quando era più piccolo, non succedeva» dicono molte mamme. «Ora invece fa scene strazianti, al mattino, quando esco di casa...» Perché?

È proprio questa la paura che esprime il bambino col suo pianto disperato, quando la mamma se ne va: «E se non dovesse tornare mai più?». Riemerge così, in modo già più consapevole, quell'antica angoscia di abbandono, presente in ciascuno di noi come una eredità filogenetica sedimentata nel nostro inconscio, che il neonato esprimeva col pianto in modo ancora caotico, inarticolato nei suoi momenti di solitudine. Allora, quando la mamma non c'era, si sentiva sprofondare in un vuoto privo di immagini, di pensieri, di sentimenti: era ancora così confuso con lei che la sua assenza sembrava cancellare l'esistenza di entrambi.

Ora invece comincia ad individuare se stesso come persona separata dalla madre. E quindi da ogni altro: una tappa così importante del suo sviluppo mentale che alcuni studiosi dell'infanzia la definiscono la «seconda nascita», quella psicologica. È naturale quindi che in questa fase anche il distacco dalla mamma sia vissuto in modo più drammatico, come se davvero allontanandosi potesse svanire nel nulla. Una fantasia che ritorna anche più avanti, in situazioni che fanno sentire il bambino particolarmente fragile e bisognoso di rassicurazioni.

Il problema della separazione dalla mamma si fa più intenso quando il bambino si sente più incerto, come avviene in quei periodi della crescita che rappresentano fasi di passaggio: ogni volta che il bambino acquista nuove capacità, fisiche o mentali, si sente più insicuro, come quando comincia a muovere i primi passi, tenendosi in precario equilibrio. In questa fase il bambino sente più forte il bisogno di protezione e il desiderio della mamma vicino a sé. E diventa più intensa anche la nostalgia della sua presenza, quando non c'è. Non è strano quindi che il momento del distacco, al mattino, si carichi di emozioni così forti. Per un bambino, che non ha ancora il senso del tempo e vive solo nel presente, è difficile immaginare il futuro e rinviare a «dopo» i propri desideri: anche se si tratta solo di poche ore.

Le prime separazioni

Succede spesso che la mamma o i genitori siano accolti con una certa indifferenza dal figlio, quando tornano a casa dopo un'assenza di due, tre giorni... E sembra quasi che lo faccia per ripicca. Perché? E come comportarsi?

Succede abbastanza spesso che mentre i genitori si aspettano di essere accolti con gioia, entusiasmo al loro ritorno, rimangano invece delusi o preoccupati dalla reazione indifferente oppure imbronciata del bambino. È un comportamento infantile piuttosto diffuso che a poco a poco tende a cambiare. Quando è ancora molto piccolo, infatti, più o meno fino a due anni, il bambino si sente davvero abbandonato, quando i genitori non ci sono. E durante la loro assenza cova dentro di sé un senso di rancore, di ostilità che rende difficile corrergli subito incontro fiducioso, al loro ritorno.

Meglio lasciargli il tempo di macinare dentro di sé questa sua rabbia, di esprimerla, e mostrargli di capirne il motivo, invece di apparire delusi o preoccupati: «Ma come, non sei contento?». Lo è, certo. Ma è anche «arrabbiato». Si mette in disparte, guarda di sottecchi i genitori con un misto di ostilità e rimprovero, si scansa dalle loro carezze e dai loro baci... La cosa peggiore, in questi momenti, è rispondere con la stessa moneta. E mostrarsi indifferenti, lasciandolo solo con la sua rabbia. O, al contrario, insistere troppo: «Ma perché fai così? Su, dammi un bacino!».

Molto meglio invece comunicare al bambino di aver capito perché si comporta così. E cercare di calmarlo, parlandogli. Si può dirgli, ad esempio: «So benissimo che sei arrabbiato con noi, perché ce ne siamo andati. Ma vedi che siamo già tornati, ti abbiamo pensato sempre, ti abbiamo portato un bel regalo... Non vuoi vederlo?».

Proprio perché è verso l'ottavo mese che il bambino vive in modo più drammatico ogni forma di distacco, è meglio evitare in questo periodo lunghe assenze dei genitori, oppure la ripresa del lavoro da parte della madre?

Spesso si cerca di evitare al bambino la sofferenza della separazione nei primi mesi di vita. E si aspetta che sia un po' cresciuto per riprendere il lavoro affidandolo a una baby-sitter o portandolo al nido. Allo stesso mondo si tende a rinviare anche altre occasioni di distacco: ad esempio una piccola vacanza che i genitori hanno progettato di fare da soli, come una seconda luna di miele. Succede così che queste decisioni vengano a coincidere più o meno proprio con l'ottavo mese che, come abbiamo visto, rappresenta invece una fase in cui il bambino tende a soffrire per la lontananza dei genitori, e in particolar modo della mamma, molto più di quanto non gli succeda prima o dopo questo breve passaggio «critico» del suo sviluppo.

Sapendolo, è bene comportarsi di conseguenza. Ed evitare, nei limiti del possibile, forme di distacco prolungate in questo periodo: meglio aspettare che il bambino abbia acquistato una maggior fiducia nel mondo e in se stesso, prima di compiere gesti di separazione così forti. A volte basta aspettare un mese, o poco più: e insieme alla paura degli estranei si affievolisce anche l'angoscia della separazione, rendendo così meno difficile per il bambino sia il distacco dai genitori, sia la vita con gli altri, al nido o in casa. Se invece è impossibile rinviare i propri impegni, come la ripresa del lavoro, meglio anticiparli di un mese o due, piuttosto che farli coincidere col periodo meno adatto per il bambino.

Passo passo verso il distacco

Quando comincia a manifestarsi nel bambino la capacità di affrontare il distacco, e di allontanarsi dalla mamma senza paura? E come sostenerlo, in questo percorso?

Esiste una spinta non solo psichica ma biologica verso una sempre maggior autonomia che è sostenuta dalla stessa crescita fisica del bambino. I primi passi sono già un segnale fisiologico, visibile di quella stessa capacità di distacco che sta maturando a poco a poco nella sua mente. E si esprime più o meno con gli stessi tentennamenti e le stesse incertezze che il piccolo rivela anche nel camminare e nel cercare di «stare in piedi» da solo.

Il bambino parte, estremamente baldanzoso, sicuro di sé e di questa sua nuova, strabiliante prodezza. Poi, improvvisamente vede il vuoto davanti a sé, si siede e si mette a piangere. Spesso, per farsi coraggio, durante i primi passi, ripete la parola «mamma», come per evocare attraverso il suono della parola la sua presenza, finché barcolla. E non è più in grado di andare avanti. L'importante è che la mamma sia lì, prima a sostenerlo, quando si allontana, e poi ad attenderlo, pronta ad accoglierlo fra le braccia, quando torna da lei. Il bambino riceve così quella dose di «rifornimento affettivo», che gli consente di allontanarsi, senza paura. Per poi tornare, non appena si sente «scarico», a ricevere una nuova dose di affetto e di fiducia.

Questo via vai è un comportamento che tende a ripetersi anche in futuro, ogni volta che il bambino affronta qualcosa di nuovo, che implica un distacco, un allontanamento: lo si vede quando comincia ad entrare in contatto con altri bambini, scambiando con loro le prime parole e i primi giochi. È così coinvolto, affascinato dalla nuova esperienza che spesso, quando lo si chiama, non sente, non risponde. Ma ecco che improvvisamente corre dalla mamma, per sorriderle o darle un bacio. E poi torna a giocare contento.

La corsa del bambino verso l'autonomia segue pressappoco questo ritmo, che mima un giro di valzer – un, due, tre – la sua spinta ad allontanarsi, la paura del distacco e il bisogno di rassicurazione affettiva, e poi via di nuovo verso la vita e le sue esperienze. Oggi c'è una consapevolezza più diffusa di questo contradditorio procedere, anche nelle istituzioni. Proprio per questo negli asili nido e nelle scuole materne si dà alla mamma la possibilità di rimanere col figlio, nelle prime settimane, per permettergli di affrontare il distacco e di adattarsi al nuovo ambiente in modo graduale.

Il gioco del cucù

Ci sono giochi che aiutano il bambino ad affrontare il distacco e ad abituarsi a stare solo, senza la mamma vicino?

C'è un gioco molto semplice, antico come l'infanzia, che si tramanda di generazione in generazione: è il gioco della scomparsa e della riapparizione. Può chiamarsi in molti modi, cucù, bau-cette, ma è sempre lo stesso: la mamma si nasconde, e poi riappare. Oppure copre il viso con le mani, o con un lembo di stoffa, per scoprirlo subito dopo. In un attimo, il bambino passa da un senso di smarrimento, di timore, di vera e propria suspense – la mamma non c'è più! E adesso...? – al suo opposto: un sentimento di sollievo, di gioia, di fiducia.

Si compie così, attraverso il gioco più comune del mondo, un rito liberatorio, una piccola catarsi che mima il passaggio dalla paura dell'abbandono alla rassicurazione: anche se scompare, la mamma ritorna, c'è sempre. Per questo piace tanto ai bambini, già a pochi mesi. Continua tuttavia a essere il gioco preferito anche più avanti, ogni volta che il piccolo affronta la sofferenza del distacco: nella fase di passaggio degli otto mesi, ma anche nel periodo in cui il bambino comincia a camminare, ad andare al nido, all'asilo... Tutte situazioni in cui il gioco del cucù lo aiuta ad allontanare le fantasie di abbandono, a rassicurarlo che alla scomparsa della figura materna segue sempre un ritorno.

Crescendo, è un gioco che il bambino impara a fare da solo, inventando nuove varianti. Ed eccolo che, appena ne è capace, comincia a gettare lontano un oggetto qualsiasi, verso un punto nascosto della stanza, oppure oltre la porta, per poi correre a riprenderlo, con grande soddisfazione e gridi di gioia. «Eureka!», sembra dire, «l'ho trovato». Più avanti gioca a nascondere se stesso, apparendo e scomparendo davanti allo specchio, quando ancora non si riconosce. E vede nella sua immagine riflessa un altro bambino, simile a lui: una specie di «doppio», di sosia, legato da un filo invisibile, che ripete tutti i suoi gesti, le sue smorfie, i suoi movimenti. È stupito, deluso come per un brutto scherzo, quando cerca di stanare questo suo bizzarro compagno, cercandolo «dietro lo specchio», e non vede nessuno. Ed è al colmo della gioia invece quando lo ritrova di fronte, nella parete lucida dello specchio, pronto a fare con lui nuovi giochi in perfetta sincronia. Non è così strano che i bambini si dedichino con tanta passione a questi giochi apparentemente banali: ne ricavano una sicurezza simile alle certezze matematiche di un teorema o di una equazione.

In vacanza senza i genitori

Verso i quattro, cinque anni succede spesso che il bambino rifiuti situazioni di distacco che prima accettava senza farne un dramma: le vacanze estive dai nonni, dagli zii, in colonia, nei Kinderheim... «Come mai?» si chiedono i genitori. «Forse non si trovava bene e non riusciva a dirlo?»

A differenza di quando era più piccolo, verso i quattro, cinque anni il bambino è abbastanza maturo per rendersi conto che fra non molto dovrà affrontare una situazione nuova, che comporta un lungo distacco dai genitori. E nello stesso tempo è ancora troppo piccolo per affrontarla a cuor leggero. A questa età, ormai non vive più soltanto nel presente: sa prevedere che cosa gli succederà fra una settimana, fra un mese, collegando il futuro alle esperienze del passato.

Anche se si è trovato bene in vacanza coi nonni o al Kinderheim, sa che lo aspetta un cambiamento di abitudini, in un ambiente diverso da quello familiare. E che sentirà nostalgia per la lontananza da casa, dai genitori: soprattutto nei momenti di solitudine, o quando gli capita di sentirsi incompreso, come a volte succede. Se invece c'è stato davvero qualche motivo di disagio, di malessere, di grave incomprensione, a maggior ragione il bambino tenderà a opporsi a questi progetti di vacanza.

In ogni caso è bene accompagnare il bambino, restare qualche giorno con lui, vedere come vanno le cose... Soprattutto in colonia, o nel Kinderheim, è importante che ci sia almeno una persona che riscuote la sua simpatia, la sua fiducia, in modo che non si senta affidato ad una istituzione. E se si rifiuta di rimanere, non c'è altro da fare che riportarlo a casa. Altrimenti si sentirebbe davvero abbandonato.

Non sempre è così, naturalmente. Molti bambini accettano senza problemi le vacanze lontano dai genitori, soprattutto se sanno che un'altra parte dell'estate la passeranno con loro. Se invece questa lontananza diventa davvero un dramma, meglio assecondarli. Anche se il cambiamento di programma comporta necessariamente qualche difficoltà, per i genitori, è meglio evitare al bambino inutili sofferenze che gli sarà difficile dimenticare. E che potrebbero creare in futuro problemi ben più gravi di un semplice disguido nell'organizzazione delle vacanze.

E se fossero solo capricci? A volte si pensa che se un bambino non si rassegna al distacco e si rifiuta di affrontare una situazione nuova, è meglio non cedere alle sue suppliche, non dargliela vinta, in modo da rafforzare il suo carattere...

Il modo migliore per abituare il bambino al distacco senza imporgli frustrazioni eccessive, è di mantenere quella giusta distanza dal figlio e dalle sue emozioni, che consente di valutare di volta in volta se una situazione è davvero intollerabile, in quel periodo della crescita, per lui. Oppure se si tratta solo di una reazione momentanea di dispiacere all'idea di separarsi dai genitori, che può essere facilmente superata.

Si evita così da un lato di identificarsi con lui, e di lasciarsi sommergere dalle sue stesse ansie, dandogliela sempre vinta, come spesso succede nei legami troppo stretti, «simbiotici». Ma si evita anche di porsi come genitori su un piedestallo troppo al di sopra del mondo infantile e delle sue emozioni più autentiche, al punto da imporre al bambino esperienze dolorose che non sempre «rafforzano il suo carattere». Al contrario, rischiano di renderlo più fragile, più vulnerabile se l'infelicità che provocano lascia dentro di lui l'ombra scura di un dolore che non riesce a superare.

XIII

Il linguaggio

ninna-nanna alla mia piantina
è spuntata una fogliolina
ninna-nanna alla mia bambina
è spuntata una parolina

All'inizio il suo linguaggio è quello del corpo. È con i gesti, il pianto, lo sguardo, la mimica del viso che il bambino parla di sé nei primi mesi della sua vita. Con le mani comunica nel modo più immediato, tattile: si protende, si aggrappa, stringe, afferra. E a volte respinge, allontana, rifiuta. Ma parla anche con tutte le sue membra: inarca la schiena, agita i piedini per esprimere il suo nervosismo, il suo disagio. E trasmette il suo totale benessere quando si raggomitola felice fra le braccia della mamma, le carezza il seno, gioca coi suoi capelli...

È un linguaggio primitivo, elementare. Ed è così vero, così carico di emozioni intense quello che esprime, che ogni mamma capisce e risponde: con i gesti, il sorriso. Ma anche con le parole. È qualcosa che le viene spontaneo, naturale: riprende così quel dialogo silenzioso, segreto, che aveva intrecciato col futuro bambino durante la gravidanza. E che ora può finalmente rendere più diretto, più esplicito dando voce alle parole.

Non importa se sono ancora suoni misteriosi, confusi, disarticolati, per il bambino. Quando la mamma gli parla, ascolta incantato la sua voce, ne assorbe i suoni, le cadenze, le inflessioni. Segue il movimento delle sue labbra e senza accorgersene accumula dentro di sé un primo bagaglio linguistico, fatto di segni, di suoni, di «fonemi». Finché comincia a modulare la sua voce, in modo da riprodurre le parole. Inizia così anche un modo profondamente diverso di comunicare: col linguaggio verbale il bambino non parla più solo di se stesso, ma si apre al «tu», al «noi». E a nuove forme di relazione con gli altri, di cui il sorriso era già stato un primo segnale.

Quando un bambino «dovrebbe» cominciare a parlare? Come favorire lo sviluppo di questo apprendimento? Che cosa può insegnargli il papà? Oltre a queste prime domande i genitori se ne pongono molte altre che toccano problemi vecchi e nuovi, legati al linguaggio: non solo come capacità linguistica ma come primo strumento di comunicazione sociale.

Ci si chiede così a cosa servono i libri, i racconti di fiabe, oggi che l'attenzione e la curiosità del bambino sembra catturata dalla televisione. E come proteggerlo dal suo impatto troppo persistente, e spesso violento. Ci si chiede anche come comportarsi, quando dice le parolacce. Perché alcuni bambini ritardano a parlare, oppure a dire «io». Quale lingua insegnargli per prima, se i genitori sono di nazionalità diversa. Perché a volte balbetta, e come evitare che un tic passeggero si trasformi in un vero disturbo del linguaggio. E così via, fino all'apprendimento precoce della lettura e della scrittura: è un bene, è un male?

Il linguaggio del bambino è un terreno ricco di segnali così importanti e di messaggi emotivi così coinvolgenti, per i genitori, che cominciano a porsi domande già a cominciare dal primo accenno ad una vera comunicazione a due: quando il bambino sorride.

Il primo sorriso

Il primo sorriso suscita sempre una grande emozione nei genitori. Perché è così importante questo momento? Ed è vero, come sostengono molte mamme, che il bambino comincia a sorridere anche prima del secondo, terzo mese, già nelle prime settimane di vita?

C'è una tale attesa per il primo sorriso, che capita spesso alle mamme di intravederlo sul viso del bambino appena nato, o quasi. In realtà si tratta solo di uno stiramento dei muscoli facciali, ancora privo di intenzionalità e di significato. Ma che importa? È un'impressione che riempie comunque la mamma di gioia. In ogni caso il sorriso verrà verso il terzo mese di vita. E solo allora ci si accorgerà che il bambino sorride davvero: con l'intenzione di comunicare, di «parlare», guardando in viso la persona a cui si rivolge con questa prima forma di linguaggio. Che è anche la prima forma di vero riconoscimento.

Si sa che il bambino riconosce la madre da subito, ma in modo ancora confuso, frammentario: la sua figura è come un puzzle dai pezzi separati, che il piccolo distingue a uno a uno, senza però riuscire a metterli insieme, a raggrupparli in un disegno completo. Riconosce a tratti ora la sua voce, ora il suo odore, ora la sua pelle... E distingue anche i suoi occhi, il naso, la bocca: ma separatamente. Finché verso i due, tre mesi, riesce ad abbinare i diversi tratti in un unico disegno unitario: e da questo gioco di incastro perfetto esce finalmente il viso della mamma, la sua forma, la sua *Gestalt*.

Ed è proprio questo che il bambino comunica col suo primo sorriso, guardando in faccia la mamma: «Sì, sei tu: ti riconosco dal viso».

Un messaggio che la mamma coglie al volo: per la prima volta si sente veramente riconosciuta e gratificata come madre. E questa conferma la riempie di gioia, di soddisfazione. Quante volte si è chiesta: «Mi comporto nel modo giusto, con lui? Lo sto crescendo bene? Sono una buona mamma?». Col suo sorriso, il piccolo la rassicura, la conforta. E inizia a dialogare con lei in modo più attivo, più vivace e dinamico.

«Perché non mi guardi? Perché non sorridi?» A volte è la mamma a sollecitare il dialogo con il bambino, che però non sembra gradire questa insistenza. E tende invece a rinchiudersi in se stesso: rimane sordo ai suoi richiami, non le presta attenzione. Perché?

L'attenzione del bambino è intermittente, ha bisogno di pause, soprattutto in questa prima forma di dialogo fatta di sguardi e sorrisi. E non è strano. Il rapporto faccia a faccia è sempre molto coinvolgente, sul piano emotivo: crea una tensione che è difficile reggere a lungo, anche fra adulti. E tanto più lo è per il bambino che ha appena scoperto la fisionomia del volto materno: è un esercizio faticoso, per lui, mantenere costante l'attenzione. Ha bisogno di distrarsi, di guardare altrove, per rivolgere poi di nuovo lo sguardo alla mamma e sorriderle, quando ne ha voglia, in modo spontaneo.

È proprio questo il fascino del sorriso, che lo rende così disarmante e seduttivo: la sua spontaneità. Una qualità che va persa, proprio nel momento in cui viene imposta. Come succede da adulti, quando si fa un sorriso «di circostanza». È difficile anche per noi, sorridere «a comando». Figuriamoci per un bambino!

Certo il sorriso è una conferma molto importante per la madre. E quanto più si sente insicura delle sue qualità materne, tanto più tende a richiederlo, a esigerlo. Con effetti controproducenti: invece di aprirsi al dialogo, il piccolo si richiude su se stesso, deludendo la mamma, che rinnova le sue sollecitazioni, mentre aumenta la sua insicurezza.

Ma se da un lato c'è la mamma troppo invadente, che esige un'attenzione che il bambino non è in grado di dare, dall'altro c'è anche la mamma troppo indaffarata, oppure troppo stanca, depressa, per riuscire a cogliere le richieste di attenzione del figlio, che cerca inutilmente di richiamare a sé il suo sguardo lontano, assente. E di regalarle un sorriso.

In entrambi i casi diventa più difficile stabilire un buon dialogo col bambino. Che ama entrare e uscire dalla relazione in modo naturale, spontaneo, seguendo il ritmo alternato del suo desiderio di attenzione e del suo bisogno di distrarsi. Di solito è altrettanto spontaneo e naturale per la mamma entrare in sintonia con questo ritmo intermittente: e rispondere istintivamente alla richiesta di attenzione, distraendosi a sua volta e occupandosi d'altro, quando il bambino si distrae.

In ogni caso, per stabilire un buon dialogo col bambino già nella fase iniziale dei primi sorrisi, è importante capire il suo temperamento. C'è chi è più estroverso, dinamico, «interattivo». E chi invece è più solitario, introverso. Bisogna accettare queste variazioni individuali, senza aspettarsi necessariamente lo stile di comportamento, di comunicazione che noi preferiremmo. Così diventerà più facile captare i messaggi di nostro figlio ed entrare in sintonia con lui, in questo primo linguaggio fatto di gesti, sguardi, espressioni e sorrisi.

Come impara a parlare

Quando un bambino comincia a parlare?

La capacità di parlare si accompagna allo sviluppo del pensiero che nel bambino è potenziato da due impulsi paralleli: quello biologico e quello ambientale. Verso gli otto mesi, la maturazione delle aree secondarie e terziarie del cervello consente al bambino di collegare fra loro le diverse sensazioni, soprattutto quelle visive, uditive e tattili: il passo successivo è di formare un'immagine mentale, elaborare un'idea di ciò che vede, ascolta, tocca. E di tradurla poi in parola.

In questo passaggio gioca un ruolo fondamentale l'ambiente in cui il bambino vive: oltre a fornirgli la possibilità di immagazzinare nella mente le sensazioni più vitali, collegandole l'una all'altra fino a formare l'immagine di una cosa, di una persona, di una situazione, gli «insegna» anche le parole per esprimere ciò che sente. E questo «ambiente», nel primo anno di vita, è costituito soprattutto dalla mamma, e dal particolare clima affettivo che crea nel suo legame con il figlio.

Le prime parole – mamma, papà, pappa, casa – nascono dal desiderio di comunicare sentimenti, emozioni legati alle persone e alle cose più care, di dare loro un nome. E anche più avanti, l'apprendimento del linguaggio mantiene sempre forti componenti affettive. È su questo terreno che si sviluppa la capacità comunicativa del bambino. Ed è sempre su questo terreno che può invece bloccarsi. È il caso dei «bambini selvaggi», cresciuti in mezzo agli animali senza alcun contatto umano, che una volta ritrovati non imparano mai a parlare. Ma è il caso anche dei bambini autistici, nei quali il blocco dell'affettività provoca una quasi totale assenza di comunicazione e di linguaggio.

È soprattutto la mamma, dunque, che insegna al bambino a parlare? E in che modo può facilitare il passaggio dalla comunicazione corporea a quella verbale, favorendo così la conquista del linguaggio?

È la mamma che per prima intreccia col bambino un dialogo fatto di segnali corporei: è quindi più pronta a coglierne i messaggi. E a tradurli in linguaggio verbale, attribuendo ai suoi gesti il significato di una prima comunicazione ancora «aurorale»: «Vuoi venire in braccio, vero?», gli dice quando lo vede tendere le braccia verso di lei. In questo, e in infiniti altri modi, gli restituisce tradotta in parole, quella che era solo una comunicazione gestuale. È molto importante quindi che la mamma non intrattenga col bambino un dialogo muto, quasi esclusivamente corporeo, rispondendo silenziosamente alle sue richieste. Ma che di volta in volta gli insegni le «parole per dirlo».

Questo insegnamento non ha nulla di «scolastico», di programmatico: avviene nel modo più spontaneo, attraverso un processo di imitazione reciproca. La mamma imita il bambino, parlandogli anche coi gesti, la mimica del viso. E il bambino imita la mamma, ripetendone le parole e provando a scandirne le sillabe nella prima fase di «lallazione». Da questo confuso balbettio nascono le prime parole, che la mamma a sua volta imita, adeguandosi in modo giocoso al vocabolario del piccolo.

Si crea così un linguaggio particolare, metà infantile e metà adulto, che serve solo a loro. E che solo loro capiscono: è il più adatto comunque a favorire gradualmente nel bambino la conquista di un linguaggio più evoluto.

Alcune mamme pensano che sia «diseducativo» adottare col figlio un linguaggio infantile: e gli parlano sempre come se fosse un adulto. Altre invece prolungano ben oltre il primo anno di vita un dialogo segreto, pieno di diminutivi, vezzeggiativi e di parole astruse, quasi del tutto incomprensibile per gli altri... Perché? E con quali risultati?

Molto dipende dall'ambiente culturale, dalla storia personale e soprattutto dal carattere della madre. Se è una persona evoluta, istruita, magari un po' rigida, può capitare che, privilegiando il lato cognitivo dell'educazione, preferisca adottare subito un linguaggio da adulti. In questo modo sollecita intellettualmente il figlio, ma priva il loro dialogo di spontaneità e di calore affettivo.

Inoltre rende più difficile al piccolo il processo di imitazione che, in questo caso, non è più reciproco, ma a senso unico in quanto impegna solo il bambino. Viene così a mancare un vero scambio «paritario»: un dialogo in cui la mamma torna di tanto in tanto bambina per poter capire il figlio e farsi capire da lui.

La forma scambievole di linguaggio misto viene però a mancare anche nel caso opposto, quando la mamma parla quasi esclusivamente in modo infantile, privilegiando vezzeggiativi leziosi, balbettii, parole segrete e incomprensibili. In questo caso è lei che imita il bambino, senza però fornirgli un modello più evoluto da imitare a sua volta, aiutandolo così a parlare e a rendersi più indipendente. Forse è proprio questo il desiderio inconscio di chi mantiene all'infinito un dialogo infantile col figlio: che rimanga piccino, che non cresca mai e non si stacchi dalla mamma, aprendosi, attraverso il linguaggio, a nuove relazioni.

Se invece la mamma intercala il linguaggio adulto con quello infantile, imita e si fa imitare, seguendo intuitivamente le capacità e i bisogni del suo piccolo, lo sprona a crescere e nel contempo lo rassicura sulla continuità del legame affettivo.

E il papà? Qual è il suo ruolo nell'apprendimento di questo primo strumento di comunicazione, che consente al bambino di aprirsi a nuove relazioni?

Di solito il padre interviene poco nel primo dialogo che la mamma crea col bambino, riallacciandosi anche ai suoi ricordi infantili: perché è più spesso assente, ma anche perché è meno disposto a condividere questa forma così intima, privata di comunicazione. È proprio questa sua «esclusione» che spinge il bambino a parlare a poco a poco in modo più sociale, adottando espressioni più comunicabili, più adatte ad essere condivise da altri.

Il padre ha quindi una funzione di tipo emancipatorio: serve a far uscire il bambino da uno stato di intimità eccessiva con la madre, anche sul piano della comunicazione verbale. Intimità che ci deve essere, ma che non può prolungarsi oltre un certo limite: di solito i due anni. Proprio il periodo in cui padre e figlio tendono spontaneamente a stabilire una nuova forma di dialogo che facilita nel bambino l'apprendimento di un linguaggio via via più evoluto.

È l'età in cui i bambini, sia i maschi che le femmine, sono attratti da tutto quello che fa il papà, gli stanno vicino mentre legge il giornale, pulisce la macchina, aggiusta qualcosa, si occupa di lavori manuali, tecnici... Non si limitano a guardare, a osservare, ma cercano di imitarlo. E il papà sta al gioco, si lascia aiutare, interagisce con loro, risponde alle loro domande, spiega come si usa un oggetto, a che cosa serve...

È così che il piccolo comincia ad apprendere anche un linguaggio più preciso, meno generico. Soprattutto si abitua a dare un nome preciso alle cose, mentre con la madre è più portato a indicare ciò che vuole col dito: tanto, lei lo capisce al volo! Col padre invece impara ad utilizzare sempre più spesso le parole giuste, anche quelle tecniche. E questo gli sarà molto utile per facilitare le sue prime relazioni con gli altri: a cominciare dall'asilo, dove è importante sapersi esprimere, per integrarsi meglio nella vita di gruppo.

Le prime parole

Prima ancora di imitare le parole che sente dalla mamma o dal papà, ogni bambino ne crea alcune completamente sue, dal suono buffo, curioso, che usa in continuazione, attribuendole a qualsiasi cosa. Ma che sono del tutto prive di significato, per gli altri. Come nascono queste strane parole? E che cosa vogliono dire?

L'«invenzione linguistica» non appartiene solo alla madre. Quando comincia a parlare, è lo stesso bambino che ama inventare parole tutte sue, incomprensibili per chiunque, con cui costruisce un suo primo rudimentale linguaggio segreto. Comincia così a giocare con le parole proprio come gioca coi suoi giocattoli, affezionandosi a ciascuna come a un oggetto che appartiene solo a lui, una sua proprietà esclusiva. Non sono molte: di solito due o tre, «zezè», «plambo», «dudù»...

Impossibile capire come le ha costruite, dove le ha scovate. Se ne può intuire invece il significato. Spesso sono parole magiche, degli «abracadabra» che non indicano alcun oggetto concreto, reale. Servono solo ad evocare qualcosa che non c'è. Più avanti il bambino le usa invece per indicare qualcosa che gli piace, che desidera, oppure che lo attrae, lo incuriosisce: i biscotti nel vassoio, la musica del carillon, il suo giocattolo preferito, le galline nel prato...

Invece di intervenire subito per correggerlo – «non si dice "zézé", si dice biscotti» – è molto meglio stare al suo gioco. E lasciare che per un certo periodo il bambino possa esprimere la sua creatività nel linguaggio, in modo libero, felice, giocoso. Sono invenzioni linguistiche che verranno poi dimenticate, proprio come i giocattoli vecchi, non appena il bambino comincia a parlare e ad appassionarsi agli infiniti stratagemmi del linguaggio, costruendo le prime frasi.

Si aspetta che il bambino dica la sua prima parola, proprio come si aspetta il primo sorriso o i primi passi. E di solito questa parola è «mamma». Perché?

Perché è questa la parola che di solito la mamma gli insegna, sollecitandolo a ripeterla e indicando se stessa, mentre la sillaba. Ed è naturale che sia la madre il primo «oggetto» a cui dare un nome. Il bambino impara così a chiamarla, e non solo a immaginarla, pensarla, in sua assenza: ed è felice quando la vede accorrere al suo richiamo. Se invece è lontana, può evocare la sua presenza e colmare così il vuoto dell'attesa, pronunciandone il nome. Anche mamma diventa così una parola «magica», con la quale può realizzare un desiderio.

Non sempre però la prima parola è «mamma»: può essere «papà», «pappa», «babà»... Di solito non si tratta, come si potrebbe pensare, di una preferenza del bambino per il padre o per il nutrimento. Semplicemente è più facile per lui pronunciare sillabe labiali, che riproducono il movimento della suzione. Solo nei casi in cui la madre è troppo spesso assente, lontana, anche il suo nome compare più raramente nel vocabolario infantile: diventa troppo doloroso per il bambino dire mamma, evocare la sua presenza, quando sa che non c'è, che non arriva.

Di solito le bambine imparano a parlare prima dei maschi. E anche crescendo sono spesso più loquaci, hanno una maggior fluidità e ricchezza di linguaggio. Perché?

È stato recentemente dimostrato che il cervello femminile è diverso da quello maschile: c'è una maggior fluidità fra i due emisferi che facilita fra l'altro le capacità linguistiche. E questo spiega anche dal punto di vista neurofisiologico perché i bambini di solito sono più lenti, nell'apprendimento del linguaggio. Questa lentezza è spesso controbilanciata da una maggior proprietà linguistica, da una maggior precisione nell'uso delle parole. Inoltre ogni bambino ha i suoi tempi, segue un suo ritmo che può essere più lento in certi periodi e più rapido in altri. Oppure può essere più taciturno o più loquace, maschio o femmina che sia. Non è una questione di maggiore o minor intelligenza: basti pensare che lo stesso Einstein cominciò a parlare molto tardi, verso i quattro anni...

Certo, le bambine sono più chiacchierine. E spesso vengono rimproverate, per questo, come se fosse un difetto. Amano raccontare storie, al punto da inventare le bugie più incredibilmente fantastiche. E perfezionano il linguaggio, in modo da adattarlo agli scopi più diversi. Lo usano come strumento seduttivo, per attirare l'attenzione. Ma anche per difendersi, per creare complicità, per attaccare, offendere, ferire... Non è strano che, più spesso dei maschi, tendano a trasferire nella parola le loro pulsioni aggressive, o ad usarla come arma di difesa. Dopotutto parlare è meno disdicevole, per le bambine, che fare a botte. O mostrare apertamente la propria aggressività.

Nonsense e gusto del comico

I bambini hanno una vera passione per i giochi di parole, i nonsense. E si divertono un mondo a fare gli abbinamenti più assurdi e a storpiare i termini non appena li hanno imparati. Perché?

Attraverso il gioco il bambino impara a conoscere tutto ciò che sta apprendendo, a farlo proprio: e questo avviene anche per il linguaggio. Gli viene istintivo quindi giocare con le parole, scomporle, ricomporle, modificarle: per lui non sono qualcosa di «intoccabile» sempre uguale a se stesso. Ma del materiale che si può manipolare a piacimento: un gioco che lo diverte, lo appassiona, anche perché conferma il suo magico senso di onnipotenza. Ancora più che con gli oggetti, con le parole può davvero fare quello che vuole! Non è quindi il caso di insistere a correggerlo. Molto meglio giocare con lui, a scomporre e ricomporre il linguaggio, come si fa coi puzzle.

Per quanto al bambino piaccia ridere, scherzare, divertirsi con le parole, sembra però quasi del tutto sprovvisto, almeno fino all'età scolare, del senso dell'umorismo: si offende terribilmente se si fa qualche battuta su di lui, anche del tutto benevola. Oppure non la capisce. Come mai?

L'umorismo è una qualità della mente molto raffinata: non rappresenta solo una particolare dote dell'intelligenza, ma richiede anche una capacità di elaborazione mentale più evoluta, che il bambino non possiede ancora. Ha invece in modo molto spiccato il senso del comico, che dell'umorismo è una componente essenziale.

È una comicità che nasce dalla constatazione che uno schema considerato rigido può essere improvvisamente sovvertito, violato: con effetti esilaranti, proprio come succede nelle gag, nelle battute di spirito, nelle barzellette. Il bambino viene colto da un riso irrefrenabile, quando si accorge che può sovvertire il senso delle parole, lo schema di una frase... Lo stesso succede quando vede qualcuno cadere, oppure sente una persona balbettare: comportamenti che noi consideriamo disdicevoli. Ma che nel bambino piccolo sono istintivi, spontanei, del tutto privi di qualsiasi malizia. Non ride perché una persona cade e si fa male, ma perché cadendo sovverte le regole di un comportamento, di uno schema dato. Per questo non capisce perché lo si sgridi. E magari lo si punisca con uno schiaffo sonoro...

I migliori film comici, come quelli di Charlot, riescono a farci ridere di cuore proprio perché ci inducono a guardare con lo stesso occhio infantile le situazioni che fanno ridere i bambini, riproponendo uno schema d'attesa che viene improvvisamente rovesciato: dalla parola storpiata al capitombolo improvviso, alla torta in faccia.

La «lingua materna» è una sola

Si sa che i bambini hanno una grande facilità nell'apprendere le lingue straniere. A che età si può cominciare ad insegnargliene una? E quando i genitori sono di nazionalità diversa, può imparare le due lingue contemporaneamente, o è meglio privilegiarne una? E quale?

Spesso quando i genitori parlano due lingue originarie diverse, vorrebbero insegnarle al bambino tutte e due. Invece la «lingua materna», quella che si impara per prima e a cui si fa riferimento per tutta la vita, è una sola: e di solito è quella della madre. Per questo non bisognerebbe mai insegnare contemporaneamente due lingue al bambino. Né, se la madre è straniera, lasciare che predomini la lingua del paese in cui vive insegnando al bambino per prima questa, piuttosto che la propria.

La mamma non può parlare con il suo bambino una lingua straniera, perché non ha le stesse componenti emotive, profondamente radicate, di quella materna, con cui lei stessa ha imparato a parlare. Anche se è la lingua culturalmente più debole, andrebbe sempre insegnata per prima, al bambino: è con questa che la madre gli trasmette le parole più immediate, spontanee, quelle che vengono dal cuore.

Meglio quindi che il bambino piccolo abbia una sola «lingua materna», quella della madre, appunto. A questa si può affiancare progressivamente una seconda lingua, quella del padre, che il bambino potrà perfezionare verso i quattro, cinque anni. A questa età ha già acquisito la prima lingua, e non tenderà a confondere l'una con l'altra.

Quando il bambino apprende due lingue contemporaneamente, in modo «bipolare», senza che nessuna delle due predomini sull'altra, è più predisposto ad avere disturbi del linguaggio, dalla balbuzie alle afasie: come se nel momento di pronunciare una parola, ci fosse uno scontro fra le due aree linguistiche, in concorrenza fra loro. Parlando, gli vengono in mente due parole, provenienti da due differenti universi linguistici che si inibiscono a vicenda. Quale delle due scegliere? A quale dare il predominio? Nell'indecisione, ecco che il bambino balbetta. Oppure si blocca, non parla.

È molto importante quindi che il piccolo senta di possedere una lingua predominante, quella che gli ha trasmesso per prima la madre e che rimarrà sempre il suo primo riferimento. E questo vale anche per l'apprendimento di una qualsiasi lingua straniera: meglio aspettare verso i quattro, cinque anni, per evitare sovrapposizioni con la lingua materna che possono provocare disturbi del linguaggio.

Balbuzie: un tic passeggero?

La balbuzie è uno dei disturbi del linguaggio più frequenti, e più riconoscibili, nei bambini piccoli. Quali sono le cause, oltre all'«indecisione linguistica» dei bambini «bilingue»? E come curarla?

Nella maggior parte dei casi questo disturbo non è solo di tipo linguistico, ma ha radici più profonde: è spesso l'espressione più immediata di un eccesso di aggressività repressa, inibita, che blocca anche il linguaggio. È il caso della balbuzie che sopravviene all'improvviso: di solito verso i due anni, l'età delle bizze, dei capricci, dei «no» a catena. Se in questa fase il bambino viene eccessivamente rimproverato e punito, prevale il senso di colpa, mentre le sue naturali pulsioni aggressive vengono inibite. Si crea così un «blocco interiore», che può facilmente riflettersi nel linguaggio, provocando la balbuzie. Talvolta questo disturbo compare anche quando i familiari si propongono, con divieti e imposizioni, di correggere il mancinismo, quasi fosse un capriccio invece che una complessa organizzazione neurologica.

Non appena la tensione educativa si allenta, si nota subito un netto miglioramento del disturbo: libero di urlare la sua rabbia, i suoi sentimenti di ostilità, di opposizione, o di vivere liberamente le sue disposizioni il bambino riacquista anche una maggior fluidità nell'espressione delle parole.

Sono molto frequenti anche i casi di balbuzie «intermittente», che compare solo di tanto in tanto, in modo sporadico, nei momenti di maggior tensione emotiva: un disturbo che tende a scomparire spontaneamente, se non se ne fa un problema. Conviene quindi sorvolare su questo difetto, senza prestarvi troppa attenzione. Se invece i genitori vi si soffermano con insistenza, imponendo magari al bambino di ripetere la parola «difficile» finché non la pronuncia speditamente, gli creano uno stato di tensione che lo rende ancora più incerto, insicuro. E più balbuziente.

Succede soprattutto quando si umilia il bambino o lo si prende in giro, magari di fronte a estranei. O al contrario si insiste troppo, per fargli fare «bella figura»: «Fa' sentire, come dici bene questa parola!». E gliela si fa ripetere, finché ci riesce. Oppure non ce la fa, e scoppia a piangere. Non c'è niente di peggio di questa insistenza «educativa» sulle parole difficili, che il bambino fa fatica a pronunciare: si crea una tensione emotiva che si estende a tutto il linguaggio, bloccando il bambino nel cerchio di un'incapacità che non dipende dalla sua volontà e che perciò non può costituire una colpa né giustificare un castigo.

Quando comincia a dire «io»

Verso i due anni i bambini dicono finalmente «io», affermando anche nel linguaggio la propria identità. Ma non sempre è così: alcuni continuano a parlare in terza persona anche a tre, quattro anni: «Francesco vuole la torta», «Lella vuole vestire la bambola», e così via. Come mai? È solo un vezzo, o c'è qualcosa che rende difficile al bambino la conquista dell'«io»?

All'inizio è naturale che il bambino alterni l'io con la terza persona. Spesso dice: «Voglio la torta, il gelato, quel giocattolo». È lui che non ha sonno, non vuole andare a dormire, non vuole smettere di giocare. E ogni tanto è ancora Francesco, il bimbo piccolo, che non sa dire «io» perché si vede con gli occhi della mamma e parla di sé come farebbe lei. Tuttavia, se questa forma grammaticale mista si trascina oltre i tre anni, significa che il bambino è ancora incerto sulla sua identità, che non ha ancora ben chiaro quale sia la sua posizione in famiglia, quale posto gli spetti nelle relazioni coi genitori.

«Chi sono *io* rispetto alla mamma, al papà?», è una domanda che tutti i bambini si pongono, a questa età: più o meno quando cominciano a elaborare dentro di sé le prime fantasie sulla nascita e sulle proprie origini. Ma, per alcuni, il quesito non si pone o non trova risposta. In un certo senso sono rimasti «fusi» con la madre, in un rapporto indistinto tra sé e lei. Il loro punto di vista è ancora quello materno: non hanno ancora adottato un'ottica personale, che trasformi Francesco in «io».

Questa nuova prospettiva di se stesso, come individuo a se stante, con una sua posizione precisa nella famiglia e nel mondo, il bambino la raggiunge pienamente solo dopo che, attraverso il conflitto edipico, si è messo alla prova, nelle relazioni familiari, trovandovi infine il suo posto. Ha tentato di prendere il posto del padre, di fianco alla madre. Ha provato a sostituire la madre, di fianco al padre. Ha cercato di mettersi fra loro, di dividerli. E ne è stato respinto.

Solo allora, quando si accorge che queste «prevaricazioni» sono solo illusioni destinate a fallire, fantasie che non trovano riscontro nella realtà, ritorna in se stesso. Si riconosce bambino e figlio: assume il suo ruolo. E rimanda più in là nel tempo, a quando sarà grande, la realizzazione di un legame d'amore, simile a quello dei genitori, senza più voler intromettersi fra loro.

È a questo punto che il bambino comincia ad avere un senso della propria identità veramente radicato in se stesso, nel proprio «io». Di qui comincia la sua strada. E guardandosi di tanto in tanto indietro comincia a dire: «Quando ero piccolo...». Racconta la sua storia, diventa narratore di se stesso.

Durante una ricerca condotta fra bambini dell'asilo di circa tre anni, abbiamo posto proprio questa domanda: «Che cosa ti ricordi, di quando eri piccolo?». Nessuno l'ha trovata strana, o si è stupito. Tutti hanno risposto immediatamente. «Mi ricordo che...» Spesso erano ricordi dolorosi: esperienze traumatiche di ferite fisiche, in seguito ad una caduta. Ma anche distacchi, abbandoni... Come se già da bambini fossimo portati a fissare nella memoria soprattutto i dolori, le frustrazioni, le esperienze che ci hanno fatto soffrire ma che ci hanno anche aiutati a crescere.

Come comunicano i bambini fra loro

Quando i bambini cominciano a parlare fra loro? Hanno un modo diverso di esprimersi fra coetanei?

Almeno fino ai due anni, più o meno, i bambini non sembrano molto interessati a comunicare fra loro. E non solo perché hanno rare occasioni di incontrarsi. Anche all'asilo nido, pur essendo a contatto tutto il giorno, tendono a non guardarsi quasi mai in faccia: un chiaro segno di disinteresse ma anche di timore. Sono molto cauti nell'avvicinarsi, nell'entrare in contatto.

Il loro dialogo, quando c'è, continua ad essere soprattutto gestuale: anche se ormai hanno cominciato a parlare, hanno bisogno di un interlocutore adulto, che li capisca e li aiuti a esprimersi, che li metta in contatto l'uno con l'altro, garantendo, con la sua presenza, che non vi siano prevaricazioni. Lasciati a se stessi, protendono le mani per offrire un giocattolo, per strapparlo via, riprenderselo. Comunicano con una mimica che capiscono al volo: amichevole, minacciosa, di offerta, di rifiuto...

È solo più tardi, verso i due, tre anni, che cominciano davvero a parlare fra loro. Si notano allora le prime differenze sia nell'uso del linguaggio sia nella capacità di farne uno strumento di comunicazione. E questo emerge soprattutto all'asilo. C'è il bambino più timido, introverso, silenzioso. E quello che invece è già capace di «prendere la parola», stabilendo così in modo attivo i primi rapporti e a volte ponendosi al centro dell'attenzione, come un piccolo leader del gruppo.

Ci sono bambini che hanno più problemi di altri nel parlare fra loro?

Molto dipende dall'indole più o meno estroversa di ciascun bambino, maschio o femmina che sia. Ma anche dall'ambiente in cui è vissuto prima di andare all'asilo. Ognuno vi arriva portando con sé un suo lessico familiare, uno stile di comunicazione che riflette quello dei genitori. Ma non sempre è il modo più adatto per comunicare anche con gli altri bambini.

Ci sono famiglie in cui si tende a stimolare eccessivamente l'apprendimento verbale del figlio. Che finisce così per parlare in modo un po' saccente, da saputello, con un linguaggio che sembra scimmiottare quello degli adulti. Naturalmente è lui, l'ultimo ad accorgersene. Ma se ne accorgono i compagni: che a volte possono trovarlo «antipatico» o ridicolo. Rischia così di essere preso in giro, deriso, o tenuto in disparte dal gruppo.

Quando invece in famiglia i comportamenti gestuali sono molto inibiti e si tende ad usare un linguaggio piuttosto asettico, privo di mimica, il bambino può trovarsi in difficoltà nel comunicare coi coetanei: a volte si sente intimidito, quasi «minacciato», dal loro modo di parlare così carico di gestualità. Il linguaggio può creare così una barriera, che invece di favorire il dialogo, rende più difficile entrare in relazione con gli altri. Sono però problemi che in genere i bambini sono già in grado di risolvere da soli, imitando a poco a poco gli altri e adattandosi al loro lessico, un po' come si fa con le lingue straniere: magari col sostegno di un compagno, che diventa loro amico e fa da tramite col gruppo. Finché a casa ci si accorgerà che il figlio ha un modo «diverso» di parlare. Che non sempre piace ai genitori: troppo infantile, troppo sguaiato... Ma dopotutto, in questa fase è meglio così.

Le parolacce

Il bambino apprende tutto molto in fretta: anche le parolacce. Succede di solito verso i tre anni, quando comincia ad andare all'asilo. «Ma da chi le ha imparate?», si chiedono i genitori. Se invece è proprio in famiglia, che le sente, diventa più difficile dirgli: «Guai a te se ti sento ancora dire una cosa simile!». In ogni caso sono parole che fanno uno strano effetto, sulla bocca di un bambino piccolo. E spesso creano situazioni imbarazzanti...

Raramente gli adulti dimostrano la loro ipocrisia come in questo caso. Esprimono infatti nei confronti del bambino una severità che non corrisponde affatto alle loro azioni. Si dimenticano che sono loro stessi a spronare nel piccolo l'imitazione. Ed ora, di fronte a certi gesti o a certe parole, scatta un'animosità incomprensibile.

Se il bambino in casa sente dire un termine nuovo dal papà o dalla mamma, magari un'imprecazione improvvisa, espressa in modo fortemente emotivo, il bambino la ripete immediatamente. E se ne ascolta qualcuna all'asilo, trova subito modo di riferirla ai genitori, per metterli al corrente di questa sua scoperta. Magari con l'aria esultante di chi porta in regalo una bella sorpresa: «Guarda cosa ho portato a casa!».

Come sempre, quando impara qualcosa di nuovo, il bambino si pavoneggia, vuol vedere «che effetto fa». Ma, nel caso delle parolacce, l'effetto è quasi sempre di forte disapprovazione. E immediato scatta il divieto: sono qualcosa di «brutto, sporco e cattivo», qualcosa che «non si dice». Per il bambino piccolo è invece solo un termine nuovo, che ha appena imparato. E rimane esterrefatto da questa reazione.

Lo si è sempre lodato, per le sue acquisizioni linguistiche, è sempre stato stimolato ad apprendere parole nuove. E ora, che ne ha appena imparata una e ce la presenta con orgoglio, viene sgridato. Improvvisamente poniamo dei limiti al suo apprendimento: e il bambino non riesce a capire perché, che cosa ci sia di così «terribile», riprovevole in quella parola.

Ed è per questo che, se lo si punisce troppo duramente, ad esempio con uno schiaffo umiliante, magari in presenza di altri, si rischia di inibire non solo il linguaggio «sconveniente», ma anche la sua capacità di apprendimento. Non è ancora in grado di capire quali parole può introdurre impunemente nel suo vocabolario, e quali no. Sarà quindi portato, almeno per un certo periodo, a utilizzare solo le parole che sono già state confermate come «buone». E non lo espongono a rischi...

Ma può succedere anche l'opposto: quanto più i genitori sono scandalizzati, tanto più la parola gli si fissa nella mente. E comincia a usarla in modo intenzionale, per fare dispetto o esprimere la sua opposizione: magari nei momenti meno opportuni, quasi per farci fare «brutta figura». E di solito ci riesce: «Ma come educano questo bambino? In che ambiente vive?» pensano gli estranei, nei luoghi pubblici, sul tram, al supermercato. Ma anche la zia un po' bigotta, la suocera, l'ospite di riguardo...

Perché ai bambini piacciono tanto le parolacce?

Il bambino prova sempre un grandissimo piacere a dire le parolacce: anche se non ne conosce il significato, ne coglie al volo l'effetto dirompente, dissacratorio, dal particolare tono di voce di chi le pronuncia, o dalle reazioni che provocano attorno. L'impulso più immediato quindi è provare a ripeterle.

Inoltre il linguaggio osceno è molto vicino al corpo e alle sue funzioni, è un linguaggio «materiale», che evoca impressioni tattili, olfattive, auditive. Risulta perciò particolarmente adatto a esprimere le pulsioni infantili, soprattutto quelle anali.

Sono parole che infrangono tre argomenti da sempre tabù, diversi fra loro ma ugualmente «intoccabili»: il sacro, il sesso e gli escrementi. Rappresentano così una forte trasgressione a divieti molto profondi: non nominare il nome di Dio invano, non rendere esplicito il linguaggio segreto del sesso, non evocare gli escrementi e il senso di repulsione che provocano.

Tempo fa, a Rimini, in occasione dell'apertura di una discoteca per bambini, avevano chiesto loro come dovevano intitolarla. Naturalmente, tra le varie proposte, la più gettonata fu «cacca» e il bar «pipì». Ma gli adulti sono contraddittori, quello che ammettono in certi casi lo proibiscono in altri, con l'effetto spesso di disorientare il bambino, soprattutto se è molto piccolo e non ha ancora capito che tutto non si può dire: in certi casi, è meglio «legarsi la lingua».

È proprio il loro effetto trasgressivo, dissacrante che attrae il bambino. E ne subisce tanto più il fascino, il magnetismo, quanto più forte è il divieto, in famiglia. Viene così rimproverato e a volte punito con maggiore intransigenza mentre il piacere, l'attrazione che prova nel dire parolacce gli si ritorce contro e si trasforma in senso di colpa. Ricordiamoci che in certi casi dobbiamo anche saper trasgredire: l'ubbedienza e il conformismo non sono sempre e comunque una virtù.

Come è meglio comportarsi col bambino, per evitare che le parolacce diventino un problema?

Le parolacce sono un po' come il morbillo: un'eruzione improvvisa che deve fare il suo corso. E poi passa, di solito senza lasciare traccia, soprattutto se si riesce a sdrammatizzare questo fenomeno e considerarlo per quello che è: un esantema passeggero. Questo non significa mostrarsi indifferenti. Se si finge di non sentire, il piccolo non farà che insistere in modo fastidioso, per attirare l'attenzione, anche nei momenti meno opportuni.

È bene quindi intervenire, spiegando al bambino perché non «sta bene» dirle: possono avere un effetto spiacevole sugli altri, risultare offensive, fuori luogo, e ritorcersi contro di lui. Ma senza esagerare, con le prediche, soprattutto se noi stessi a volte le usiamo. Non c'è nulla che disorienti il bambino come l'incorenza dei genitori, in particolare quando c'è un abisso fra quello che insegnano e quello che fanno.

È curioso ma, nelle famiglie in cui il linguaggio «sconveniente» è più facilmente tollerato, fino a diventare in alcuni casi un intercalare privo di significato, il bambino non mostra particolare interesse per le parolacce, né tende a ripeterle. Possono diventare invece un vero problema negli ambienti più rigidi e intolleranti. Quando i genitori ne fanno un dramma, una questione educativa con la E maiuscola, il bambino tende a insistere in modo veramente fastidioso. Non solo, ma sa riconoscere i momenti meno adatti per dire le parole più sconvenienti, creando un enorme imbarazzo nei genitori, che rincarano la loro dose di rimproveri. Quando invece i genitori si limitano a riprendere il bambino senza farne un problema capitale, a poco a poco anche questa abitudine scompare.

Un altro comportamento da evitare è quello di sottoporre il bambino ad un interrogatorio di terzo grado quando, tornando dall'asilo, dice una parolaccia che non ha mai sentito in famiglia. «Chi te l'ha insegnata? Da chi l'hai sentita dire?» È inutile cercare il «colpevole». Le parole circolano, non appartengono a nessuno: non ha importanza sapere da chi le ha apprese. Queste indagini di tipo poliziesco finiscono per creare inimicizie o ostilità all'interno del gruppo. E lo stesso bambino si sente a sua volta colpevole, perché «ha fatto la spia».

Per molti genitori è quasi inevitabile scandalizzarsi e rimproverare duramente il bambino: soprattutto quando la parolaccia non è solo oscena o scurrile, ma offende la religione in cui credono.

Anche in questo caso tuttavia è meglio moderare le reazioni eccessive per evitare di provocare un senso di colpa altrettanto eccessivo. Magari il bambino non pronuncia più la parola proibita. Ma non riesce a sottrarsi ad una specie di «ruminazione mentale»: gli ritorna continuamente in mente, vorrebbe scacciarla, non ci riesce, se ne sente invaso. E questo può generare una forte inquietudine. Se ad esempio si dice al bambino: «Non ripetere mai più questa bestemmia, fai peccato, andrai all'Inferno!», la bestemmia gli può ronzare nell'orecchio con insistenza, senza poterla scacciare. Si sente allora minacciato dal fatto stesso di pensarla e più in generale di «pensare».

In questi casi, rassicuriamolo, per prima cosa, che non è responsabile di tutto ciò che gli passa per la mente: i pensieri sono come le nuvole, che attraversano il cielo e se ne vanno portate dal vento. L'importante è controllare che sia giusto e opportuno ciò che si dice e si fa.

C'è ancora la tendenza a tollerare di più le parolacce, quando è il maschietto a dirle, e a essere invece più intransigenti con le bambine?

Le bambine continuano a essere inibite molto più duramente, se usano un linguaggio sconveniente, mentre nel maschio è più tollerato: si continua a pensare infatti che faccia parte di quel bagaglio di aggressività maschile, che gli servirà nella vita per affermare se stesso. Per le bambine si pensa invece che questo sia controproducente. Le si educa non solo alla compiacenza, alla seduttività, ma soprattutto alla compostezza, un requisito «femminile» per eccellenza. Come i gesti scomposti, anche le «brutte parole» rappresentano un divieto molto più forte per le bambine che per i maschi. E forse proprio per questo tendono a usarle più tardi, da adolescenti, o addirittura da adulte, come forma più visibile, dirompente di trasgressione.

Le fiabe e i primi libri

I libri continuano a piacere ai bambini piccoli, anche oggi che c'è la tv coi suoi cartoon a raccontare loro le fiabe per immagini? E servono davvero, molto più della televisione, ad arricchire il loro linguaggio?

Il libro illustrato è sempre una grande fonte di arricchimento e di competenza linguistica per il bambino piccolo. Attraverso le figure, può avvicinarsi a parole sconosciute, del tutto estranee alla vita quotidiana: la tigre, il grattacielo, l'aeroplano... Anche se non li ha mai visti, comincia a conoscerne l'esistenza. Indicandoglieli e dando loro un nome, lo aiutiamo ad ampliare la sua sfera di conoscenza al di fuori delle esperienze immediate e dirette di ogni giorno.

Sfogliare un libro, insieme alla mamma o al papà, costituisce inoltre un momento di preziosa intimità fra genitori e figli: una prima forma di «trasmissione di cultura», resa più coinvolgente dalla forte componente affettiva che si stabilisce mentre ci si appassiona allo stesso libro, si «entra» nella medesima storia. Per di più, vedere oltre che udire le parole, attribuire loro una forma grafica, aiuta a memorizzarle e prepara il bambino a quella decifrazione dei segni che è il punto di partenza della lettura.

In questa esperienza condivisa, le fiabe hanno un particolare valore educativo?

Le fiabe, più di ogni altra narrazione, hanno la capacità di dare corpo ed espressione alle fantasie infantili, spesso cariche di contenuti inconsci paurosi. Rendono così più facile al bambino, non solo riconoscere i timori che ha dentro di sé, ma anche esprimerli e condividerli coi genitori.

Si sa che, tra tutte, i bambini prediligono le fiabe paurose, quelle che «fanno rizzare i capelli» dall'orrore. Dare parola alla paura, attribuirle un nome, un volto, un luogo è già un modo per riconoscerla, identificarla, renderla vivibile. Non è più l'angoscia intollerabile, quella fluttuante, senza contorni precisi, mobile, indefinita, che può dilagare ed espandersi nel mondo. Ma diventa qualcosa di più limitato, circoscritto, che il bambino può dominare più facilmente.

Impara così che le fantasie paurose, coi loro contenuti «innominabili» di crudeltà e sadismo, si possono anche manifestare, purché si sappia che si fa «per finta». La distinzione tra realtà e fantasia è un passaggio determinante nella maturazione infantile e, come tutti i passaggi, è graduale, fragile, fatto di avanzate e di repentini ritorni indietro. Per questo è importante che avvenga con una persona in cui si ha fiducia, come la mamma, il papà, i nonni. Non dobbiamo dimenticare poi che le fiabe hanno sempre una morale: la vittoria del bene sul male. Per questo piacciono tanto ai bambini, anche se «fanno paura». Anzi, gli piacciono proprio *perché* fanno paura.

Dopo l'impatto iniziale il bambino capisce che c'è *sempre* un lieto fine, che il bene trionfa, che è possibile identificarsi col personaggio più debole senza per questo perire. Si immedesima così in Cappuccetto Rosso o in Pollicino, piccoli e fragili come lui, sapendo però che, nonostante le prove terrificanti che dovranno affrontare, finiranno per cavarsela benissimo. Anche la fiaba più paurosa quindi ha sempre un effetto rassicurante per il bambino, purché sia in grado di reggere la tensione e di attendere la conclusione.

Le fiabe vanno perciò graduate in base alla capacità del bambino di tollerare l'ansia. Si comincia con le più serene per finire con le più «forti», osservando attentamente le sue reazioni. Il piacere è la prova migliore della loro adeguatezza. Quando dice «ancora» significa che stiamo facendo la cosa giusta. Se poi non ci permette alcuna variazione, vuol dire che sta rivivendo attraverso quel brano della fiaba un suo particolare conflitto e ci conviene assecondarlo.

Così come quando fa lo spiritoso e cambia «cappuccetto rosso» in «cappuccetto verde o giallo o blu», oppure discute le scelte dei personaggi o la conclusione della vicenda. Se gli diamo corda, diverrà lui stesso narratore di storie e saremo noi ad assumere, in un giusto capovolgimento dei ruoli, la parte del bambino che ascolta e che magari... ha tanta paura.

Mentre sono intenti ai loro giochi, i bambini piccoli spesso parlano da soli. E lo fanno anche quando sfogliano da soli i loro libri, come se giocassero a leggere o a inventarsi le loro storie. Che cosa si raccontano?

Già verso i due anni i bambini cominciano a «raccontarsi storie»: lo fanno mentre giocano, mentre sfogliano le pagine dei loro libri illustrati, e anche la sera, mentre stanno per addormentarsi. Cominciano così a scrivere mentalmente il loro primo diario interiore, come ha osservato nelle sue ricerche lo psicologo Daniel Stern: una specie di autobiografia, in cui rivisitano i momenti più significativi della loro vita quotidiana, ne rielaborano le emozioni, i sentimenti, le paure...

Lo sviluppo del pensiero e dell'affettività va di pari passo con quello del linguaggio: idee e sentimenti stimolano l'elaborazione di parole e frasi che ne permettono l'espressione. Per questo dai due anni, fino all'età scolare, il gioco e i libri sono strumenti molto importanti, che arricchiscono il lavoro mentale del bambino e danno spazio alla sua creatività.

Verso i tre, quattro anni non si limita più a «scrivere» il suo diario, ma comincia davvero a inventarsi delle storie. Lo fa mentre gioca da solo: parlottando fra sé e sé, inscena una situazione, crea dei personaggi, attribuisce un ruolo ai suoi giocattoli, e si trasforma nell'«io narrante» di una storia di cui è autore. E questo avviene anche quando sfoglia i suoi libri da solo, ripercorrendone le figure: sulla traccia di quanto la mamma o il papà gli hanno letto, dipana una nuova trama, la reinventa, apre il finale a soluzioni diverse...

Non si tratta di un esercizio puramente intellettuale. Le storie che il bambino si racconta non sono mai casuali: sono sempre vicende attraverso le quali rielabora eventi traumatici, risolve i suoi conflitti o mette in atto pulsioni aggressive, fantasie erotiche, desideri e paure presenti nel suo inconscio. Gli servono per «fare ordine», nel proprio mondo interiore, soprattutto nelle fasi in cui è più conflittuale o caotico, ristabilendo così un suo equilibrio.

In queste occasioni i bambini desiderano più che mai essere «presenziati»: che l'adulto rimanga accanto a loro, magari un po' appartato rispetto all'area del gioco, incoraggiandoli con un atteggiamento amichevole, assecondandoli nelle loro richieste, senza però prevaricare il loro protagonismo. Dobbiamo ammettere che, in questo ruolo, i nonni sono impareggiabili.

La televisione

E la televisione? Tende ad impoverire il linguaggio già da piccoli, sottraendo tempo al gioco e alla lettura «guidata» dai genitori? O al contrario, come sostengono alcuni, è una nuova fonte di arricchimento linguistico, oltre che di informazione, immediata, in «tempo reale»? E fino a che punto condiziona i bambini?

Come tutti gli strumenti che trasmettono conoscenza, informazione, cultura, compresi i libri, anche la televisione non è certamente «neutra»: ma il suo potere di condizionamento è infinitamente maggiore. Attraverso un'incessante pioggia di voci e di immagini, di situazioni che si susseguono senza sosta, in modo spesso frammentario, disorganizzato, anche senza usare lo zapping, la televisione esercita una suggestione quasi ipnotica: soprattutto per un bambino piccolo che non può che assorbire i suoi messaggi in modo del tutto passivo.

Per difenderlo dalla televisione non si può certo attuare un blackout, spegnerla una volta per tutte. Ma usarla con discrezione, sì. La vita familiare non può essere unicamente in funzione del bambino. Ci sono famiglie che tengono la tv quasi sempre accesa, anche a pranzo, a cena. Oltre ad essere sottoposto ad un eccesso di stimoli uditivi e visivi, il bambino assiste a scene a volte terrificanti di cui non capisce il significato, ma ne percepisce la violenza. A differenza delle fiabe, in cui la paura e la violenza sono mediate dalla fantasia, dalla distanza nel tempo – «c'era una volta, tanto tempo fa...» – e filtrate dalla rassicurante «voce narrante» dei genitori, la televisione rappresenta invece una irruzione della realtà «dal vivo», senza alcuna mediazione, nell'immaginario infantile: soprattutto quando i bambini vengono lasciati soli di fronte a quella luminosa scatola magica che li affascina tanto.

Come proteggere il bambino dai messaggi e dai condizionamenti più negativi della televisione, come la violenza e la stupidità?

La prima difesa dovrebbe essere costituita dagli orari quotidiani del bambino: se va a letto alle nove, molte immagini shock così frequenti nei programmi per adulti gli vengono risparmiate, mentre può seguire tranquillamente le sue trasmissioni di pomeriggio. Non si può tuttavia evitare che già da piccolo assista a volte a scene sconvolgenti, o a notizie allarmanti. E per quanto si cerchi di tranquillizzarlo, gli effetti negativi non mancano. Durante le trasmissioni non-stop della Guerra del Golfo, molti bambini hanno reagito con attacchi d'angoscia e incubi notturni: con il tipico egocentrismo infantile, ciascuno di loro pensava che i missili sarebbero caduti sulla propria casa, anzi sul proprio letto.

Certo, non si può evitare completamente al bambino l'impatto con la realtà, il clima di tensione, di insicurezza e spesso di paura che la televisione porta in casa, allargando il campo visivo su tutto il mondo. Si può però rendere meno violento questo impatto. L'importante è parlarne con lui, tornare ad essere «la voce che racconta» e che filtra la storia, proprio come si fa quando gli si legge un libro.

Non occorre fargli lunghi discorsi. A volte basta spiegargli in modo molto semplice «dove, quando, come e perché» succede un fatto, si svolge un evento, per cominciare a prendere le distanze da ciò che accade, collocandolo nello spazio e nel tempo. Si tratta insomma di trovare una via di mezzo fra la negazione della realtà di chi vorrebbe proibire al bambino qualsiasi programma al di fuori delle sue fasce orarie, e l'invasione indiscriminata del reale nell'immaginario infantile di chi invece gli lascia libero accesso alla televisione a qualsiasi ora.

Abbandonato davanti alla televisione, come succede spesso di pomeriggio, il bambino rimane ipnotizzato dalle immagini, più ancora che dalle parole. E non riesce a staccarsene. Non è affatto detto però che gli piaccia, che sia davvero coinvolto, interessato. Al contrario questa forma di dipendenza coatta finisce per ottunderlo, istupidirlo: rimane incollato alla tv, ma inconsapevolmente se ne difende. Per non esserne invaso, si rende «impermeabile» ai messaggi, alle informazioni che riceve. Ma in questo modo si estranea anche dalla realtà.

Smette così di apprendere, di chiedere, il suo linguaggio si impoverisce: usa parole «prese a prestito», prive di un vero significato per lui. E le usa in modo meccanico, puramente imitativo. Sembra un piccolo adulto, quando parla, è vero: ma è solo un'imitazione di superficie, che non ha nulla di autentico. E che gli impedisce di essere quello che è: un bambino vero.

Uno dei rischi maggiori della televisione è proprio questo: che si sostituisca alla vita del bambino, impedendogli di avere il tempo e la voglia di giocare. Si restringe in tal modo lo spazio più creativo dell'attività infantile: il bambino ha bisogno del gioco anche per parlare con se stesso, coi suoi giocattoli, per inventare storie. E trovare così un linguaggio che gli appartiene veramente, come le idee e i sentimenti che prova: perché è lui che lo ha elaborato dentro di sé, gli ha dato un suo significato personale, che ha il colore e l'intensità delle sue emozioni.

Imparare a leggere e a scrivere a tre anni?

Imparare a leggere e a scrivere già a tre, quattro anni: la moda dell'apprendimento precoce, importata dagli Stati Uniti insieme al mito del superbaby, il bambino superdotato, è da tempo oggetto di discussioni e polemiche. Ha davvero effetti così negativi, come ormai sostengono in molti? E perché?

I programmi di apprendimento precoce rappresentano una lusinga, volta a soddisfare il narcisismo dei genitori. Sono studiati per rispondere ai desideri degli adulti, non a quelli dei bambini. E i piccoli li seguono per adeguarsi a richieste esterne, non per se stessi, per rispondere agli spontanei bisogni di conoscenza.

In questo senso non li maturano, ma li abituano all'obbedienza conformistica. Inoltre vi sono altri motivi per considerarli controproducenti: stimolando prima del tempo e in modo artificioso i processi intellettuali del bambino si limita la sua creatività, e si sbarra la strada al libero espandersi della fantasia. Si ingabbia così, in una griglia prefabbricata di nozioni, lo sviluppo stesso del pensiero infantile: che ha bisogno di tempi e di modi diversi, per evolversi e maturare. Può capitare che il bambino impari, quasi da solo, a leggere e a scrivere precocemente: in questi casi non c'è problema. Esistono fiori naturalmente precoci, l'importante è che, per farli fiorire più alla svelta, non li si coltivi in serra. Non avranno più lo stesso profumo, gli stessi colori.

Quando un bambino impara a leggere e a scrivere troppo presto, si impoveriscono le sue capacità più creative. E lo si vede nel gioco e nel disegno. I bambini iperstimolati sono bambini che non giocano, non solo perché hanno meno tempo, ma perché non sanno più giocare: proprio come succede quando sono malati. Uno dei primi sintomi dei disturbi psichici infantili è proprio questo: l'incapacità di giocare.

Anche il disegno diventa privo di invenzione, di fantasia: non è più personalizzato, creativo, artistico, ma imitativo, stereotipato. Mentre prima il bambino riusciva a esprimere con straordinaria originalità le proprie esperienze e i loro contenuti emotivi, mentali, il più delle volte, appena ha imparato a leggere e a scrivere, comincia a disegnare la casetta, l'albero, il sole e la nuvola, seguendo un cliché prestabilito, che rende così simili l'uno all'altro, stereotipati quasi tutti i disegni della scuola elementare.

L'apprendimento precoce della lettura e della scrittura rischia inoltre di produrre una falsa efficienza mentale: è una precocità che più avanti si trasforma spesso in ritardo. Molti bambini che hanno funzionato come piccoli computer a tre, quattro anni, diventano poi «macchine intelligenti» già arrugginite, che si inceppano al primo intoppo. Per loro l'apprendimento è rimasto qualcosa di puramente meccanico, imitativo, privo di quelle curiosità che mettono in moto e mantengono viva la passione intellettuale. E allora perdono, più spesso di altri bambini, qualsiasi interesse, si annoiano. Non riescono a concentrarsi, sono inconcludenti. Anche gli eventuali successi scolastici sono privi di un vero significato, di vero valore: ne sono felici, ma solo per poco. Gli insuccessi invece rappresentano un fallimento che non sembrano in grado di tollerare né di superare.

Succede troppo spesso che gli ex superbaby non siano più bambini prodigio, ma bambini infelici, inquieti, eternamente insoddisfatti. Bambini più fragili, vulnerabili, inclini a rifugiarsi nella malattia: a cominciare dai disturbi scolastici che riflettono un malessere psichico. Negli Stati Uniti, dove la moda dell'apprendimento precoce si è diffusa molto più che in Europa, sono state create delle «cliniche del gioco», dove si cerca di curare gli ex bambini prodigio restituendo loro ciò che gli è stato rubato: l'infanzia. Se quando erano piccoli gli si è insegnato a leggere, a scrivere, a far di conto, a riconoscere alle prime note Bach da Mozart, ora gli si insegna a giocare. Ma, nel frattempo, la spontaneità è andata perduta per sempre.

E se sono i bambini a esprimere la voglia di imparare a leggere, a scrivere, come comportarsi?

C'è un'enorme differenza fra imporre al bambino l'apprendimento precoce, secondo programmi precisi, quando lo decidono i genitori, e accondiscendere invece in modo libero, giocoso, non «programmatico» al suo desiderio di decifrare il segreto della scrittura, di svelarne il mistero. È questo che affascina il bambino. Impara così a leggere, in modo ancora molto frammentario, a flash, spinto dalla sua stessa curiosità: ad esempio quando è attratto da una illustrazione, un'immagine che non riesce a comprendere, che evoca dentro di lui delle domande: cosa fa questo bambino, tutto rannicchiato nella grotta? che cosa gli succederà?

Si rende conto che per capire non bastano le «figure»: è necessario passare attraverso la scrittura, impossessarsi del suo «segreto». Si rivolge così alla mamma, al papà, ai «grandi», che di questo segreto hanno la chiave: e attraverso le loro risposte comincia a captare i segni delle parole, a leggerne il significato. Segni che a volte prova a tracciare lui stesso, nel disegno, copiando le vocali più semplici, di solito le maiuscole, dal libro. E correggendole poi, aiutato dai genitori.

Ognuno ha il suo primo libro, quello che ha costituito per lui un enigma da decifrare, attraverso i segni delle parole. È dunque un desiderio molto individuale, che nasce in modo spontaneo, intuitivo, proprio come il gioco. E che è ben lontano dall'insegnamento imposto secondo tempi e metodi stabiliti dagli adulti, come avviene nell'apprendimento meccanico, dove le parole sono segni senza vita, tracce senza emozioni.

Il bimbo «sapiens»: poche parole, grandi concetti

È curioso come il bambino, non appena impara a parlare, rivolga ai genitori domande difficili, che toccano i grandi temi della vita: la nascita, l'amore, la morte, Dio... Come mai? Dove va a scovare gli stessi interrogativi che si pongono da sempre i grandi filosofi?

Il bambino ha una mente «filosofica»: usa ancora poche parole, ma esprime già grandi concetti. Si sbaglia a credere, come fanno spesso i libri «didattici» per i più piccoli, che le questioni che più interessano il bambino siano quelle più minute, concrete, legate alla quotidianità della vita: perché l'acqua scorre, perché una foglia cade, perché il mandarino è a spicchi... Chiede anche questo, è vero. Ma sono soprattutto i grandi problemi, quelli che gli stanno a cuore: la nascita, l'amore, la morte, la solitudine, la ricchezza, il potere, l'esistenza di Dio...

È sui «fatti della vita» che il bambino già da piccolo si interroga, rimuginando fra sé e sé le sue fantasie. Quando si rende conto che da solo non ne viene a capo, interroga i genitori. Ama molto anche ascoltare i loro discorsi, quando parlano di cose «più grandi di lui». E magari intervenire per dire la sua, o per porre i suoi infiniti «perché». Invece di metterlo a tacere o non prestargli attenzione, come si fa spesso in questi casi, quando si sta parlando fra adulti, è giusto ascoltarlo e rispondergli: e non con aria di divertita sufficienza. Ma molto seriamente, proprio come è serio il bambino quando pone queste domande.

Questa inclinazione così spontanea a indagare sui grandi temi della vita è più forte nella prima infanzia: più avanti, soprattutto quando comincia ad andare a scuola, il bambino tende a mettere fra parentesi le sue curiosità, per dedicare tutta la sua attenzione all'apprendimento guidato, programmato. Da piccolo invece è davvero un «bimbo sapiens», un piccolo filosofo capace già di elaborare concetti astratti, partendo da se stesso: il proprio corpo, la propria identità, per arrivare ad una visione complessiva del mondo.

Si chiede ad esempio perché la sua famiglia è più povera di altre, o più isolata. Perché ci sono bambini che hanno tanti giocattoli, e lui no. Perché il suo papà è sempre in viaggio, e scrive cartoline da città lontane, mentre lui è sempre a casa. Perché ci sono bambini dal colore di pelle diverso dal suo. Come si nasce. Perché si muore... Comincia così a prendere coscienza di se stesso, del suo posto nella famiglia e nel mondo. E a dare un significato alla propria vita.

Le risposte dei genitori a questi primi, grandi quesiti devono essere serie e ponderate. Il bambino li aiuta a pensare, a riflettere sul senso e il valore della loro esistenza, ad andare al di là delle mere faccende quotidiane. In questi casi gli adulti rivelano ciò che sono, non ciò che fanno o hanno. Vi sono, in ogni famiglia, momenti di verità che sono proprio i bambini a stimolare.

XIV
Sporco e pulito

ninna-nanna di un vasino vuoto
triste triste senza pipì
ninna-nanna di un lettino pieno
la pipì è tutta lì

«Attento a non sporcarti!» Verso i due anni inizia l'educazione alla pulizia, un terreno fertile di nuove regole, nuove imposizioni. È aperto a continue trasgressioni, come se tutto ciò che sporca, imbratta, attirasse il piccolo come una calamita. E non è strano. Prima di diventare un divieto, lo sporco per il bambino è un piacere: qualcosa che si dimentica completamente, da adulti, tanto forte è stata la proibizione imposta dall'educazione familiare e più in generale dalla nostra stessa cultura. Lo stesso ribrezzo per gli escrementi, che sembra un istinto così forte, in realtà non è affatto innato: è qualcosa che si impara a poco a poco, verso i due anni, appunto, quando lo sporco esercita una irresistibile attrazione sul bambino.

A questa età, giocare e sporcarsi, sporcarsi e giocare per lui sono la stessa cosa: entra così in contatto con gli elementi della natura, la terra, la sabbia, le pozzanghere... Li manipola, li trasforma, si imbratta, ci sguazza. E, se lo si lasciasse fare, giocherebbe anche con i prodotti del suo corpo, le feci: «No! Non si fa», il divieto scatta immediato, non appena si nota questo strano impulso del bambino. «Ma come mai? Cosa gli viene in mente?» si chiedono i genitori, con un senso di inorridito stupore e di ripugnanza che certo non sfugge al «piccolo selvaggio».

Lo stesso stupore si prova anche quando il bambino non si limita a esibire con smisurato orgoglio i suoi «prodotti» alla mamma, al papà, ma non esita a portare trionfalmente il suo vasino in salotto per condividere con tutti la sua soddisfazione. E non importa, se ci sono ospiti... Inevitabilmente scatta di nuovo il divieto: non solo a toccare, ma anche a mostrare, a esibire. Con grande delusione del bambino che impara così che «questo non si fa, non sta bene». Finché anche lui proverà, quasi senza accorgersi, un «naturale», «istintivo» ribrezzo per tutto ciò che è sporco: a cominciare dalle feci.

Le prime vere imposizioni che riceve il bambino iniziano proprio di qui: e non sono così ovvie, banali come sembrano. Hanno riflessi che vanno ben oltre l'educazione alla pulizia. «La storia del primo divieto posto al bambino, il divieto a trarre piacere dall'attività anale e dai suoi prodotti», scrive Freud, «è decisiva per tutto il suo sviluppo. In questa occasione il bambino intuisce per la prima volta l'esistenza di un ambiente ostile ai suoi impulsi... E compie la prima rimozione: d'ora in poi l'elemento anale, di cui le feci sono il simbolo, deve essere respinto e tolto dalla vita.»

Tutto comincia con l'educazione «al vasino»: è solo allora che il bambino, attraverso il controllo sfinterico, ha per la prima volta la netta percezione dell'attività interna del suo corpo, e dei suoi prodotti. Ma quando iniziare? Come abituarlo nel modo più spontaneo, naturale possibile? E come evitare di creare una vera e propria fobia dello sporco, e di tutto ciò che lo rappresenta man mano che cresce?

Fino a qualche generazione fa, erano problemi che i genitori non si ponevano. Come per l'allattamento ci si limitava a seguire regole rigide. E si metteva il bambino sul vasino il più presto possibile. Oggi le cose sono cambiate: si è più attenti alla spontaneità degli impulsi infantili anche per questi aspetti della sua vita materiale, fisiologica, che non mancano di riflettersi non solo sulla sua salute, ma anche sui suoi comportamenti e sul suo stesso carattere.

L'educazione al vasino

Come capire qual è il momento giusto, per cominciare a usare il vasino?

In passato l'educazione al vasino iniziava molto presto: di solito coincideva con i «primi passi», verso i dodici mesi, a volte anche prima. Oggi si tende invece a rinviarne l'inizio fra i diciotto mesi e i due anni, quando il bambino è già in grado di controllare gli sfinteri, in modo da seguire i ritmi spontanei della sua maturazione fisiologica. Naturalmente questi ritmi non sono uguali per tutti: c'è chi è precoce, e chi tardivo. Si tratta di captare i segnali di «maturità» del bambino, anche per quanto riguarda la capacità di cominciare a controllare da solo queste funzioni corporee.

Uno stratagemma utile per capire qual è il «momento giusto» per il vasino, è di regalargliene uno, quando ha circa un anno e mezzo, da usare come giocattolo. Finché scoprirà da solo a che cosa serve. Si evita così di costringerlo a usare il vasino prima del tempo. O al contrario, di aspettare troppo.

Che cosa sono le feci, per il bambino? Perché appare così orgoglioso di questa sua produzione?

Nella loro «plasticità» le feci possono assumere un'infinità di significati diversi: sono le «uova d'oro», che si prestano a qualsiasi elaborazione immaginaria, anche alla fantasia di «fare bambini». Quando il bambino comincia ad accorgersi che è lui l'artefice di questo prodotto, le feci rappresentano la prova tangibile della creatività del suo corpo. E ha subito una reazione di orgoglio. Ne va così fiero, che il primo gesto che compie è di offrirle alla madre come un dono.

Proprio per questo la fase «anale» dello sviluppo infantile, che coincide non solo con l'educazione sfinterica, ma con le intense sensazioni di piacere, di soddisfazione e infine di orgoglio nel «produrre», dà anche un forte impulso alla creatività del bambino. È la fase in cui la sua mente pullula di idee, di progetti, che non restano vaghi, indeterminati. Ma che il bambino elabora col fine di raggiungere un obiettivo. Di realizzare qualcosa, proprio come realizza le sue uova d'oro.

Ed ecco che il bambino sposta il suo interesse dalle feci a tutto ciò che si manipola e si trasforma in modo creativo: la sabbia, l'acqua, la terra... Tutti sostituti che saprebbe trovare da sé, se vivesse a contatto con la natura. Oggi, che questo contatto è sempre più difficile o sporadico, soprattutto per chi vive in città, si può mettergli a disposizione il pongo, la plastilina, una cassetta di sabbia sul balcone... Sono i giochi che più appassionano un bambino di due anni: gli danno la possibilità di costruire davvero i suoi castelli, di dare corpo alle sue fantasie, di realizzare le sue idee.

L'origine del ribrezzo

Uno dei primi impulsi del bambino, è di giocare con le proprie feci: e questo scandalizza molto i genitori. Che difficilmente riescono a nascondere il loro disgusto. «Come mai» si chiedono «questa totale assenza di ripulsa, di schifo?»

Lasciato a se stesso, il bambino tenderebbe a manipolare le sue feci, senza alcun ribrezzo. Se capita, ad esempio, che abbia una scarica all'interno del box, è tutt'altro che inorridito. Al contrario, è felice di questa bella sorpresa. E ci gioca come fosse plastilina o pongo. Si diverte a lavorare con le sue manine questa sostanza, e magari a spalmarla attorno tutto entusiasta del risultato. E si stupisce che nessuno dei presenti apprezzi le sue prodezze. Non solo, ma viene sgridato con grande severità: «Non farlo mai più!».

È così che nasce la repulsione: quando gli viene comunicato che le feci sono qualcosa di «brutto, sporco e cattivo». Più che dalle parole, il bambino lo capisce dall'espressione di inorridita sorpresa che coglie nel viso dei genitori, dai gesti bruschi, rapidi con cui lo distolgono immediatamente dai suoi giochi, e dal tono di disgusto, di ripugnanza che avverte nelle loro parole: «Ma che cosa ti viene in mente? Guai a te se ti vedo fare ancora una cosa del genere...».

Anche se un genitore cerca di controllarsi ed evitare toni e gesti troppo duri, violenti, nel reprimere il bambino, il senso di ribrezzo è così radicato, profondo, che emerge comunque. Ci sono infiniti segnali che lo rivelano: il modo in cui tocca il bambino che si è sporcato, usando le mani come pinze, la fretta di pulire tutto, di lavare e rilavare, disinfettare, rimuovere.

Come diceva Freud, il ribrezzo è una delle barriere più forti che l'adulto pone alla sessualità infantile, a questa età ancora così confusa, dilagante, da indurre il bambino a utilizzare eroticamente, come fonte di piacere, tutte le parti del corpo e ciò che produce, senza alcuna inibizione. Bisogna però evitare di imporre questa prima barriera in modo troppo rigido, ossessivo: altrimenti può riflettersi sui comportamenti e sul carattere del bambino provocando fobie e fissazioni.

D'altra parte gli stessi genitori tendono spesso a dare un'importanza forse eccessiva a questa funzione fisiologica del bambino: al punto da trasformarla in una specie di rito quotidiano, fatto di controlli, esortazioni, preoccupazioni. Perché? E che effetto ha sul bambino questo comportamento?

Il modo in cui noi stessi trattiamo le feci è estremamente ambiguo, contraddittorio. E lo sono anche i messaggi che trasmettiamo al bambino. Se le tocca, ci gioca, o le esibisce nei momenti meno opportuni, sono qualcosa di cattivo, di «sporco». E il divieto che gli imponiamo non è solo di carattere «igienico»: contiene già un profondo significato morale. Lo sporco è male: qualcosa che contamina, corrompe, perverte.

Se da un lato neghiamo qualsiasi valore alle feci, dall'altro esortiamo con insistenza il bambino a produrle: e non tanto per liberarsi di qualcosa che corrompe il corpo e che deve essere espulso, ma proprio per offrirci un «dono». Attorno al vasino si ripetono spesso gli stessi riti dell'alimentazione: «Su, da bravo, fa contenta la mamma...». Si controllano i tempi, gli orari. Si incita il bambino a sforzarsi. Ci si preoccupa che l'«abbia fatta tutta». Si scruta con attenzione il prodotto finale...

Proprio perché dal punto di vista fisiologico la regolarità delle feci, la loro consistenza, il loro colore sono un segnale della salute del bambino, acquistano un enorme valore. E lo stesso avviene per il controllo sfinterico, che dal punto di vista dell'educazione all'igiene è considerato una importante conquista. Succede così che se il bambino si scarica al momento e nel luogo più opportuni, viene lodato, gli si fa festa. Mentre se si comporta allo stesso modo, in altre situazioni, viene sgridato e magari picchiato. E questo lo disorienta. Difficile per lui capire perché la stessa cosa provochi nei genitori reazioni tanto diverse, opposte: incitamento da un lato, e divieto dall'altro.

Lo stesso oggetto appare dunque buono e cattivo, adeguato e inadeguato, degno di attenzione, di interesse, e nello stesso tempo ripugnante, abbietto: qualcosa da donare, da esibire, da ammirare da un lato e dall'altro da non toccare, da respingere da sé, da nascondere. È inevitabile quindi che il grande piacere che il bambino provava inizialmente nell'espellere le feci non sia più così istintivo, naturale, ma venga almeno in parte colpevolizzato. Il piccolo non riesce più a capire che cosa si voglia da lui. E questo può interferire con il ritmo spontaneo, fisiologico dell'impulso sfinterico, alterandone la regolarità.

L'impulso a trattenere

Come evitare che l'insicurezza emotiva alteri le funzioni intestinali del bambino? E predisponga a disturbi molto diffusi anche da adulti, come la stitichezza?

Quanto più si esaspera il controllo sfinterico e la richiesta delle feci come «dono» da un lato, e dall'altro il senso di repulsione e di divieto, tanto più si accentua nel bambino il disorientamento e l'impulso a trattenere. O al contrario ad espellere in modo incontrollabile. Si verificano così i primi disturbi che interferiscono sulla regolarità intestinale: stitichezze inspiegabili, scariche diarroiche imprevedibili...

Nell'educazione al controllo sfinterico ci vuole quindi molto tatto, molta dolcezza e sensibilità, in modo da intuire il ritmo fisiologico del bambino e metterlo sul vasino quando prova lo stimolo, senza anticipare né posticipare troppo questo momento. Naturalmente non è il caso di insistere né rimproverarlo in caso di stitichezza, obbligandolo a stare sul vasino o tanto meno intervenendo con supposte e clisteri non ordinati dal pediatra. E neppure sgridarlo e farlo sentire in colpa, in caso di incontinenza.

Occorre poi molta attenzione e delicatezza nel trattare le feci, senza dimenticare che il bambino si identifica con la sua produzione corporea, la sente ancora come «parte di sé». Se vede che dopo tanta insistenza perché siano «prodotte», vengono trattate come spazzatura e fatte scomparire sbrigativamente nel water senza nascondere una certa ripugnanza, sente che una parte di sé viene «buttata via».

La paura infantile che qualcosa di sé vada perduta insieme alle feci si ritrova anche nelle fiabe: come il soldatino di latta, di Andersen, che viene gettato nelle fogne.

Come l'alimentazione, anche l'educazione al vasino diventa spesso il terreno di piccoli ricatti affettivi, fra mamma e bambino. «Su, da bravo, appena hai finito ti porto ai giardini...» E lui, no, non ci sta: più dell'impulso fisiologico, sembra prevalere la voglia di farle dispetto. Perché? E come evitare inutili tensioni?

È sempre controproducente trasformare la seduta sul vasino in un «braccio di ferro»: all'insistenza della mamma, che vuole imporre al bambino ritmi non suoi, esortandolo a sbrigarsi, a fare in fretta, fa riscontro una sempre maggior ostinazione del piccolo che finisce per riflettersi più avanti anche sul suo carattere, trasformandolo in un «bastian contrario». Spesso ha origini proprio da questi primi conflitti «anali», che accentuano l'impulso inconscio a «trattenere», la tendenza alle contrapposizioni ostinate, apparentemente prive di un vero motivo. È il modo con cui il bambino continua a sottrarsi al timore di poter essere completamente controllato da altri, anche nelle sue intenzioni, nei suoi pensieri più intimi, proprio come faceva la madre quando lo controllava mentre se ne stava sul vasino.

Ma la reazione più immediata ed evidente è spesso di tipo psicosomatico: è il caso di molte stitichezze «incurabili» dal punto di vista pediatrico, che si risolvono facilmente non appena si allenta il clima di tensione che spesso si viene a creare attorno al «rito del vasino». Anche più avanti, crescendo, il bambino tende spesso a somatizzare in questo modo i conflitti e le tensioni familiari, soprattutto quando vengono negate, taciute, «trattenute».

Ricordo il caso di una bambina di circa cinque anni, affetta da un grave disturbo intestinale causato dal trattenimento coatto delle feci, che non si riusciva a «sbloccare», a sciogliere. Proprio come il conflitto con la suocera che in quella fase la madre stava vivendo in modo molto acuto. Senza però permettersi di esprimerlo, senza mai «lasciarsi andare»: «Ho sempre tenuto stretto dentro di me questo magone», mi disse nel corso di un colloquio. «Non ho mai voluto sfogarmi con nessuno, per non creare problemi...» Un conflitto che si è risolto appena la donna ha cominciato a parlarne con il marito, con la suocera. E subito dopo, anche il disturbo di cui soffriva la bambina è scomparso.

Sporco è «brutto»

C'è il rischio di trasmettere al bambino un senso di repulsione eccessiva per questi naturali prodotti del corpo? E con quali effetti?

C'è un meccanismo molto forte, nel bambino, che lo induce non solo a identificarsi con le feci, come «parte di sé», ma a scambiare la parte per il tutto. Se la famiglia gli trasmette un senso eccessivo di repulsione, di «schifo» per i suoi escrementi, il passo successivo è la tendenza a proiettare fuori di sé questa intollerabile sensazione di «sporco». Si creano così le prime fobie per qualcosa che appare come «ripugnante». È il caso di alcuni cibi, animali, e a volte persone, che suscitano improvvisamente nel bambino insieme al disgusto anche una paura incontrollabile e un incomprensibile rifiuto.

Ma può succedere anche che il bambino, invece di proiettare all'esterno il senso di intollerabile repulsione trasmesso dai genitori, lo interiorizzi. Di qui la tendenza, che di solito si manifesta più avanti, dai cinque anni in poi, a tutte quelle piccole fobie legate alla pulizia: a cominciare dal bisogno continuo di lavarsi le mani. Per quanto si pulisca, continua a sentirsi «sporco»: come se fosse impossibile cancellare insieme a questa sensazione, anche il senso di colpa che ne è all'origine.

Ci sono anche altri stratagemmi con cui il bambino cerca di allontanare da sé l'idea di sporco, di esorcizzarla: in primo luogo le parolacce che, attorno a questa età, rappresentano altrettante divagazioni sul tema della «cacca». Sembrano tutti dei piccoli Cambronne i bambini, tanto questo termine diventa il loro intercalare preferito. Soprattutto se sono in gruppo, come negli asili nido, se lo palleggiano l'un l'altro, divertendosi un mondo. E attribuendolo a sproposito a qualsiasi cosa, dalla merenda alle persone. Ma senza alcuna intenzione offensiva, ingiuriosa, almeno per ora. Ridere della cacca, divertirsi a ripetere questa parola scatena un'allegria contagiosa apparentemente incomprensibile, che serve a esorcizzare il tabù dello sporco, infrangendone il divieto: se è qualcosa che non si può toccare, almeno la si può dire, giocando con le parole.

Non è solo la famiglia a trasmettere al bambino insieme all'idea di «sporco», anche un senso più o meno forte di repulsione e di rifiuto. Ci pensano anche la società, la cultura ad utilizzare questa etichetta come giudizio etico, morale. E come elemento di pregiudizio e di emarginazione...

Il passaggio obbligato da «sporco è bello» a «sporco è brutto», che coincide con la cosiddetta «fase anale» dello sviluppo, è un dato così radicato e universale, non solo nella nostra civiltà, ma nella storia dell'uomo, che ben difficilmente non lascia traccia. Si tende così a utilizzare anche da adulti, e spesso in modo collettivo, quel primo meccanismo di difesa infantile che consiste appunto nel proiettare all'esterno di sé tutto ciò che viene collegato all'idea di sporco, attribuendolo ad altri.

Molte forme di emarginazione e di razzismo hanno origine proprio da questa «proiezione»: la prima inappellabile accusa con cui si discrimina il diverso è di essere sporco o addirittura di puzzare. Non importa se sono impressioni puramente immaginarie, prive di qualsiasi fondamento di verità. Evocano comunque un forte senso di repulsione che stabilisce una barriera fra sé e l'altro: si creano in tal modo muri, ghetti, forme di apartheid fra razze ed etnie diverse molto difficili da abbattere proprio perché hanno radici irrazionali, inconsce oltre che politiche.

Se per il bianco, il nero «puzza di scimmia», per il nero è il bianco che «puzza di cadavere»: la discriminazione è reciproca, comune ad ambedue le parti. La vera differenza è costituita dal potere: chi lo detiene può esercitarlo in modo razzistico. E chi ne è privo, è costretto a subirlo. Finché il clima politico e culturale non è abbastanza maturo per renderci consapevoli delle paure inconsce, irrazionali che sono alla radice di ogni discriminazione razziale, è difficile riconoscerne la disumanità e la profonda ingiustizia.

Lo stesso meccanismo può emergere anche su scala minore, all'interno dei piccoli gruppi. A scuola, come nell'ambiente di lavoro, si crea spesso un «capro espiatorio», su cui convergono le pulsioni aggressive degli altri. È una delle più note «dinamiche di gruppo», che serve ad evitare i conflitti, focalizzando tutte le tensioni negative su una persona sola, che viene emarginata. E anche in questi casi, si dice spesso che quel bambino, quel ragazzo, quella persona è «sporca», «puzza». Difficile difendersi da un'accusa del genere: anche quando è assolutamente immotivata, costituisce comunque un'offesa bruciante per chi la subisce.

Manie, tic e fissazioni

Quali sono i tratti del carattere, gli aspetti della personalità su cui maggiormente influisce questa fase dello sviluppo infantile?

Ci sono molte caratteristiche, positive e negative, che anche nel linguaggio comune vengono definite «anali». Ostinazione e puntiglio, ad esempio. Ma anche tenacia, determinazione, capacità di porsi un obiettivo e di raggiungerlo. Eccessivo attaccamento ai propri oggetti, le proprie cose, possessività, avarizia, scarsa generosità. Ma anche gusto del collezionismo, dell'antiquariato, oculatezza nel gestire il denaro, senso del risparmio...

Molto dipende da come è stato vissuto da piccoli il conflitto fra l'espellere e il trattenere, il «donare» e il rifiutare, quali significati si sono attribuiti al piacere «anale» e al suo divieto. Se il controllo sfinterico viene imposto troppo presto e in modo troppo rigido, al punto da provocare un blocco della muscolatura, si possono accentuare i tratti «anali» più negativi del carattere. Lo sforzo muscolare del trattenere non si limita più a essere un atteggiamento del corpo, ma diventa una forma della mente, improntata alla rigidità e al bisogno spasmodico di controllo: una specie di corazza che si rivela in tratti del carattere come l'avarizia, la tendenza ai riti ossessivi, via via fino a formare una personalità di tipo autoritario e burocratico.

Come evitare il rischio di piccole manie, «fissazioni», frammenti nevrotici collegati alla «fase anale», che riemergono anche nella vita adulta?

Bisogna avere molta indulgenza, molta tolleranza col bambino, nella fase in cui lo si educa al controllo sfinterico e alla pulizia. E lasciarlo il più tranquillo possibile, quando è sul vasino, senza inutili interferenze ed esortazioni. Meglio evitare inoltre di costringerlo ad accoccolarsi sul water quando è ancora così piccolo che ha paura di sprofondare ed essere inghiottito in questo pozzo nero.

È importante anche accettare in modo giocoso, divertito, le sue prime esibizioni, senza mai prenderlo in giro, umiliarlo, fargli provare vergogna, magari di fronte ad estranei: ne va del suo narcisismo. Anche se arriva in sala tutto orgoglioso col vasino per mostrare le sue «uova d'oro», o si pavoneggia col culetto nudo – come fanno spesso i bambini a questa età – non è certo il caso di deriderlo, sgridarlo o punirlo. Molto meglio stare al gioco, dargli soddisfazione, per poi allontanarlo discretamente dalla stanza, se ci sono ospiti.

È un periodo della vita in cui l'«io» del bambino è ancora estremamente fragile, sensibile. E quindi più vulnerabile. Si sforza in ogni modo di farsi forte, di affermare e valorizzare se stesso, di attirare su di sé l'attenzione. Qualsiasi ferita al suo narcisismo, in questa fase, tende a lasciare segni particolarmente profondi.

Igiene: il papà non se ne occupa?

È quasi sempre la mamma, di solito, che si occupa dell'educazione al vasino e del controllo delle funzioni intestinali del bambino. E il papà? È meno adatto a queste cure o semplicemente preferisce non intromettersi?

Nel rapporto con chi si occupa della sua igiene entra in gioco l'accettazione o il rifiuto del bambino stesso. Prima ancora di essere pulito, il piccolo ha bisogno di sapere che si ama tutto di lui: anche la cacca, anche la pipì. E questa accettazione totale è soprattutto alla mamma che la chiede, molto più che al papà. Anche se è raro che sia il padre ad accompagnarlo al gabinetto, ad occuparsi delle sue feci, a pulirlo, il piccolo non si attende da lui questo tipo di accettazione affettuosa, che si aspetta invece dalla mamma. E quindi si sente meno ferito, se il papà prende le distanze o ha atteggiamenti di ripulsa.

D'altra parte è innegabile che esiste fra madre e figlio un rapporto più viscerale, corporeo, che si riflette anche nel loro tipo di legame affettivo e psicologico, connotando in modo diverso le reciproche aspettative. Non solo il piccolo «sa» di essere un prodotto del suo corpo, proprio come le feci sono un suo prodotto. Ma nelle sue prime fantasie sul sesso e sulla nascita associa le feci all'idea di «fare un bambino».

Il ribrezzo materno rappresenta quindi un disconoscimento del figlio, molto più forte, più pervasivo di quello paterno. E non è solo un'impressione: spesso è proprio attraverso la manifestazione di una ripugnanza eccessiva per le sue feci che emerge il rifiuto inconscio della madre verso il figlio. Che il bambino avverte in modo altrettanto inconscio, ma profondo. Al contrario, la tenerezza giocosa con cui la mamma riesce a occuparsi anche dei suoi escrementi, dà al bambino la sicurezza che ama tutto di lui: anche lo «sporco».

L'importanza del pudore

Nell'occuparsi dell'igiene del bambino non sempre ci si preoccupa di salvaguardare la sua nudità dagli occhi degli estranei. «È così piccolo!» si pensa. «Non ha ancora il senso del pudore...» È davvero così?

È un'idea così diffusa che negli asili nido il bambino viene spesso pulito e cambiato dalla puericultrice di fronte a un via vai di persone, senza quasi prestare alcuna attenzione alle cure, che vengono eseguite in modo automatico, meccanico, mentre magari si chiacchiera con le colleghe o con gli altri bambini. E lo stesso può succedere anche in casa, quando ci sono ospiti, oppure quando ci si trova in casa d'altri o in luoghi pubblici.

In realtà l'esibizione delle feci e delle parti più intime del corpo viene subita dal bambino come una vera e propria offesa alla sua dignità di persona. Proprio come succede da adulti, quando ci si trova a fare una visita medica in una clinica universitaria, di fronte a studenti e a persone estranee. Le cure che riguardano l'igiene del bambino, all'asilo nido come altrove, richiedono sempre uno spazio appartato, protetto da sguardi estranei, con un'attenzione rivolta esclusivamente al bambino.

È un momento estremamente delicato per il piccolo, che si sente inerme, completamente in balia dell'adulto, disteso, magari con la testa in giù, le gambine sollevate per aria... Basta provare a identificarsi con lui, pensare a cosa proveremmo noi in una situazione analoga, per capire come si sente. E quanto bisogno ha di attenzione, di tenerezza, di riserbo. Fa pena, vedere un bambino esibito così, senza alcun riguardo per la sua intimità, come fosse un bambolotto.

Eppure, verso i due anni, i bambini sembrano tutti contenti di mostrare il sederino o i genitali...

Nell'esibizione di sé che il bambino fa a questa età c'è tutto l'orgoglio del proprio corpo. E lo esprime realizzando in modo attivo il desiderio di mostrarsi, di essere guardato. Invece, essere esibito, esposto agli sguardi degli altri senza che questo esprima un proprio desiderio, e quindi senza «consenso», rappresenta sempre una violenza. Dovrebbero ricordarlo non solo le puericultrici degli asili nido e delle scuole materne. Ma anche le mamme, quando mostrano con orgoglio i genitali del maschietto, vantando il suo «pisellino», come putroppo succede ancora oggi.

L'altra faccia dell'esibizionismo è il pudore, la ritrosia, la paura di mostrarsi. Sentimenti che emergono in modo più forte quando la propria nudità è imposta, non voluta. È per questo che l'esibizione passivamente subita provoca vergogna, mentre quella attiva aumenta l'autostima del bambino. È quest'ultima che bisognerebbe accogliere senza troppi rimproveri o censure. E naturalmente anche senza favorirla troppo. Basta confermare l'orgoglio del bambino per il suo corpo: «Ma sei veramente bello, sai?». A poco a poco il gusto dell'esibizionismo passerà da sé, mentre si farà più forte il senso del pudore.

Il bagnetto

E il bagnetto? Anche questo è un momento importante, di contatto corporeo con il bambino, la sua nudità, di cui oggi si occupano spesso anche i papà. Sono davvero adatti per questo compito così delicato?

In molte cure quotidiane del bambino può intervenire benissimo il papà. Anche se non è abituato, impara quasi istintivamente a trattare il piccolo in modo più delicato, tenero, affettuoso attraverso il contatto di pelle. Mentre insapona il bambino, lo spalma di crema, lo cosparge di borotalco, si abitua a considerare l'epidermide come una zona ad alto indice non solo di sensibilità, ma di affettività, che li avvicina.

Diminuisce così quella distanza che i padri tendono a stabilire coi figli, nei contatti corporei: come sappiamo, anche quando li prendono in braccio, per giocare, li allontanano da sé, sollevandoli in alto, facendoli dondolare... Nelle cure del corpo si crea invece una vicinanza di tipo materno che diventa una scuola di tenerezza, per loro. Una capacità che spesso manca, agli uomini, anche perché non hanno quasi mai avuto modo di esprimerla.

Non c'è il rischio di «femminilizzarsi» o di perdere autorevolezza, agli occhi del figlio, se l'uomo assume atteggiamenti così materni?

Al contrario: in questo modo l'uomo riscopre e valorizza il sentimento della tenerezza che egli stesso ha conosciuto da piccolo nel rapporto con la propria madre. Ma che ha poi dimenticato, «rimosso», in nome di una identità «virile» che tradizionalmente gli impedisce di mostrare le parti più infantili o più femminili di sé. Una corazza che solo l'uomo insicuro della propria identità ha paura di togliersi. Mentre chi è sicuro di sé, è anche capace di grande tenerezza e dolcezza: sentimenti che gli è facile ritrovare, ed esprimere, nel contatto col bambino, senza timore di scalfire la sua immagine di uomo e di padre.

Allo stesso modo, vicino al figlio, ritrova la capacità di giocare, senza per questo sentirsi «infantile». Questa è una prova di maturità: chi è veramente adulto può immergersi nel gioco senza paura di regredire, e senza sentirsi defraudato della sua posizione di padre che può tornare ad assumere con piena autorevolezza ogni volta che la situazione lo richiede. Anche se un attimo prima si divertiva un mondo a giocare con gli spruzzi d'acqua insieme al bambino, facendogli il bagnetto...

La pipì a letto

Ci sono periodi in cui il bambino, che già da tempo non faceva più la pipì a letto, riprende a farla. Perché? E come aiutarlo a superare questo fastidioso disturbo?

L'enuresi notturna è quasi sempre un disturbo psicosomatic: privo di una vera causa organica, esprime invece un malessere interiore del bambino. Di solito si manifesta nei periodi più critici della crescita: nella prima infanzia verso i tre, quattro anni, spesso in concomitanza con situazioni che accentuano conflitti e tensioni interiori, come l'inizio dell'asilo. Il bambino scarica così le sue ansie, le sue paure, le sue pulsioni aggressive «sporcando» il letto.

In passato si cercava di eliminare questo disturbo con molti stratagemmi, alcuni di tipo decisamente punitivo, come un dispostivo che faceva scattare una lieve scossa di corrente elettrica, non appena si verificava l'impulso ad urinare. Ma si è visto che questi metodi, oltre a non eliminare affatto il disturbo, peggiorano la situazione: mantengono il bambino in uno stato di tensione che spesso non fa che accentuare e prolungare il sintomo.

L'unica cosa da fare è cercare di sdrammatizzare. E accettare questo disturbo come un fenomeno passeggero: è una delle tante forme di regressione che il bambino mette in atto soprattutto quando attraversa periodi della vita particolarmente delicati, in cui emergono nuovi sentimenti e conflitti. Si tratta quindi di intervenire per cambiarlo, con modi delicati, affettuosi, cercando di mitigare la propria irritazione per questo spiacevole inconveniente. E soprattutto senza farlo sentire in colpa né tanto meno punirlo.

Fino a qualche tempo fa erano proprio queste le reazioni più comuni. Si sgridava il bambino, lo si svergognava di fronte agli altri, gli si ricordava anche di giorno questa sua *défaillance* chiamandolo «piscione», lo si prendeva in giro. Talvolta si adottavano persino comportamenti sadici, come premere il viso del bambino contro le lenzuola bagnate, nella falsa convinzione di reprimere così la sua incontinenza, o semplicemente per punirlo con questa umiliazione.

Oggi si sa che non c'è nulla di più controproducente. Le reazioni di tipo aggressivo e punitivo non fanno che peggiorare la situazione. Oltre ad aumentare il senso di colpa e di inadeguatezza, già presenti nel bambino che fa la pipì a letto, lo offendono profondamente, lo umiliano, lo addolorano. Diminuisce così la fiducia in se stesso, e anche negli altri. L'ostilità, l'aggressività dei genitori di fronte a questo suo disturbo, del tutto involontario, rappresenta un attacco alla stessa immagine di sé che il bambino sta costruendo.

Da sintomo passeggero l'enuresi rischia così di trasformarsi in un disturbo cronico, che spesso si protrae fino alla pubertà. Per superarlo, non c'è che evitare al bambino qualsiasi tipo di umiliazione: anche la derisione e il confronto con i coetanei sono offese profonde, in una fase in cui il controllo sfinterico rappresenta una tappa molto importante, che lo aiuta a sentirsi «grande». È importante quindi che l'enuresi resti qualcosa di intimo, privato, un piccolo segreto fra il bambino e i genitori, da non sbandierare a tutti, insieme alle lenzuola bagnate. Non è un dramma né una farsa: è solo un piccolo incidente di percorso che deve rimanere molto riservato, anche in famiglia, senza diventare oggetto di conversazione con i parenti o con gli amici.

Di solito sono soprattutto i maschietti che bagnano il letto. Perché? E che cosa favorisce la scomparsa spontanea di questo disturbo?

La minzione acquista significati diversi, per il maschio e per la femmina, a causa delle stesse differenze anatomiche. Per il bambino la pipì, questo schizzo di urina che il pene getta lontano da sé, si presta a molte fantasie erotiche. E diventa spesso un motivo di orgoglio e di forza: è qualcosa di «bello», che si trasforma spesso in gioco e in competizione. Già da piccoli i maschietti si divertono a fare insieme la pipì all'aperto, quando possono, nascondendosi in qualche luogo appartato, ai giardini, sulla spiaggia... Più avanti, all'epoca della pubertà, giocheranno invece a «chi fa la pipì più lontano».

L'enuresi notturna corrisponde quindi ad un sogno di minzione, in cui il bambino esprime le sue pulsioni aggressive: un disturbo che tende spontaneamente a scomparire man mano che il piccolo acquista sicurezza in se stesso, nelle proprie risorse, anche attraverso la competitività. Le prime gare, col padre o con i coetanei, sono lo strumento migliore per scaricare le proprie pulsioni aggressive, esprimendole nel confronto reale con se stesso e con gli altri. E non solo nelle fantasie e nei sogni: col risultato di trovarsi poi a bagnare il letto come un bebè.

L'idea dello sporco

Anche dopo il primo impatto dei due anni, lo sporco continua ad essere presente nella vita del bambino, come riflesso dell'idea che ne hanno gli adulti, i genitori. Che spesso si estende anche al sesso, al denaro... Il bambino si

abitua così a considerare «sporchi» anche questi aspetti della vita. Come evitarlo?

Lo sporco ha una sua valenza morale che si presta a infinite metafore. Sul piano individuale si tende ad associare l'idea di sporco a tutto ciò che ci fa sentire in colpa perché «proibito», oppure soggetto alla possibilità di corruzione, alla perversione. E quindi carico di ambivalenza. Come il sesso, in cui convivono desiderio e paura: qualcosa di «bello», certo, ma che può essere usato anche per degradare, corrompere, pervertire. Viene così considerato «sporco», soprattutto a livello inconscio, quando prevale la paura dei propri impulsi, il loro divieto.

La stessa ambivalenza si ritrova nel denaro, che in tedesco viene definito anche «lo sterco del diavolo». E che delle feci è la metafora più antica e comune. Può servire per rendere più bella, più agiata e rassicurante la vita, come può trasformarsi facilmente in una «cosa sporca», che inquina e corrompe i rapporti con noi stessi e con gli altri. Si tratta di giuste distinzioni, che è bene trasmettere al bambino gradualmente, rispettando i tempi della sua crescita e della sua capacità di comprensione. Senza però eccedere in moralismi troppo rigidi e bacchettoni.

In ogni caso, quanto più si accentua la fobia dello sporco, con tutte le sue implicazioni più profonde, tanto più aumenta anche la mania del pulito: che nella nostra società rappresenta quasi una nevrosi collettiva. Tutto questo bisogno di lavarsi, deodorarsi, pulire e ripulire il corpo, gli oggetti, la casa emerge continuamente nella nostra vita quotidiana: proprio come negli spot pubblicitari che sanno cogliere al volo i punti deboli dei consumatori, le loro manie.

Di solito sono le mamme, molto più dei papà, ad avere la classica «mania della pulizia». Perché?

Nonostante i grandi cambiamenti in atto nella famiglia sono sempre le donne, molto più degli uomini, a prendersi cura della casa e dei figli. E sono loro quindi che subiscono maggiormente i condizionamenti sociali riguardo alla pulizia: un'ingiunzione continua che tende a far coincidere, proprio come nella pubblicità dei detersivi, il valore della donna con la sua capacità di produrre il bianco più bianco, il pulito più pulito.

A questi condizionamenti di superficie, se ne aggiungono altri, più profondi, che hanno radici lontane, nella nostra stessa cultura. Da sempre la femminilità è stata collegata a «qualcosa di sporco», che contamina: a cominciare dalle mestruazioni. Non importa se oggi questi antichi pregiudizi sono in gran parte scomparsi. In molte donne resta una inconscia vergogna della femminilità e delle fantasie di «sporco» che può evocare. Di qui il bisogno di presentarsi agli altri come un «modello di pulizia», per timore che traspaiano le caratteristiche più vituperate del sesso femminile.

La fobia dello sporco, così diffusa fra le donne, ha spesso origine proprio nella paura inconsapevole di quegli aspetti della sessualità femminile che fin dall'antichità sono stati svalorizzati e demonizzati dall'uomo, come qualcosa di «impuro»: un concetto ricorrente in quasi tutte le religioni, non solo quella ebraico-cristiana ma anche musulmana.

Non è strano quindi che la donna – molto più dell'uomo – cerchi di esorcizzare questa idea di «impurità», tramandata da sempre, dandosi un gran da fare a pulire se stessa, la casa, i bambini... Qualsiasi traccia di trasandatezza, di sciatteria toglie valore non solo alla sua immagine personale, ma sociale. E questo si riflette inevitabilmente anche sui figli. Se un bambino non è tenuto bene, non è sempre in ordine, pulito, la colpa è sua: «Poveretto, chissà che mamma avrà...». Lo pensano la vicina di casa, la maestra d'asilo, l'assistente sociale: come se il mondo usasse proprio la pulizia come parametro di ogni giudizio morale e sociale della donna.

L'amore per la pulizia è certo una bella cosa. Ma di qui alla sua esasperazione, con tutti i riti ossessivi, le minuziose manie che comporta, il passo purtroppo è breve. Invece di essere un piacere spontaneo, diventa un simbolo carico di troppi significati morali e sociali. Al punto che si può trasmettere al bambino la fobia dello sporco quasi senza accorgersene, senza essere genitori né punitivi né ossessivi a questo riguardo. È il caso di una bambina, che lasciò stupefatta la maestra d'asilo dicendo: «Non posso giocare con la sabbia. La mamma non vuole che sporchi il grembiulino». Ma più sorpresa di lei fu la madre, che non si era mai sognata di dire alla figlia una cosa del genere. Probabilmente, le aveva comunicato in molti altri modi il tipico messaggio materno: attenta a non sporcarti!

XV
Bizze e capricci

ninna-nanna ninna-nanna
l'Uomo del Sonno alza un dito
vuole essere ubbidito

«Quei "terribili due anni"...» si dice. E una ragione c'è. È l'età dei «no». Ma anche delle bizze, delle crisi di opposizione, degli scoppi di rabbia, di collera che trasformano all'improvviso il bambino in una piccola furia scatenata. Ed eccolo che si butta per terra, urla, si dimena, trattiene il respiro fino a diventare cianotico o impallidisce in una specie di «collera bianca». «Ma che cosa gli succede?» si chiedono i genitori quando le crisi raggiungono un parossismo preoccupante. «Non avrà le convulsioni?»

In realtà sono solo i primi capricci, che verso i due anni il bambino comincia a mettere in scena in modo plateale, da piccolo istrione, scatenando insieme alla collera, una forza incredibile. Difficile prenderlo in braccio, trattenerlo, calmarlo: è sordo a qualsiasi richiamo, a qualsiasi tentativo di pacifica mediazione. La quiete torna solo quando ha dato sfogo alla sua rabbia: che spesso scoppia all'improvviso senza alcun motivo logico, apparente. E di solito nelle situazioni e nei luoghi meno opportuni.

Il semaforo è diventato verde, e lui non vuole attraversare la strada. È ora di restituire un giocattolo all'amico che glielo ha prestato ai giardinetti, e lui lo stringe al petto gridando: «No! È mio!». Gli si rifiuta qualcosa che desidera, gli si impedisce di fare qualcosa che si è messo in mente di fare, e lui si aggrappa a questa piccola parola magica che ha appena scoperto, «No!». E spesso non si limita a dirlo, ma mette in scena il «dramma dell'opposizione» mimando il «no» con tutto il suo corpo, strillando, piangendo, battendo i piedini.

È proprio vero che la «collera è la forza dei deboli», come dice un proverbio: basta guardare un bambino di due, tre anni mentre fa le bizze. In fondo non c'è nessuno più debole di lui. E non a caso è la prima arma che usa nel tentativo di imporre la sua volontà. Più avanti i capricci diventeranno meno violenti, collerici. E il bambino utilizzerà altri mezzi, meno diretti, più subdoli per ottenere quello che vuole: come il broncio, in cui l'opposizione assume il tono silenzioso, ma non per questo meno pesante, di un tacito risentimento.

In ogni caso, è con i primi «no», le prime bizze, i primi capricci, che si pone per la prima volta e con estrema urgenza il problema del «che fare» in senso pedagogico, educativo. Come reagire? Con le buone o con le cattive? E come insegnare al bambino che cosa è giusto e che cosa è sbagliato, che cosa si può fare e che cosa non si deve fare? Quando intervenire con castighi e punizioni? Non si tratta solo di sopravvivere in compagnia di un bambino di due anni senza esserne distrutti. E senza distruggerlo, secondo il vecchio motto materno, scherzoso ma non troppo: «Io l'ho fatto e io lo disfo».

Si tratta di stabilire quelle prime regole, quei primi divieti che sono alla base della disciplina infantile. E di farli rispettare, quando il bambino li trasgredisce, stabilendo un limite preciso agli impulsi e ai desideri che a volte lo travolgono, senza soffocare però la sua capacità di affermare se stesso. È un compito difficile, da veri equilibristi, educare un bambino senza essere né troppo permissivi, né troppo autoritari. Chi non sbaglia, di tanto in tanto? L'importante è dare al bambino il senso del limite, senza fargli però perdere la fiducia in se stesso, nelle proprie risorse. Potrà così continuare a dire: «Io sono io», a esprimere la propria volontà di affermazione: ma in modo più libero, più autonomo e creativo, non più vincolato alla «necessità» di opporsi ai genitori, come succedeva con i primi capricci.

La scoperta del «no»

«Prima era così bravo, e adesso...» Si ha un bel dire che i «terribili due anni» sono una fase salutare della crescita, in cui il piccolo cerca di affermare se stesso: l'effetto è sempre sconcertante. Perché questo cambiamento così improvviso, che mette a dura prova i nervi e la pazienza dei genitori?

I due anni non sono solo l'età del «no», delle crisi di opposizione e di collera. È anche l'età in cui il bambino comincia a dire io, a riconoscere se stesso allo specchio, a percepire il senso della propria unità corporea. È l'età in cui inizia a sentirsi davvero una persona, dotata di un suo pensiero e di una sua volontà, che ora sa riconoscere, così come riconosce il suo viso, il suo corpo, e la grande energia che sente crescere dentro di sé. Un'energia che a volte dilaga, e non riesce più a controllare, allora sente che deve imporsi: come se la collera facesse scomparire quasi per magia la sua fragilità e il suo bisogno di dipendenza, ancora così vivo dentro di lui.

Fin qui gli adulti lo sovrastavano non solo con la loro «grandezza», ma col potere al quale ogni bambino è soggetto per sopravvivere. Questo stato di «soggezione» è talmente naturale che non si pensa mai quanto possa pesargli. Da un lato il bambino ha bisogno della madre, non può farne a meno, e trova nella dipendenza da lei un riferimento stabile, rassicurante: una continua conferma d'amore. Dall'altro la dipendenza contrasta con il desiderio di autonomia che contraddistingue ogni crescita.

Ora che può camminare, muoversi, andare e venire, avverte dentro di sé una nuova forza, una nuova energia. E comincia a tastare il terreno intorno non solo con l'attività motoria, ma anche con l'uso del linguaggio. Il «no» diventa così una parola magica, che a volte ripete con ostinazione, solo per vedere che effetto fa. E, appena ne scopre il potere dirompente, di opposizione e di rottura, ne fa il suo cavallo di battaglia nella «guerra di indipendenza» che ingaggia col mondo adulto: i genitori, e in particolare la mamma.

E non è strano che il bersaglio preferito dei suoi no, delle sue crisi di opposizione sia proprio la madre: è da lei, che il bambino si sente più dipendente, è con lei che rischia di confondersi. Ed è quindi con lei che cerca di affermare la sua autonomia, la sua libertà, ribellandosi, opponendosi, dicendo «no». Stabilisce così, con un taglio netto, una prima linea di demarcazione: «No: io sono io, diverso da te. Ho una mia volontà, differente dalla tua. Vediamo chi la vince». E se la parola non basta, passa alle bizze, tanto più vistose, istrionesche, quanto più è piccolo e tanto più è forte il suo temperamento.

È inevitabile che il bambino perda molte battaglie in questi primi scontri. L'importante è che senta di non aver perso la sua guerra: crescendo troverà altri modi, meno tumultuosi, barricadieri e più creativi per affermare se stesso e la propria indipendenza. E le bizze, i capricci, i «no» a catena resteranno un ricordo dei suoi terribili due anni: una fase «salutare» che per fortuna passa presto.

A due anni il bambino ha un'energia e una curiosità inesauribili: è sempre in movimento, sempre a caccia di nuove cose da toccare, da scoprire, da sperimentare. Ma è ancora così maldestro, che rischia spesso di farsi male o di combinare guai. E anche i «no» dei genitori piovono a raffica. Come ridurre al minimo le occasioni di divieto, e quindi di nuovi capricci?

Almeno fino ai quattro, cinque anni, il bambino oltre a essere un po' maldestro, può mancare del senso del pericolo. È attratto dal fuoco, dal gas, dai fiammiferi, dagli oggetti taglienti, come forbici e coltelli. Lo incuriosiscono il ferro da stiro, il frullatore, la lavatrice, le prese della corrente elettrica. Certe volte non ha paura neppure del vuoto: sporgersi dalla finestra, dal balcone, dalle scale gli sembra un gioco affascinante, un'attrazione irresistibile. E non capisce perché mai non possa dedicarsi in pace a queste interessanti occupazioni, senza che i genitori lo interrompano ogni volta con tono imperioso e drammatico: «Non farlo mai più!».

La sua curiosità viene regolarmente repressa anche quando cerca di scoprire come funzionano la radio, la tv, gli orologi. Quando dedica la sua curiosità a oggetti di valore, ninnoli preziosi. O quando dà sfogo alla sua vena creativa imbrattando i muri coi suoi disegni... Anche i suoi primi «ingressi in società» sono spesso fonte di divieti, rimproveri, minacce e castighi: il tè del pomeriggio, le cene in casa o in trattoria, le visite ai musei, come molte altre «occasioni sociali» hanno infatti il potere di renderlo quanto mai irrequieto e intrattabile. Spesso i «no» dei bambini sono proporzionali a quelli espressi dai loro genitori. Anche l'oppositività si impara.

Per limitare la necessità di intervenire con proibizioni e rimproveri, ragionevoli per noi, ma assurdi per il bambino, non resta che ridurre al minimo le occasioni. In primo luogo è opportuno organizzare la casa in modo da lasciargli la più ampia libertà di movimento, evitando però che si faccia male, che tocchi le cose che non deve toccare, che combini disastri.

C'è poi tutta una serie di accorgimenti che si possono prendere per proteggere il bambino da se stesso, e la casa dal bambino: tenere gli oggetti pericolosi o preziosi fuori dalla sua portata, installare reti metalliche alle finestre e ai balconi, coprire coi salvadita le prese della corrente elettrica, limitare a una sola parete, la meno in vista, e possibilmente nella sua stanza, la creatività pittorica del piccolo, ricoprire poltrone e divani con tessuti lavabili, e così via.

Allo stesso modo è meglio ridurre le occasioni sociali inadatte ai bambini che, oltre ad essere prive di qualsiasi interesse per loro, li costringono a una tranquillità forzata che a questa età non sono in grado di reggere a lungo. Se sapremo organizzare un modo di vita a misura di bambino, dove il tempo e lo spazio corrispondono alle sue capacità e ai suoi bisogni, i «no» saranno ridotti al minimo necessario, senza che si instauri una continua «guerriglia domestica».

Perché fa i capricci

Spesso le bizze più incontrollabili scoppiano quando si vuol togliere al bambino qualcosa che a torto o a ragione considera una sua proprietà acquisita e quindi intoccabile: «È mio!» grida, e non vuole più staccarsene, anche se in realtà l'oggetto in questione appartiene a qualcun altro. Perché? E come convincerlo a restituire il maltolto?

L'idea di possesso e il senso di giustizia sono acquisizioni del tutto nuove per il bambino piccolo, che funzionano ancora «a senso unico»: riguardano se stesso, e basta. Gli altri non contano. Ma non si tratta di egoismo: almeno, non ancora. Fino a quattro, cinque anni il suo modo di pensare è dominato dall'«egocentrismo infantile»: tutto il mondo ruota attorno al suo piccolo io. Gli è perciò impossibile mettersi nei panni degli altri, tener conto dei loro desideri. E dei loro diritti.

Per ora esiste un solo punto di vista: il suo. E un solo diritto: quello che a torto o a ragione attribuisce a se stesso. Poco importa quindi se un giocattolo, un libro, un determinato oggetto appartiene a qualcun altro. Gli è stato dato, lo ha tenuto fra le mani, ci ha giocato, se ne è impossessato. Lo sente «suo»: e questo basta nella sua fantasia per acquisirne la proprietà. Difficile fargli capire che gli è stato solo prestato. E che ora bisogna restituirlo. Quando grida: «È mio!», e si difende con tutte le sue forze, pensa davvero che si stia violando un suo diritto.

Non è strano che le bizze più «drammatiche» scoppino proprio quando il bambino sente minacciata la sua idea di possesso. Nella fantasia gli oggetti che considera «suoi», gli appartengono al punto da rappresentare una parte di sé. Non importa se si tratta di una biglia rotta, di una biro che non scrive, oppure di uno splendido missile o di un triciclo nuovo fiammante. Se li ritiene di sua proprietà, cercare di strapparglieli di mano rappresenta un attentato alla sua persona fisica, alla sua integrità corporea: e reagisce di conseguenza, come se gli si volesse sottrarre, insieme all'oggetto, anche la mano che lo stringe.

In questi casi è inutile tergiversare. Non si può cercare di convincere il bambino a restituire qualcosa che considera «suo» venendo a patti, come si fa quando le sue bizze nascono da un'imposizione dei genitori. Quando vi è un conflitto di proprietà è meglio intervenire con fermezza, senza curarsi troppo di strilli e strepiti.

Il piccolo ci resterà male, ma per fortuna sono «dolori» che passano in fretta. Per consolarsi, gli basterà stringere fra le braccia il suo orsacchiotto o la sua bambola. Solo allora, tornata la calma, si potrà cercare di spiegargli la differenza fra «mio» e «suo». «E se qualcuno ti portasse via il tuo giocattolo preferito, gridando: "È mio!", glielo lasceresti?» Probabilmente gli sfugge il senso logico di una situazione così «strana». Ma non quello emotivo.

«Quello che mi irrita, è che i suoi capricci scoppiano così, senza alcun motivo» dicono molte mamme. È sempre e solo per il gusto di opporsi, di dire «no», che il bambino fa le bizze?

È difficile che i capricci del bambino siano del tutto immotivati. Di solito una ragione c'è. Per capire che cosa lo spinge a comportarsi in modo così aggressivo e imprevedibile, bisogna cercare di mettersi dalla sua parte, adottare il suo punto di vista. I capricci molto frequenti, noiosi, apparentemente senza motivo spesso sono un modo per attirare su di sé l'attenzione dei genitori. Come dire: se non vi occupate di me perché sono buono, fatelo almeno perché sono cattivo. Succede ad esempio quando nasce un fratellino, e il piccolo si sente trascurato, messo da parte. Ma succede anche al figlio unico di sentirsi solo, ora che sta diventando «grande». E i genitori non gli dedicano più tante cure e attenzioni come prima.

Le ragioni possono essere diverse: dipende da bambino a bambino, da situazione a situazione. In ogni caso cercare di capirle aiuta il genitore ad affrontare in modo più adeguato il capriccio, senza limitarsi al semplice castigo: «Hai strillato, e ti do uno schiaffo», «Hai fatto i capricci, e stasera non ti racconto la fiaba», «Ti sei comportato male, e domenica non ti porto ai giardini»... In questo modo ci si limita ad «ammaestrare» il bambino. Ma non lo si educa. Impara che se si comporta in un certo modo, se si oppone ai genitori, se si dimostra aggressivo, verrà punito. Ma se non si tiene conto del «perché» lo fa, obbedirà solo per paura, come fanno gli animali addomesticati.

Il capriccio è certamente un modo sbagliato di esprimere le proprie ragioni: e il bambino verrà ripreso con fermezza perché eviti di adottare questa forma di opposizione. Non si può trascurare però il contenuto del capriccio né le ragioni che lo provocano. È bene quindi parlarne con lui, non appena ritorna la calma. Riflettere insieme sui motivi dei suoi comportamenti sbagliati, ci aiuterà anche a modificare alcuni nostri atteggiamenti che spesso ne sono la causa. Potremo così scoprire che tante domande nascondono un'unica, essenziale domanda d'amore.

Se i genitori rispondono in modo fermo ma ragionevole ai comportamenti più o meno sbagliati del figlio, il bambino sarà disposto a imitarli, comportandosi a sua volta in modo più ragionevole. E questo lo aiuterà a essere più equilibrato e sereno anche di fronte agli ostacoli della vita, man mano che crescendo si troverà ad affrontare il mondo esterno e le sue regole.

Le reazioni dei genitori

Per mettere in scena i suoi capricci più vistosi, le bizze più «drammatiche», il bambino sembra prediligere i luoghi pubblici: la strada, il metro, il super-

mercato... Si creano così situazioni ad alta tensione molto imbarazzanti per i genitori. Come comportarsi per cercare di calmarlo?

A due anni i bambini sono dei piccoli provocatori: e spesso inscenano le loro bizze, i loro capricci nei luoghi e nei momenti meno opportuni, quando sanno di mettere il genitore in imbarazzo, in difficoltà, creando situazioni di ansia e di conflitto. Non è quindi per puro esibizionismo, che scelgono il luogo pubblico. Ma perché sanno che le loro crisi hanno più effetto, di fronte ad una platea più vasta.

Non solo, ma spesso scelgono gesti di grande effetto «teatrale», senza avvertirne minimamente il pericolo: come gettarsi in mezzo alla strada, rotolarsi per terra, su un marciapiede affollato, stendersi fra i carrelli, al supermercato... In questi casi bisogna intervenire immediatamente e d'autorità. Con fermezza anche fisica, trascinandolo e stringendolo in braccio in modo da dargli il senso del contenimento. Sono situazioni che richiedono metodi «forti», per essere risolte: con sollievo di tutti, a cominciare dal piccolo provocatore. Il bambino ha bisogno di trovare nel genitore una risposta decisa, che ponga un freno alle sue bizze, quando lui stesso non riesce più a controllarle e rischia di esserne travolto.

Quando invece la situazione è meno tesa, meno pericolosa, e non richiede un intervento «d'urgenza», è meglio lasciare che il bambino sfoghi la sua rabbia, la sua aggressività. In casa, ad esempio, ci si può allontanare da lui. E lasciarlo solo, coi suoi giocattoli. Potrà così scaricare la tensione nel gioco, magari strapazzando l'orsacchiotto o la bambola, per poi tornare tutto allegro dalla mamma e chiederle un bacio, come se niente fosse. E per lui è davvero così: le bizze sono fulmini a ciel sereno, che passano allo stesso modo in cui sono venute. Inutile mostrarsi freddi, risentiti, o fargli la predica. Meglio voltare pagina. Il piccolo non aspetta altro che essere di nuovo accolto fra le nostre braccia, come il «bambino buono» di sempre, per calmarsi davvero. E sentirsi di nuovo in pace con se stesso e con i genitori.

In certi casi, tuttavia, il bambino rimane in uno stato di tensione e di irritazione anche quando la fase acuta del capriccio si è conclusa. Come possiamo aiutarlo a ritornare sereno?

Per prima cosa non tenendogli mai il broncio. Il bambino deve sentire che la sua rabbia non è stata distruttiva, che non è accaduto nulla di irreparabile: finito il temporale, torna il sereno.

Ma vi sono anche preziosi accorgimenti per aiutarlo a dimenticare. Il più efficace, soprattutto per i più piccoli, consiste nel farli giocare con l'acqua, mettendoli dinnanzi al lavandino con barchette improvvisate, barattoli da riempire e svuotare, bambole da lavare. Oppure, in altri casi, si può lasciarli pasticciare con la sabbia, la terra, la ghiaia, i fiori.

Questi elementi naturali possono essere sostituiti dal pongo, la plastilina, i colori da distribuire con le mani. Il contatto diretto con la materia ha la capacità straordinaria di placare l'ira, di sedare le tensioni interiori con gesti via via più calmi e misurati, con fantasie più distese. Vedremo allora la volontà di distruggere trasformarsi, sotto i nostri occhi, in volontà di fare, di riparare e costruire con amore.

Gli eccessi «educativi»

Per alcuni genitori i metodi «forti» non sono un'eccezione, ma la regola. E spesso tendono a reagire ai capricci, le bizze, le disubbidienze con la stessa aggressività del bambino. Perché?

Ogni volta che si picchia un bambino si verifica una sconfitta non solo dell'educazione, ma anche della comunicazione. Il più forte prevarica sul più debole abolendo il rispetto che si deve al corpo dell'altro, alla sua integrità, alla sua «sacralità».

Tuttavia accade talvolta di ricorrere a uno sculaccione per interrompere una «crisi isterica» o uno scoppio di ostilità irriducibile. E non è il caso di farne un dramma. Meglio comunque riprendere la questione e spiegare perché si è fatta eccezione a una regola sacrosanta: quella per cui non si picchia mai nessuno. E tanto meno un bambino. Può capitare a tutti di perdere la pazienza, purché non diventi un metodo per risolvere i problemi. Alcuni genitori invece adottano intenzionalmente le percosse, ne fanno una regola educativa, come se fosse «giusto» picchiare un bambino: «Così hanno fatto i miei genitori con me. E così faccio io con mio figlio», dicono con convinzione.

È questa l'unica forma di «educazione» che hanno ricevuto, che conoscono. Ed è questa che trasmettono ai figli. Piuttosto che giudicare negativamente i propri genitori, e magari riconoscere il disamore, l'odio che è scaturito dai loro comportamenti, preferiscono essere come loro. Poiché si sono identificati nei loro «aggressori», da adulti ne seguono l'esempio.

Altri invece sono contrari ai «metodi forti», come regola educativa. Ma di fronte all'aggressività del figlio, spesso tendono a perdere il controllo: non riescono a mettersi dalla parte del bambino, a vedere le cose anche dal suo punto di vista e trovare così una mediazione fra il modo infantile di manifestare la propria collera, e quello più maturo, equilibrato, adulto del genitore. Si mettono invece sullo stesso piano del bambino, e reagiscono allo stesso modo, lasciando che i propri impulsi infantili abbiano il sopravvento. In questi casi è l'immaturità degli adulti che costituisce un problema, molto più di quella per così dire «fisiologica» dei bambini.

Fino a che punto possono essere dannosi per il bambino questi eccessi «educativi», anche quando non degenerano nella violenza? E come evitarli?

I genitori che continuano a rimproverare il bambino e lo puniscono in modo eccessivo rischiano di proiettare su di lui un'immagine negativa di se stesso. E di costruire così la figura del «bambino cattivo» che il piccolo farà propria, perché non ha per ora altra immagine di sé, se non quella che gli rinviano il padre e la madre. Se i genitori lo «demonizzano», e gli ritagliano addosso il profilo della piccola peste, del bambino «disastro», dal quale ci si aspettano solo guai, rischiano davvero di indurlo a comportarsi così, da bambino cattivo, che può fare solo cose sbagliate.

È vero che ci sono momenti in cui rimproveri e punizioni sono «di rigore». Ma non sempre. Nella maggior parte dei casi è importante dare spazio alla parola: e non solo per sgridare il bambino, per comunicargli il nostro disappunto, la nostra delusione. Ma soprattutto per fargli capire che anche lui può esprimere le sue recriminazioni, i suoi risentimenti attraverso il dialogo. Imparerà così che i capricci, gli scoppi di rabbia possono essere trasformati in richieste verbali.

Sono queste reazioni pacate, equilibrate, rassicuranti le più «educative», per il bambino. Sente che i genitori gli vogliono bene, e si preoccupano per lui anche quando è «cattivo» e fa i capricci. Non solo, ma capisce anche che quegli aspetti negativi di sé, di cui lui stesso ha paura, e che a volte lo travolgono, non sono «tutto». Si tratta di una piccola parte della sua personalità, che può essere trasformata, modificata se le «parti buone», che i genitori stessi gli riconoscono anche quando «fa il cattivo», hanno il predominio. Perciò è molto importante stare attenti a come ci si esprime. È meglio dire: «Hai fatto male a prendere la palla di Guido senza chiederglielo» piuttosto che: «Sei sempre il solito» o addirittura: «Sei un ladro».

Limiti, regole e divieti

Perché è così importante stabilire subito regole educative, imponendo al bambino limiti e divieti?

Il bambino ha bisogno che il genitore gli dica qualche volta di «no», in modo inflessibile ma ragionato: anche se questo lo fa soffrire, in quel momento. Coi suoi capricci, le sue richieste ostinate, noiose – «Me lo compri? Me lo compri?» – il bambino tasta il terreno, cerca di comprendere fino a che punto può spingere la sua volontà di «avere tutto e subito», proprio come, con le bizze e le crisi di collera, cerca di capire fino a che punto può mettere alla prova i genitori in uno scontro corpo a corpo.

In questi momenti è alla ricerca di un limite, di un contenimento che solo l'adulto può fornirgli con un chiaro sistema di regole e di divieti, con dei «no» precisi e circostanziati. Ma le proibizioni non devono essere dilaganti, altrimenti non resta al bambino che aggirarle agendo di nascosto, cercando di farla franca, per sopravvivere. Di contro, se nessuno gli pone dei confini, il bambino si muove su un terreno labile, privo di punti di riferimento, di regole. Se non incontra mai dei «no», non gli si proibisce nulla, gli si toglie anche la possibilità di trasgredire: tanto, tutto è permesso!

Se ci sono genitori troppo rigidi, intransigenti, per altri invece è difficile dire di no al figlio. Perché?

«Mi dispiace troppo, vederlo soffrire», dicono alcuni genitori. E non se la sentono di imporgli rinunce, di proibirgli qualcosa, come se l'affetto che hanno per il figlio glielo impedisse. Ma la politica del lasciar fare, lasciar correre, non intervenire quasi mai, non è un segno d'amore, per il bambino. Anche se i genitori sono convinti di rispettare così la sua libertà, la sua autonomia, spesso gli trasmettono invece un segnale di indifferenza: «Fai pure come ti pare...». Lasciato a se stesso il bambino trova naturale seguire i suoi impulsi, senza badare alle conseguenze, convinto com'è che agli altri in fondo interessi poco, se si comporta in un modo piuttosto che in un altro.

Non sempre è per «troppo amore», che si evita di dire di «no»: è vero che in questo modo il bambino ha meno motivi di frustrazione e di sofferenza e che si eliminano tensioni in famiglia. Ma è anche vero che accondiscendere a tutti i suoi desideri rappresenta la via più facile per non assumersi responsabilità.

L'amore non basta, per educare un figlio: soprattutto quando lo si ama in modo narcisistico, riflettendosi in lui come in uno specchio. Bisogna invece farsi forza: e prendere le distanze necessarie per poterlo non solo amare, ma anche essergli di sostegno. E dargli gli strumenti che lo aiutino a crescere e ad affrontare il mondo, anche senza di noi.

Che conseguenze può avere per il bambino l'indulgenza eccessiva dei genitori?

Senza regole e divieti, il bambino cresce allo stato brado, come un cavallino che non conosce recinti. Abituato a fare quel che gli pare in casa, sarà fuori, nel rapporto con gli altri, all'asilo e a scuola che lo aspetterà la resa dei conti. Se non lo educhiamo noi, sarà la vita a farlo, in modo non sempre indolore. Al momento delle prime relazioni sociali il bambino non si scontra più con un muro di gomma, come avveniva coi genitori. E gli sarà difficile all'improvviso adattarsi a una serie di regole e divieti che gli sembrano assurdi, e che non riesce ad accettare. Ma è ancora più difficile tollerare le frustrazioni: un'esperienza che lo trova del tutto impreparato. Ha avuto così rare occasioni di confrontarsi col «no» dei genitori!

È proprio a causa di queste inevitabili «difficoltà» che rischia di diventare il «bambino difficile», diverso dagli altri, sempre in lotta contro tutto e tutti. O al contrario di ritirarsi in se stesso, evitando di prendere qualsiasi iniziativa, perché «non si sa mai come andrà a finire»: ormai gli è capitato troppe volte di comportarsi nel modo che più gli pareva «naturale», e di ritrovarsi poi in castigo, umiliato davanti a tutti.

Castighi e punizioni

Come le regole, i divieti, i «no», anche i castighi e le punizioni fanno parte dell'educazione. Quando sono necessari? E quali gli errori più comuni da evitare?

I castighi e le punizioni sono la necessaria conseguenza di un patto che il bambino infrange quando trasgredisce una regola, elude un divieto. Non possono quindi essere una forma di «giustizia sommaria», improvvisata lì per lì, ogni volta che nostro figlio si comporta come non vorremmo. Uno schiaffo, e via: così capisce che questo non si fa. E che è meglio che non lo ripeta, se no le prende ancora.

La punizione va applicata invece solo dopo aver stabilito delle norme, delle «leggi» familiari. E aver sancito col bambino un «patto», in modo molto esplicito, chiaro: «Questo non si deve fare. Se ti comporti ancora così, verrai castigato». Il bambino impara così che non viene punito a caso, secondo l'umore dei genitori. Ma solo quando infrange le regole che gli sono state date.

Quando il bambino è ancora molto piccolo, gli interventi dei genitori dovrebbero essere il meno punitivi possibile. È solo verso i quattro anni infatti che si possono insegnare al bambino norme generali di comportamento: perché solo ora comincia ad avere il senso del tempo, dello spazio e dei rapporti di causa ed effetto. Inutile quindi dire a un bambino di due anni: «Ti sei comportato male e domenica non ti porto ai giardinetti».

L'idea del futuro è ancora così vaga, a questa età, che «domenica» significa poco o nulla, in termini di tempo. E quando il castigo viene poi attuato, il bambino non capisce perché, che relazione ha con ciò che è avvenuto tanto tempo prima. Meglio intervenire subito, lasciandolo da solo «in castigo», in camera sua, dove potrà sbollire la sua rabbia giocando. Oppure spiegargli con calma perché il suo comportamento dispiace tanto ai genitori, e deve cercare di non ripeterlo.

A quattro anni invece il bambino comincia a comprendere il significato della punizione. Sa che ad una causa segue un effetto. E che se non mantiene un patto, sarà castigato: magari non ora, non qui. Ma in un altro momento, in un altro luogo. «Se non ubbidisci, domenica non ti porto ai giardini», diventa così una minaccia di cui il bambino può valutare chiaramente la portata. Purché i genitori non cadano in uno degli errori più diffusi, in fatto di castighi: l'incoerenza, nelle sue diverse forme. Per educare un bambino, i genitori per primi non devono infrangere i patti, le regole.

C'è chi un giorno è indulgente, e il giorno dopo è punitivo, secondo le variazioni del suo umore: e il bambino non capisce perché lo stesso comportamento, che un giorno passa del tutto inosservato o rimane impunito, il giorno dopo merita invece un castigo. C'è poi chi «promette» un castigo, e quando è ora di attuarlo se ne dimentica, o preferisce «dimenticarsene» per evitare tensioni e conflitti. Invece è estremamente importante mantenere le promesse, non solo in fatto di premi, ma anche di punizioni.

Altrimenti anche i castighi diventeranno come il grido di Pierino, «Al lupo! Al lupo!»: minacce alle quali il bambino non crederà più. Salvo poi trovarsi del tutto spiazzato, quando si realizzano davvero... Come sostiene la psicoanalista francese Françoise Dolto, non basta dire al bambino quel che si ha intenzione di fare. È necessario anche «fare quello che si dice».

Non sempre i genitori seguono la stessa linea educativa: a volte la mamma è più indulgente, permissiva e il padre molto meno, o viceversa. Come reagisce il bambino?

Anche il disaccordo dei genitori sui metodi educativi e sui castighi da adottare può dare luogo a comportamenti incoerenti che disorientano il bambino. Il piccolo si trova così a confrontarsi quotidianamente con metri di giudizio del tutto diversi, a volte opposti. Per adattarsi, finisce per adottare a sua volta comportamenti differenti, con la mamma e con il papà, senza però avere una chiara idea di che cosa sia giusto e che cosa sia sbagliato. Sa solo che se si comporta in un modo con la mamma, verrà punito, mentre col papà tutto fila liscio: o viceversa. Rischia così di diventare un piccolo «opportunista».

È naturale che nella coppia ci siano a volte pareri diversi, in fatto di educazione. L'importante è cercare di trovare un accordo. E stabilire una linea educativa comune, smussando le prese di posizione più rigide, in modo che il bambino possa seguire delle regole generali, condivise da entrambi i genitori. Ciascuno poi avrà un modo diverso di comportarsi, quando il bambino le trasgredisce, secondo il tipo di carattere, più accomodante o più rigido: ma di fondo, non ci saranno grosse differenze nel giudicare quando è necessario punirlo e quando no.

Entro certi limiti, le reazioni diverse dei genitori non sono del tutto negative: il bambino comincia così a imparare che i suoi comportamenti vengono recepiti in modo diverso, da persona a persona. E che non può aspettarsi la coerenza assoluta da nessuno, perché non esiste. Anche questo fa parte di un certo realismo nell'educazione.

Quando però un genitore si accorge di essersi comportato in modo non solo incoerente, ma ingiusto, punendo magari il bambino per una cosa da nulla, è importante che sappia riconoscerlo: «Mi dispiace: ho sbagliato. Oggi sono troppo stanco, e ho perso la pazienza...». È bene che il bambino sappia che anche ai genitori può capitare di fare qualche eccezione alle regole: e di sbagliare.

Ricatti e minacce

«Se fai il bravo...» Ci sono genitori che cercano di barattare l'ubbidienza del bambino con un premio, cogliendo il suo punto debole: i dolci, i giocattoli, i soldi... Altri invece preferiscono ricorrere a metodi più spicci: le minacce. Come è meglio cercare di farsi ubbidire: con le buone o con le cattive?

Apparentemente il baratto suona molto più conciliante, più positivo della minaccia: «Se ubbidisci, avrai qualcosa di buono, qualcosa che desideri, che ti piace». Ma è proprio questo il metodo che i bambini sembrano meno disposti ad accettare. A loro non piacciono i compromessi, le mediazioni. Non solo, ma avvertono subito qualcosa di ambiguo nella disponibilità dell'adulto a contrattare col figlio la sua ubbidienza: una specie di lusinga, di ricatto, che di solito i bambini rifiutano, come un segno di debolezza.

In ogni caso, anche se non si tratta di un vero e proprio ricatto, l'offerta di qualcosa in cambio dell'ubbidienza è un tipo di contrattazione che confonde i valori delle cose, che contrasta col bisogno di chiarezza che hanno i bambini. Proprio per questo preferiscono la minaccia diretta, immediata, un avvertimento che suona da campanello d'allarme: «Guarda che sto perdendo la pazienza: se continui così rimani a casa tutto il giorno». È un messaggio «forte», privo di ambiguità, che mette subito in chiaro i termini della situazione, e pone un limite preciso al comportamento del bambino.

L'importante è che questo tipo di avvertimento venga utilizzato solo quando è veramente necessario: e non si trasformi in una sfida, in un braccio di ferro continuo fra il più forte e il più debole. Se il bambino avverte nella minaccia una provocazione, può accettare la sfida. E diventare ancora più ostinato nella sua disubbidienza: «Vediamo chi la vince!».

Non sempre le minacce sono così semplici, lineari. Ce ne sono anche di più ambigue, che fanno presa sulle paure infantili più profonde: «Se ti comporti così, la mamma non ti vuole più bene!», oppure «Viene l'uomo nero e ti porta via...» Con quali effetti «educativi»?

Il primato della minaccia più negativa e controproducente spetta al ricatto affettivo, che colpisce il bambino sul terreno in cui si sente più fragile, indifeso: quello dei sentimenti. Dicendogli che, se non ubbidisce, non gli si vuole più bene, si evoca la sua paura più angosciosa: la perdita dell'amore dei genitori e il loro possibile abbandono.

Ma oltre a dare corpo con le nostre parole ai suoi fantasmi interiori, suscitiamo nel bambino l'impressione che le sue angosce più terribili possano avverarsi in qualsiasi momento: e per cose da nulla. Diventa così difficile per lui continuare ad aver fiducia nei genitori, se il loro affetto può svanire di punto in bianco per i motivi più futili: un capriccio, una disubbidienza, uno scontro di volontà. Crescendo, il bambino che viene sottoposto troppo spesso a questo tipo di ricatto arriverà a pensare che, se le cose stanno così, non può affatto contare sull'amore dei genitori: e quindi può continuare a disubbidire quanto gli pare. Tanto, che cosa cambia?

Anche le vecchie minacce, che evocavano la comparsa di un terribile babau pronto a mangiare il bambino o a portarselo via, non sono del tutto scomparse. A volte ricompaiono, magari con qualche aggiornamento: al lupo cattivo subentra così un personaggio più attuale, un robot, un dinosauro... A differenza dei ricatti affettivi, sono minacce più esplicitamente «sadiche»: non solo, ma la figura del babau che lo divora, lo annienta, lo rapisce, rende terribilmente reali proprio le paure che il bambino piccolo sta vivendo a livello fantastico, come riflesso dei suoi stessi impulsi aggressivi e dei sensi di colpa che provocano.

Di solito sono minacce che i genitori fanno alla leggera, con tono semiserio, senza alcuna intenzione di spaventare realmente il figlio. Si utilizzano in fondo le stesse immagini paurose delle fiabe. Ma si trascura una differenza importante: nelle fiabe di Pollicino, di Cappuccetto Rosso o di Biancaneve tutto avviene su un piano fantastico, molto lontano dal mondo reale del bambino, anche in termini di tempo e di luoghi. Ed è su questo piano che il piccolo può riconoscersi per «interposta persona» nei personaggi, senza sentirsi realmente minacciato dagli eventi. Con le minacce dirette, invece, il bambino sente incombere davvero su di sé il pericolo di essere divorato, annientato, rapito.

Ubbidienza e senso morale

Dopo l'età dell'opposizione e dei capricci, che cosa induce un bambino a ubbidire ai genitori e più in generale a comportarsi bene anche con gli altri, fuori dalla famiglia?

Sono due i sentimenti che inducono il bambino all'ubbedienza: la paura e l'amore. Inizialmente il piccolo ubbidisce soprattutto perché ha paura delle punizioni, dei castighi dei genitori. Più avanti, passata l'età dei «no» e delle bizze, lo fa anche per l'affetto e la fiducia che prova nei loro confronti.

Questo importante passaggio avviene a poco a poco, quando si accorge che le imposizioni che riceve non sono dettate unicamente dalla volontà di predominio dell'adulto, in uno scontro impari in cui vige la legge del più forte, come credeva a due, tre anni. Ora sa che non si tratta di «ubbidire, e basta», senza tanti perché. Ma che ogni regola, ogni divieto ha una sua ragione: la necessità di distinguere il bene dal male, il lecito dall'illecito, e di agire di conseguenza.

È a questo punto, più o meno verso i cinque anni, che il bambino non ubbidisce più solo per paura o per amore dei genitori. Ma comincia a ubbidire anche a se stesso: alle regole e ai divieti che i genitori gli hanno trasmesso e che si sono impressi dentro di lui come una «tavola delle leggi».

Per distinguere il bene dal male, non si limita più ad ascoltare le loro parole, e a temere il loro giudizio, il loro castigo. Ascolta anche la propria coscienza: la «voce dell'anima», come il grande pedagogista francese Jean Jacques Rousseau definiva la morale interiore. O il «Superego», come Freud chiamò quel giudice invisibile che ognuno di noi porta dentro di sé: una «istanza superiore» della mente che rappresenta in parte le figure interiorizzate dei genitori. Un giudice che ha un solo castigo da infliggere, quando si trasgredisce alle leggi interiori: il senso di colpa.

Ci sono bambini che pur avendo genitori molto intransigenti, autoritari non sembrano sviluppare una coscienza morale altrettanto rigida, e viceversa. Come mai?

La coscienza che il bambino comincia a formare a poco a poco dentro di sé è sempre condizionata dalle figure dei genitori, anche se non riflette necessariamente in modo speculare il loro atteggiamento educativo e morale. Non sempre infatti il figlio accetta pari pari le leggi del padre e della madre. C'è chi le modifica, adattandole al suo temperamento. Chi le rifiuta, e chi invece le esaspera. Molto dipende da come ogni bambino vive il rapporto coi genitori non solo nella realtà, ma anche nella fantasia. Da come elabora dentro di sé le loro figure e le loro norme, che non sempre corrispondono alla realtà.

Può succedere che il bambino, che si sente oppresso da genitori troppo severi, autoritari, sviluppi per contrapposizione un senso morale molto «permissivo» che non ostacola continuamente i suoi desideri e i suoi impulsi più spontanei né lo affligge con continui sensi di inadeguatezza e di colpa: tanto ci pensano loro! Al contrario, il figlio di genitori molto liberali, permissivi, può sentirsi insicuro, privo di certezze interiori a cui fare riferimento. E sviluppare così un senso del dovere molto forte per colmare questa lacuna e proteggersi dall'ansia.

In ogni caso, sia pure indirettamente, i genitori «reali» influiscono sempre sulle figure interiori che il bambino costruisce dentro di sé. Per questo è importante non essere troppo rigidi e punitivi nei suoi confronti. E neppure troppo lassisti, sbadati, indifferenti. Ma comportarsi in modo che il bambino possa fare propria quell'immagine di giudice giusto, equilibrato e amorevole che ha assimilato nella famiglia. Anche da adulto potrà così ritrovare nella propria coscienza l'eco della voce dei genitori, più o meno sfuocata, attutita dal tempo, senza sentirsi oppresso da giudizi, regole e divieti troppo imperiosi, minacciosi. O al contrario essere in balia di un senso morale troppo labile, incerto nel distinguere il bene dal male.

Lodi e approvazione

Se il bambino ubbidisce, si comporta bene, dà prova delle sue capacità, i genitori di solito non esitano a esprimergli la loro approvazione. E a volte a premiarlo, per i suoi successi. Altri invece sono più spartani: «Perché lodarlo?» dicono. «Ha fatto solo il suo dovere.» Fino a che punto il bambino ha bisogno di elogi e di consensi, oltre che di divieti e punizioni? E come «dosarli»?

Ognuno di noi ha bisogno di una certa dose di consenso, di approvazione: essere riconosciuti, apprezzati, valorizzati è un incentivo importante per andare avanti e migliorare anche nella vita adulta. E tanto più lo è per il bambino, la cui autostima, il senso di sé, della propria identità sono ancora tutti da costruire. Il riconoscimento delle sue doti e delle sue capacità da parte dei genitori è la linfa vitale che rinforza il suo io ancora fragile: lo aiuta a crescere e a sentirsi «qualcuno».

È giusto quindi lodare il bambino ogni volta che lo merita: anche se ha fatto «solo» il suo dovere, è uno sforzo che va riconosciuto, elogiato, a volte premiato. È la nostra approvazione che lo spinge a ripetere i comportamenti più positivi, a perseverare nel mettere alla prova le sue capacità, le sue doti. Se nessuno nota i suoi sforzi, se nessuno approva i suoi risultati, anche con un semplice: «Bravo! Continua così», c'è il rischio che perda ogni stimolo a proseguire su questa strada: tanto, a chi importa?

Ma, proprio come succede per i castighi e le punizioni, anche le lodi eccessive sono sempre negative, controproducenti. Spesso sconfinano nell'adulazione. E suonano false, anche al bambino. Che alla lunga non sa che farsene di apprezzamenti troppo ingombranti, spropositati o fuori luogo. Il suo senso di sé, delle proprie capacità è ancora così debole che sembra non reggere il peso di elogi eccessivi. Al punto che a volte non riesce ad accettare la lode, come se non fosse diretta a lui ma ad un altro, un estraneo: il fantomatico bambino ideale che abita nella mente e nelle aspettative dei genitori, ma col quale sente di aver poco a che fare.

E non è strano che non appaia affatto gratificato, ma mostri piuttosto un certo imbarazzo. Anche da adulti succede di sentirsi infastiditi da lodi eccessive o inopportune, che non corrispondono a quello che siamo, o che facciamo. Figuriamoci da piccoli...

Quali sono le lodi da evitare?

Poiché le lodi esprimono un giudizio, a volte possono risultare troppo «pesanti» o costrittive per un bambino: soprattutto quando riguardano la sua personalità, ancora in formazione. «Ormai sei grande: ti comporti davvero da ometto!», «Hai un carattere docile, malleabile: sei sempre pronto a cedere per primo», «Che bravo! Sei davvero un bambino servizievole!»: sono elogi che tendono a fissare come un marchio indelebile un aspetto della personalità infantile. E a dare al bambino un'etichetta alla quale sarà difficile d'ora in poi sottrarsi, se non vuole deludere i genitori. Spesso si trova così costretto, suo malgrado, a comportarsi da bambino «grande», «docile», «servizievole», e così via, anche se non lo desidera affatto.

In particolare le lodi che esprimono un confronto, sono un'arma a doppio taglio, da evitare. «Tu sì, che sei bravo! Tuo fratello invece più che disastri non combina...», «Di te sì, che ci si può fidare: sei molto più responsabile di tuo cugino», «Sei tu il migliore, a disegnare...»: in questo modo le doti del bambino acquistano valore soprattutto attraverso la competizione, il confronto con altri. Non rappresentano perciò una vera certezza, per lui, qualcosa che gli appartiene e su cui può sempre contare: rimangono abilità precarie, che possono perdere ogni valore, se qualcuno si dimostra «più bravo» di lui. E può essere molto faticoso, per un bambino, mantenere il primato, cercare di essere sempre all'altezza dell'ideale che i genitori proiettano su di lui.

Quali sono invece le lodi che gratificano davvero il bambino e rinforzano la sua autostima?

Il bambino acquista sicurezza nelle proprie capacità e rafforza la stima che ha di sé soprattutto quando gli vengono riconosciute qualità alle quali tiene veramente, che rispecchiano una sua inclinazione. E di cui cerca di dare prova nei suoi comportamenti, i suoi giochi, le sue attività.

Più che dalle parole, è dal nostro interessamento che il bambino si sente riconosciuto, approvato. Non c'è nulla che lo deluda di più dello sguardo distratto del genitore e della lode buttata lì casualmente, tanto per farlo contento, quando si esibisce davanti a lui in una prodezza atletica, o gli mostra un suo piccolo «capolavoro»: un disegno, una costruzione, una collanina... Solo se gli si presta davvero attenzione, si apprezza il suo sforzo e si commenta con competenza la riuscita dell'impresa, la lode acquista un vero significato affettivo e rappresenta una conferma interiore delle sue capacità.

È importante quindi lodarlo non solo quando si comporta come noi desideriamo, o dà prova di doti e qualità che corrispondono alle nostre attese, ma soprattutto quando si sforza di esprimere le sue ambizioni più autentiche. È naturale apprezzare i suoi sforzi quando apparecchia bene la tavola, impara ad allacciarsi le scarpe, segue i nostri consigli, ubbidisce ai nostri ordini. Ma non dimentichiamo di lodarlo per i suoi esperimenti, ogni volta che cerca di manifestare con fantasia e originalità doti e inclinazioni che spesso esulano dalle nostre aspettative.

Le prime bugie

«Non sono stato io!» Verso i due anni il bambino comincia a dire le prime bugie: di solito per discolparsi, anche se viene colto in flagrante. Ma se a volte si tollerano i capricci, si è meno disposti ad accettare di essere «ingannati» dai propri figli. «Come mai?» si chiedono i genitori. «Da chi ha imparato a mentire?»

A questa età, il bambino non mente ancora «sapendo di mentire». Almeno fino ai quattro, cinque anni il confine tra fantasia e realtà è molto labile, e altrettanto labile è la differenza tra «vero» e «falso», «per finta» e «per davvero». Vive ancora in una dimensione «magica» del pensiero: è convinto che basti pensare una cosa, desiderarla, perché questa si realizzi, diventi «vera». L'idea che la forza del desiderio possa essere così onnipotente da trasformare la fantasia in realtà è un'illusione infantile che a volte ritorna anche da adulti: nelle pratiche magiche, negli esorcismi, nella superstizione...

Le prime bugie rappresentano una specie di magia che il bambino utilizza per modificare una realtà spiacevole, difficile da tollerare. Ha appena rotto una tazza coi suoi gesti maldestri o in un impeto di rabbia? Si è esercitato con le forbici a tagliare un braccio all'orsacchiotto? Ha di nuovo disegnato sul muro del salotto, come gli è stato severamente proibito? Guardando i suoi misfatti, decide che non è lui il «bambino cattivo» che combina guai, disubbidisce, ha impeti di rabbia. È un altro: il suo doppio, un piccolo sosia, un diavoletto incontrollabile che ora rinnega. E da cui prende le distanze.

È per questo che, anche se viene colto in flagrante, con il corpo del reato ancora in mano, non esita a dire: «Non sono stato io!». Nessuno ci crede, ma lui sì: è il suo modo di allontanare, negandola, quella parte «cattiva» di sé che non riesce ad accettare.

Lo stesso meccanismo magico entra in funzione anche quando il bambino non si limita a mentire per discolparsi, ma scarica la responsabilità su un'altra persona in carne e ossa. Può succedere così che a due, tre anni il bambino abbia la faccia tosta di aggiungere: «È stato lui!» additando il fratellino appena nato che dorme tranquillo nella sua culla. Realizza così in un sol colpo un doppio desiderio: non solo il «bambino cattivo» che ha combinato un guaio non è lui. Ma è il suo rivale.

Anche se si tratta di bugie trasparenti, ancora prive di qualsiasi malizia, come insegnare al bambino che non deve mentire? E che la «magia» in questi casi non funziona?

È inutile mostrarsi troppo scandalizzati di fronte alle prime bugie. Non solo, ma gli atteggiamenti rigidi, moralistici, a base di lunghe prediche e castighi esemplari sono spesso controproducenti: accusare un bambino piccolo di essere un bugiardo, castigandolo e mettendo poi magari in dubbio ogni cosa che dice, significa affibbiargli un'etichetta che difficilmente riuscirà a togliersi di dosso. E continuerà a mentire, a comportarsi anche crescendo come i genitori dicono che è: «un piccolo bugiardo». Tanto, non è questo che si aspettano da lui?

Meglio sorvolare quindi su queste prime bugie, ancora prive di intenzionalità. Senza però stare al gioco: e far capire al bambino che si sa che le cose non stanno come le racconta. Ma che non lo si considera «cattivo», solo perché ha combinato un piccolo guaio, senza volerlo. Se invece lo ha fatto intenzionalmente, si può spiegargli che anche a un bambino buono come lui può capitare di fare delle cose cattive. Che, comunque, i genitori non gli vogliono meno bene, per questo. L'importante è riconoscerlo, per farsi perdonare. E cercare di «non farlo più».

Spesso le bugie rappresentano una reazione alla paura: è proprio il timore di perdere l'affetto e la stima dei genitori che inducono il bambino a mentire, senza capire che la bugia è più grave di una disubbidienza o di un piccolo guaio.

Non possiamo attribuire al bambino un senso morale che ancora non ha: per lui è giusto quello che i genitori considerano giusto, e sbagliato quello che considerano sbagliato. Le prime bugie diventano così l'occasione per fargli capire che la vera colpa, il vero errore morale non è nel guaio che ha combinato, ma nel tentativo di discolparsene mentendo.

Inoltre, l'intenzionalità dei gesti, degli atti, è qualcosa che sfugge al bambino: non la considera affatto una «aggravante» della colpa. Solo verso i cinque anni, comincerà a capire che è più riprovevole rompere una tazza intenzionalmente, per dispetto o per rabbia, che romperne cinque senza volerlo, per un gesto maldestro. Per ora sono le conseguenze che contano, non le intenzioni: cinque tazze rotte rappresentano comunque una colpa più grave di una.

Perciò si stupisce, vedendo che lo sgridano di più quando combina i guai «apposta», mentre sorvolano quando li fa «per sbaglio», indipendentemente dalla gravità del danno. Ma se gli si spiega il motivo di queste differenti reazioni, comincerà a poco a poco a capire che i comportamenti acquistano un significato e un valore diverso secondo l'intenzione che esprimono. Anche questo è un tassello in più all'interno del «codice morale» che i genitori gli trasmettono coi loro comportamenti e le loro parole, man mano che cresce.

Oltre alle classiche bugie di discolpa, verso i due, tre anni, il bambino inaugura anche un vasto repertorio di storie fantastiche, assolutamente incredibili, che racconta come se fossero vere. E guai a non credergli! Anche queste sono bugie? E come reagire?

È importante distinguere le bugie di discolpa da quelle di pura fantasia, che il bambino esprime per il piacere di raccontare, «affabulare», inventare storie. È un modo creativo di trasformare la realtà in fiaba, abbellendola a piacere con l'irruzione di elementi più o meno fantastici. Può così sostenere che ha visto un dinosauro per la strada. Che conosce alla perfezione tre lingue. Che ogni giorno, all'asilo, arriva una banda di musicisti, per far ballare i bambini... Guai a dirgli: «Ma va là! Sei un vero bugiardo!». Oltre ad esserne profondamente deluso, si offenderebbe. È come se ci accusasse di mentire, quando gli raccontiamo una fiaba.

Lasciamo quindi che dia sfogo alla sua vena creativa, mostrandogli tutto l'interesse che si aspetta da noi: «Davvero? E poi?». E alla fine: «Come sarebbe bello, se fosse vero!». Per ora è soltanto un gioco del tutto innocuo. Solo dopo i sei anni, se le bugie fantastiche sono troppo frequenti, possono rivelare un rapporto difficile del bambino con il suo ambiente. Se la realtà in cui vive gli appare troppo arida, amara, deludente, può essere indotto a negarla, rifugiandosi nella fantasia. Le sue continue «invenzioni» non nascono più dal puro piacere di raccontare storie. Ma rappresentano un meccanismo di difesa, la spia di un disagio interiore.

Il bambino «perfetto»

Non tutti i bambini diventano «terribili», a due anni. Alcuni sono così docili e ubbidienti da essere un motivo di orgoglio per i genitori: «È così bravo che non fa mai i capricci» dicono. E sono molto soddisfatti di come lo stanno crescendo. Ma è davvero un buon risultato?

Il «figlio perfetto», che si comporta sempre e solo come desiderano i genitori, di sicuro non crea problemi, conflitti, tensioni. Ma in molti casi li sta probabilmente covando dentro di sé. Il bambino troppo docile, sottomesso, che non dice mai di «no», non fa i capricci, non cerca di imporre la propria volontà, è spesso un bambino che ha rinunciato alle proprie aspettative per compiacere quelle degli altri: ha rinunciato a esprimere se stesso, la propria volontà, per paura di dispiacere ai genitori. Di non essere più amato e accettato da loro.

Invece di «lottare», come fanno tutti i bambini per cercare di costruire la propria identità, di essere se stesso, anche a prezzo di conflitti e di scontri, si tira indietro, come se fosse una battaglia inutile, già persa in partenza. Rischia così di costruire un «falso sé» modellato non più sui suoi desideri, ma su quelli degli adulti.

È l'eccesso d'autorità dei genitori che induce il bambino a questa dolorosa rinuncia, e gli impedisce di «essere se stesso»?

Al contrario di quanto si pensa il bambino troppo docile, sottomesso, rinunciatario, non è necessariamente figlio di genitori autoritari, punitivi o violenti. Spesso ha invece genitori all'apparenza molto «permissivi», che nutrono però aspettative altissime nei suoi confronti. E che paradossalmente, anche senza intervenire con punizioni e castighi, gli trasmettono un senso del dovere molto forte. Proprio perché non impongono quasi nulla in modo chiaro e diretto, lasciano al bambino il compito di elaborare da solo, dentro di sé, regole, divieti, punizioni. E il piccolo lo fa seguendo l'unica logica che possiede: quella infantile, del tutto o niente, del bianco o nero, senza mezze misure.

Un senso esagerato del dovere rende allora il bambino troppo intransigente con se stesso, attanagliato da un terribile senso di colpa, ogni volta che non si sente all'altezza dell'«ideale» dei genitori. Certo non lo rimproverano, non lo puniscono. Ma gli basta poco per capire quanto li ha delusi: dal loro modo di guardarlo, di parlargli, di trattarlo. O semplicemente dal loro silenzio carico di disapprovazione, che per il bambino ha un solo significato: «Non ti vogliamo più bene». Ed è così che diventa «bravissimo»: al punto da rinunciare a essere se stesso, pur di non deludere i genitori. E di evitare in questo modo una minaccia intollerabile: la perdita della loro stima e del loro affetto.

L'autorità in famiglia

«Stasera lo dico a papà!»: sembra una minaccia un po' in disuso, oggi, questo rinvio a giudizio del bambino all'autorità paterna, quando si comporta male. Oppure le mamme lo dicono ancora? Ed è giusto affidare al padre il ruolo di «giudice supremo», in famiglia?

La tendenza a rinviare al padre, come «autorità suprema», la gestione della disciplina e delle punizioni non appartiene solo al passato. Ancora oggi sono molte le mamme che dicono: «Stasera lo dirò a tuo padre», sommando in alcuni casi alla punizione immediata la minaccia di un secondo castigo, di stampo paterno. Ma è un atteggiamento da evitare: per il bambino, il «rinvio a giudizio» è molto più minaccioso e angosciante di un regolamento dei conti immediato, di cui la madre si assume la responsabilità. Non solo, ma se il padre, appena torna a casa la sera, si trova a dover affrontare una situazione di conflitto, rischia di dare «a freddo» una punizione esagerata. O al contrario di sbrigarsela in fretta, per «essere lasciato in pace».

Di solito è la mamma la persona a più stretto contatto coi bambini, nel bene e nel male. Ed è lei la più coinvolta nei problemi di disciplina. Ma chi detiene l'autorità, in famiglia? Qual è il ruolo del padre e quello della madre nell'educazione dei figli?

È giusto che il compito dell'educazione sia condiviso da entrambi i genitori. E che ciascuno dei due, quando si trova ad affrontare un problema di disubbidienza e di disciplina, lo risolva da solo, senza appellarsi minacciosamente all'autorità dell'altro. Il bambino sente così che il centro dell'autorità risiede nella coppia, e non solo nella madre o nel padre. E questo lo indurrà a comportarsi bene con entrambi.

Naturalmente è importante che ci sia accordo tra i genitori, non solo per quanto riguarda i castighi e le punizioni da adottare, ma, più in generale, sui valori morali da trasmettere al bambino. Si può insegnargli che cosa è bene e che cosa è male, anche quando non è direttamente implicato, parlando di avvenimenti che accadono all'esterno della famiglia.

Le occasioni non mancano: se vostro figlio, tornando a casa dall'asilo, vi racconta che Mario ha rotto il giocattolo di Elena, che Sandrina ha rubacchiato tre pennarelli, che Alessandro ha picchiato un compagno, potrete affrontare questi problemi con molta più calma e obiettività di quanto non succeda quando il protagonista di fatti spiacevoli è vostro figlio.

È un buon stratagemma per parlare con lui di problemi morali evitando le discussioni astratte, che non lo interessano. E utilizzando invece esempi concreti, che appartengono alla sua vita quotidiana, senza dover coinvolgere ogni volta il bambino e il suo ego ancora fragile in un confronto troppo diretto, ravvicinato, come avviene quando è lui l'«imputato».

L'indulgenza dei nonni

«Noi facciamo di tutto per educare bene nostro figlio. Ma poi arrivano "loro", e lo viziano...», si lamentano molti genitori. La proverbiale indulgenza dei nonni mette davvero in pericolo l'educazione dei figli?

È naturale che i nonni siano spesso più indulgenti dei genitori con i nipotini. Ora che sono più anziani, hanno meno responsabilità di quando avevano il ruolo di padre e di madre. E si sentono più vicini al bambino. Capita addirittura che i genitori si stupiscano nel vedere «come sono cambiati», al punto da comportarsi in modo diametralmente opposto rispetto ai tempi della loro infanzia.

Ma questa indulgenza non è affatto negativa, purché non si creino veri e propri conflitti educativi fra nonni e genitori: ad esempio, quando c'è una «invasione di campo» da parte della nonna che pretende di fare «da mamma». Oppure quando i nonni assumono il ruolo di «genitori buoni», in contrasto con i «genitori cattivi», che non capiscono le ragioni del bambino, lo rimproverano e lo puniscono.

È giusto invece che i nonni facciano i nonni. Vicino ai nipotini possono ritrovare così l'oasi felice dell'infanzia, e ritornare un po' bambini insieme a loro. E se a volte sono «troppo» indulgenti, che male c'è? Sono tempi, questi, in cui ci si aspetta molto, dai bambini, a volte troppo: vengono stimolati a «crescere in fretta», a comportarsi da piccoli adulti, ad assumersi responsabilità più grandi di loro già a quattro, cinque anni.

A differenza dei genitori, i nonni non hanno tutte queste aspettative: e con loro i bambini possono sentirsi finalmente bambini. Sanno di avere un legame privilegiato, di poter contare su una forma «speciale» di amicizia, fatta di comprensione e complicità: i nonni sono sempre e comunque dalla loro parte.

La loro funzione non è di educare il bambino. Ma di tramandare la loro storia, dandogli così il senso delle sue radici e della continuità della vita. E lo fanno con leggerezza, quando, fra un gioco e una coccola, ripescano nella loro memoria i ricordi più lontani. Episodio dopo episodio, dai racconti dei nonni il bambino raccoglie un'eredità preziosa: una «storia di famiglia» dalla trama senza fine, che si snoda nel tempo e che spetta a lui continuare.

Anche per questo, e non solo per la sua indulgenza, la figura del nonno è molto importante per il bambino: un'immagine spesso mitica, che gli rimarrà impressa nella memoria fra i suoi ricordi più felici.

XVI
La grande svolta dei tre anni

ninna-nanna da grande ti sposo
dice il bambino alla sua mamma
ti comprerò un bel tesoro
ti metterò in una casa d'oro

Verso i tre anni inizia la storia del primo grande amore infantile. Un amore «impossibile», che nelle sue infinite varianti ripropone sempre lo stesso triangolo familiare: il bambino e i suoi genitori. Lui, lei e l'altro, per il maschietto che si innamora della mamma. E vede nel papà il grande rivale, da spodestare. Ma anche il modello maschile da imitare, l'eroe da ammirare e al quale somigliare, per essere a sua volta uomo e poter competere con lui: la posta in gioco è la conquista della madre, la prima donna della sua vita, in cui è racchiuso l'intero universo femminile.

Fa tenerezza, vedere come la corteggia, le fa i regalini più impensati, si mostra affettuoso, protettivo nei suoi confronti. E non nasconde la sua gelosia: cerca sempre di intromettersi fra lei e il papà, quando sembrano escluderlo. Ed esulta di gioia ogni volta che riesce a prendere il posto del suo rivale. Basta che il papà si assenti per qualche giorno, e lui siede al suo posto a tavola. E cerca di intrufolarsi nel lettone, alla sera, con mille scuse per stare vicino alla mamma. «Non tornerà più, vero?» le chiede, ed è deluso quando gli viene annunciato il suo ritorno. Ma non rinuncia ai suoi progetti: «Quando sarò grande ti sposerò» dichiara alla mamma. Che non può fare a meno di sorridere di fronte a queste assurde fantasie.

E la bambina? Anche lei vive il suo grande amore «impossibile»: per il papà, naturalmente, il primo uomo della sua vita. Non c'è nessuno come lui, al mondo: è il più bello, il più grande, il più forte, il più intelligente... «Il mio papà!» dice. E solo a evocare il suo nome è come se un nuovo mondo le si aprisse davanti: il mondo del padre, così diverso da quello materno, in cui è stata immersa finora. Ed è proprio questa diversità che la affascina, le riempie il cuore di nuovi sentimenti, stimola la sua fantasia con nuovi sogni, nuovi desideri. Inventa così buffe strategie di conquista, piccoli giochi di seduzione per catturare tutto il suo interesse. E tutto il suo amore. Ma qui le cose si complicano perché è la mamma, la persona che più ha amato finora, che si trasforma improvvisamente in rivale: un bel rebus da risolvere, per la bambina, che oscilla fra scoppi di aggressività senza ragione e a richieste di affetto, di complicità, di rassicurazione...

Maschio e femmina vivono così due storie d'amore parallele ma diverse, così come è diverso il loro destino: diventare uomo per l'uno, diventare donna per l'altra. «Ognuno di noi è stato da bambino, nella sua fantasia, un piccolo Edipo», osserva Freud, che di questa fase dello sviluppo infantile ha fatto la chiave di volta della psicoanalisi. «La storia dell'antico eroe della mitologia greca, che uccide il padre Laio e sposa la madre Giocasta, rappresenta l'appagamento di un desiderio della nostra infanzia.» Un desiderio inconsapevole, vissuto come lo può fare un bambino, sul piano del gioco e della fantasia. Che dilaga però come un fiume in piena con tutta l'irruenza e l'intensità dei primi sentimenti: amore e odio, gelosia e rivalità, ammirazione e paura, sensi di colpa e fantasie di terribili punizioni...

Questo primo grande conflitto, detto appunto «edipico», è un enigma che il bambino è chiamato a risolvere con l'aiuto dei genitori: è qui che si confronta per la prima volta con la «legge del padre», il divieto all'incesto. È qui che si struttura la sua identità sessuale e la sua personalità. Ed è sempre qui che inizia la sua «educazione sentimentale». Seguiamolo passo passo in questo percorso, che tutti abbiamo vissuto e poi dimenticato. Ma di cui possiamo ritrovare infinite tracce nella realtà della nostra vita come nei nostri sogni.

La differenza sessuale

Il primo segnale della grande svolta dei tre anni è la scoperta di quella «piccola differenza» che c'è fra maschi e femmine. E le diverse reazioni che suscita: «Perché lui sì e io no?» chiede la bambina, un po' perplessa, delusa, mentre il maschietto è fiero di avere invece «qualcosa in più». Eppure anche prima la nudità non era un mistero, per i bambini. Perché solo ora sembrano accorgersi della «differenza sessuale»?

Non c'è parte del corpo alla quale non corrisponda un'immagine interiore, psichica. E queste immagini di sé il bambino le costruisce a poco a poco, esplorando progressivamente le diverse zone del proprio corpo sospinto in questo percorso dal suo impulso più vitale, propulsivo: la ricerca del piacere. Esiste infatti nel bambino, fin dalla nascita, una sessualità ancora indifferenziata che si esprime attraverso forme diverse di erotismo. Dalla zona orale, durante l'allattamento, la ricerca del piacere si sposta poi a quella anale, nella fase dell'«educazione sfinterica», finché a tre anni si concentra sui genitali.

Naturalmente il percorso che il bambino, maschio o femmina, segue in questa progressiva esplorazione del suo corpo non è casuale. Ma è determinato dalla sua maturazione, fisica e psicologica insieme. Certo anche prima gli era capitato di confrontare la sua nudità con altri bambini. E a volte anche di scorgere di sfuggita i genitori nudi. Ma la vista dei genitali non gli provocava alcuna emozione. Né suscitava interesse o curiosità. Ora invece la nudità, che prima non era un mistero, comincia a rappresentare un enigma da risolvere: perché maschio e femmina sono diversi?

Quello che lo interessa, naturalmente, non è la diversità biologica, anatomica, come principio generale. Ma la *sua* diversità, che mette in rapporto con quella dei genitori. Il maschietto sente di essere come il papà, e la bambina come la mamma. E ciascuno desidera avere un amore esclusivo col genitore di sesso opposto, simile a quello – ancora tutto da scoprire – che hanno il papà e la mamma fra loro. E che lo esclude.

A quali nuovi impulsi, nuovi sentimenti si accompagna la scoperta della differenza sessuale per il maschietto?

Già prima di essere consapevole di questa differenza, il bambino è stato un piccolo esibizionista. A due anni era tutto orgoglioso di mostrare alla mamma e al papà i suoi organi genitali: e di solito il suo orgoglio veniva affettuosamente sostenuto dai genitori, che stavano al gioco e non gli lesinavano elogi più o meno scherzosi, ma conniventi. Si è quindi sentito valorizzato, per questa sua «dote». E ha cominciato a considerare il suo piccolo pene come una proiezione narcisistica di sé: il simbolo stesso della sua identità e del suo valore.

Con la scoperta della differenza sessuale, l'orgoglio si carica di un senso di trionfo: «Io sì, e lei no», un «no» che spesso si trasforma in disprezzo per le bambine. La constatazione che non tutti gli esseri umani sono muniti di pene aumenta il valore di una dote che ora gli appare anche come un privilegio: «qualcosa in più», appunto, che appartiene solo al genere maschile. E di cui il genere femminile è invece privo, salvo le femmine che più rispetta. Capita infatti che il maschietto si ostini a sostenere, contro ogni evidenza, che la mamma e le sorelle maggiori siano dotate, come lui, di un fallo.

Si tratta di un'illusione destinata a sostenere il valore delle figure più importanti per la sua vita affettiva, ma anche a tranquillizzarlo. Questa «mancanza» appare infatti agli occhi del maschietto come il risultato di un terribile castigo, di una punizione che potrebbe essere inflitta anche a lui, come lo si è minacciato per scherzo, magari quando si «toccava» con troppa insistenza. Nasce così quella paura antica, sempre presente nell'inconscio maschile che Freud chiama «angoscia di castrazione».

Come interviene l'angoscia di castrazione nelle fantasie erotiche e aggressive verso i genitori?

Verso i tre anni i maschietti desiderano amare la madre e prendere, al suo fianco, il posto del padre. Di qui quelle frasi così buffe, ma anche tenere, struggenti che dicono i maschietti a questa età: «Mamma, quando sarò grande ti sposerò», «Vengo io a letto con te, adesso che il papà è via», «Vieni, ti porto io in macchina...» e magari si tratta solo di una sedia rovesciata, sulla quale il bambino si mette tutto fiero al volante...

Inizia così, in modo lieve, giocoso, il conflitto edipico: una relazione a tre in cui l'amore esclusivo per la madre si scontra inevitabilmente con la rivalità verso il padre. Una figura che il bambino continua ad amare e ad ammirare, di cui cerca continuamente l'approvazione. Ma verso la quale non può evitare di provare a volte sentimenti di odio, di ostilità, di gelosia, che ingigantiscono nella sua fantasia insieme ai sensi di colpa e alla paura del castigo.

L'angoscia di castrazione rappresenta l'apice di questo movimentato conflitto: un castigo immaginario per una colpa altrettanto immaginaria, secondo la legge del taglione, primitiva e crudele, che domina l'inconscio.

E la bambina? Che riflessi ha su di lei la scoperta della differenza anatomica tra i sessi? Si sente davvero privata di qualcosa di importante, rispetto ai maschi?

Fino ai tre anni la bambina non si sente affatto sminuita dall'assenza di un organo genitale visibile, come il maschietto. E se le capita a volte di notarne la mancanza, si consola facilmente, fantasticando che prima o poi anche lei avrà qualcosa di simile. Ora invece sa che le sue fantasie non si avvereranno mai: la differenza sessuale sancisce per sempre una realtà non più modificabile. Ed è a questo punto che chiede conto alla mamma di questa «menomazione»: «Perché lui sì e io no?».

Certo, si può cercare di spiegarle che non le manca proprio niente. Che è fatta così proprio perché è una bambina, che in futuro sarà una donna, come la mamma. E come tutte le donne anche lei ha organi genitali nascosti, interni, che non si vedono. Ma che sono altrettanto importanti di quelli maschili. Non solo, ma hanno una potenzialità in più: questi organi invisibili possono generare un bambino. La piccola ascolta, con grande attenzione, affascinata da questo misterioso sesso femminile così nascosto e così «potente», capace di fare i bambini.

Ma ha solo tre anni. E a questa età è importante soprattutto ciò che può essere visto, toccato, esibito... Se qualcosa sfugge alla percezione concreta dei sensi, come avere la certezza che esista veramente? Un dubbio che trova conferma negli infiniti messaggi del mondo circostante: viviamo in una «società delle immagini», in cui sembra aver valore solo ciò che si vede, che appare. Mentre ciò che non si vede, è come se non esistesse...

Se sul piano razionale la bambina è disposta a credere alla mamma, e a essere orgogliosa della differenza sessuale che le accomuna, le rende simili, sul piano delle emozioni più profonde rimane dentro di lei un senso di delusione per «questo sesso che non è un sesso». La vera «mancanza» è quella di una rassicurazione fisica, corporea della sua identità sessuale, come se la femminilità fosse qualcosa di vago, indefinibile, tutta da dimostrare in assenza di una prova concreta, visibile e certa, come quella di cui dispone il bambino. Di qui il primitivo sentimento di invidia per la sessualità maschile, così «rassicurante» nella sua corposa realtà fisica.

Invidia e senso di inferiorità

Si pensava che la classica «invidia del pene» attribuita da Freud prima alla bambina e poi alla donna, fosse ormai un retaggio del passato, un reperto archeologico del tutto scomparso con l'emancipazione femminile. L'atteggiamento più consapevole delle mamme riguardo al valore della sessualità femminile e della sua «differenza» non basta dunque a rassicurare la bambina?

Nella fase più avanzata dell'emancipazione femminile, negli anni settanta, si è creduto che la nuova coscienza acquisita dalla donna riguardo al valore del proprio sesso potesse essere facilmente tramandata di madre in figlia a cominciare dal momento in cui la bambina scopre la sua diversità. Tuttavia, nella mia esperienza, ho potuto constatare che questa trasmissione di nuovi valori non è così semplice, immediata. Richiede una elaborazione interiore che a tre anni una bambina non è ancora in grado di fare, neppure con l'aiuto di una mamma «emancipata».

Di fatto, ancora oggi, le osservazioni di Freud sulle reazioni infantili alla scoperta della differenza sessuale continuano a essere profondamente vere. Nel maschietto l'angoscia di castrazione continua a emergere nelle piccole fobie, paure apparentemente immotivate che evocano il pericolo di una menomazione fisica, una amputazione. E che si ritrovano anche in molti incubi notturni, così frequenti a questa età.

Nella bambina invece il sentimento di invidia fa capolino in molti comportamenti di rivalsa, rispetto alla presunta «inferiorità» originaria: ed ecco che vuole fare la pipì in piedi, come fanno i maschietti, rifiuta di indossare il vestitino o di calzare le scarpette col fiocco, si cimenta in giochi solitamente «maschili», che prima non la interessavano, come il calcio, la fionda, la pistola ad acqua, i trenini, i missili... E in alcuni casi non perde occasione per dimostrare di essere «più forte» o «più intelligente» dei maschietti.

Questo desiderio di «rivalsa maschile» è sempre presente nella bambina?

Di solito è una fase passeggera: spesso gli atteggiamenti di competizione con i maschi si alternano ad altri in cui la bambina tende invece ad accentuare la propria femminilità, nei suoi primi giochi di seduzione nei confronti del papà e di rivalità con la mamma, provando così diversi ruoli, ora quello maschile e ora quello femminile. Ma ci sono anche molte bambine che continuano a «fare il maschiaccio» fino alla pubertà: per poi trasformarsi improvvisamente in adolescenti estremamente femminili e seduttive.

Altre invece mantengono anche da adulte un inestinguibile bisogno di rivalsa che continua a determinare molte scelte e comportamenti della loro vita: è il caso delle «donne virili», spesso dotate di coraggio, intelligenza, dinamismo. Ma per quanto facciano, non riescono quasi mai a essere davvero contente di sé: continuano a mettersi alla prova, inseguendo un irraggiungibile ideale maschile.

Esiste quindi, oggi come ieri, una originaria «invidia del pene» che certamente è in gran parte indotta dalla nostra cultura: in una società che valorizza soprattutto l'uomo e le doti «maschili», è ovvio che la bambina si senta svantaggiata, nel prendere coscienza della sua femminilità. L'importante è che superi questo senso di inferiorità biologica e sociale e impari a essere orgogliosa del proprio sesso, senza disperdere le sue risorse più vitali in una continua e sterile competizione col maschio.

Come aiutare la bambina a superare l'iniziale senso di inferiorità, di «svantaggio», rispetto al maschio?

Di solito i discorsi, le parole, non bastano. Certo è giusto che la mamma risponda alle domande della bambina valorizzando la sua femminilità e le sue potenzialità materne del suo corpo, capace di contenere e di dare la vita. E di conservarla poi attraverso il nutrimento. Ma non può limitarsi ad una piccola lezione sulla biologia femminile.

Per colmare il senso di privazione che la bambina sente pesare su di sé, come un danno, una ferita ricevuta in eredità dalla madre, è importante trasmetterle non solo con le parole ma soprattutto coi comportamenti, il nostro modo di essere, l'orgoglio che proviamo per il sesso al quale apparteniamo.

Nella mente della bambina si formerà così l'idea di un corpo femminile che non è solo ricettivo, passivo, come un prezioso contenitore. Ma che può essere attivo, ricco di potenzialità e di risorse, secondo l'immagine che la madre le trasmette col suo modo di essere donna e di vivere la propria femminilità.

Valorizzando le potenzialità procreative della bambina non c'è forse il rischio di riproporle la figura tradizionale della donna che si realizza solo nella maternità?

Appartenere al genere femminile non significa soltanto essere capaci di dare e preservare la vita dei corpi, ma anche essere in grado di produrre idee, progetti, legami sociali contraddistinti da uno stile diverso rispetto a quello maschile. Poiché mai, come in questi anni, gli uomini hanno chiesto aiuto alle donne per salvare un mondo travolto dalla violenza, dall'ingiustizia, dall'incuria, l'educazione delle bambine assume un significato nuovo e determinante.

Il bambino non prova alcun sentimento di inferiorità e di invidia?

Anche il maschietto non sfugge a questi sentimenti, quando scopre che il corpo femminile, pur così disprezzato, ha una potenzialità che a lui manca: la capacità di «fare bambini». E questa mancanza rappresenta una ferita al suo narcisismo, al suo desiderio di onnipotenza: solo poco tempo prima, anche lui, come la bambina, ha fantasticato di poter fare un figlio tutto da sé, di generarlo dal proprio corpo, così come produceva le sue «uova d'oro», le feci.

Ora, con l'inizio della «fase fallica» che ruota attorno alla scoperta del proprio sesso e delle sue funzioni, è costretto ad abbandonare per sempre queste fantasie e a riconoscere che il corpo femminile ha capacità di mettere al mondo e di nutrire il nuovo nato che a lui saranno precluse. L'invidia nei due sessi è quindi reciproca. Se il maschietto la esprime in modo meno esplicito, palese, è anche perché sa che, nonostante le sue mancanze, il suo sesso ha un valore «sociale» più forte di quello femminile: come gli confermano continuamente i messaggi che riceve dal mondo circostante.

A questa età il maschietto non si limita più a esibire trionfalmente i suoi organi genitali. Ma, spinto dalla sua curiosità, cerca il confronto non solo con altri bambini, ma con gli adulti: a cominciare dal padre. E qui il suo trionfalismo comincia a vacillare... Come comportarsi con lui?

Le dimensioni dei genitali diventano presto oggetto di ansie e timori per i bambini, già da piccoli quando, osservandosi l'un l'altro, cominciano a notare che qualcuno è più «dotato». Nasce così la paura di una presunta inadeguatezza, che spesso non scompare del tutto nemmeno da adulti. Ma il senso di inferiorità più schiacciante e penoso, è quello che il bambino prova nel confronto col padre: scopre così che il suo sesso, al quale attribuisce tanto valore, non è nulla, rispetto a quello adulto, del suo grande rivale. E proprio ora, nel pieno della sfida che ha ingaggiato con lui, si sente come un pigmeo di fronte a un gigante.

Di solito il pudore fa da barriera a questi confronti: nella maggior parte dei casi infatti i genitori evitano di esibirsi nudi di fronte ai figli. Più difficile invece è mettere una barriera alla curiosità infantile: è lo stesso bambino a sollecitare il confronto, cogliendo al volo l'occasione di vedere il padre nudo, seguendolo in bagno e così via.

Quando succede, bisogna assolutamente evitare di prenderlo in giro, mortificarlo, umiliarlo, magari vantandosi della propria «superiorità» in modo un po' esibizionistico, infantile. Anche se lo si fa per superare il proprio imbarazzo e «stare al gioco», il bambino ne riceve una ferita difficile da rimarginare. Certo non sempre è facile prenderlo sul serio, in questa sua voglia di confronto. Ma non bisogna dimenticare che per lui non è uno scherzo: è in gioco la sua identità sessuale, e la fiducia in se stesso, nella sua virilità. E proprio perché il confronto è impari, l'umiliazione, sia pure scherzosa, non farebbe che acuire il suo senso di inferiorità.

Il bambino ha bisogno invece di essere preso sul serio. E rassicurato: «Non preoccuparti, è piccolo perché tu sei ancora piccolo: anch'io, da bambino ero come te. Ma non temere: quando sarai grande anche tu sarai come me!». È inevitabile che il bambino esca perdente da questo confronto, come da molte altre sfide che ingaggia col padre durante la sua crescita. Ma è importante che sappia che non è mai una sconfitta definitiva. Si tratta solo di aspettare, di rinviare a dopo, quando sarà grande, la possibilità di essere come il padre. Solo allora potrà assumere davvero il suo stesso ruolo, senza più doversi confrontare con lui. E potrà farlo senza portare dentro di sé il peso di un'antica sconfitta.

Il legame segreto tra i genitori

La curiosità sessuale del bambino è sempre imbarazzante per i genitori. Gira e rigira, quel che vuole sapere è soprattutto una cosa: qual è il legame segreto che unisce i genitori e che lo esclude. Perché questo bisogno di sapere?

Per quanto si cerchi di rispondere nel modo più esauriente alle sue domande, le nostre risposte non soddisfano mai del tutto la curiosità sessuale del bambino. Spesso si risponde in modo generico, astratto, oppure puramente biologico, prendendo ad esempio gli animali, le piante, i fiori... Ma queste informazioni non lo convincono sino in fondo. Anche se pone domande apparentemente generiche – «Come nascono i bambini?» –, in realtà quello che vuole sapere è il segreto della sua nascita, delle sue origini, che sente indissolubilmente legato ad un altro segreto: il misterioso legame che unisce i genitori.

È il momento in cui il bambino, per la prima volta, affronta di petto il problema della sua identità. E si chiede: «Chi sono io?». Per saperlo, ha bisogno di scoprire non solo come è nato, ma di poter pensare a se stesso come figlio di quel padre e di quella madre, che lo hanno generato attraverso il loro legame d'amore. Per dare un significato a se stesso e alla propria vita ha bisogno insomma di sapere qual è il suo posto nella famiglia, rispetto alla coppia dei genitori e al triangolo che forma con loro.

Quando il bambino si innamora del padre o della madre, lo fa senza sapere qual è il suo ruolo, in famiglia: proprio come Edipo che uccide il padre e sposa la madre senza sapere di essere figlio di entrambi, finché la sua storia gli rivela l'enigma. Si tratta di un enigma troppo complesso, perché possa essere risolto così, dall'oggi al domani, con qualche domanda e qualche risposta. Il bambino deve attraversare il terreno accidentato del conflitto edipico: solo quando lo avrà superato, si riconoscerà figlio dei propri genitori, non soltanto sul piano cognitivo, ma affettivo e sessuale. Allora rinuncerà alla conquista dell'amore esclusivo del padre o della madre, in attesa di diventare a sua volta adulto, e di vivere la propria vita amorosa e sessuale fuori dalla famiglia.

Le indagini del bambino sui «fatti della vita», e sulla relazione segreta che intercorre tra i genitori, non si limitano alle «domande difficili». Come un piccolo detective è sempre a caccia di indizi. E spesso non si arresta neppure di fronte alla porta chiusa della loro stanza. Ma che idea ha il bambino del sesso? Quali sono le sue fantasie?

In molti casi la coppia coniugale tende a mostrarsi al bambino come asessuata: un uomo e una donna molto affiatati fra loro, legati da un profondo affetto, che si prendono cura di lui, lo aiutano a crescere, gli vogliono bene. Anche quando il bambino comincia a manifestare la sua curiosità sessuale, spesso sono convinti che in fondo le sue domande facciano parte degli infiniti «perché» che il piccolo pone a questa età: da «Perché l'acqua corre?», a «Come fa ad accendersi la lampadina?» via via fino a «Dove finisce il cielo?»... «È ancora così piccolo» pensano. «Come fa a capire qualcosa del sesso, dei suoi impulsi?»

In realtà il bambino intuisce molto precocemente che fra il padre e la madre intercorrono scambi amorosi ben diversi da quelli che può cogliere fra loro durante il giorno. Questa «intuizione» della sessualità genitale è comune non solo a tutti i bambini, ma più in generale a tutti i mammiferi. Un comportamento così importante, come quello procreativo, non può essere lasciato al caso. Ma è preparato dalla immagine inconscia di rapporto sessuale che ciascuno porta inscritta nella mente sin dalla nascita. Si tratta di una fantasia ereditaria che la psicoanalisi chiama «scena primaria» perché viene prima di qualsiasi esperienza. A questa immagine interiore, ancora indecifrabile, confusa, si aggiungono poi le «informazioni» che il bambino riceve dagli stessi genitori, spesso a loro insaputa.

Curioso com'è, è pronto a cogliere ogni messaggio che riesce a captare, al di là della porta chiusa della loro camera da letto: rumori, sospiri, sussurri, movimenti segreti... Raccoglie così una serie di indizi che confermano l'esistenza di un rapporto intimo fra i genitori, che gli viene tenuto nascosto. Tutto questo eccita ancora di più la sua curiosità, e accentua la sua naturale propensione a indagare, a cercare di scoprire che cosa avviene di così misterioso tra la mamma e il papà.

Le sue prime domande «difficili» non sono quindi casuali, non nascono dal nulla. Al contrario: quando il bambino comincia ad interrogare i familiari è perché ha già elaborato dentro di sé le sue prime «teorie sessuali», più o meno fantasiose, che di solito non riguardano i genitali, ma altre zone del corpo, quella orale e quella anale, più legate ai piaceri che ha già sperimentato. Dai genitori in fondo cerca una conferma alla soluzione dell'enigma che crede di aver in parte già risolto da solo: non solo come è nato, ma che cosa hanno fatto il papà e la mamma per farlo nascere.

Quando la «scena primaria» diviene realtà

A volte succede che il bambino assista realmente al rapporto sessuale fra i genitori. Come reagisce? E fino a che punto può essere un'esperienza traumatica?

Anche se ciascuno possiede, ancora prima di ogni esperienza, un'immagine interiore della sessualità adulta, si tratta di un'immagine difficile da accettare, da trasformare in pensiero cosciente. Da un lato il bambino si sente irresistibilmente attratto da questo segreto. Dall'altro ne ha paura. Avverte che c'è qualcosa di terribile, di «impensabile», in quello che succede dietro quella porta che i genitori gli impediscono di varcare. E cerca di negare l'idea stessa di un vero atto sessuale fra loro, a costo di respingere le sue stesse sensazioni: di non vedere, di non udire, di non parlare, come le tre scimmiette cinesi. Tuttavia qualche volta accade che si trovi nella situazione di inopportuno testimone.

Per quanto gli rimangano oscure le dinamiche precise dell'atto sessuale, il bambino ne riceve quasi sempre un'impressione di violenza. E reagisce costruendo attorno a questa «scena» nuove fantasie, quasi sempre cariche di emozioni altrettanto violente. C'è chi immagina che il papà picchi la mamma, oppure la voglia schiacciare, soffocare... E chi fantastica addirittura che «butti delle pietre dentro di lei», come ha detto un bambino.

Indipendentemente dal suo sesso, il piccolo si identifica ora col padre e ora con la madre in un'alternanza di ruoli in cui si sente di volta in volta aggressore e vittima. La visione della sessualità adulta che ne deriva porta quindi una forte impronta sadica o masochistica. Si tratta comunque di un trauma che il bambino, da solo, non è in grado di elaborare: per ricomporre nella sua mente e nel suo cuore l'immagine dei genitori, che improvvisamente gli appare estranea, come se non fossero più il padre e la madre che ha imparato a conoscere e ad amare, ora più che mai ha bisogno del loro sostegno.

Come aiutare un bambino a superare questo sconvolgente impatto con la sessualità adulta?

Ci sono genitori che preferiscono far finta di niente, bloccati a loro volta dall'imbarazzo e dall'incapacità di trovare parole che rassicurino il figlio, e gli restituiscano una visione più naturale, meno traumatica del loro rapporto sessuale. E non è strano. Allo stesso modo in cui è difficile, per un padre o una madre, pensare alla sessualità del bambino e accettarla, è difficile anche presentargli la propria sessualità come qualcosa di pensabile, di accettabile. Attorno al sesso, in famiglia, c'è sempre una barriera creata dal divieto di incesto, che si teme di infrangere anche attraverso le parole.

L'argomento è così scottante, che spesso si preferisce il silenzio: come se, non parlandone, si potesse cancellare l'esperienza. Ed è vero che anche questo trauma, come tutti gli eventi più significativi vissuti dal bambino nella fase edipica, di solito viene cancellato dalla memoria. Ma non viene cancellato dall'inconscio, dove i ricordi più traumatici continuano ad agire, influendo spesso, senza che ce ne accorgiamo, sulla nostra vita emotiva e sessuale.

Meglio quindi farsi coraggio. E parlare, senza lasciare al bambino il difficile compito di elaborare in silenzio dentro di sé l'evento al quale ha assistito. La cosa più importante è essere consapevoli dell'impressione di violenza che ne ha ricevuto, cercando di minimizzare le componenti aggressive, che pure esistono nella sessualità. Si può spiegargli che anche questo fa parte dell'amore fra adulti, che è una delle sue tante espressioni: che si tratta di un gioco, in cui trovano spazio tutti gli impulsi più vitali, e quindi anche l'aggressività. Ma che questo non ha nulla a che fare con la volontà di farsi male. Al contrario, la mamma e il papà si vogliono bene. Ed è questo che li spinge ad abbracciarsi e ad amarsi in un modo adulto, provando un piacere reciproco che il bambino non è ancora in grado di comprendere. Ma che capirà, quando anche lui diventerà grande, come i suoi genitori.

Il triangolo familiare

Come reagire, quando i bambini cominciano a comportarsi da piccoli innamorati e a manifestare in modo più o meno esplicito il loro amore per uno dei genitori?

La cosa migliore è stare al gioco, ma in modo lieve, scherzoso, senza mai dare al bambino l'impressione che le sue fantasie possano trasformarsi in realtà. Se il papà dice: «Ecco la mia fidanzatina!», o la mamma si vanta di fronte al figlio parlando con altri del suo corteggiamento – «È come un innamorato geloso: non vorrebbe lasciarmi mai!», «Quando il papà è via, vuole sempre venire a letto con me: e guai, quando torna!», – i genitori non fanno che confermare le fantasie dei figli, dando così una dimensione più reale ai loro desideri. E questo è estremamente negativo per il bambino: soprattutto quando la conferma dei genitori non si limita alle frasi scherzose, alle parole, ma si riflette anche nei comportamenti.

Succede quando il papà o la mamma si lasciano coinvolgere troppo nel gioco seduttivo del bambino, scivolando dall'atteggiamento tenero, affettuoso a forme di sensualità non più mitigate dalla tenerezza e dal pudore: i due sentimenti che fanno da barriera all'irruzione di componenti sessuali ed erotiche nelle relazioni fra genitori e figli. Se questa barriera si fa sempre più labile, quasi inesistente, anche le fantasie incestuose, inconsciamente condivise dai genitori, irrompono sulla scena familiare in modo non più immaginario, ma reale: a questo punto non è più il bambino che gioca a sedurre il papà o la mamma. Sono gli stessi genitori che «seducono» il figlio, spesso senza saperlo né tanto meno volerlo.

Per evitare questo tipo di «seduzione», non occorre certo essere freddi, distaccati, inibiti in ogni contatto fisico, come succedeva in passato. È giusto invece manifestare il proprio affetto anche con le coccole, i baci, le carezze: purché i rapporti affettuosi coi figli siano sempre caratterizzati dalla tenerezza, un sentimento essenzialmente «casto», depurato dalle componenti erotiche e aggressive, che sollecitano prematuramente la sessualità infantile. Se il bambino insiste eccessivamente nelle sue pretese amorose, gli si potrà dire apertamente: «Non è possibile, per nessuno, sposare i propri genitori. Quando sarai grande anche tu troverai tuo marito (o tua moglie) con i quali metterete al mondo i vostri figli». Si rende così più esplicito il divieto dell'incesto che segretamente regola i rapporti nella famiglia.

Come si riflette sul bambino l'atteggiamento troppo compiacente, a volte «seduttivo», dei genitori?

Se anche i genitori tendono a confondere le fantasie infantili con la realtà, si restringe lo spazio dell'immaginazione e del gioco, il terreno sul quale il bambino cerca di risolvere il suo conflitto edipico. Mentre nel gioco può entrare e uscire a piacimento, mettendo in atto le sue fantasie *come se* fossero vere, la realtà elimina la finzione, il *come se.* Il bambino si trova così ingabbiato in un legame edipico non più solo immaginario, dal quale è più difficile uscire. Non si limita più a fantasticare di essere il partner di uno dei genitori. Sente di esserlo davvero come sembrano fargli credere il papà o la mamma con le loro parole e i loro comportamenti.

Si crea così un rapporto ambiguo, in cui il divieto dell'incesto diventa una barriera sempre più labile, fluttuante, incerta. Anche senza degenerare in veri e propri abusi sessuali, come può avvenire in alcuni tragici casi-limite, questa labilità rischia comunque di produrre un «clima incestuoso» in famiglia, che rappresenta sempre un pericolo per l'equilibrio interiore del bambino. Diventa infatti più difficile per lui affrontare il passaggio successivo della sua crescita: la rinuncia ad avere tutto per sé l'amore del padre o della madre, che coincide con la legge interiore del divieto d'incesto.

È proprio questa «legge» il nucleo fondamentale attorno al quale si organizza la personalità dell'individuo, nel momento in cui si riconosce figlio dei propri genitori e prende le distanze da loro, per assumere la propria identità e il proprio ruolo non solo nella famiglia, ma nel mondo. Se invece il bambino si sottrae a questa legge interiore e continua a illudersi che il suo posto sia a fianco del padre o della madre, rimane prigioniero di questo legame: il rischio è una perdita di identità, che gli renderà più difficile trovare i propri punti di riferimento, al di fuori della famiglia. E vivere poi la sua vita affettiva e sessuale, libero dai condizionamenti del passato.

Il figlio maschio: un piccolo Edipo

Fino ai tre anni, non sembra esserci grande differenza fra maschi e femmine: entrambi hanno lo stesso legame privilegiato con la mamma. E manifestano emozioni e sentimenti simili. Ora invece le loro strade si separano, seguono percorsi affettivi diversi. Ed è naturale che il maschietto si «innamori» della mamma. Ma che cosa significa per un bambino ancora così piccolo questo primo innamoramento?

Quando il maschietto si innamora della mamma non fa che proseguire, in modo abbastanza lineare, una «storia d'amore» che dura da sempre: da quando, appena nato, il suo sguardo si perdeva in quello della madre, mentre lei lo teneva fra le braccia e lo nutriva. Da questa fase iniziale di totale fusione il bambino è passato poi a un legame a due, sempre esclusivo, privilegiato, in cui però non si confondeva più con la mamma, ma ne riconosceva l'individualità, man mano che a sua volta cercava di affermare la propria.

Come in tutti i legami più appassionati, non mancavano le scaramucce, le incomprensioni, gli scatti di rabbia, di aggressività. Ma poi tutto si ricomponeva. E il bambino imparava a poco a poco una cosa molto importante: che è possibile «odiare» la persona più amata al mondo, senza per questo distruggere la relazione d'amore. Come ha potuto constatare infinite volte, questo amore infatti sopravviveva intatto a ogni scontro, nonostante le paure, le angosce, i sensi di colpa per aver provato anche sentimenti di «odio» verso la mamma, la fonte stessa della sua sopravvivenza.

Il suo percorso affettivo quindi non subisce spostamenti, deviazioni, come avviene invece per la bambina: la mamma è stata il suo primo oggetto d'amore. E continua ad esserlo ancora. La vera novità, il vero cambiamento che segna la svolta dei tre anni per il maschietto è l'irruzione della figura paterna nella sua storia d'amore. Ed è importante che il bambino possa confrontarsi con lui, esprimendo i suoi sentimenti sia di ostilità che di ammirazione. Nonostante i conflitti che implica, la rivalità col padre è infatti un «passaggio obbligato» per lo sviluppo dell'identità maschile.

Il padre, modello e rivale

Come vive il bambino la sua sfida col padre? In che modo si mette in gioco con lui?

C'è molta ambivalenza nella rivalità che il bambino prova nei confronti del padre. Da un lato vorrebbe addirittura «eliminarlo»: sogna che scompaia nel nulla, che non torni mai più. Dall'altro ora più che mai sente di aver bisogno di lui, della sua presenza accanto a sé per imparare a essere uomo. Ingaggia così una sfida continua, proponendogli un'infinità di piccole contese: dal braccio di ferro, a chi tira il sasso più lontano, chi corre più forte, chi mangia più in fretta il gelato... E spesso il papà, per non vederlo affranto dalla sconfitta, lo lascia vincere, fingendo di avere meno forza, meno energia e abilità di lui.

Eppure non è questo che il bambino vuole, almeno non sempre. Sembra incapace di perdere, è vero. E soffre, di fronte alla sconfitta. Ma è un tipo di sofferenza che almeno da piccoli si scioglie come neve al sole, senza lasciar traccia. Anche se continua a sfidare il papà, a gareggiare con lui, lo fa soprattutto per mettersi alla prova. In fondo non vuole stravincere: ha bisogno di confrontarsi con una figura di padre forte, capace, potente, che si faccia ammirare. E non di un rivale debole, che soccombe alla prima contesa: altrimenti il suo gioco finisce subito.

Come reagiscono i papà, quando il bambino si comporta con loro come un piccolo rivale?

Sembra strano, ma anche i padri entrano in rivalità col figlio, in questa fase della sua crescita. E spesso riaffiorano in modo inconscio nei loro comportamenti tracce dell'antica sfida infantile che hanno vissuto a loro volta da piccoli col proprio padre. Il ritorno del passato è inevitabile: l'importante è saperlo riconoscere per non esserne travolti. Può succedere allora che, se si sono sentiti schiacciati da una figura paterna troppo autoritaria, o irraggiungibile, ne ripetano i comportamenti, quasi per prendersi ora una rivincita. Oppure che si comportino in modo opposto, per evitare al figlio le stesse umiliazioni subite da piccoli.

Così, se ci sono i papà che lasciano sempre vincere il bambino, per non vederlo deluso, sconfitto, ci sono anche quelli che non solo vincono sempre loro, ma non esitano a prenderlo in giro per la sua inferiorità, la sua inettitudine, la sua debolezza... E a volte sembra quasi che si divertano a umiliarlo. Guai poi se il bambino lascia trapelare i suoi sentimenti e scoppia a piangere: «Sei proprio una femminuccia!» dicono.

Al contrario del papà troppo «debole», che si lascia superare dal bambino, restringe lo spazio del gioco togliendogli il gusto della sfida e rendendola inutile, il papà troppo «forte», con atteggiamenti a volte sadici nei confronti del figlio, la rende impossibile. Se il bambino si sente troppo umiliato dal padre, c'è il rischio che torni a rifugiarsi fra le braccia della mamma, richiudendosi in una relazione a due ed evitando ogni conflitto con la figura paterna, che incombe su di lui come un gigante invincibile. Tenderà così ad assumere un atteggiamento sottomesso, passivo, e diventerà proprio quella personalità debole che il padre ha sempre voluto evitare.

La mamma e il figlio maschio

C'è sempre un legame speciale, fra la mamma e il figlio maschio. Che cosa rende così diverso da ogni altro il loro tipo di amore?

Oltre a essere il primo grande amore della sua vita, la mamma è anche il corpo femminile che lo ha generato. È la prima donna che l'ha tenuto tra le braccia, nutrito, consolato, protetto, rassicurato. Ed è sempre lei che a volte lo ha sgridato, punito, deluso... È il terreno stesso in cui affondano le radici della sua vita e dei suoi primi sentimenti. Attraverso la madre, il suo legame con lei, il bambino ha cominciato a conoscere le due facce dell'amore, la tenerezza e l'aggressività, in un continuo alternarsi di sentimenti contrastanti, che i bambini piccoli vivono con tutta l'appassionata intensità delle prime emozioni. Ed è con questa stessa intensità che si innamora di lei, ora che comincia a sentirsi già «uomo».

Certo fa sorridere vederlo, ancora così piccolo, comportarsi come un vero innamorato. Ma è proprio così che il bambino si innamora della mamma: come un uomo si innamora di una donna. E lo dimostra con i suoi ingenui tentativi di conquista, le sue tenere galanterie, la sua gelosia spropositata, la sua possessività, la sua rivalità...

Ma anche la mamma ha spesso un legame speciale, privilegiato, verso il figlio maschio, già dalla nascita. C'è chi resta un po' delusa, se attendeva una bambina. Ma poi prevale l'orgoglio per aver comunque messo al mondo un figlio. E lo stupore per aver generato un essere così diverso da lei: un maschio, appunto. Avere un figlio maschio, per la donna, significa anche questo: generare l'altra metà di sé, l'uomo che non potrà mai essere.

Ognuna poi dà una sua impronta particolare, a questo legame. Molto dipende dalla sua storia, il suo modo di essere donna e di vivere la maternità. L'importante è che la madre non sia solo madre. Ma che viva la sua vita di donna, di moglie. Evita così il rischio di riversare sul figlio troppo affetto, troppe aspettative. E di trasmettergli un messaggio nascosto, segreto, che gli si imprime nel cuore come un sigillo: «Non amerai altra donna all'infuori di me». Con tutti gli esiti negativi o conflittuali che questo diktat potrà avere da adolescente e da adulto nei rapporti con l'altro sesso...

Se si evita di trasformare il proprio figlio in un «mammone», il fatto che il bambino viva l'amore materno come un «privilegio», che nessuno potrà mai togliergli, può essere invece molto positivo. Come osservava Freud, primogenito e unico figlio maschio fra tante sorelle, «il figlio privilegiato dalla madre avrà sempre la certezza di essere qualcuno. E anche più probabilità di avere successo, di diventare davvero qualcuno».

Edipo al femminile

Come vive la bambina questa fase della sua crescita?

A differenza del maschietto, per lei l'approdo alla fase edipica è più tortuoso. E spesso scatena un tumulto di desideri e di sentimenti ancora più complessi, ambivalenti, sebbene tenda a esprimerli in modo meno eclatante, più sfumato. Anche per lei, la mamma è stato il primo oggetto d'amore, fin dalla nascita. Anche lei si è confusa con il suo corpo, il suo seno, il suo nutrimento. Fra le sue braccia ha conosciuto il piacere delle prime sensazioni, che per il neonato corrispondono ad altrettanti stimoli affettivi. Ha provato sentimenti di ostilità, di rabbia, quando la mamma se ne andava, lasciandola sola, ma anche un'enorme paura di staccarsi da lei, di non vederla tornare mai più per poi ritrovare fra le sue braccia il calore del suo affetto, la rassicurazione del suo sguardo, della sua voce, delle sue parole.

Ora, improvvisamente si trova a un bivio. Ha appena scoperto che la sua femminilità la accomuna alla mamma. Ma sente che per essere «donna» come lei, deve mettersi alla prova, affrontando una grande sfida: la conquista del padre, il primo uomo della sua vita, il simbolo stesso di quella virilità che le manca. E che l'affascina proprio per la sua diversità ancora così segreta, misteriosa, tutta da scoprire.

Ma conoscere il padre, per la bambina, significa amarlo nel modo intenso e totale in cui amano i bambini, senza mezze misure e senza spartizioni. Ed essere amata allo stesso modo. È qui che il gioco di conquista si complica, perché c'è di mezzo l'«altra», la mamma: una figura certo non secondaria, che in questo nuovo, complicato intreccio di sentimenti improvvisamente si trasforma in una rivale, una sovrana difficile da spodestare, per usurparne il posto nel cuore del papà. Come conquistare il padre senza tradire il suo primo legame d'amore con lei? Prima ancora della rivalità, è questo «tradimento» il vero conflitto che si trova ad affrontare la bambina, per affermare la propria femminilità.

Che cosa spinge la bambina a «tradire» la mamma, e a riversare il suo amore sul padre?

Se la bambina si sente spinta a «tradire» la madre, per conquistare il padre, è anche perché, con la scoperta della differenza sessuale, si è sentita delusa da lei, che l'ha privata di quel «qualcosa in più» di cui invece i maschi possono vantarsi. Per quanto questa delusione sia in gran parte indotta da una cultura che tende comunque a privilegiare la virilità, il senso di frustrazione è cocente, per la bambina. E, insieme al desiderio di rivalsa, affiora dentro di lei un altro desiderio, che rappresenta una forma di compensazione del tutto nuova, femminile: essere amata dal padre e avere da lui un bambino. Naturalmente si tratta solo di una fantasia, ma molto importante perché prepara la bambina al suo futuro ruolo di moglie di madre.

La rivalità tra madre e figlia

La rivalità che la bambina prova verso la madre sembra diversa, da quella del figlio maschio verso il padre: di solito è meno palese, meno aggressiva. Perché?

Anche se la bambina sente la mamma come una temibile rivale, ed è gelosa della sua segreta complicità col padre, la sua ostilità spesso resta in ombra, a differenza di quanto accade al maschietto nei confronti del papà. È raro che la bambina si auguri che la mamma scompaia davvero, per prenderne il posto. Come farebbe senza di lei? Ha ancora così bisogno del suo affetto incondizionato, di poter correre fra le sue braccia per ritrovare la dolcezza, il calore e la protezione di sempre, per essere consolata e sostenuta, quando qualcosa non va.

E allora la imita, cerca di essere come lei, gioca a «farsi bella», con i suoi profumi, la cipria, il rossetto. Si pavoneggia davanti allo specchio con i suoi scialli, le sue collane, i suoi orecchini. Ed è particolarmente fiera, quando infila i piedini nelle sue scarpe col tacco, quelle belle, che mette alla sera per uscire col papà... Imitarla, giocare a «fare la donna», è una delle sue strategie per catturare l'attenzione del padre, per farsi ammirare da lui.

Ma prima ancora è l'approvazione della madre, che cerca: «Come sto?» sembra chiederle, esibendosi di fronte a lei, un po' in segreto, con un sorriso complice. Prima di uscire allo scoperto, e affrontare lo sguardo e il giudizio maschile, ha bisogno di trovare negli occhi della mamma una prima conferma, che suona come una specie di benedizione: «Sì, puoi andare».

È possibile che la mamma sia gelosa della bambina, che la consideri davvero una piccola rivale? E come evitare di avere nei suoi confronti atteggiamenti ostili, negativi?

Anche la gelosia della madre verso la figlia esiste, ed è normale finché viene mantenuta sul piano del gioco, della proiezione fantastica di un sentimento che sconfina raramente nella realtà della vita quotidiana. Questa rivalità non è affatto negativa, per la bambina: al contrario, la gratifica, le dà valore, la conferma nella sua femminilità. Sente che la mamma la considera donna. E può intrecciare con lei un gioco fra donne, all'insegna di una rivalità che si stempera nella leggerezza del gioco e nella finzione.

Naturalmente è importante che la madre sappia affrontare in modo adulto la sfida della bambina, senza sentirsi offesa o ferita dalle pulsioni aggressive che inevitabilmente la figlia esprime in questo confronto. Se si lascia coinvolgere troppo e non mantiene un certo distacco, anche la mamma più dolce può essere portata a reagire in modo ostile, da «nemica», trasformandosi davvero, agli occhi della bambina, in quella strega cattiva già presente nelle sue fantasie. Si ripropone così la storia di Biancaneve, in una versione dai contorni fin troppo reali... Per fortuna è ben raro che questo accada.

È il padre invece che a volte può rendere molto pesante e negativa la rivalità fra madre e figlia, quando la esaspera coi suoi comportamenti. È il caso del papà che mostra di preferire la piccola, dando a lei la palma della vittoria in questo gioco delle parti che lo pone al centro della contesa. «Questa bambina sì, che è la mia piccola donna ideale! Non tu...»: è questo il messaggio che il cattivo padre trasmette in modo più o meno palese per negare valore alla moglie, screditarla, umiliarla anche agli occhi della bambina.

Lo stesso può avvenire anche nel caso opposto: quando è la madre a esasperare la gelosia del padre, escludendolo dal proprio legame col figlio maschio, e facendolo sentire meno importante o addirittura «inutile». Anche lei gli comunica in fondo lo stesso messaggio: «In questo bambino riconosco la figura di uomo che ho sempre desiderato, tu invece mi hai deluso...».

Questa invasione di campo, che stravolge il gioco della rivalità infantile, è un rischio abbastanza frequente quando fra i genitori esistono conflitti irrisolti, che provocano un senso di frustrazione, di delusione, di ostilità reciproche. Viene così a cadere la solidarietà di coppia. Ed emerge più facilmente la tendenza a mettere in atto questo meccanismo perverso, che utilizza l'amore dei figli per umiliare, colpire, ferire il proprio partner. Il conflitto che il bambino sta vivendo passa così in secondo piano: i suoi sentimenti vengono strumentalizzati per quello che è invece un conflitto di coppia.

La bambina e il suo papà

Qual è il ruolo del padre, in questa fase? Quali conferme si aspetta da lui la bambina?

Dopo la scoperta della differenza sessuale, anche la bambina, come il maschietto, fa le sue mosse, per trovare il suo posto sulla scacchiera familiare. In una prima fase, si stacca dalla mamma per avvicinarsi al papà, e cerca di valorizzarsi imitandolo, provando a essere come lui: è il periodo in cui gli sta sempre accanto, lo osserva mentre si dedica ai suoi lavori, alle sue attività, gli chiede di insegnarle «come si fa»...

E naturalmente è importante che il papà le presti attenzione, le dia valore, e a volte si lasci anche aiutare, come propone la figlia. Senza prenderla in giro. E magari dirle: «Ma va là, sono cose da maschi!» confermando così il suo senso di inferiorità. Ma senza accentuare nemmeno il suo desiderio di rivalsa: non occorre dirle che è brava «proprio come un maschietto». Basta dirle che è brava.

Dopo questa prima mossa di avvicinamento, la bambina si sente più sicura di sé. Ma non del tutto «a posto»: imitare il papà la aiuta a conoscere il suo mondo, a farlo sentire meno lontano, diverso. Ma non le basta. Prova così a «fare la donna», come la mamma, per essere amata dal papà come lei, più di lei... Essere la prima, la più importante, l'unica, è un desiderio naturale, quando una donna si innamora di un uomo. E lo è anche per la bambina, quando si innamora del papà.

È la fase in cui le bambine diventano molto graziose, tenere, accattivanti col papà. E cercano di «sedurlo» in tutti i modi: non solo con i loro vezzi, le loro moine. Ma anche con le prove di intelligenza, di abilità, di intuito. È molto importante che il papà dia valore alla figlia come persona, senza però trascurare di confermarla anche nella sua femminilità. È questo che la bambina si aspetta da lui: una conferma narcisistica, che rafforzi in modo positivo la sua fiducia in se stessa, nelle proprie doti intellettuali e creative. Ma che riconosca anche in modo altrettanto positivo la sua identità femminile: a cominciare proprio dall'aspetto, l'immagine di sé che ora comincia a costruire.

«Ma come sei vanitosa!»: lo si dice spesso alle bambine, quando cercano in tutti modi di piacere, di attirare su di sé sguardi e parole di ammirazione. E molti papà cercano di spegnere sul nascere questa «vanità femminile», come segno di frivolezza, di superficialità, di inutile civetteria. Ma è proprio così?

È evidente che a questa età la bambina ha un grande bisogno di piacere. Questo desiderio di ammirazione non è qualcosa di superficiale, di frivolo, una pura «vanità». Al contrario: riflette sia pure nella sua apparente frivolezza il bisogno più profondo di essere accettata e amata per se stessa, per come è, prima ancora che per quello che si dimostra capace di fare. Mette così al servizio di questo bisogno le sue doti più «femminili», fantasia, intuito, creatività, inventando infiniti piccoli giochi di seduzione che stupiscono i grandi. E a volte li irritano. Ed ecco le prime critiche, un po' moralistiche di alcuni padri, che rimproverano la bambina per la sua «vanità», la sua «sciocca civetteria».

I motivi di questa incomprensione paterna, di questa incapacità di stare al suo gioco, sia pure in modo scherzoso e un po' distaccato, possono essere i più diversi. Per alcuni il tabù dell'incesto è così forte, da indurli a negare inconsciamente la femminilità della bambina. Per altri invece questo mancato riconoscimento è l'espressione di un desiderio «mancato», spesso altrettanto inconscio: quello di avere un figlio maschio. Ci sono poi i padri troppo intellettuali che sono felici di avere una bambina: ma al mito di Edipo preferiscono quello di Zeus e Atena, la figlia partorita dal cervello del padre, che alle qualità femminili contrappone l'intelligenza, la forza, lo spirito guerriero: come se queste qualità non potessero coesistere in una donna con il fascino e le lusinghe della seduzione.

Come si riflette sulla bambina il mancato riconoscimento della sua femminilità da parte del padre?

La tendenza a valorizzare eccessivamente le doti intellettuali o sociali della figlia a scapito di quelle femminili non aiuta certo la bambina a rafforzare la sua identità e l'orgoglio per il proprio sesso. Al contrario, tenderà a immaginarsi come una persona vagamente «asessuata», di cui si possono ammirare doti e capacità, trascurando il fatto che sia donna. O «nonostante» questa piccola differenza.

Crescendo la bambina sarà portata a svalutare la propria femminilità, il proprio erotismo, così come sono stati svalutati dal padre. E a puntare quasi esclusivamente sulle sue doti intellettuali per trovarsi poi impreparata, nell'adolescenza e nell'età adulta, a confrontarsi con l'altro sesso, da donna a uomo. Visto che la sua femminilità non è stata riconosciuta e apprezzata dal padre, che ha rappresentato per lei il simbolo dell'intero universo maschile, perché mai dovrebbe essere riconosciuta e apprezzata da altri? Di qui la timidezza, l'insicurezza, la paura del rifiuto e della svalutazione, nei primi rapporti d'amore.

Naturalmente non sempre è così. Molto dipende anche dall'atteggiamento della madre, dagli altri modelli maschili di riferimento, oltre a quello paterno, che la bambina trova nel corso della sua infanzia e della pubertà, dalla sua stessa capacità di dare valore al proprio sesso, e dagli incontri che farà... Per quanto siano importanti le prime esperienze infantili, certo non bastano a determinare il destino della persona. Ciò non toglie che il riconoscimento paterno facilita nella bambina un'espansione della sua femminilità più libera e gioiosa, e meno carica di insicurezze e paure.

XVII
Sessualità e sentimenti

ninna-nanna il bambino è cresciuto
a chi canto la ninna-nanna?
cantamela ancora una volta mamma

«Chi sono io?»: certo un bambino non si pone ancora questa domanda, come farà poi durante l'adolescenza. Ma è proprio ora, dai tre ai cinque anni, in questa età così ricca di intuizioni, di fermenti, di desideri ancora tutti possibili, che comincia a tracciare il suo identikit interiore. Sa di essere un maschio, una femmina: ma dall'identità sessuale stabilita dalla biologia a quella più profonda, psicologica il cammino è ancora lungo. E procede per tentativi, provando e riprovando la sua parte, libero di cambiare il suo personaggio come vuole.

Se un giorno la bambina si agghinda da donna e il bambino prova a camminare con le scarpe del papà mettendosi magari in testa anche il suo cappello, il giorno dopo ciascuno è libero di invertire le parti provando come ci si sente di volta in volta a «fare l'uomo» o a «fare la donna». Lo stesso può succedere nei giochi, quando la bambina abbandona la bambola per «prendere il fucile» e il maschietto lascia da parte missili e trenini per divertirsi a cullare il suo orsacchiotto, a mettergli il bavaglino e ad imboccarlo. E anche nel modo di esprimere i sentimenti, le emozioni, sia il maschio che la femmina possono essere di volta in volta sottomessi o intraprendenti, piagnucoloni o «forti», teneri o aggressivi...

Esiste naturalmente in ciascuno un'indole di fondo, che i genitori hanno imparato a conoscere fin dalla nascita, e che rappresenta una costante nei comportamenti del bambino. Ma il suo carattere, la sua identità appaiono ancora mutevoli, come un caleidoscopio: e se la bambina può assumere liberamente atteggiamenti maschili senza che i genitori si preoccupino, nel maschietto comportamenti giudicati «femminili» non sempre vengono accettati: «Smettila di piangere! Non sei una femminuccia...» e così via.

Sia nel maschio che nella femmina cominciano a preoccupare invece le prime manifestazioni di una sessualità infantile che non sempre per i genitori è facile accettare. Si sa che esiste. Che è «naturale». Ma... «Come com-

portarsi?» si chiedono i genitori, quando scoprono che il figlio si masturba. «Far finta di niente o intervenire? E che cosa dirgli?» È la stessa fase in cui il bambino sembra travolto da sentimenti più grandi di lui: in primo luogo la gelosia, con tutti i suoi «tormenti», proprio come succede agli adulti. Anche questo è un passaggio quasi obbligato. Ma perché alcuni ne soffrono così tanto e altri no? È proprio inevitabile il «complesso d'Edipo» nella vita del bambino? Quando si conclude questa fase, e come aiutarlo a uscirne «indenne», superando i suoi conflitti?

Sesso e sentimenti: il primo impatto del bambino con questi due aspetti fondamentali della vita ha un'intensità emotiva che coinvolge inevitabilmente anche i genitori, suscitando nuovi dubbi e nuovi interrogativi. È attraverso queste prime esperienze che il bambino comincia a costruire la sua identità più profonda, mentre si dipana a poco a poco il complicato intreccio del «triangolo edipico». Sta ai genitori aiutarlo a scioglierne i nodi, finché, superati i conflitti e accantonati i «desideri impossibili», sarà pronto ad affrontare la sua vita fuori dalla famiglia, insieme agli altri. E a dedicarsi ad altri affetti, altri interessi, altre «sperimentazioni».

Il tramonto del conflitto edipico

Quando si conclude questa fase dello sviluppo? E quali sono i segnali che ne rivelano il declino?

Il conflitto edipico segue una sua orbita quasi fisiologica, e giunge al suo tramonto verso i cinque, sei anni: è a questa età che, così come cadono i denti da latte, vengono meno anche i tentativi del bambino di affermare la sua identità sessuale all'interno dei legami familiari. Con la rinuncia ai suoi progetti di conquista del padre o della madre, e il rinvio ad un'età più matura dei suoi desideri erotici, la sua vita affettiva diventa meno burrascosa e conflittuale. I sentimenti si trasformano: il grande amore per uno dei genitori perde le caratteristiche passionali dell'innamoramento, diventa meno esclusivo, mentre all'ostilità per il rivale si sostituisce il desiderio di diventare come lui. Un passo estremamente importante perché in questo modo il bambino interiorizza i valori del suo ambiente. Non in forma astratta, attraverso un sistema anonimo di imperativi o di divieti, ma mettendo dentro di sé le figure ideali dei genitori che d'ora in poi costituiranno la sua guida.

Finalmente libero da conflitti e passioni più grandi di lui, il bambino si sente meno dipendente dai vincoli familiari. E comincia a spostare i suoi interessi e i suoi affetti all'esterno, fuori dalla famiglia: nascono così le prime grandi amicizie, le competizioni fra coetanei, i timidi accenni di amori infantili. Nello stesso tempo sembrano scomparire le pulsioni sessuali, che il bambino tende ora a «sublimare», indirizzandole verso altri obiettivi di tipo intellettuale, creativo, sociale. Si appassiona così all'apprendimento di tutto ciò che è nuovo, e a tutte quelle attività che gli permettono di mettere alla prova le sue inclinazioni, cominciando già a sognare «che cosa farà da grande».

Con questo spostamento all'esterno di interessi, affetti e passioni si conclude insieme al conflitto edipico anche la prima fase dell'infanzia. Ora il bambino è pronto ad affrontare il suo ingresso nella società con quel rito di passaggio che è l'inizio della scuola.

I bambini che crescono «senza conflitti»

Non sempre il conflitto edipico segue il suo percorso più classico, lineare: ci sono bambine che restano attaccate alla mamma, senza entrare in rivalità con lei, come se la «conquista del padre » non fosse un loro desiderio. Perché?

A volte il conflitto edipico può essere vissuto in modo così indistinto, da confondere gli stessi poli di attrazione. Può succedere che la bambina rinunci a mettere in gioco la sua femminilità sfidando la mamma nella conquista del padre, quando ha troppa «paura di crescere». Di fronte al bivio dei sentimenti fa marcia indietro, e torna lì dove si sente più sicura: fra le braccia della mamma. Evita così di scontrarsi con lei sul piano della rivalità. Ma evita anche, insieme alle tensioni e ai conflitti, un passaggio importante della sua crescita.

Molto dipende anche dal comportamento della madre. Occorre infatti molta maturità, molta tolleranza per sopportare l'inevitabile aggressività che la bambina mette in atto per competere con lei sul piano della femminilità – come farà poi durante l'adolescenza – senza sentirsi in qualche modo negata, «distrutta», come madre e come donna. Per evitare questo rischio, può succedere che la mamma, invece di accettare il suo ruolo temporaneo di rivale, mantenga con la figlia un rapporto che impedisce ad entrambe di esprimere le pulsioni aggressive sempre presenti in ogni forma di competizione.

È il caso della mamma sempre tenera, dolce, protettiva, che lascia cadere ogni tentativo di sfida della bambina, per paura di apparirle come una «strega cattiva», se accetta il suo gioco di rivalità. In questo modo la figlia non riesce a prendere le distanze, e invece di identificarsi a poco a poco con la madre, continua a confondersi con lei in un legame così stretto che non permette confronti.

La rivalità può venire a mancare anche quando la mamma tende a svalutare il partner agli occhi della figlia, presentandole una figura paterna svilita, inconsistente, priva di qualsiasi attrattiva: al punto da soffocare l'interesse della bambina per l'universo maschile, e concentrarlo invece su quello femminile. Perché mai staccarsi da lei ed entrare in conflitto, se non ha nessun altro «luogo» dove andare? Ed ecco la figlia che sembra un duplicato in miniatura della mamma: pensa come lei, fa tutto quello che fa lei, ha addirittura la stessa mimica facciale, la stessa inflessione di voce, lo stesso modo di camminare... La imita in tutto. E tutto corre liscio fra loro: senza conflitti, appunto. Da grande potrà naturalmente essere a sua volta moglie e madre: ma di fondo tenderà a restare soprattutto una figlia-bambina, succube di una figura materna che continua a vivere dentro di lei come un'immagine ideale irraggiungibile.

Anche i maschietti a volte sembrano evitare insieme alla rivalità con la figura paterna anche il classico conflitto edipico... Perché?

Può succedere quando il padre rappresenta una figura troppo «forte», autoritaria, che prevarica il figlio e lo schiaccia sotto il peso della sua irraggiungibile «superiorità». Come entrare in competizione con lui, se il bambino non osa nemmeno immaginarsi vincente, né ora né mai? Si accentua così un senso di inferiorità che rende molto più labile, a volte impossibile per il bambino identificarsi col padre: proprio come è impossibile per lui sognare di poter essere «come lui», da grande.

Questa mancata identificazione col rivale può avvenire anche nel caso opposto: quando è la madre che appare al bambino come la figura più forte, autoritaria, in famiglia, mentre il padre è un'ombra sfuggente, una specie di «comparsa» con la quale il confronto diventa inutile, o poco stimolante. Naturalmente può succedere che la figura dominante sia la donna nella coppia, senza che questo ne disturbi l'equilibrio. L'importante è non estendere il predominio femminile e materno anche sul figlio, mantenendo con lui un legame troppo possessivo e impedendogli di vedere nel padre un modello maschile positivo, che sollecita il suo desiderio di emulazione.

Il posto del padre e la sua assenza

Qual è il ruolo del padre in questa fase delicata dello sviluppo in cui comincia a strutturarsi l'identità sessuale del bambino? E come si differenzia da quello della madre?

Come abbiamo visto, c'è quasi sempre nella madre la tentazione di mantenere un legame molto stretto col suo bambino, di tenerlo legato a sé, in modo che rimanga sempre e solo suo figlio, il suo prodotto, la sua «creatura», maschio o femmina che sia. E il distacco sarebbe certo più difficile, se sulla scena familiare non intervenisse il padre, che dopo essere rimasto un po' in ombra, assume ora un ruolo predominante.

È lui che favorisce il progressivo distacco fra madre e figlio, creando un nuovo punto di riferimento per il bambino e un nuovo polo di attrazione per la bambina. Ed è sempre a lui che spetta il compito di sancire una netta separazione fra genitori e figli evocando, anche senza nominarlo esplicitamente, il «divieto di incesto»: la legge interiore che induce il bambino a cercare nuovi punti di riferimento affettivi e sessuali fuori dalla famiglia.

In questa fase il padre svolge una funzione molto importante anche nel rapporto con la moglie: è lui che la sostiene in questo processo di separazione dai figli, confermandola nel suo ruolo femminile, di donna e amante, e non solo di madre. Una conferma molto importante anche per il bambino: ha bisogno infatti di vedere che i genitori formano una coppia, e che proprio questa unione è alle origini della sua stessa esistenza.

La funzione del padre non risulta in questo modo un po' negativa, soprattutto per il figlio maschio, come colui che separa, sancisce, proibisce?

Vi è indubbiamente un ruolo paterno più positivo che consiste nel «fare le cose insieme». Quando padre e figlio si trovano a condividere un hobby, uno sport, un interesse, stabiliscono tra loro un sentimento di amicizia molto positivo. Vedendo che il padre ci sa fare e che è in grado di insegnargli, il bambino lo apprezza, lo ammira e vuole diventare come lui. In questo modo si pone in gerarchia, si sottomette a un ordine di competenze che lo rassicura, che gli assegna un posto e una meta. Può capitare allora che il figlio si rivolga al proprio padre chiamandolo «capo». Chi li osserva avverte che scorre tra loro una corrente d'affetto piena di pudori ma intensa e salda, basata sulla fiducia e la reciprocità.

Questo spazio di collaborazione è il modo più sicuro e più valido per superare le tempeste edipiche, per dimenticare le tensioni di amore e di odio che divampano nella fantasia ma che si estinguono di fronte alla realtà, alla concretezza del fare, all'appagamento che nasce dal condividere un'impresa comune. Inoltre, è questo il modo migliore per introdurre il bambino nel gruppo sociale dei maschi, aiutandolo ad abbandonare lo spazio morbido e protetto delle cure materne.

E se il padre è una figura assente o poco presente, in famiglia? Oggi sono molte le donne separate che crescono i figli da sole, o quasi. E continuano a essere molte anche le mogli che possono contare poco sulla presenza del marito in casa e sul suo sostegno psicologico...

Anche se il padre è poco presente in famiglia, o quasi del tutto assente, è importante che i genitori rimangano tali, per il bambino. Non importa se un uomo e una donna conducono ormai una vita separata: quello che conta è che oltre a svolgere le loro funzioni di padre e di madre continuino a evocare nella mente del figlio l'immagine della coppia che lo ha generato. Certo è triste, e a volte doloroso per tutti che questo legame sia finito come è finito l'amore: ma se non lo si rinnega, è qualcosa che pur sempre c'è stato. E che rimane, mantenendo intatto il suo valore e il suo significato proprio attraverso il figlio che ne è nato.

È per questo che i bambini sono molto felici, quando vedono che i genitori, anche se sono separati, costituiscono comunque una coppia. E lo confermano riunendosi col figlio per festeggiare gli anniversari importanti, il compleanno, il Natale, la Pasqua... E a volte anche senza una ricorrenza, un motivo particolare: solo così, semplicemente per il piacere di andare insieme a mangiare una pizza in trattoria. In questo modo dimostrano al bambino che il loro legame di coppia ha avuto un valore, e continua ad averlo, riconfermando così la sua posizione di figlio.

Madri che crescono un figlio da sole

«Mi tocca fare anche da papà...» dicono molte donne che crescono un figlio da sole. E spesso si trovano davvero ad assumere di volta in volta un ruolo ora materno e ora paterno nei confronti del bambino. Che effetto può avere questa figura di «madre bifronte» nella fase edipica? E fino a che punto può incidere sul suo sviluppo futuro la mancanza di un padre come presenza costante nei primi anni della sua infanzia?

È quasi inevitabile che nella vita quotidiana la madre single avverta spesso la mancanza del padre: qualcuno che la sostenga, nel prendere una decisione importante che non può essere rinviata. Che sia di sostegno al figlio, in modo più maschile, paterno, nell'affrontare alcune difficoltà. Che non lasci insomma completamente sulle sue spalle la responsabilità dell'educazione e della crescita.

Anche per lei quindi, e non solo per il bambino, è importante che la madre «sola» non mantenga col figlio un rapporto esclusivo, a due, senza alcuna apertura a una terza figura maschile. Se il vero padre non c'è, o c'è troppo poco, questa figura può essere in parte sostituita da un familiare. O, meglio ancora, un nuovo compagno che rappresenti un punto di riferimento stabile, sicuro per la donna, anche se i due non convivono.

In questo caso è importante che la madre non nasconda la sua relazione di coppia con un altro uomo, ma la ammetta di fronte al figlio. Certo, la presenza più o meno costante di un'altra figura maschile diversa dal padre accanto alla mamma non sempre viene accettata a cuor leggero dal bambino: ma anche se, almeno inizialmente, tende a creare nuovi conflitti e gelosie, è sempre meglio che abbia diverse figure paterne a cui riferirsi, piuttosto che nessuna.

In ogni caso quello che conta è che la mamma non voglia, né sia costretta a essere l'unico punto di riferimento per il figlio, che troverà così modo di compensare con altre figure maschili la mancanza in famiglia del padre biologico.

Non sempre è facile trovare subito, dopo la separazione, un nuovo compagno con cui avere una relazione stabile. E che sia anche in grado di «fare da papà» al figlio... «Voglio essere sicura, prima di ricominciare di nuovo» dicono alcune. E altre: «Preferisco godermi un po' la mia solitudine e la mia libertà».

È naturale che la separazione provochi a volte una specie di arresto, di parentesi, nella vita affettiva e sessuale della donna: soprattutto quando la delusione per il fallimento del matrimonio è una ferita ancora aperta. Ma anche se la madre non ha accanto a sé un uomo è importante che riconosca che il figlio non può e non deve essere «tutto» per lei. Altrimenti, oltre a dedicargli completamente le sue energie, finisce per riversare su di lui anche tutti i suoi sentimenti e le sue aspettative.

Il figlio diventa così l'unico scopo della sua vita, tutto ciò che ama, e a cui tiene. E anche se non glielo dice apertamente, come spesso succede, è questo il messaggio che comunque gli comunica: «Tu sei tutto per me. Io vivo per te: all'infuori di questo, nella mia vita non c'è nulla». È essenziale invece, per l'equilibrio di entrambi, che la madre trovi altri scopi da dare alla sua vita, senza limitarsi al suo rapporto col bambino: altrimenti tenderà a creare un legame indissolubile, un cerchio che si richiude su se stesso, col rischio di impedire anche al figlio di vivere la propria vita.

Come evitare che il figlio diventi «tutto» per la mamma single, e viceversa?

Se dopo la separazione la madre non ha o non vuole avere un altro uomo, può sempre aprire la sua vita ad altri interessi, dedicarsi ad attività professionali, sociali, culturali... E non negarsi spazi di libertà e di piacere, appassionandosi a ciò che più l'attrae, la interessa. Ma soprattutto è importante che la madre sappia evocare nel bambino la figura dell'uomo che ha amato, e dal quale ha avuto un figlio. Non importa se non c'è più. Basta che il posto del padre rimanga ben presente nella mente del bambino. Anche se fisicamente è lontano, o c'è molto poco, il suo posto non viene cancellato, finché la sua presenza continua a essere evocata dai ricordi e dai sentimenti che li mantengono vivi.

L'idea stessa di una figura maschile, paterna accanto alla madre è così forte, e rappresenta un bisogno così vitale per il bambino, che quando non c'è se la inventa. Una ragazza madre aveva negato alla figlia l'esistenza stessa del padre: «Sei figlia mia, e basta», le diceva quando la bimba le poneva le prime domande sulla nascita e il sesso, presentandosi così come «genitore unico», come se l'avesse procreata da sola. Fu allora che la bambina cominciò a chiamare tutti «papà»: dal garzone del lattaio, al postino, all'edicolante, all'amico in visita...

E solo allora la madre si accorse del bisogno disperato che aveva la figlia di trovare un riferimento maschile, un padre. Si decise così a raccontarle la verità: che aveva amato molto un ragazzo inglese più giovane di lei. E che aveva voluto avere un figlio da lui, anche se sapeva che se ne sarebbe andato.

Contrariamente a quanto la mamma temeva, la bambina accolse con sollievo questa verità, così difficile, per lei, da rivelare. Non solo, ma fu felice di conoscere finalmente le origini della sua vita, della sua storia. Smise di chiamare tutti papà. E cominciò a elaborare storie fantastiche su questo padre sconosciuto, che nella sua immaginazione diventò una figura mitica: «il re d'Inghilterra»...

Quando il padre è assente, i bambini tendono spesso a mitizzare la sua figura: nella fantasia diventa così un eroe, che sfugge a ogni confronto con la realtà. E a ogni ridimensionamento... «Io vengo criticata ogni giorno» dicono le mamme. «Lui invece è inattaccabile: niente può toglierlo dal suo piedestallo.»

È naturale che il bambino cerchi di compensare con l'immaginazione la mancanza del padre biologico nella realtà della vita quotidiana, ingigantendo le sue doti, le sue qualità fino a trasformarlo in una figura mitica, un eroe, un personaggio da saga. Coltiva così dentro di sé l'immagine di un padre perfetto, che nulla può scalfire. Ed è certamente meglio così, piuttosto che fare proprio l'odio e il rancore della madre verso il genere maschile, come può avvenire invece in altri casi.

C'è tuttavia un rischio, se è la bambina a costruire dentro di sé questa immagine eroica del padre: la tendenza a idealizzare eccessivamente l'uomo potrà renderla più indifesa, nei suoi primi rapporti d'amore, ed esporla più facilmente ad amare delusioni. Col rischio di continuare a inseguire una figura maschile presente solo nella sua fantasia, proprio come il padre: un uomo mitico, che nella vita reale non c'è. E che non potrà mai trovare.

Il risveglio della sessualità: l'autoerotismo

Anche per i genitori più aperti, tolleranti è difficile accettare come qualcosa di naturale la sessualità infantile: soprattutto quando si manifesta nella sua forma più evidente, la masturbazione, che fa la sua comparsa proprio nella fase edipica. Perché?

Nonostante la mentalità più libera, più aperta di molti genitori oggi, il sesso in famiglia resta pur sempre un tabù: qualcosa a cui è difficile pensare, che è impossibile immaginare senza un senso di ansia, di oscura minaccia, di colpa. E non è strano che affiorino questi sentimenti: il sesso ha sempre a che fare col divieto più antico, quello dell'incesto, su cui si basa il nucleo stesso della nostra società, la famiglia. Come è difficile per il bambino immaginare e accettare il legame sessuale dei genitori, altrettanto difficile è per un padre o una madre accettare nel proprio bambino le manifestazioni della sessualità infantile, anche quando si sa che esistono. E che sono naturali.

Ma se per il bambino assistere all'atto sessuale fra i genitori è sempre un trauma, scoprire che il figlio si masturba dovrebbe essere meno inquietante per loro: essendo adulti, hanno maggiori strumenti per capire e tollerare l'attività erotica del bambino. Basta pensare che l'autoerotismo, la tendenza cioè a trarre piacere da se stessi, è al centro della sessualità infantile e del suo progressivo sviluppo fin dalla nascita: fa parte della scoperta del proprio corpo, che si estende di zona in zona seguendo il flusso delle pulsioni sessuali, fino a concentrarsi verso i tre anni su quella genitale. Mentre il maschietto trae piacere dallo sfregamento ritmico del pene, la bambina ha due modalità di godimento. La prima, più precoce, è ottenuta stringendo ripetutamente le gambe in modo da avvicinare le pareti vaginali; la seconda, più simile a quella maschile e quindi più facilmente osservabile, richiede il toccamento esterno dei genitali.

Di per se stessa la masturbazione non ha nulla di patologico, morboso o perverso: in questa nuova forma di autoerotismo, il bambino trova una sorgente di piacere diversa da quella orale e anale, che appaga le sue nuove pulsioni sessuali. Una «scoperta» che inizialmente avviene in modo spontaneo, naturale, senza turbarlo troppo. Sono le fantasie erotiche che si accompagnano a questa nuova esperienza a provocare via via un senso di inquietudine e di colpa nel bambino. E a rendere così il suo piacere meno limpido, solare, «innocente».

Proprio perché la scoperta dell'autoerotismo «genitale» avviene nella fase edipica, quando gli impulsi, i desideri, le emozioni del bambino sono ancora chiusi nella cerchia familiare, è inevitabile che le fantasie che si accompagnano alla masturbazione ruotino attorno alle figure dei genitori: le persone a lui più vicine, alle quali è avvinto da una corrente non solo di tenerezza, ma anche di amore e di desiderio. Sono queste fantasie incestuose, che spesso emergono chiaramente nei sogni infantili, a rendere difficile anche al bambino accettare la sua masturbazione. Di qui l'oscuro senso di colpa e di minaccia che prova per questo piacere, anche senza che nessuno intervenga per rimproverarlo o reprimerlo.

Come reagire di fronte a questa scoperta?

Di solito è una scoperta che coglie di sorpresa non solo i genitori, ma anche il bambino, che si sente «colto in flagrante» in un'attività che il pudore, prima ancora dei sensi di colpa, lo induce a tenere nascosta. Inutile quindi fingere di non accorgersi di nulla. Ma è meglio comunque mantenere un certo riserbo, un certo distacco, e restituire al bambino la segretezza della sua intimità, allontanandosi discretamente. Per poi parlarne, se è il caso, più avanti, come di un fatto naturale, che riguarda però solo il bambino: non a caso è chiamato l'«atto solitario».

Se invece ci si accorge che l'essere stato «scoperto» gli provoca un forte turbamento, si può cercare di tranquillizzarlo, parlandogli con dolcezza, serenamente. Ma senza intromissioni eccessive. E senza aggiungere la propria ansia alla sua. Poiché la sessualità infantile segue spontaneamente un suo percorso – che conduce dall'autoerotismo all'amore eterosessuale – occorre aver fiducia nelle risorse della maturazione, senza accelerarne i processi con interventi inutili se non addirittura dannosi.

Solo se nel bambino ci sono atteggiamenti esibizionistici, che rivelano un chiaro desiderio di attirare su di sé l'attenzione, si può rimproverarlo pacatamente: non tanto per la sua attività erotica, ma per la mancanza di pudore, di segretezza. Deve imparare infatti che non tutto può essere esibito, mostrato, condiviso: nemmeno coi genitori. Che esiste in ciascuno di noi una zona intima, che va mantenuta segreta e difesa dalla barriera del pudore: un «segreto» di cui fanno parte non solo la sessualità, ma anche gli impulsi, le emozioni, i desideri da cui scaturisce.

«Non c'è nulla di male, in quello che fai» si può dirgli. «Ma è una cosa riservata, privata, che appartiene soltanto a te. E che non si fa di fronte a nessuno: nemmeno alla mamma o al papà.» È questo che è importante comunicare al bambino: che la sua sessualità non può essere condivisa da nessun adulto, a cominciare dai genitori.

Quali sono invece i comportamenti negativi, che possono accentuare il senso di colpa del bambino per la sua sessualità? E con quali effetti?

I rimproveri, le minacce, i castighi sono sempre controproducenti. Ma lo sono anche gli atteggiamenti troppo severi, scandalizzati o ansiosi. Certo oggi i genitori non dicono più al maschietto frasi terrificanti come una volta: «Se ti tocchi ancora te lo taglio via!», rendendo così molto reale e incombente la sua angoscia di castrazione. Né si cerca di dissuadere la bambina ricorrendo al solito ricatto affettivo: «Se fai ancora le brutte cose la mamma non ti vuole più bene!». O addirittura: «Ti danneggi e così non avrai mai bambini!».

Ma in molti casi esiste ancora una buona dose di disapprovazione di fronte a queste prime manifestazioni di autoerotismo, che emerge non più nelle frasi minacciose, ma negli atteggiamenti. In modo meno esplicito, più indiretto si continua così a comunicare lo stesso messaggio: sono «brutte cose», che non si fanno. E il bambino lo capisce dallo sguardo del genitore, dal modo brusco, scandalizzato, o «offeso», con cui si allontana... Accade anche che gli adulti, soprattutto i nonni, parlino, quanto mai a sproposito, di peccato e di castighi più o meno eterni.

La forte disapprovazione degli adulti non fa che aumentare il suo senso di colpa, trasformando in angoscia la vaga inquietudine che già prova. E l'effetto è quasi sempre controproducente: insieme all'ansia aumenta anche lo stato di tensione del bambino, e la tendenza a scaricarla ricorrendo proprio all'«atto proibito». Si crea così un circolo vizioso che rischia di trasformare la masturbazione in una «necessità» sempre più frequente: invece di essere una libera ricerca del piacere, può diventare così un'abitudine coatta, un piccolo rito «ossessivo».

Esibizionismo e senso del pudore

Dopo una fase di gioioso e disarmante esibizionismo spesso i bambini diventano così pudichi e «vergognosi» da non volersi mostrare quasi mai nudi, nemmeno in spiaggia, quando è ora di cambiare il costumino bagnato. «Ma quante storie!» si stupiscono i genitori. E certo non glielo hanno insegnato loro questo tipo di pudore... Come mai?

Indipendentemente dagli insegnamenti dei genitori, più o meno liberi o repressivi, con la scoperta della «differenza sessuale» subentra nei bambini in modo del tutto spontaneo un senso del pudore spesso molto più acuto che non negli adulti. Lo si nota verso i quattro anni quando, dopo una fase di gioiosa esibizione, i bambini tendono a circondare di un alone di segretezza, di pudore il loro corpo e la sua nudità, a cominciare dai genitali.

Anche questo atteggiamento più riservato, pudico, che a volte sconfina nella vergogna, è strettamente legato al risveglio di una sessualità infantile più matura, «genitale», appunto, come le nuove pulsioni che fanno scaturire nel bambino nuovi desideri. Ma anche nuove paure, sensi di colpa e divieti. È quindi più che naturale per il bambino ricorrere al pudore come forma di difesa: invece di esibire, tende così a nascondere qualcosa che non è più soltanto motivo di orgoglio e di ammirazione, ma anche fonte di timori e di ansie.

Che fine fa l'esibizionismo, così naturale nei bambini? Il piacere di suscitare attenzione, di essere ammirati, la gioia di ritrovare negli altri, nel loro sguardo, la certezza di esistere, di essere qualcuno?

Come molte altre espressioni della sessualità infantile, anche l'esibizionismo si sposta verso altri campi che non hanno più così direttamente a che fare col sesso. Lo stesso impulso, che spinge il bambino a esibire il suo corpo per essere ammirato, verrà messo in atto non più cercando di attirare l'attenzione sui suoi genitali, ma su altre qualità, altre doti: in particolare attraverso tutte le attività che soddisfano il desiderio infantile di essere guardato. Ed eccolo esibirsi in qualche prodezza atletica, come salire su un albero, fare capriole, volteggiare sullo skate-board...

Proprio perché nella sua forma originaria l'esibizionismo consiste nel mostrare i genitali, è una manifestazione «fallica», tipicamente maschile. Nelle bambine di solito è meno frequente, anche perché viene quasi subito dirottato verso forme di seduzione più raffinate, trasformandosi spesso nel suo contrario: un atteggiamento di pudore eccessivo, un po' vezzoso.

Il pudore diventa così un velo magico, allusivo, con cui la bambina nasconde «qualcosa che non c'è», ma nello stesso tempo lo evoca, attirando l'attenzione. Mentre per il maschietto l'esibizionismo iniziale, limitato alla zona fallica, tende a esaurirsi quasi subito per essere indirizzato verso altre mete, per la bambina il piacere di essere guardata, che invece esclude da subito i genitali, si estende poi a tutto il corpo. E si prolunga molto più in là nel tempo. Diventa un «piacere di piacere», che corrisponde alla sicurezza di essere ammirata, riconosciuta, amata: e che può durare tutta la vita.

Se per alcuni genitori il corpo e la sua nudità sono fonte di imbarazzo e di disagio, per altri invece non creano alcun problema. «Non c'è nulla di cui vergognarsi» dicono. E non trovano sconveniente mostrarsi nudi di fronte ai figli. È davvero una mancanza di rispetto per il pudore del bambino, come sostengono alcuni?

Girare nudi per casa, quando capita, può essere liberatorio per gli adulti. Ma può essere causa di grande turbamento, per un bambino. Come osservava Françoise Dolto, il pudore nasce molto presto. Il bambino però comincia a manifestarlo quando diventa una necessità, per lui: perché si sente minacciato dallo sguardo dei genitori, quando è guardato. E sente il suo sguardo, rivolto al corpo sessuato dei genitori come un pericolo, una colpa, quando li guarda.

La moda oggi tende a banalizzare la nudità. A svestire il corpo non solo degli abiti, ma dei suoi significati più profondi. Ma la nudità del padre, della madre non è mai banale, per il bambino. Risveglia emozioni molto forti, drammatiche, come i sentimenti che sta provando per loro. Il confronto troppo diretto con il loro corpo è schiacciante, per lui: lo fa sentire ancora più piccolo, inadeguato, «inferiore». Rischia così di limitare la sua fiducia in se stesso. E nello stesso tempo di sovraeccitare la sua sessualità, spostandola su un piano troppo corporeo e reale che limita lo spazio di libertà, di fantasia, di gioco nel quale si svolgono i suoi contrastanti sentimenti.

Naturalmente può capitare che un bambino veda i genitori nudi, senza che questo sia inevitabilmente «traumatico» per lui. Ma c'è un'enorme differenza fra l'esibire la propria nudità senza alcun pudore, e lasciare che il bambino scopra il corpo sessuato dei genitori in modo spontaneo, naturale come può succedere nell'intimità della vita familiare quotidiana.

Quando non è esibita, né celata come qualcosa di vergognoso, la nudità dei genitori non provoca nessuno choc nel bambino. E non offende il suo senso del pudore: un sentimento che, se non è eccessivo, lo aiuta a delimitare il proprio spazio corporeo e la propria intimità interiore. Anche attraverso il ritegno, la distanza progressiva tra i corpi e i pensieri, il conflitto edipico lascia il posto alla tenerezza, cioè a un amore attento a non prevaricare, a non eccedere, timoroso, rispettoso. Mentre l'amore sessuale, con le sue componenti passionali, unisce la coppia coniugale, quello casto circola liberamente nella famiglia, alimentandone, con discrezione, i flussi di comunicazione.

XVIII

Le domande difficili

ninna-nanna del Re della Morte
che viveva al cimitero
e beveva latte nero

«Come sono nato?», «Come si fanno i bambini?», «Perché si muore?» Verso i tre anni sono questi i grandi temi su cui si focalizza la curiosità del bambino, il suo desiderio di sapere. Gli stessi su cui da sempre si interroga l'uomo: la nascita, l'amore, la morte, le «tre ferite», che ciascuno porta dentro di sé. Dopo un girotondo di domande sull'ambiente esterno, un fuoco di fila di «perché» che lo appassionano come un gioco – «Perché l'acqua scorre?», «Perché il sole si spegne?», «Perché l'erba è verde?», «Perché l'argento luccica?», «Perché il fuoco brucia?»... – è come se il bambino scoprisse improvvisamente un forziere chiuso, che racchiude tutti i segreti della vita. E vuole aprirlo. Vuole sapere.

Non sono domande casuali: sono legate al risveglio di una sessualità più matura, che pone il bambino di fronte a nuovi «perché». La sua curiosità ora non si limita più al mondo che lo circonda, ma si sposta su se stesso, la sua vita, le sue origini. Ed è su questo terreno che lancia ora le sue domande, a una a una, gradualmente, come biglie colorate che si rincorrono l'un l'altra: non gli basta sapere «da dove vengono i bambini». Vuole sapere anche come è nato lui. E anche la mamma, è nata? E il papà? E a cosa «serve»...?

Solo da ultimo, e con grande circospezione, si decide ad affrontare l'argomento più oscuro, più enigmatico, che ha un po' paura a toccare: la morte. E allora lo aggira, lo prende alla lontana: fa domande sul tempo, l'età, la vecchiaia, la malattia... Ed ecco che inventa curiosi stratagemmi per esorcizzare l'idea stessa di vecchiaia e di morte: «Quando io sarò grande, tu diventerai piccola?» si sente chiedere stupefatta la mamma.

Come per la nascita e il sesso, anche per lo scorrere della vita, gli interrogativi del bambino non nascono così, dal nulla: dalle sue parole ci si accorge che ha già rimuginato da solo, dentro di sé, il problema che gli sta a cuore. Ed è arrivato a conclusioni fantasiose, più o meno astruse, bizzarre, che ri-

specchiano però le sue emozioni più profonde. Domanda dopo domanda, dalla fantasia il bambino si avvicina a poco a poco alla realtà: «Perché il papà è ammalato?», «Dov'è andato il nonno, perché non torna più?», e infine: «Anche tu morirai? Ma io non voglio!».

Ma come rispondere? C'è quasi sempre un senso di imbarazzo, di disagio di fronte alla disarmante semplicità con cui il bambino pone i suoi interrogativi: come se, comunque si risponda, si possa sbagliare. E non è strano. Sono davvero domande «difficili», perché vanno dritto al cuore di ciascuno di noi, sono al centro della nostra stessa vita. Domande che non si possono affrontare, senza dover riflettere su se stessi. E a volte rimettersi in discussione. Da quanto tempo, magari, evitiamo di pensarci, di parlarne? Ed ecco che proprio nostro figlio – e del tutto improvvisamente, cogliendoci di sorpresa – ci chiede conto non solo della sua nascita, ma anche di noi stessi, della nostra vita così strettamente legata alla sua. E dello scorrere delle nostre esistenze: verso dove?

Anche questo confronto così diretto, così ravvicinato, fa parte delle nuove relazioni fra genitori e figli. Un tempo il problema non esisteva. La censura era tale, in famiglia, che di «queste cose» non si parlava quasi mai. I bambini non si azzardavano a chiedere niente. E quando lo facevano, si cercava di proteggerli da verità troppo crude, brutali, trasformando tutto in fiaba, magia. Era magica la nascita, col bambino portato dal volo di una cicogna, o trovato sotto un cavolo. Era magico l'amore dei genitori, fatto solo di sentimento. Ed era magica la morte, una sparizione improvvisa verso altri luoghi...

Oggi non si nega più la fisicità della vita. Ma proprio per le emozioni, spesso inesprimibili, di cui questa fisicità è intessuta, continua a essere difficile parlarne: soprattutto a un bambino ancora così piccolo, che è anche nostro figlio. Eppure bisogna farlo, se non si vuole soffocare la sua curiosità. E deludere la grande fiducia che ha in noi. Come bisognerà trovare le parole per dire molte altre verità, certo meno «difficili», ma spesso altrettanto imbarazzanti...

Curiosità e sviluppo dell'intelligenza

Ormai da tempo parlare di sesso in famiglia non è più un tabù. Ma ancora oggi, a volte, di fronte alle domande di un bambino così piccolo ci si sente a disagio. E si preferisce il silenzio, il rinvio a quando «sarà più grande». Oppure le mezze verità, le risposte evasive e affrettate: «Ma proprio adesso devi chiedermi queste cose? Non vedi che non ho tempo!?»... Con quali effetti sul bambino e sulla sua voglia di sapere?

Certo non è facile trovare le parole per dire al bambino quella «verità» che si aspetta dai genitori. Eppure bisogna cercare di rispondere senza ipocrisie, sotterfugi, artificiose poetizzazioni. E senza ricorrere all'alibi della mancanza di tempo o al rinvio. O, peggio ancora, rifugiarsi nella menzogna. Ne va della fiducia che il bambino ripone nei genitori. Ma anche del suo sviluppo intellettuale, della sua capacità di apprendimento, che nell'infanzia come nell'adolescenza ha sempre forti componenti affettive.

Fino all'età scolare, è attraverso i genitori che il bambino comincia a conoscere se stesso e a orientarsi nel mondo. Se questo tramite viene meno o lo delude proprio quando si accosta ai grandi perché della vita, viene meno anche parte della fiducia che ripone nei genitori. Il silenzio, l'evasità, la menzogna non solo inibiscono la sua curiosità, ma mettono in gioco la stessa «credibilità» dei suoi vincoli affettivi, su cui cala l'ombra del dubbio, del sospetto. Deluso dai genitori, non ripropone più questi quesiti. Ma non rinuncia alle sue ricerche, alle sue indagini, che continua a portare avanti da solo, cercando di trovare in se stesso le risposte a problemi insoluti. Si abitua così a vivere in un mondo tutto suo, in cui le fantasie sfuggono al confronto con la realtà.

È proprio nelle prime domande sui «fatti della vita» che gli impulsi sessuali infantili trovano uno sbocco «intellettuale»: si trasformano in quella voglia di sapere che sono il motore dell'intelligenza. Non è strano quindi che qualsiasi inibizione della curiosità sessuale inibisca anche la sua attività intellettuale, con un effetto, che si allarga a macchia d'olio da se stesso al mondo che lo circonda.

Se le sue domande cadono nel vuoto, vengono accolte con disapprovazione e inibite, anche la sua voglia di sapere viene soffocata. E il bambino finisce per pensare che, qualsiasi direzione prenda, la sua curiosità è sempre un male: qualcosa di sconveniente, di riprovevole, di pericoloso, che deve essere inibito, soffocato. Si spegne così anche il desiderio di esplorare e conoscere ogni cosa. Di sapere sempre di più. E questo può influire negativamente, più avanti, sulla sua capacità di apprendimento.

Le parole per dirlo

In che modo si può superare il senso di imbarazzo, di disagio di fronte a queste domande?

Basta pensare che non sono domande «difficili» solo per noi: lo sono più o meno per tutti. Intorno alla nascita, al sesso, alla morte, c'è sempre un alone di mistero, una zona di incertezza e di inquietudine: è difficile trovare una spiegazione limpida, semplice come le domande che ci rivolge il bambino. Con i suoi interrogativi ci pone di fronte a noi stessi, alla nostra vita. E chi non ha dei dubbi? Difficile esprimerli al proprio figlio, che a questa età vede ancora nei genitori delle figure onnipotenti, che sanno tutto, spiegano tutto, sono responsabili di tutto: anche di come si nasce, come ci si ama, perché si muore...

È proprio questo il momento in cui, per la prima volta, bisogna rinunciare ad essere degli idoli, per il figlio: e avere il coraggio di offrirgli un'immagine meno «eroica», più umana, esprimendogli anche i nostri dubbi, le nostre incertezze. Dopotutto è questo che vuole il bambino: la nostra verità, l'unica che possiamo trasmettergli.

Come trovare le parole più adatte, più vere per rispondere alle domande del bambino?

È inutile sentirsi paradossalmente «sotto esame», come spesso succede. In fondo non occorre avere grandi conoscenze specifiche per rispondere al bambino nel modo più adeguato: quello che conta, nel parlargli della sua e della nostra vita, e dei vincoli che ci uniscono, non è la nostra cultura, il nostro sapere. Ma la nostra umanità, il nostro essere un uomo e una donna che si amano. E che sono diventati genitori, attraverso questo amore.

È sufficiente esprimere al bambino ciò che siamo, non quello che sappiamo: altrimenti anche la cultura, come le favole di una volta, rischia di diventare un paravento, dietro cui si continua a nascondere la verità. Che è fatta anche dei nostri sentimenti, delle nostre emozioni. E non solo di informazioni generiche e asettiche. È assurdo quindi rispondere alle sue domande in termini scientifici e impersonali, come se si facesse una piccola lezione di biologia. Oppure di botanica, o di zoologia, se si preferisce riferirsi ai fiori e ai pistilli, o ai cuccioli di animali domestici...

Molto meglio affrontare il problema senza tanti giri di parole, nel modo più semplice, spontaneo e diretto, che è anche quello più vicino alla nostra «verità», lasciando spazio alle emozioni, ai sentimenti, ai dubbi. E senza nascondere l'imbarazzo, se c'è: il bambino impara molto di più sul sesso da una pausa di silenzio, un rossore, un'emozione visibile, che non da un discorso molto razionale e preciso, ma impersonale e distante.

Se c'è chi si rifugia in risposte laconiche o evasive, c'è anche chi eccede nel senso opposto. E tende a dire troppo, più di quanto il bambino gli chie-

da, anticipando così le sue domande. Anche questo eccesso di informazione è da evitare?

L'eccesso di zelo e di verità che porta alcuni genitori a dire «tutto e subito», colmando ogni lacuna, è spesso dettato più dal bisogno di chiudere subito un argomento così ostico che dal desiderio di dialogare col bambino su questi problemi, prestandogli ascolto e attenzione. Dandogli subito una «informazione completa», e anticipando le sue domande, si prevarica la sua autonomia e non si soddisfa la sua curiosità: al contrario, la si satura.

Il desiderio di sapere del bambino è una sorgente inesauribile di perché, un pozzo senza fondo che non chiede mai di essere completamente colmato. Bisogna lasciare spazio anche alla sua fantasia, alla sua immaginazione, perché possa mantenere una sua zona di esplorazione autonoma, di investigazione personale. E proseguire così attivamente la sua ricerca in piena libertà.

Quando il bambino pone le sue domande, è perché ha già cominciato ad elaborare dentro di sé il problema che lo interessa, sta seguendo una sua traccia. Ha le sue idee, le sue «teorie» più o meno fantasiose sui «fatti della vita». Qualsiasi cosa gli si dica in più, per dargli una informazione completa, anticipando le sue domande, cade su un terreno ancora impreparato a ricevere le nostre parole. Si sente così sommerso da un eccesso di rivelazioni, di verità, che lo disorientano e lo turbano, invece di rassicurarlo.

Anche per la curiosità sessuale, quindi, come per ogni altro aspetto del suo sviluppo fisico e intellettuale, è importante rispettare i tempi del bambino, il suo bisogno di procedere passo passo, seguendo un suo ritmo interiore. Inutile fargli fretta: lasciamogli tutto il tempo che gli occorre per crescere. E per sapere.

Le «teorie sessuali» dei bambini

Quali sono le idee che i bambini cominciano a farsi sulla nascita, prima di porre le loro domande?

Ogni bambino costruisce le sue prime «teorie sessuali» in modo del tutto spontaneo. Ma non casuale. Le sue fantasie su «come nascono i bambini» e «che cosa fanno il papà e la mamma per farli nascere» rispecchiano le fasi precedenti dello sviluppo della sua sessualità alle quali è rimasto più «attaccato». Ogni bambino ha insomma le sue «preferenze»: se i suoi impulsi erotici e sessuali sono ancorati alla «fase orale», tenderà a immaginare la bocca come la «porta della vita», fantasticando che è di qui, che nascono i bambini.

Se invece predominano gli impulsi anali, il bambino tenderà a concludere le sue «indagini», immaginando che il neonato venga al mondo con un atto che somiglia alla defecazione. C'è poi chi si avvicina di più alla realtà, pensando che si nasca attraverso l'ombelico, un po' come accade col taglio cesareo: un'idea che gli viene soprattutto se gli è capitato di osservare la pancia ingrossata di una donna a gravidanza avanzata.

Comunque sia, le conclusioni che raggiunge fra sé e sé il bambino non lo soddisfano mai del tutto. Ci sono sempre spazi vuoti, nelle sue «teorie», dei perché ancora insoluti. Dopo averci pensato e ripensato, si decide così, in un momento qualsiasi, a confrontarsi coi genitori, chiedendo a loro che «sanno tutto», come nascono i bambini. Certo, la loro spiegazione è molto diversa e più complessa di quanto immaginava. Ma non lo delude. Al contrario, è un incentivo alla sua curiosità, perché apre infatti la strada a nuove domande, nuovi perché.

«Come sono nato?»

Oggi nessuno racconta più la favola della cicogna. Ma la domanda: «Da dove vengono i bambini», coglie quasi sempre impreparati i genitori. Come spiegare ai figli la gravidanza, il parto, la nascita?

Di solito le prime domande esplicite sulla nascita sono stimolate da qualche situazione reale, che il bambino osserva e collega alle sue «teorie»: una donna incinta, la nascita di un fratellino, la nidiata di micini della gatta di casa... E chiede spiegazioni in modo così improvviso, «casuale», che a volte i genitori pensano che si tratti di una domanda generica, uno dei tanti «perché», che non lo riguarda direttamente. Ma non è mai così. Anche se il bambino prende spunto da una sconosciuta col pancione che vede passare per strada o da un micino appena nato, la sua curiosità non riguarda mai la nascita come fatto biologico generale. Riguarda se stesso.

«Da dove vengono i bambini?» – o i micini, i cagnolini – in realtà significa sempre «da dove vengo io?»: quali sono le mie origini, come sono venuto al mondo? È per questo che le spiegazioni che prendono il problema un po' troppo alla lontana non convincono i bambini. Come non li convincono le informazioni troppo astratte, scientifiche, anche se esatte. Poco gli importa infatti di pistilli e coniglietti...

Meglio dirgli quindi le cose come stanno: che i bambini si annidano e crescono nella pancia della mamma, ben protetti all'interno di una nicchia che non si vede e che si chiama utero. Solo quando sono cresciuti abbastanza per poter nascere, venire al mondo, escono dal corpo materno passando attraverso una fessura, dopo essere stati sospinti lungo il canale della vagina. È una risposta che in genere basta al bambino. Ha così modo di confrontare le sue idee, le sue fantasie con questa nuova versione della gravidanza e del parto, che lo avvicina al mondo dei grandi. E questo lo soddisfa. Inutile quindi aggiungere altri particolari. Si potranno affrontare più avanti, man mano che il bambino chiede nuove informazioni.

Quali sono gli aspetti particolari della gravidanza e del parto su cui i bambini tendono poi a tornare?

Quando capita loro di vedere una donna incinta, nella vita reale o nelle immagini pubblicitarie, spesso si preoccupano delle dimensioni della pancia, che appare enorme, gigantesca: pensano che corrisponda alla grandezza del bambino che vi è contenuto, e si chiedono come fa, così grosso, a uscire da una apertura così piccola, che non si vede nemmeno. Bisognerà spiegargli allora che il feto è molto più piccolo della pancia che lo contiene. Se diventa così voluminosa, è perché al suo interno c'è anche tanta acqua, in cui il bambino può galleggiare o nuotare come un pesciolino, finché non nasce.

Inutile invece dilungarsi su altri particolari, raccontando al figlio la propria esperienza del parto, più che la sua nascita, e indugiando magari in descrizioni troppo realistiche. Succede soprattutto quando è la bambina a porre queste domande alla mamma. Che a volte tende ad assumere, quasi senza accorgersene, il tono che si ha quando si parla «fra donne», dei dolori del parto. «È stato terribile! Ho sofferto dieci ore, prima che tu nascessi!», aggiungendo magari: «Vedrai, vedrai...».

Anche questo eccesso di verità non è mai positivo: il figlio, sia maschio che femmina, si sente inevitabilmente in colpa, per aver causato alla madre tanta sofferenza con la sua nascita. E se è una bambina, comincia a farsi una visione spaventosa non solo della sua nascita, ma anche della maternità che l'attende.

Quando si parla fra amiche di questa esperienza, lasciandosi magari andare ai ricordi più dolorosi, bisogna stare molto attente che i bambini non sentano. Anche se sembrano tutti intenti ai loro giochi, non si lasciano mai sfuggire nemmeno una parola, di questi discorsi: hanno sempre sette orecchie, quando si tratta di captare i «segreti di famiglia». Sono queste le cose che più da vicino riguardano il bambino. E che gli stanno più a cuore.

La verità sul sesso

«Come si fanno *i bambini?»: gira e rigira, arriva il momento in cui il bambino vuole sapere che cosa succede «prima» della gravidanza. E che ruolo ha il papà in tutto questo. Naturalmente qualcosa ha già in mente: ma fino a che punto le sue fantasie rischiano di scontrarsi con una realtà troppo cruda, ancora inaccessibile per lui?*

Certo il bambino sa che fra i genitori esiste un legame segreto, dal quale viene costantemente escluso. E che questo «segreto» ha in qualche modo a che fare con se stesso, con il fatto di essere al mondo. Cerca così di scoprire che cosa avviene fra il papà e la mamma, di immaginare che cosa fanno dietro la porta chiusa della loro stanza. Finché rivolge a loro la domanda, ponendo come sempre se stesso al centro del problema: anche se chiede «come si fanno i bambini» in realtà vuole sapere «come avete fatto a farmi nascere?».

Per i genitori, questa è certo la risposta più difficile da dare. Ma è altrettanto difficile anche per il bambino accettarla. Mentre le spiegazioni sulla nascita vengono accolte facilmente, quelle sul concepimento lo sono molto meno: rimane sempre qualcosa che lo turba, e che istintivamente respinge. Al punto che se ne «dimentica»: non c'è bambino che non torni sullo stesso argomento, a distanza di tempo, come se non gli fosse mai stato detto niente. E si resta stupiti, nel sentirsi ripetere le stesse domande: «Ma come? Ne avevamo già parlato... Non ti ricordi?».

No, non ricorda. E non è strano. È vero che il «segreto» dei genitori è la cosa che più stimola la fantasia del bambino ed eccita la sua curiosità. È vero che vuole sapere. Ma nello stesso tempo non vuole, perché non può accettare la verità. Tende così a rifiutarla, a «dimenticarla», come si continua a fare anche da adulti. La sessualità dei genitori è qualcosa che per tutta la vita continuiamo inconsapevolmente a negare, a rimuovere dalla coscienza.

Anche se parlare del legame sessuale fra il padre e la madre crea inevitabilmente imbarazzo nei genitori e turbamento nel figlio, non si può evitare di rispondere e di dire la verità, nel momento in cui il bambino, con il grande coraggio dell'infanzia, ci pone di fronte a questa domanda-chiave. Non importa se poi se ne «dimentica», e continua a elaborare le sue fantasie. Sebbene venga cancellata dalla coscienza, la risposta che riceve mette radici profonde, dentro di lui. Il suo significato resta impresso nell'inconscio, dandogli il senso della sua esistenza: prima come figlio, all'interno della famiglia. E poi come individuo nel mondo.

Anche per il sesso, come per la nascita, il bambino non si accontenta di una spiegazione generale. Qual è il linguaggio più adatto da usare, su un tema così delicato che rischia tuttavia di sconfinare nell'osceno?

Esistono tre diversi tipi di linguaggio per definire gli organi genitali e le loro funzioni che riflettono tre modi altrettanto diversi di affrontare la sessualità: quello scientifico – pene, vagina, penetrazione, spermatozoi, ovuli... – che è il più freddo, distante e il meno usato; quello popolare o «volgare», certamente più diffuso, che ha però un significato spesso scurrile, osceno; e infine quello infantile, fatto di vezzeggiativi – pisellino, buchino ecc. – che si usa coi bambini per parlare del *loro* corpo, non di quello adulto. E che naturalmente non prevede termini per funzioni sessuali che i bambini ancora non hanno.

È evidente che nessuno di questi tre linguaggi, presi a uno a uno, va bene, per parlare di sesso col proprio figlio: il primo è incomprensibile, il secondo diseducativo, e il terzo lezioso. Non resta quindi che inventare un nuovo linguaggio, un po' infantile e un po' adulto, proprio come si faceva quando si insegnava al bambino a parlare. E usare ora l'uno e ora l'altro termine, spiegando quello scientifico con quello vezzeggiativo, e viceversa. Quanto al linguaggio «osceno», se il bambino conosce già le parolacce, inutile nascondergli che spesso gli adulti si riferiscono alla sessualità in termini volgari, dispregiativi, usandoli a volte come insulto. E che questo fa parte dei problemi che anche i «grandi» hanno verso il sesso.

Una volta trovate le parole per dirlo, si può spiegare che i bambini vengono concepiti attraverso l'atto della fecondazione: l'incontro del seme maschile con l'ovulo femminile. E che questo incontro avviene quando l'uomo deposita il suo seme all'interno dell'apparato genitale femminile, nascosto nella pancia della donna, facendolo penetrare dalla stessa fessura da cui poi uscirà il bambino. Si potrà poi spiegare, quando il bambino lo chiede, che questa è la funzione dell'organo genitale maschile, il pene, che al contrario di quello femminile, non è nascosto. E «si vede», come il bambino sa molto bene.

Ma è inutile parlare a un bambino di organi e funzioni sessuali, se non gli si parla anche del desiderio e del piacere, oltre che dell'affetto che uniscono l'uomo e la donna in questo atto: qualcosa che il bambino non può ancora conoscere, proprio perché è bambino. Ma che conoscerà quando sarà grande e troverà anche lui un uomo o una donna da amare, proprio come si amano i suoi genitori. Senza parlargli dei desideri, le emozioni e i sentimenti che portano un uomo e una donna ad amarsi, il sesso non significa nulla, per un bambino. E di solito significa ben poco anche per gli adulti.

I «sussidi audiovisivi»

Per spiegare ai bambini i «fatti della vita», oggi sono molto diffusi gli strumenti audiovisivi: videocassette corredate da opuscoli illustrati che raccontano per immagini ai più piccoli «tutto quello che vorrebbero sapere sul sesso», proprio come in un cartoon. Sono davvero utili questi sussidi? O non si rischia invece di delegare alla tecnologia e alla sua «realtà virtuale» la responsabilità di questa prima forma di educazione sessuale, che il bambino chiede ai genitori?

La diffusione di questi «sussidi» è la spia di quanto sia ancora difficile, oggi, per i genitori affrontare in modo diretto questi argomenti con i propri figli. Non solo, ma spesso le videocassette che «spiegano il sesso» ai bambini diventano uno stratagemma per evitare un vero dialogo col proprio figlio sui problemi della sessualità: alla magia della favola della cicogna si sostituisce così l'informazione scientifica audiovisiva. E basta. Succede quando, una volta messa in moto la macchina informativa, i genitori pensano che il proprio compito sia finito: e lasciano il bambino da solo di fronte alle immagini del video, proprio come si fa coi cartoon o gli spot pubblicitari a catena. Anche questa prima forma di «educazione sessuale» viene così assorbita del tutto passivamente, senza alcuna possibilità di dialogo e di confronto, proprio come se fosse uno dei tanti spettacoli che il bambino è abituato a veder scorrere sullo schermo televisivo. E ancora una volta è mamma tv a occuparsi di lui...

Certo, l'audiovisivo può fornirgli informazioni precise e corrette. Ma se il bambino viene abbandonato a se stesso, anche il sussidio tecnologico, come le favole di una volta, equivale a una risposta mancata. Le immagini che scorrono sul video, accompagnate da una voce accattivante ma sconosciuta, raccontano una storia qualsiasi, priva di pathos, di emozioni, che non è la sua storia. Gli danno una risposta puramente cognitiva, lontana mille miglia da quella che invece vorrebbe ascoltare dalla voce dei genitori, guardandoli negli occhi, sentendosi dire qualcosa di estremamente intimo, privato, che riguarda solo loro.

«Perché si muore?»

Il cerchio dei grandi perché dei bambini sui «fatti della vita» si chiude con l'interrogativo più oscuro e difficile da accettare per tutti: «Perché si muore?». Ma che cosa significa «morire» per un bambino ancora così piccolo? Qual è l'idea che si forma nella sua mente?

Nonostante il grande coraggio che a tre, quattro anni i bambini hanno nell'avvicinarsi ai problemi più complessi della vita e nel voler sapere la verità, di fronte alla realtà della morte e al suo significato anche loro procedono con estremo timore, un passo avanti e tre indietro. Viviamo in una società e in una cultura che continuano a negare e a esorcizzare l'idea stessa di morte, pur avendola sempre sotto gli occhi: basta accendere la tv, all'ora dei telegiornali, per veder scorrere le immagini più desolate e raccapriccianti...

Anche il bambino è immerso in questa società e in questa cultura. E spesso il suo inestinguibile bisogno di sapere arretra di fronte alla morte, ergendo le sue esili difese e opponendo un profondo rifiuto. Se fin qui ha usato il «pensiero magico» per illudersi che basti desiderare una cosa perché si avveri, ora lo usa in senso opposto: e si rifugia nell'illusione che basti desiderare che qualcosa *non* accada, perché *non* si avveri.

A tre, quattro anni il concetto di morte come fine della vita non ha alcuna presa su di lui. Nella sua mente significa semplicemente «assenza»: qualcosa che provoca un sentimento di vuoto e di dolore. E che ha già sperimentato da piccolo, quando vedeva la mamma allontanarsi e temeva che «non tornasse mai più». Ora sa che all'assenza segue sempre un ritorno. E continua a credere che sia sempre così anche di fronte alla morte, negandone l'evidenza.

«Mamma, perché la nonna non viene più a trovarci? Io voglio vederla! Le voglio bene...» Il fatto che la nonna sia morta, e che la mamma glielo abbia detto – «Se ne è andata per sempre. E non tornerà mai più» – lo lascia stupito, esterrefatto. Non può crederci: «Ma io le voglio bene! Perché non ritorna?» ripete. Succede anche quando i genitori portano con sé il bambino al cimitero. E gli dicono: «Vedi, adesso è qui che riposa...». Persino di fronte a un impatto così diretto con la realtà, di solito arretra. Si chiude nel silenzio dei suoi pensieri. E poi ne emerge opponendo con forza la sua volontà, allo «stato delle cose»: «Perché è morta? Io *non voglio*!».

Gli occorre tempo, per accogliere dentro di sé l'idea di un'assenza senza ritorno. Solo verso i cinque, sei anni, quando la forza della ragione avrà il sopravvento sul pensiero magico, comincerà ad accettare l'idea che questo possa accadere non solo agli estranei, ma anche a qualcuno che gli è caro.

Insieme a un senso di immediato rifiuto la morte esercita anche un fascino altrettanto oscuro e profondo nel bambino. Se vede un uccellino o un animaletto morto per strada, non distoglie lo sguardo, come spesso si tende a fare da adulti. Ma si avvicina, vuole vedere, vuole sapere «perché», che cosa gli è successo. Lo stesso accade se gli capita di assistere a un funerale, o a qualsiasi cosa evochi la morte. Come rispondere alle sue domande?

La prima curiosità del bambino è per tutto ciò che evoca la morte alla lontana, prendendo spunto come sempre da qualcosa che osserva nel mondo circostante: il suo primo incontro con la realtà fisica di questo evento, che proprio con la sua fisicità esclude la sua primitiva idea di morte come semplice «assenza», suscita sempre un'impressione fortissima, nel bambino, anche se si tratta di un uccellino, un gatto, o una medusa che giace sul bordo del mare.

La psicologa Vera Schmidt riporta in un suo studio sullo «Sviluppo del desiderio di sapere» l'esperienza di una maestra d'asilo, che durante una passeggiata coi bambini, assiste al loro primo incontro con la morte: un topolino ucciso da un gatto, riverso sulla strada. Tutti si fermano, lo osservano attentamente. «Questo è un topo» dice uno. «È un batuffolo di ovatta» dice un altro. E un altro ancora: «È un piccolo scoiattolo!». «No, è un topo» interviene la maestra. «Ma perché è qui? Può venire schiacciato, sulla strada...» osserva un bambino. E l'altro: «Ha male al collo, ha una ferita. Chi gliel'ha fatta?». La maestra spiega che il gatto ha fatto male al topo, il topo è morto e ora non può più alzarsi. E annota nel suo diario: «Per tutto il resto del giorno i bambini parlarono ininterrottamente del topo».

Di fronte al primo impatto con questa realtà, è sempre una grande valvola di sfogo emotivo aver modo di scambiare le proprie impressioni con altri bambini, dopo le spiegazioni di un adulto o dei genitori. Se questo non è possibile, il bambino rimugina fra sé le proprie idee. E si prepara ad avvicinarsi di più al problema, rivolgendo ai genitori nuove domande, che non riguardano più solo il mondo animale. Ma il genere umano.

Sono i cortei funebri, di solito a colpire la sua attenzione. Ed è molto meravigliato quando gli si spiega che parenti e amici, tutti coloro che gli volevano bene, stanno accompagnando qualcuno che è morto alla sepoltura. «Ho visto portare a spasso una persona morta in una cassa!» ha detto poi un bambino di quattro anni a un compagno di giochi, comunicandogli con entusiasmo la sua meraviglia per questa strana scoperta.

A questo stadio delle sue indagini il bambino non sa ancora, o si rifiuta di sapere, che la morte è qualcosa che si accompagna alla vita e che colpisce tutti. A differenza della nascita e del sesso, questo è un «fatto della vita» su cui lui stesso preferisce essere evasivo, aggirare la verità, accontonare il problema. Per poi tornarci sopra quando comincia a emergere la vera paura che si nasconde dietro il suo rifiuto di sapere: che questo evento possa prima o poi accadere a chi gli è più vicino. E coinvolgere il suo mondo, la sua vita, se stesso.

Che cosa dire a un bambino quando ci chiede di spiegargli non più solo l'inizio della vita, ma la sua fine?

La morte non si può «spiegare» né a un bambino né a se stessi, perché non la si può capire. In fondo resta un enigma per tutti, laici e credenti. Ed è questa l'unica cosa che si può dire a nostro figlio, quando ci chiede «Perché si muore?»: che non esiste una vera spiegazione, un vero perché, se non di tipo puramente biologico. E quindi limitato, che non risponde alla vera domanda del bambino sul significato dell'esistenza e della sua fine. Come suggeriva Françoise Dolto, l'unica risposta possibile è una specie di rebus: «Si muore *perché* si vive. Si vive *perché* si muore». Un gioco di parole che come tutti i nonsense corrisponde al gusto dell'assurdo, molto spiccato nei bambini, che si sentono così portati ad attribuire il significato che preferiscono. Ma riflette anche quel senso dell'assurdo che si accompagna sempre alla morte, quando proviamo a pensarla.

Nessuno in realtà può davvero «pensare» la morte, in modo soggettivo. E tanto meno può farlo un bambino, il cui senso di magica onnipotenza rifiuta questa idea, proprio come la rifiutiamo noi, a livello più profondo, nel nostro inconscio. Certo esistono nei sogni molti simboli, molte immagini di morte: ma, come osservava Freud, è sempre *da vivi* che si immagina la propria morte. Anche quando fantastichiamo il nostro funerale, in fondo ci immedesimiamo con gli spettatori piuttosto che con il defunto. Ed è proprio questo paradosso che rende la morte impensabile.

Verso i cinque, sei anni, il bambino «sa» che cosa significa in realtà questo evento, e si abitua all'idea che all'assenza di una persona cara che «se ne è andata» non seguirà mai più un ritorno. Si tratta però di un'acquisizione puramente logica, razionale. Nell'inconscio continuerà a immaginare la morte come qualcosa di vago, misterioso, incomprensibile, che può riguardare solo gli altri: mai se stesso. Proprio come succede a tutti noi.

Il lutto in famiglia e il suo dolore

Anche se il bambino rifiuta l'idea stessa di morte, quando viene a mancare qualcuno che gli è caro non può evitare la sofferenza. Come cercare di consolarlo?

Quando la morte colpisce la famiglia, l'atteggiamento dei genitori non può prescindere dalla loro cultura, religiosa o laica. Se sono credenti, la spiegazione che danno al bambino rispecchia la loro fede nella vita eterna: «La nonna è andata in cielo. Ed è lì che ci attende». Chi è laico invece può attingere al senso più interiore dell'esistenza: «Anche se non è più qui, vicino a noi, chi muore resta nel nostro pensiero, nel nostro ricordo: è sempre presente, dentro di noi». E se questo sembra troppo astratto, per un bambino piccolo, si può aggiungere che ognuno di noi ritorna alla terra, all'acqua, al cielo: è presente nell'universo, come parte della stessa natura che l'ha creato.

Quello che il bambino coglie nelle nostre parole, qualsiasi cosa gli diciamo in momenti dolorosi come un lutto familiare, non è tanto il loro significato, quanto il tono emotivo: è importante quindi che non siano mai parole che negano la speranza, ma che lo consolano. Senza però negare la realtà.

E che cosa dire quando un bambino chiede se anche il papà e la mamma possono «andarsene per sempre»? E se anche lui dovrà morire?

L'importante è comunicare al bambino che anche se la morte è una realtà inevitabile per tutti, è un evento che si può elaborare dentro di sé e tollerare, senza cadere nel buio della disperazione. Quando dice: «Mamma, ma io non voglio che tu muoia!», si può rispondergli: «Non lo vorrei neanch'io. Ma quando succederà, tu sarai grande, come lo sono io adesso. E forse anche molto di più... E io avrò vissuto ormai così a lungo, e sarò così vecchia, che non si potrà evitare».

Anche quando, facendo un passo ancora più avanti nelle sue speculazioni, il bambino dice: «Ma *io* non voglio morire!» si può consolarlo senza mentire: «Non preoccuparti, tu puoi vivere molto a lungo: sei così piccolo!». «Ma quando sarò vecchio, dovrò proprio morire?», «Sì, succede a tutti. Ma sarà una cosa così lontana nel tempo, che è proprio inutile pensarci adesso.»

Di fronte a questa realtà naturalmente il bambino cerca di rifugiarsi nella sua antica illusione di magica onnipotenza: «Non si può fare in modo che non sia così? Qualcuno è già riuscito a scoprire come si fa?». «No. Non lo sa ancora nessuno.» A tre, quattro anni nessun bambino si dà per vinto. Rimugina fra sé il problema. E inventa qualche soluzione: «Quando tu sarai morta, io non lascerò che i tuoi occhi si chiudano», «Io ti farò alzare, e ti insegnerò a camminare: e tu farai lo stesso con me. Così non moriremo mai!».

Per ora la fantasia ha il sopravvento sulla realtà. E il bambino può dimenticare il problema. Come in fondo non si smette mai di fare, anche da anziani: «Nessuno è mai così vecchio,» scriveva Cicerone «da non pensare di poter vivere almeno ancora un anno».

Come aiutare un bambino a superare il dolore e ritrovare la serenità, quando è un genitore che muore?

Non è solo il dolore per la mancanza, e il trauma per la scomparsa improvvisa, che fanno soffrire il bambino. Spesso c'è anche un sentimento più nascosto, che rende intollerabile la morte del padre o della madre: il senso di colpa. Nell'amore di un bambino per i genitori esistono sempre pulsioni aggressive: momenti di rabbia, di conflitto, di rivalità, in cui emergono i suoi desideri di distruzione, di «annientamento», non solo nei gesti di collera, nelle parole. Ma anche nel pensiero: che per il bambino è «onnipotente». Pensare una cosa, significa renderla concreta, «reale».

La morte gli appare come la tragica realizzazione di un desiderio, che ora rinnega, ma di cui si sente responsabile, colpevole. Ed è proprio questo terribile senso di colpa che spesso fa precipitare i bambini in uno stato di depressione, in seguito a un lutto familiare. Altri invece tendono a punirsi: ed esprimono il loro bisogno di «espiazione» col rifiuto del cibo o con altri comportamenti autolesionisti e distruttivi. Accade anche che il bambino si dimostri del tutto insensibile e che continui, indifferente, la propria vita. Ma non è cattiveria, la sua. Si tratta piuttosto di un'angoscia così profonda che non trova modo di esprimersi. Il bambino teme che se lasciasse fluire anche un poco il suo dolore, la piena delle emozioni potrebbe sommergerlo. Per questo chiude la sua angoscia dietro il muro protettivo di un'apparente insensibilità.

Di fronte a queste difficoltà occorre infrangere la congiura del silenzio per aiutare il bambino a superare il senso di colpa legato alle sue fantasie di onnipotenza. E mettere ordine nel caos dei sentimenti, restituendo una dimensione oggettiva, reale all'evento: qualcosa che è avvenuto indipendentemente dalla volontà di chiunque. E che nessuno avrebbe comunque potuto evitare.

Solo quando il bambino si rende conto che i suoi «pensieri cattivi» non hanno nulla a che fare con ciò che è avvenuto, e che non è così onnipotente da poter provocare tutto il male del mondo, anche il suo cuore, non più soffocato dal peso di una terribile colpa immaginaria, può aprirsi ai sentimenti più veri: potrà così cominciare a superare anche il dolore per la perdita del genitore e a elaborare il suo lutto, sostenuto dall'affetto di chi gli è vicino.

«Esiste davvero Babbo Natale?»

«È vero che c'è Gesù Bambino?», «Chi è Babbo Natale? Esiste davvero?»: verso i cinque anni, quando i bambini cominciano a distinguere il «vero» dal «falso», vogliono sapere anche se i personaggi che riempiono ogni anno di magia e di doni la loro grande festa, il Natale, esistono «per davvero» o «per finta». Ma non è troppo presto per togliere loro questa bella illusione? E qual è la «verità» che si aspettano dai genitori?

La verità è che Babbo Natale esiste, finché esiste l'infanzia: quell'«età dell'oro», come osservava un famoso psicoanalista, Bruno Bettelheim, in cui il pensiero magico aiuta il bambino ad affrontare a poco a poco il mondo della realtà, rifugiandosi a volte nell'illusione che tutto possa essergli dato così, senza chiedere niente in cambio, nemmeno la gratitudine. Un'illusione che perdura per tutta l'infanzia, confermata, almeno una volta all'anno, dalla magia del Natale e dei suoi doni.

Se il significato religioso di questa ricorrenza appartiene a tutti i credenti, l'aspetto magico, sempre presente nelle grandi festività, appartiene solo a loro, i bambini che credono in Babbo Natale. Una magia che i genitori rivivono insieme ai figli, come struggente nostalgia di quel mito lontano, in cui la fantasia del mondo infantile e la realtà di quello adulto si fondevano in modo perfetto: almeno per qualche ora.

È proprio per questo che ai bambini piace tanto partecipare ai preparativi del Natale, aiutando i genitori ad allestire il presepe o l'albero. Il piccolo abete che si accende di luci, o la capanna di cartapesta con la culla ancora vuota, in attesa che a mezzanotte arrivi il piccolo Messia sono assolutamente reali, proprio come sono reali i giocattoli che il bambino troverà al mattino, quando corre a vedere se «è arrivato Babbo Natale». Nello stesso tempo, albero, presepe e giocattoli appartengono anche al mondo del meraviglioso, della fiaba, del mito che ruota attorno a personaggi altrettanto immaginari e «meravigliosi», come Babbo Natale o Gesù Bambino.

Naturalmente, come tutto ciò che è magico e misterioso, anche questo evento suscita nel bambino una grande attesa e una grande curiosità. Arriva davvero dal cielo, di notte, volando attraverso le nuvole, le stelle o i fiocchi di neve, il grande vecchio dalla lunga barba e dagli occhi buoni, sulla sua slitta trainata da renne e carica di giocattoli? Veramente Gesù Bambino riesce a essere in ogni casa, nello stesso momento, a portare i suoi doni a tutti i bambini del mondo, «buoni» o «cattivi» che siano?

Verso i cinque anni il bambino è ancora in quella fase intermedia che oscilla fra il primato della fantasia e quello della ragione. Crede e non crede. E alla fine, preferisce credere. Non importa se «lo sa», che sono i genitori a portare i regali, perché gli è stato detto. O perché li ha visti coi suoi occhi deporre i doni vicino all'albero o al presepe, andando in punta di piedi a sbirciare di notte da dietro la porta, come fanno spesso i bambini a questa età.

Qualunque cosa sappia, continua a credere a Babbo Natale o a Gesù Bambino, almeno fino ai sette, otto anni: quando la razionalità e la logica hanno il sopravvento. E quando ormai non ha più bisogno di prestar fede alle favole, perché fanno parte della sua storia, delle esperienze che ha vissuto: e che conservano dentro di lui l'incanto del mito, della poesia. Ma fino a quel momento ha bisogno che i genitori glielo lascino credere, con quella complice intesa che si crea quando ciascuno «sa» che l'altro «sa». Senza dimenticare naturalmente di prendere tutte le precauzioni per «non farsi vedere», quando vanno di notte a mettere i pacchettini sotto l'albero... Altrimenti, che regali di Natale sono?

XIX

Il gioco: fantasia e realtà

ninna-nanna di una bambina
innamorata di una copertina
la bambina guarda incantata
la sua copertina addormentata

Il gioco è l'essenza stessa dell'infanzia, l'età in cui si impara a vivere. Ed è tale l'impegno, la concentrazione, la serietà del bambino, quando gioca, che sembra dire: «Non disturbatemi: sto lavorando!». È come se staccasse i contatti da tutto quanto avviene attorno, proprio come un artista assorto nel suo lavoro. Lo si vede già da piccolo, quando nel dormiveglia si perde nelle sue prime rêveries, *rincorrendo le immagini che gli vengono in mente. E lo si vede man mano che cresce, ogni volta che si dedica a qualsiasi forma di attività del tutto libera, autonoma, priva di ogni finalità, se non il piacere di metterla in atto seguendo i propri impulsi: dalla scoperta del proprio corpo, a quella degli oggetti e dello spazio attorno a sé, via via fino a forme di gioco più complesse, di pura invenzione e fantasia. E allora può passare ore e ore a parlottare coi suoi giocattoli, creando di volta in volta situazioni e storie diverse...*

A cosa serve tutto questo giocare? Non è una perdita di tempo? Se ai genitori capita a volte di chiederselo, è perché si dimenticano di essere stati bambini. Tendono così a sottovalutare non solo il grande piacere che ha dato loro il gioco, da piccoli, ma anche l'importanza che ha avuto nella loro infanzia. E pensano di offrire qualcosa «in più», al loro bambino, riempiendo la sua giornata di altre attività più concrete e istruttive. Ma certo anche meno libere e creative. Fra i tanti «corsi» che insegnano già da piccoli attività sportive, artistiche, di apprendimento, avendone i mezzi, non c'è che da scegliere... E se i mezzi non ci sono, spesso si cerca di spronare il bambino a utilizzare in modo più «produttivo» il suo tempo regalandogli giocattoli «intelligenti», studiati per affinare le capacità manuali o logiche. Ma che lasciano ben poco spazio alla sua fantasia.

Ed è questo il vero paradosso: è proprio il grande apporto personale di fantasia, di immaginazione, di creatività che distingue il gioco infantile da quello degli altri cuccioli della specie animale. Che giocano non solo perché sono piccoli, ma, come ha osservato un filosofo dell'Ottocento, Karl Groos, «perché hanno l'infanzia a disposizione proprio per questo: imparano così ad esercitare le capacità necessarie alla loro sopravvivenza». A differenza degli animali, per il bambino queste capacità non riguardano solo la sopravvivenza fisica: riguardano la vita mentale e affettiva.

È proprio nel gioco infantile, e nella sua capacità di creare un ponte fra la fantasia e la realtà, che ha le sue radici l'«arte di vivere», e non solo di sopravvivere, col rischio di essere sommersi da una «infelicità senza desideri». Riuscire a immaginare la propria vita, a ripensarla e trasformarla seguendo il flusso dei propri desideri più profondi, più veri – come avviene ogni volta che il bambino gioca – rappresenta la spinta interiore più vitale e positiva verso un futuro aperto a tutte le possibilità: non solo da piccoli, ma anche da adolescenti e da adulti.

È per questo che, come ha scritto Montaigne secoli fa, «il gioco dovrebbe essere considerato l'attività più seria dell'infanzia». E la più importante. Un impulso che nasce spontaneo, e che ha bisogno di essere espresso altrettanto spontaneamente, in piena libertà. Cosa che oggi si tende a dimenticare troppo spesso... Osservando un bambino che gioca, e giocando con lui, quando lo desidera, possiamo ritrovare il gusto dell'infanzia, il piacere della sua creatività. E anche capire meglio nostro figlio: perché è sempre di sé, che parla, quando inventa i suoi giochi.

I primi giochi

Anche il gioco, insieme al sonno e all'alimentazione, fa parte delle prime attività del bambino. A pochi mesi, gioca con la mamma, i suoi capelli, il suo seno, le sue mani. Gioca con i ciondoli della culla, gli oggetti che trova attorno. Gioca con se stesso, il suo corpo. Ed è sempre con un'aria molto intenta, quasi pensosa, che si succhia il pollice, si guarda le mani, cerca di portare i piedini alla bocca, come se stesse scoprendo qualcosa di molto importante... Che cosa?

Nei primissimi mesi di vita il bambino vive ancora in un magma confuso, senza distinguere il suo corpo da tutto ciò che vede attorno a sé. Giocando comincia così a scoprire se stesso, con la stessa meraviglia con cui scopre il mondo che lo circonda: è irresistibilmente attratto dalle persone, ma anche dagli oggetti in movimento, che segue con lo sguardo e cerca di afferrare con le mani. Quando la mamma o il papà rispondono alla sua richiesta e gli porgono l'oggetto desiderato, attribuisce questo gesto a se stesso, come se i genitori fossero un'estensione, un prolungamento del suo corpo. E per un certo tempo si illude di poter «telecomandare» i loro gesti con la sua volontà, finché si accorge che non sempre c'è una corrispondenza assoluta fra i suoi desideri e le reazioni dei genitori: anche se tende una mano, il ciondolo, il sonaglio, il pupazzetto restano dove sono.

Comincia così ad avere la percezione fisica della propria separatezza, mentre si delinea nella sua mente l'immagine di uno «schema corporeo» non più frammentato, ma unitario, che cancella la paura di potersi disgregare, «andare a pezzi», non esserci più, come succedeva vedendo scomparire la mamma o il papà. Questa sensazione di unità è una conquista che il bambino raggiunge gradualmente giocando col suo corpo, ne avverte i congegni segreti che lo «tengono insieme». E che lui stesso può controllare e dirigere. Di qui la capacità di coordinare i propri movimenti in modo più strategico, per raggiungere uno scopo, un obiettivo. E il senso di trionfo, quando, verso i nove mesi, trova una conferma della propria unità corporea, appena abbozzata nella mente, nella sua immagine riflessa nello specchio.

Il gioco dello specchio appassiona tutti i bambini: già da piccoli la propria immagine riflessa li attrae come una calamita. Ma quando cominciano davvero a riconoscersi?

Quando il bambino si guarda per la prima volta allo specchio esulta di gioia, di felicità, perché riconosce nell'immagine riflessa «qualcuno come lui»: vede in quell'«altro» bambino così simile a lui, che lo guarda negli occhi, una specie di piccolo sosia, di alter ego, i cui gesti corrispondono sempre perfettamente ai suoi. Oltre alla intuizione della propria unità corporea, ritrova così anche un appagamento al suo senso di onnipotenza. L'immagine che ha di fronte può davvero essere «telecomandata» dai suoi pensieri: fa tutto quello che fa lui, in perfetta sincronia, come un piccolo burattino mosso dal filo invisibile della sua volontà.

Inizia così quei primi giochi allo specchio, fatti di smorfie, sorrisi, bacetti, carezze che lo divertono un mondo. A volte si ferma, e scruta perplesso il suo bizzarro compagno che si nasconde dietro quella parete lucida, scintillante. Ma se cerca di stanarlo, cercandolo dietro lo specchio, ecco che gioca a rimpiattino, gli sfugge continuamente, come se fosse la sua ombra... Giocando davanti allo specchio il bambino cerca anche di capire «chi è», quel suo inafferrabile compagno, perché sfugge alla sua presa: finché, verso i due anni, non cercherà più di catturarlo. «Sono io!», penserà con un senso di trionfo e di infinito sollievo per questa scoperta.

Qualcosa di simile succede anche da adulti, quando, per una frazione di secondo, proviamo una strana, indecifrabile sensazione di sdoppiamento, incrociando inaspettatamente il riflesso della nostra immagine in una vetrina, per la strada, o in un qualsiasi specchio. Improvvisamente, è come se ci trovassimo di fronte a un sosia. «Ma chi è questa persona, che mi somiglia tanto?», si pensa allora, con un vago senso di inquietudine. E subito dopo, con sollievo: «Sono io!». Si rifà così in un attimo il percorso che da bambini ci ha richiesto quasi un anno di prove e verifiche...

Mettere tutto in bocca. Toccare tutto. Sono questi i giochi che più appassionano il bambino, man mano che acquista un minimo di autonomia motoria. Ma lo scontro con i «no» dei genitori è inevitabile: «Via, via dalla bocca! È sporco! Puoi soffocare!», «Non toccare!».

Nei bambini molto piccoli, come nei cuccioli, il gioco è un'attività «funzionale» allo sviluppo sensoriale e motorio, che nasce dal piacere di esercitare liberamente le proprie capacità fisiche ancora rudimentali, man mano che emergono: afferrare un oggetto, portarlo alla bocca, manipolarlo, toccarlo... Nello stesso tempo, questi primi giochi infantili riflettono via via anche lo sviluppo mentale.

L'impulso irresistibile che spinge il bambino a «mettere tutto in bocca» corrisponde alla prima fase della sua crescita – quella «orale», appunto – dominata dall'allattamento e dal piacere della suzione. A queste esperienze così importanti se ne aggiunge un'altra: la scoperta degli oggetti, un gioco entusiasmante che il bambino mette in atto attraverso la bocca, l'organo sensoriale su cui ora si concentra gran parte della sua energia fisica e psichica. È quindi naturale, per un bambino piccolo, dopo aver guardato e manipolato un oggetto, portarlo alla bocca: attraverso le labbra, la lingua, il palato, può capire se è «buono» o «cattivo», proprio come fa col cibo.

Se è morbido, rotondo, soffice, gradevole al primo «assaggio», lo tiene vicino alla bocca, lo lecca, lo succhia, lo mordicchia, per conoscerne anche la forma, la consistenza, lo spessore, la duttilità... Se invece sono oggetti dalla superficie fredda, dura, metallica, di solito li trova sgradevoli. E li getta. Applica così anche alle cose, lo stesso principio che ha adottato col cibo, organizzando il proprio mondo secondo le categorie del «buono» o «cattivo», che tenderà poi a estendere a ogni sua scelta.

Naturalmente non si può lasciargli fare le sue verifiche, mettendo tutto in bocca, anche oggetti sporchi o pericolosi, con cui può farsi male. Oppure cose che può rovinare o rompere. Meglio però togliergli di mano il suo nuovo giocattolino, senza intervenire bruscamente. E senza farlo scomparire di colpo dal suo campo visivo. Imparerà così che può conoscere gli oggetti anche attraverso altri organi sensoriali: guardandoli o sfiorandoli con le dita.

In ogni caso è sempre meglio tenere fuori dalla sua portata tutto ciò che non deve toccare. Si eviteranno così tutti quei «no», quelle proibizioni a catena che rischiano di inibire la curiosità del bambino, l'impulso che è alla base del suo sviluppo intellettuale e della sua capacità di apprendimento. Dire troppo spesso a un bambino piccolo «Non toccare!», significa proibirgli di apprendere.

«Basta! Ma la vuoi smettere di buttare tutto per terra?»: a uno, due anni, nessun bambino sembra sfuggire a questa piccola mania, piuttosto fastidiosa e irritante per chi gli è vicino. Appena ha un oggetto in mano, ecco che lo fa cadere dall'alto del seggiolone, lo getta fuori dal box e magari, più avanti, anche dalla finestra... Anche questo è un gioco, una forma di «apprendimento»?

Talvolta sembra davvero che il bambino voglia proprio farci un dispetto, quando, dopo che gli abbiamo raccolto per l'ennesima volta un oggetto che ha buttato per terra, ripete ancora il suo gesto, seguendo con estrema attenzione il volo del cucchiaio, del bicchierino di plastica, del pupazzetto, fino al suo tonfo finale. E allora è tutto contento, ride di gioia e magari batte anche le mani...

Il fatto che non solo butti qualcosa per terra, ma continui a farlo, ripetutamente e con determinazione, a volte esaspera i genitori: come se con questo gesto volesse sfidarli, mettere alla prova la loro pazienza. Ma non è così: più che sul suo rapporto coi genitori, in questi casi il bambino è concentrato sull'esperimento che sta facendo, seguendo istintivamente il principio scientifico della prova e della verifica ripetute più volte. È per questo che esulta di gioia, ogni volta che buttando e ributtando lo stesso oggetto per terra, ha la verifica dello stesso risultato. Dentro di sé, come un piccolo Archimede, sta gridando: «Eureka!», «Ho trovato!».

E non esagera: non sono scoperte da poco quelle che il bambino sta facendo. In questo modo apprende due principi di valore universale: la relazione fra causa ed effetto, una scoperta del tutto soggettiva, che riguarda se stesso, i propri movimenti. E il principio di gravità, che riguarda invece il mondo della materia. Lanciando un oggetto dall'alto e guardandolo cadere a terra, il bambino si accorge infatti di poter agire con intenzionalità ed efficacia, diventando egli stesso la «causa» di un avvenimento che modifica lo stato delle cose attorno a lui, e gli dà quindi la certezza di «poter cambiare il mondo»: di qui il suo senso di trionfo, di gioia, mentre batte le mani per applaudirsi. Inoltre, buttando e ributtando lo stesso oggetto per terra, il bambino scopre anche il principio di gravità: qualsiasi cosa abbia un peso, lanciata nell'aria viene catapultata dalla sua stessa «forza» a terra. «Ma è proprio così?», si chiede il bambino. Ed ecco che prova e riprova...

Per prevenire disastri, l'unica cosa da fare è evitare di lasciargli sottomano oggetti che possono rompersi. Quanto alla sua voglia di estendere gli esperimenti oltre i confini di casa, facendo volare le cose dalla finestra o dal balcone, è opportuno fissare delle reti di protezione. Si impedisce così anche un rischio ben maggiore: che il bambino si sporga troppo per vedere l'oggetto cadere...

Dopo aver preso queste precauzioni, è inutile stare in ansia. Come la «mania» di mettere ogni cosa in bocca, anche quella di buttare tutto per terra tende a passare molto in fretta: scompare quasi completamente quando nei suoi giochi il bambino non si limita più a fare il piccolo scienziato, ma si avventura nel territorio dell'immaginazione. E utilizza gli oggetti non più solo per le sue sperimentazioni fisiche, ma per inventare storie, creare situazioni, mettere in scena fantasie, desideri e sentimenti.

La copertina di Linus

Può essere il classico orsacchiotto, o un altro animale di pezza. Ma anche un giocattolo o un oggetto qualsiasi, proprio come la copertina di Linus. Qualcosa che appartiene solo al bambino. E che diventa il suo compagno inseparabile. Da che cosa nasce questa passione? E che cosa significa per un bambino questo oggetto tanto amato e a volte tanto bistrattato?

Per capire il significato e l'importanza del primo oggetto al quale il bambino si affeziona, e su cui riversa tutti i suoi sentimenti, bisogna risalire alla storia del primo legame infantile con la madre, e al suo progressivo distacco. L'illusione che la mamma sia un suo possesso esclusivo, quasi una parte di sé, è destinata presto a crollare: è una figura che va e viene, e non sempre bastano richiami disperati per farla tornare. Quando non c'è, per non sentirsi solo, il bambino ha bisogno di *qualcosa* che la sostituisca. E che non possa mai «andarsene», perché appartiene solo a lui.

Ed ecco l'orsacchiotto, la bambolina, lo Snoopy di pezza. Ma anche un fazzolettino, un nastro, una sciarpetta, un oggetto soffice, morbido, caldo da cui non si stacca mai. A poco a poco si impregna di quegli stessi odori di latte, di biscotto, di borotalco, che sono anche odore di «mamma e bambino», proprio come se fosse una parte di sé. E nello stesso tempo evocasse la mamma, la sua presenza, il suo rapporto con lei. Attraverso il legame con l'oggetto «preferito», il bambino rivive così l'illusione di poter amministrare, controllare un legame ben più importante, quello con la madre. E questo gli dà una grande sicurezza: stringendosi al suo giocattolo preferito o alla sua copertina, non si sente più in balia degli eventi. Sa di poterli dominare, proprio come se la mamma lo tenesse per mano.

Non a caso questa prima forma di attaccamento a un oggetto coincide con l'inizio del distacco dalla madre, quando il bambino impara a camminare da solo, e comincia ad avventurarsi oltre i confini che fin qui l'hanno racchiuso e protetto: l'abbraccio materno, il lettino, la sua stanza... Si sente attratto, affascinato da questo mondo ancora ignoto, verso il quale lo sospinge la sua voglia di autonomia, di avventura. Ma ne ha anche paura, tanto gli appare distante, freddo, ostile. In assenza della mamma, si stringe così al suo giocattolo: gli basta toccarlo, tenerlo vicino a sé, per ritrovare un senso di protezione, di fiducia, di conforto. Proprio come Linus con la sua copertina.

Oltre ad avere un significato affettivo molto forte, questo oggetto, che Winnicott ha definito «transizionale», viene rivestito anche di un valore simbolico: rappresenta quello spazio intermedio che si situa fra il bambino e il mondo esterno, l'io e il non-io, che è anche lo spazio dei sogni, della creatività, della capacità immaginativa. Con questo suo curioso attaccamento a un oggetto particolare, il bambino mette in atto un'operazione mentale molto complessa: orsacchiotti, peluche, bambole di pezza, copertine diventano il tramite simbolico attraverso cui il bambino comincia a organizzare il suo rapporto con la realtà. E sono il segnale che nella sua mente sta avvenendo qualcosa di importante: il passaggio da una forma di pensiero ancora «primitivo», concreto, sensoriale, verso quella attività psichica più evoluta, di tipo astratto, simbolico, che caratterizza l'intelletto umano.

In che modo un semplice orsacchiotto, o qualsiasi altro oggetto preferito, può rappresentare un «tramite», tra il bambino e il mondo esterno?

Come ogni forma di gioco simbolico, anche il legame che il bambino stabilisce con questo suo primo possesso esclusivo, rappresenta una specie di ponte fra il suo mondo interiore e la realtà esterna. Come osservava Winnicott, è il mondo esterno che glielo offre. Ma nello stesso tempo è il bambino che lo crea, attribuendogli un significato affettivo e un potere magico del tutto particolari.

Animato dai sentimenti che di volta in volta il piccolo proietta su di lui, l'orsacchiotto – o qualsiasi altra cosa alla quale il bambino si affezioni – ha il grande potere di sostituire tutto ciò che gli manca, di colmare ogni sua frustrazione: è quindi un vero serbatoio di sicurezza cui attingere. Ed è per questo che non se ne stacca quasi mai, e lo tiene vicino a sé, a contatto di pelle, proprio come un talismano, un amuleto che lo protegge da ogni pericolo, reale o immaginario.

Abbandonando e ritrovando il suo giocattolo, il bambino verifica che non scompare: è sempre lì ad aspettarlo, lo può riavere con sé quando lo desidera. E sopravvive a tutto, anche ai suoi scoppi di rabbia e ai suoi attacchi più ostili, proprio come la mamma. Non è strano quindi che scoppino delle piccole tragedie, in famiglia, se capita di non trovarlo più quando è ora di andare a letto, di uscire di casa, o peggio ancora, di partire per le vacanze... Sembra che il mondo crolli, senza di lui. Ma non è certo il caso di sgridare il bambino, prenderlo in giro, o dirgli: «Quante storie! Eccoti questa bambolina, non è lo stesso?». Meglio invece aiutarlo a ritrovare il «compagno» scomparso. E rassicurarlo, se per il momento è introvabile, come a volte succede con gli oggetti: «Vedrai che salterà fuori, non può essere svanito nel nulla!». Senza di lui al bambino viene improvvisamente a mancare quel filo magico, misterioso, e nello stesso tempo concreto, materiale, che lo lega in modo del tutto autonomo al mondo.

«Via, via questa copertina! Cosa ti trascini dietro, con lei? Tutte le tue paure, le tue frustrazioni, le tue insicurezze! Basta: è ora che tu cresca, che diventi grande!» Proprio come succede a Lucy, la sorella di Linus, quando vuole strappargli via la sua copertina, a volte anche i genitori si chiedono se questo attaccamento ad un oggetto non sia eccessivo, man mano che il bambino cresce. «Perché è così insicuro?» pensano, «Che cosa gli manca?» Oppure si spazientiscono: «Ma insomma, fra poco andrai a scuola! Non vorrai portare anche lì il tuo orsacchiotto!?».

Insieme al desiderio di diventare grande c'è sempre nel bambino una certa paura di crescere. E lo si vede anche dal suo maggior attaccamento a copertine e orsacchiotti, magari dopo lunghe fasi di distacco, proprio nei momenti cruciali della sua crescita: come l'inizio dell'asilo e in seguito quello della scuola. Ma se la difficoltà ad abbandonare del tutto il suo oggetto preferito è la spia delle paure che ogni bambino incontra nel «diventare grande», non significa affatto che riveli anche carenze affettive nascoste, come temono a volte le mamme: «Forse non gli sono stata abbastanza vicina... Forse non si sente abbastanza amato...».

È vero che l'oggetto «transizionale» rappresenta una forma di

compensazione al senso di solitudine e di
prova nel distacco dalla madre. Ma il fatto
da solo la sensazione di sicurezza che gli da
sempre positivo: significa che il bambino h
mamma. E che può ricreare il calore, la pro
ricevuto e che riceve da lei, attribuendoli al

È raro che un bambino non si affezioni
nessun giocattolo. Una mancanza che ritr
contrapposte: nei bambini troppo accuditi
donati a se stessi. Spesso però l'oggetto tra
adulti non se ne accorgono perché consiste i
getto quotidiano, in una filastrocca, in una
accade nei riti, rassicurano per la loro ripetiz
tipo di legame con gli oggetti, un po' magico
non si rinuncia mai del tutto: nemmeno da ad

Può essere la pipa, una collana, un anello, l
tasigarette, l'accendino. Oppure quel disco, qu
ra, quella tazzina da caffè... Non importa se è
re: ha quello che noi le attribuiamo. È per que
di non trovarla più, ci diamo un gran daffare
dappertutto. E se invece si rompe, va persa,
possiamo fare a meno di provare un vero dispi
de come succede ai bambini, naturalmente...

A un certo punto sarà lo stesso bambino a pr
questa sua prima grande passione, abbando
all'altro in un angolo l'orsacchiotto spelacchiato
un braccio, la copertina lisa. Superata questa fas
ha più bisogno di tenere sempre vicino a sé il s
viatico per muoversi nel mondo.

Non c'è da stupirsi se si vedono rispuntare or... niotti o Snoopy di pezza dallo zainetto di scuola, o dalla valigia delle vacanze. E nemmeno se continuano a troneggiare sul letto di un figlio ormai adolescente: è un ricordo, una nostalgia, un tentativo di trattenere l'infanzia attraverso l'invisibile filo magico che ancora lo lega a questo primo compagno di strada.

Così nasce la creatività

È da solo, che il bambino comincia a giocare. Ed è così assorto nei suoi pensieri e nei suoi gesti, che anche a chiamarlo, spesso non risponde... Che cosa passa nella sua mente, mentre è immerso nei suoi giochi e nella sua solitudine?

Non c'è niente di più «serio» e di più coinvolgente del gioco, per un bambino. E in questa sua serietà è molto simile ad un artista intento al suo lavoro. Come l'artista, anche il bambino giocando trasforma la realtà, la reinventa, la rappresenta in modo simbolico, creando un mondo immaginario che riflette i suoi sogni a occhi aperti, le sue fantasie, i suoi desideri. Ma anche le sue emozioni, le sue paure più nascoste.

In questo spazio libero della mente, dove il bambino può lasciar correre la sua immaginazione a briglia sciolta, trasformando a suo piacere la realtà che lo circonda, Freud ha individuato le origini della creatività: l'aspetto più affascinante, misterioso e inafferrabile dell'intelligenza umana, quello che sfugge ad ogni forma di comprensione razionale. E che rappresenta da sempre un enigma.

Se si chiede a chiunque svolga un lavoro creativo – artista, poeta, musicista, scienziato... – «come fa» a inventare, creare, rappresentare la realtà sotto una luce diversa, che ne coglie la verità più segreta, è come chiedere a un bambino «come fa» a inventare i suoi giochi: non lo sa. Einstein, ad un amico che gli chiedeva come fosse nata nella sua mente la teoria della relatività, rispose: «È stato un puro gioco inventivo». E Mozart, un genio che già da bambino componeva brani musicali: «Io non so da dove vengano le mie idee» disse. «So solo che non posso forzarle.»

Come ogni invenzione, anche il gioco del bambino non ammette forzature: nasce e si svolge in piena libertà. Solo quando è concluso, si può conoscerne il risultato. Prima, il bambino non sa come «riuscirà» il suo disegno, che forma avrà il pupazzo di pongo, come finirà la storia che sta mettendo in scena coi suoi giocattoli... È lui che conduce il gioco. Ma è l'inconscio a guidarlo, a sua insaputa, nel tessere la trama di un sottile incastro di fantasia e realtà. Certo un bambino che gioca non è un piccolo Einstein né un Mozart in miniatura. La genialità appartiene solo a pochi: ma nasce dal medesimo impulso che è presente nel gioco infantile. E va rispettato, proprio come si rispetta chi è intento ad un lavoro che lo assorbe anima e corpo.

Distogliere un bambino dal suo gioco è un po' come svegliarlo mentre sta facendo un bel sogno: non vorrebbe mai smettere, almeno finché non «ha finito». Eppure ci sono infinite occasioni in cui è necessario interromperlo. Come evitare i soliti, piccoli scontri quando il bambino «non ascolta», e continua a giocare?

Quando il bambino gioca è davvero immerso in un sogno: con la differenza, rispetto all'attività onirica, che «sa» di sognare. Sa che tutto avviene «per finta», e non «per davvero». Non lo confonde con la realtà, e può quindi entrare ed uscire dal gioco molto più liberamente: ma deve essere lui a decidere quando interromperlo. Altrimenti, ha bisogno di prepararsi a poco a poco...

Se «non ascolta», di solito non è per noncuranza o testardaggine: è così assorto, che non presta attenzione, non sente, come se fosse chiuso nel cerchio magico delle sue fantasie, delle sue invenzioni. Difficile uscirne all'improvviso. Occorre dargli almeno un po' di tempo, per tornare alle occupazioni più concrete, reali, abbandonando magari a metà un gioco che lo appassiona. Meglio quindi evitare di interromperlo di colpo: «Vieni. È ora di cena». Oppure è ora di prepararsi per uscire, di tornare a casa, di fare il bagnetto, di andare a dormire... Certo, non sempre si può aspettare che il bambino finisca il suo gioco. Ma si può avvertirlo in anticipo, attirando la sua attenzione con un gesto, una carezza: «Fra poco, devi smettere di giocare».

Naturalmente, se proprio «non ascolta», si dovrà passare a metodi più bruschi, più decisi: come prenderlo per un braccio, e portarlo via. Di solito però non è necessario: basta incontrarsi a metà strada, persuadendolo con dolce fermezza a interrompere i suoi giochi. Ha tutta l'infanzia, per continuarli! Purché lo si lasci giocare, senza subissarlo di attività «intelligenti» e istruttive che gli sottraggono quasi tutto il suo tempo...

Il tempo per giocare

Oggi i bambini crescono in fretta, sempre più in fretta: si rischia davvero, come sostengono in molti, di farli diventare «grandi» prima del tempo, rubando loro insieme all'infanzia anche il tempo del gioco, della spensieratezza e della creatività?

Insieme alla mania dei giocattoli «intelligenti», studiati in funzione di un apprendimento precoce, che impediscono al bambino ogni apporto creativo obbligandolo a seguire passivamente regole e schemi prestabiliti, è sempre più diffusa la tendenza a organizzare il suo tempo, «occupandolo» con corsi di musica, danza, disegno, recitazione... Come se si volesse insegnare al bambino la «creatività», incanalandola verso una meta precisa. E il gioco libero, di pura invenzione e fantasia, fosse invece una perdita di tempo, qualcosa di piacevole, ma senza scopo, «senza costrutto».

Si dimentica così che il gioco non è solo piacere, divertimento. Per il bambino è una necessità, un «lavoro» che sviluppa le sue capacità intellettuali molto più di qualsiasi corso organizzato. «Quando gioca, e forse soltanto quando gioca, il bambino, come l'adulto, è veramente libero di essere creativo», ha scritto Donald W. Winnicott. Questa libertà immaginativa rimane qualcosa di essenziale anche da adulti per essere davvero – se non degli artisti o degli scienziati – gli artefici della nostra vita.

Solo mettendo in gioco i nostri desideri, i nostri sogni, le nostre paure, proprio come si faceva da bambini giocando, si può immaginare il proprio futuro, e trasformare la nostra vita aprendola alle sue molteplici possibilità: senza questa capacità di gioco, anche l'esistenza diventa qualcosa di statico, privo di sbocchi. Un peso che a volte può essere difficile sopportare.

Equilibrio emotivo e sviluppo mentale

«Un bambino che non gioca è un bambino malato»: lo dicevano in passato i nostri nonni, anche senza conoscere l'estrema importanza che pediatri e psicologi attribuiscono a questa attività creativa della mente. Oltre ad essere un chiaro segnale di benessere fisico, in che modo il gioco si riflette sulla salute psichica e affettiva del bambino?

Nel dare libero corso all'immaginazione del bambino, e stimolandone la creatività, il gioco puramente inventivo è anche una potente valvola di sfogo per tutte le ansie, le paure e le frustrazioni che si accompagnano inevitabilmente alla sua crescita. E non a caso è questa la sua attività preferita soprattutto dai tre ai cinque anni, il periodo in cui esplodono i primi grandi conflitti interiori, che il bambino riesce a controllare, a elaborare mentalmente e a trasformare in modo creativo proprio attraverso il gioco, e i meccanismi psichici che mette in atto.

«Io *ero* la mamma e tu il bambino», «Io *ero* la maestra e tu lo scolaro», «Io *ero* il re e tu la regina»... Solo con i suoi giocattoli il bambino può mettere in scena su un palcoscenico immaginario un'infinità di piccole storie di cui è regista e attore, rappresentando di volta in volta il personaggio che vuole, in un continuo scambio delle parti. In questi giochi di finzione, del «fare finta che...», il bambino segue inizialmente un impulso puramente imitativo, che lo aiuta a varcare i limiti dell'infanzia, per proiettarsi nel mondo degli adulti, e impersonarne i ruoli.

A questa spinta imitativa, basata sulla ripetizione di gesti e parole che incuriosiscono e affascinano il bambino, si aggiungono via via meccanismi psichici più complessi: quelli di «proiezione» e di «introiezione». Da un lato il bambino proietta sulla bambola, o su un giocattolo qualsiasi, le sue pulsioni emotive, i suoi comportamenti, le sue reazioni. E dall'altro assume su di sé il ruolo di un adulto al quale è legato da vincoli affettivi molto forti, come i genitori, o che riveste un particolare valore per lui, come la maestra d'asilo, un compagno più grande, un personaggio dei cartoon che rappresenta un eroe invincibile...

Nelle «storie» che il bambino mette in scena, può rivivere così le sue esperienze reinventandole a suo piacere in modo da lenire il peso delle frustrazioni, con un bel lieto fine da cui esce vittorioso e soddisfatto. Può liberare i suoi desideri e i suoi impulsi più nascosti, come la curiosità sessuale, l'aggressività, la voglia di predominio sul mondo degli adulti. E può esprimere le tensioni, le ansie legate ai conflitti che sta vivendo, come la rivalità e la gelosia... Trova così modo di dare un assetto, un equilibrio al proprio mondo interiore, adattandolo alle situazioni che sta vivendo nella realtà della vita quotidiana.

Giocare è un impulso così vitale, per il bambino, che se vi rinuncia vuol dire davvero che non sta bene, che sta covando qualche malattia. Ma può essere anche il sintomo di problemi così gravi, nel rapporto con gli altri, con l'ambiente che lo circonda, che gli impediscono di elaborare la realtà attraverso la fantasia. Per aiutarlo a superare le sue difficoltà emotive, il primo passo è cercare di restituirgli la voglia di giocare, e di esprimere così i suoi problemi: una volta allo scoperto, potranno essere affrontati e risolti.

È l'inconscio del bambino che parla attraverso il gioco: ed è per questa sua capacità di portare alla luce il suo mondo interiore, attraverso una rappresentazione simbolica – proprio come succede nei sogni – che viene utilizzato come tecnica privilegiata nella psicoterapia infantile. Quello che il bambino non può raccontare a viva voce, lo raccontano i suoi giochi.

Il teatro dell'inconscio infantile

Il gioco rappresenta la «via maestra» per scoprire l'inconscio infantile, proprio come il sogno per gli adulti. Ma non sempre è facile coglierne il significato. Che cosa racconta di sé, il bambino nei suoi giochi?

Il gioco è il linguaggio segreto con cui il bambino esprime in una forma simbolica difficile da decifrare anche per lui, problemi emotivi di cui è inconsapevole. «Tutti i bambini, anche i più normali e abili, incontrano ogni giorno difficoltà che ai loro occhi si presentano come problemi di vita», scrive lo psicoanalista Bruno Bettelheim. «Agendoli nel gioco, uno alla volta, a modo suo, secondo i suoi ritmi, il bambino può riuscire a far fronte passo passo a problemi di grande complessità.»

È stato sgridato dalla mamma, messo in castigo dalla maestra, picchiato da un compagno? Ecco che sgrida la sua bambola o il suo pupazzo. Lo mette in castigo. Lo picchia. E pareggia così una partita che sembrava persa. Vorrebbe «eliminare» il fratellino? Farsi giustizia da sé per un torto subito? Mandare a pezzi il mondo? Ecco che sfoga la sua rabbia distruggendo il castello di sabbia, mandando in frantumi una costruzione di dadi, facendo scontrare i trenini...

Fra i pochi ricordi d'infanzia riportati da Goethe nella sua autobiografia *Poesia e verità*, emerge con particolare rilievo il piacere provato «un bel dopopranzo, mentre in casa tutto era tranquillo», nel gettare dalla finestra uno dei vasetti di coccio con cui stava giocando. E «nel vederlo andare in pezzi in modo così buffo». Aveva cominciato a trastullarsi così, un po' oziosamente, senza sapere «a che gioco giocare». E senza nemmeno sapere di avere una gran voglia di sfogare la sua collera contro la sorellina, e di buttare fuori di casa la piccola usurpatrice... Solo sentendo il fracasso del vasetto sul selciato, il piccolo Goethe pensò: «Ecco a cosa volevo giocare!», battendo le mani di gioia e lanciando altre scodelline dalla finestra.

Certo oggi, nelle nostre città affollate, chi si comportasse così sarebbe un pericolo pubblico... Ma il bambino giocando trova sempre modo di esprimere ciò che in quel momento gli interessa mettere in atto: invece di subire passivamente una situazione, un sentimento, un conflitto, lo «agisce», sia pure in modo simbolico. E questo è di grande vantaggio per il suo equilibrio interiore. Può così dominare i propri problemi, evitando di esserne travolto.

Come l'arte, anche il gioco ha un effetto liberatorio, di «catarsi»: in modo del tutto inconsapevole, senza che il bambino se ne accorga, né tanto meno lo voglia, la finzione gli consente di realizzare i suoi desideri, compensare le sue frustrazioni e controllare le sue angosce. È questa la magia del gioco: l'assenza di qualsiasi finalità precisa ne fa uno strumento di puro piacere, che lo distingue da ogni altra attività di adattamento al mondo circostante.

Genitori, giochi e giocattoli

Giocare con i genitori: è qualcosa che piace al bambino, oppure è un'intrusione nel suo mondo più privato, segreto?

Certo, il bambino ha bisogno di poter giocare da solo, in piena libertà e con la massima concentrazione. Talvolta si stanca. Si sente «troppo» solo, chiuso in un gioco che rischia di rapirlo in un «incantamento» senza fine. Per uscirne, ha bisogno di compagnia: qualcuno con cui condividere le sue fantasie, le sue invenzioni. E prima ancora che ai coetanei, è ai genitori che chiede: «Vuoi giocare con me?». È con loro che si abitua a poco a poco a passare da un gioco totalmente libero, di pura fantasia, a un gioco più strutturato, con i suoi schemi e le sue regole «di gruppo», al quale si appassionerà dai quattro, cinque anni in poi.

A volte è il bambino a organizzare la situazione, a stabilire i ruoli del «facciamo finta che», dicendo alla mamma o al papà»: «Tu *eri* la bambina e io la mamma», «Tu *eri* la signora e io la parrucchiera», «Io *ero* l'astronauta e tu il mio compagno». A volte sono invece i genitori a condurre il gioco apportando elementi più concreti di realtà. Il bambino comincia così ad abbandonare quel passato «imperfetto» che collocava il gioco nel tempo indefinito e illimitato delle fiabe, del «C'era una volta...». E adotta un tempo più reale, il presente: «Giochiamo alle signore che bevono il tè», «Giochiamo ai soldati che fanno la guerra».

Attraverso una serie di gesti e dialoghi apparentemente banali, privi di importanza, il bambino impara a poco a poco a collocare ogni azione nel tempo e nello spazio, e a stabilire la relazione fra causa ed effetto Si abitua a distinguere il prima e il dopo, il quando, il dove, il come, il perché... Pur mantenendo le sue caratteristiche di finzione, di fantasia, il gioco si apre così alle «categorie» della realtà. Il bambino può far finta di bere il tè da una tazzina vuota, e presentare come bigné dei pezzettini di pongo. Ma segue un rituale molto realistico: «Vuoi il latte o il limone?», «Vuoi un altro cucchiaino di zucchero?», «Ma no, non ti ricordi che ne hai già messi tre?». E non importa se gioca alla guerra puntando il braccio come fucile. Anche per uccidere «per finta» ci sono delle regole: «Pum! Pum! Sei morto?», «Non vedi che hai puntato al soffitto? Devi mirare dritto...».

Naturalmente non è solo dal punto di vista cognitivo, dell'apprendimento, che per un bambino è importante giocare coi genitori. È molto liberatorio, per lui, poter scambiare i ruoli, e imporre almeno «per finta» al papà o alla mamma quell'autorità alla quale è sempre lui a essere sottoposto. Inoltre, condividendo con loro lo stesso piacere, si crea un clima di intima complicità, di gioia e di intesa che ha tutta la leggerezza del gioco. E che rafforza l'autostima infantile.

Il bambino sa che i genitori sono sempre pronti a occuparsi di lui, quando ce n'è bisogno, che sono disposti ad accorrere con urgenza ad ogni suo richiamo. Ma quando questo bisogno, questa urgenza non ci sono, come nel gioco? Il fatto che siano disponibili a soddisfare un desiderio così «gratuito», privo di scopi, di finalità immediate, per il bambino è la conferma che la mamma e il papà si interessano davvero a lui, anche quando non è «necessario»: e questa «prova del nove» accresce enormemente la sua sicurezza. Si sente importante, per loro, proprio come lo sono i suoi giochi.

Non sempre i genitori si divertono davvero, in questi giochi di «finzione» così infantili: preferirebbero qualcosa di più coinvolgente anche per loro, come le carte, gli scacchi, il calcio, il Monopoli, o qualcuno di quei giocattoli complicati, quelle macchine «intelligenti» e costose, che attraggono più loro dei bambini. Senza contare che spesso sono troppo presi dai loro pensieri e dai loro impegni.

Ed è un peccato, perché così ci si lascia sfuggire un'occasione irripetibile più avanti, quando anche il figlio sarà pronto a condividere giochi più maturi e complessi: la possibilità di godere insieme al bambino il piacere di un gioco ancora allo stato puro, su un terreno libero da competizioni e rivalità, che si gioca solo per giocare. E non per vedere «chi vince» e «chi perde». O per misurarsi in attività complesse, inadatte a un bambino ancora piccolo.

Nel gioco, come in ogni altro aspetto del rapporto fra genitori e figli, sono gli adulti che devono cercare di soddisfare i bisogni del bambino, e non viceversa: come succede quando si scelgono i giocattoli pensando più ai nostri desideri che ai suoi. Allora non ci si accontenta di qualcosa di semplice, come piace ai bambini: si vuole far loro «regali importanti», quasi per dimostrare il nostro affetto spendendo più soldi. Oppure si scelgono giocattoli molto complicati, che stimolano l'intelligenza logica, razionale e che divertono più noi dei nostri figli.

Senza contare gli acquisti che si fanno per regalare a se stessi, più che al figlio, qualcosa che si è sempre sognato da piccoli e non si è mai avuto: magari uno splendido trenino elettronico che va bene per un bambino di sette, otto anni, ma non di quattro, cinque... Si dimentica così che sono sempre i giocattoli più semplici, e spesso anche i più modesti, economici, quelli che piacciono veramente ai bambini. E che li stimolano a giocare in piena libertà: come vogliono loro, e non come troppo spesso vorrebbero i «grandi».

Ci sono molti genitori che vorrebbero giocare con i loro figli, ma non riescono proprio a trovarne il tempo...

Per giocare con i bambini non è necessario disporre di un tempo e di un luogo specifici. Spesso basta lasciare accanto a sé uno spazio dove possano agire liberamente le loro fantasie. Quando la mamma cucina, ad esempio, può approntare per la bambina, ma anche per il bambino, acqua, farina, pastina che, suddivise in piccoli recipienti, permettano di preparare le pappe per le bambole o un pranzo per tutti, ma «per finta». Il papà può farsi «aiutare» nei suoi lavori mettendo a disposizione del bambino, o della bambina, una copia degli attrezzi che usa, oppure affidando loro la raccolta dell'erba falciata, l'annaffiatura delle aiuole e così via.

Non dimentichiamo che, nelle società contadine, i bambini vivevano accanto agli adulti condividendo le loro attività. Anche oggi non è necessario giocare sempre e solo *con* i bambini, si può partecipare indirettamente al gioco restando *accanto* a loro.

Spesso gli adulti che svolgono lavori molto impegnativi, carichi di responsabilità e di problemi, quando rincasano non si trovano nello stato d'animo giusto per giocare. E anche se lo fanno, devono sforzarsi. Perché? E come ritrovare la gioia del gioco, insieme ai propri figli?

Quando nella famiglia si realizza un simile blocco degli affetti, significa che si è prodotto uno squilibrio profondo nella vita dei genitori: che il potere, il denaro, il successo hanno preso il sopravvento sui valori della sfera interiore e privata. In questo caso le insistenze dei bambini per indurli a giocare sono un invito prezioso per riportare la spontaneità, il disinteresse, il piacere nella loro vita. Un'oretta di capriole, di gare, di parole in libertà può essere un balsamo per la persona affaticata, purché sappia riconoscere che, lei per prima, molto più del figlio, ne ha bisogno. Una palla che rotola sul tappeto, una bambola abbandonata in salotto, pastelli sul tavolo di cucina, non attentano all'ordine e al decoro della casa ma la rendono più calda e più viva.

Quando i genitori non riescono ad abbandonare la posizione rigida, eretta, per chinarsi sul bambino o magari camminare a quattro zampe con lui, metterselo a cavalluccio, significa che la vita li ha costretti dentro una «corazza caratteriale» dalla quale non sanno più uscire. In questi casi le richieste di gioco del figlio possono essere un'ancora di salvezza.

Maschio e femmina: giochi diversi?

Quali sono i giocattoli preferiti dai bambini? Ed esiste tuttora la tendenza a sceglierli in base a stereotipi sessuali: niente bambole per il maschietto, e niente soldatini o pistole ad acqua per la bambina?

I giocattoli preferiti dai bambini sono quelli che danno più spazio alla loro libertà creativa: e quindi oggetti molto semplici, che consentono di inventare di volta in volta il loro gioco, seguendo l'ispirazione del momento. Si stancano subito invece dei giocattoli troppo complicati, dai congegni automatici, che «fanno tutto da soli» e tolgono il gusto di giocare. Senza dimenticare che al bambino bastano pochi giocattoli: se ne ha troppi, rischiano di diventare oggetti di facile consumo, usa-e-getta, ai quali non riesce ad affezionarsi. E che non stimolano la sua immaginazione.

Inutile quindi voler essere ultramoderni, seguendo ogni anno le nuove mode e subissando il bambino di giocattoli «d'attualità»: certo può fargli piacere avere anche il dinosauro o l'ultimo personaggio che lo appassiona nei cartoon televisivi. Ma i giocattoli ai quali il bambino si affeziona, che sente propri, sono quelli di sempre, senza tempo come l'infanzia: bambole e soldatini, strumenti musicali e teatrino dei burattini, pongo e pennarelli, pentolini e costruzioni, automobiline, aerei e trenini... Da scegliere senza distinzione di sesso, perché no?

Perfino il piccolo Goethe, nel Settecento, giocava con le sue pentole e i suoi piattini, proprio come le bambine. E questo non lo ha certo reso effeminato, né gli ha impedito di diventare un grande poeta, se non un bravo cuoco... Eppure, ancora oggi è molto diffusa la tendenza a suddividere rigidamente i giocattoli in «maschili» e «femminili», dimenticando che ai bambini almeno fino alla pubertà piace provare tutte le parti nel gioco: la mamma e il papà, l'uomo e la donna, la principessa e il guerriero...

È solo con la maturazione fisiologica, verso i dodici, tredici anni, che si completa il mosaico dell'identità sessuale: prima, è come un puzzle dai pezzi sparsi, che ogni bambino prova a mettere insieme, seguendo i propri impulsi. La limitazione dei giochi, secondo gli stereotipi sessuali più tradizionali, rappresenta una forma di censura che inibisce la piena espansione della personalità. Al contrario, lasciando che ciascuno giochi liberamente alla bambola come alla guerra, si evita di reprimere le componenti «femminili» nel maschio, come la tenerezza, e quelle «maschili» nella bambina, come l'intraprendenza e la combattività.

Anche se si preferisce regalare alla bambina giocattoli che favoriscano lo sviluppo delle sue qualità più «femminili», di solito non ci si preoccupa, quando la si vede impegnata in giochi «da maschiaccio». Col bambino inve-

ce le cose cambiano: e c'è davvero chi teme che diventi effeminato, se gioca alla bambola o «alla casa»...

Solo quando il bambino mostra una predilezione quasi esclusiva per questi giochi, si può pensare che abbia componenti «femminili» molto forti, forse predominanti su quelle considerate tradizionalmente «maschili». Ma questo non significa che debba necessariamente diventare gay. La tenerezza, la «donatività», il piacere di prendersi cura degli altri che il bambino esprime giocando alla bambola rivelano un tipo di sensibilità che può trovare in futuro il suo sbocco in scelte di vita che non riguardano affatto la sfera sessuale, ma quella professionale e sociale: sono infatti qualità indispensabili per essere un buon medico, un buon insegnante, uno psicologo, un assistente sociale... E nella vita privata, anche un buon marito e un buon padre.

A maggior ragione è inutile preoccuparsi delle future scelte sessuali del figlio – che comunque riguardano lui soltanto – quando non mostra una vera predilezione per i giochi «femminili», ma li alterna ad altri, più «maschili», come avviene nella maggior parte dei casi. Anche i maschi, da piccoli, hanno una naturale tendenza a giocare «alla bambola». E se non gliene si regala una, inventano il loro gioco con un pupazzo, un orsacchiotto: gli preparano la pappa, lo vestono, lo mettono a dormire, lo sgridano...

Se si osserva con attenzione il bambino, ci si accorgerà che ha un modo diverso di comportarsi rispetto alla bambina: con i suoi gesti meno avvolgenti, più rapidi, decisi, le sue parole dal tono più distaccato, sostenuto, divertito, il bambino rivela già un tipo di coinvolgimento di stampo maschile, paterno, proprio come il papà rispetto alla mamma, quando si occupa di lui. Lasciamolo quindi giocare alla bambola: imparerà così a esprimere anche la sua tenerezza, la sua sensibilità, la sua delicatezza, senza paura di sembrare una «femminuccia»...

Di solito sono i padri che si preoccupano nel vedere il figlio appassionarsi a giochi «femminili», e magari travestirsi a volte anche da donna, e non solo da uomo, come piace fare a tutti i bambini. E spesso lo rimproverano, o lo prendono in giro: «Ma cosa fai? Sembri proprio una femminuccia!», come se il figlio si stesse dedicando a giochi bizzarri e pericolosi. Con quali riflessi sul bambino?

È questo timore eccessivo che invece dovrebbe preoccupare: con le sue ansie, le sue paure – spesso legate a conflitti inconsci riguardo alla propria «quota» di omosessualità latente – il padre rischia infatti di influenzare l'identità sessuale del figlio, molto più di qualsiasi gioco «femminile». Esprimendo la sua disapprovazione, deridendolo, chiamandolo «femminuccia», il padre tende a proiettare sul bambino le sue personali paure attribuendogli una identità sessuale ancora prematura, in una fase in cui è allo stato nascente, non strutturata né definita.

Elementi di omosessualità esistono sia nel maschio che nella femmina nel corso di tutta l'infanzia e permangono fino all'adolescenza, quando l'identità sessuale comincia a stabilizzarsi. Se il genitore li enuclea con i suoi commenti, e li fissa sul figlio come un'etichetta, rischia davvero di condizionare il bambino, dando corpo alle sue ansie, alle sue paure: ognuno di noi in fondo costruisce la propria identità anche di riflesso, attraverso l'immagine che gli altri hanno di lui, le loro parole, i loro giudizi.

Meglio quindi lasciare liberi i bambini di esprimere le loro inclinazioni, il loro temperamento nel gioco, scegliendo i giocattoli «senza distinzione di sesso»?

Secondo Freud, è l'anatomia che determina in gran parte il destino dell'individuo, perché produce un insieme di aspettative alle quali è difficile sottrarsi. Ma è piuttosto l'educazione, coi suoi condizionamenti familiari, sociali e culturali, spesso presenti anche nella scelta dei giocattoli, a confermare le caratteristiche «maschili» e «femminili», fissate dalla tradizione, magari in modo stereotipato. Poco importa se ci sono bambine che nascono con un temperamento più combattivo e intraprendente di molti maschi: quasi senza accorgersene, si tende ancora ad indurle, anche attraverso il gioco, ad essere tenere, premurose, pazienti... Mentre ai bambini dall'indole molto più dolce, sensibile, delicata di tante bambine, si insegna ad essere più «duri», più aggressivi, contrastando così le loro reali inclinazioni.

«Se si lasciasse un bambino libero di esprimere il suo temperamento indipendentemente dal sesso al quale appartiene, quante possibilità, quante attitudini, quante inclinazioni non andrebbero perdute!» scriveva ancora molte generazioni fa l'antropologa Margaret Mead. «Non si assisterebbe al continuo modellamento di un bambino secondo un'idea precisa di comportamento "adatto" al suo sesso. I modelli sarebbero infiniti. E ogni bambino potrebbe seguire le vie più congeniali alle sue doti, alle sue qualità.»

XX
Le prime amicizie

> ninna-nanna di un bel bambino
> di colore marroncino
> con le guancine di budino
> e il nasino cioccolatino

«Vuoi giocare con me?»: verso i tre, quattro anni è il modo più semplice per fare amicizia. E iniziare così nuove relazioni con i coetanei fuori dalla famiglia, all'epoca dell'asilo e dei primi passi nella società. Oggi, in piena «crescita zero», insieme alle culle si svuotano di bambini anche le case, i cortili, le strade, le piazze, i giardini... E sempre più spesso il luogo dei primi incontri stabili, continui, quotidiani con gli altri bambini, è proprio l'asilo: è qui che nascono le prime amicizie, insieme ai primi giochi di gruppo. E anche le prime passioni, le confidenze, le complicità, i conflitti, le gelosie, i tradimenti, i litigi, i grandi dolori... E le grandi riappacificazioni.

Certo, anche prima dell'asilo i bambini non vivono completamente isolati in un mondo di adulti. Ma se in passato bastava che cominciassero a parlare e a camminare, per essere attratti a calamita dai loro piccoli coetanei e intrecciare con loro i primi legami, oggi le occasioni di incontro quotidiano sono sempre più rare. È solo verso i tre anni che il loro mondo si popola di altri bambini: quando l'asilo offre loro la possibilità di incontrarsi ogni giorno coi compagni di gioco, nelle stesse ore, negli stessi luoghi, lasciandosi la sera certi di potersi ritrovare l'indomani, per riprendere il filo interrotto del rapporto. Si crea così quella consuetudine così importante nell'amicizia, soprattutto da bambini.

Come nascono questi nuovi legami, spesso così intensi, appassionati? Come si sviluppano? E che cosa significa l'amicizia per i bambini, come la vivono? Al di là dei suoi aspetti più visibili, superficiali, la dinamica di questi primi rapporti fra coetanei è qualcosa che inevitabilmente sfugge ai genitori: l'amicizia infantile è davvero un mondo a parte, che appartiene solo ai bambini e dal quale gli adulti, per la prima volta, vengono esclusi. Certo possono organizzare per loro feste e giochi. Possono fare da arbitro nelle loro contese, separare chi si azzuffa, quando i litigi volgono al peggio. Possono cercare di consolare il bambino quando si sente offeso, rifiutato, tradi-

to dal suo miglior amico... Ma quello che avviene fra loro, i bambini, resta qualcosa di molto personale, privato: uno spazio segreto che non ammette intrusioni, interferenze. A cominciare dalla scelta dell'amico.

È così forte il bisogno di avere un amico, che ogni bambino, anche il più timido, ritroso, trova sempre il modo di fare amicizia. Ciascuno sceglie la via più adatta alla sua indole, al suo carattere, per lanciare il suo messaggio: «Vuoi essere mio amico?». Esplicita o mascherata, la proposta è sempre lì che rimbalza come una palla colorata fra i bambini, un'occasione che ognuno è pronto a cogliere al volo. Se va perduta, o viene lasciata cadere, non importa: purché ci siano altri bambini intorno, si può sempre riprovare. L'amicizia infantile procede così, per tentativi. Ed è sempre pronta a scattare sulla molla della semplice vicinanza. Per trasformarsi magari in un legame che dura quanto l'infanzia. E spesso anche oltre... Si crea così quel rapporto d'affetto e di complicità così particolari che lega due bambini cresciuti insieme per libera scelta, e non per vincoli familiari.

Basta ripensare alla nostra infanzia, per sapere quanto siano importanti le prime amicizie nella vita di un bambino. E lo sono ancora di più oggi, in tempi di figli unici: si può crescere senza fratelli ma non senza amici. Vediamo come vive il bambino questo primo confronto fra pari. E quali sono le difficoltà, i conflitti, i problemi che può incontrare, a cominciare dal primo impatto con la scuola materna.

I primi incontri

Fino ai tre anni non ci sono molte occasioni di incontri ravvicinati, quotidiani, fra bambini. È davvero così facile come sembra questo primo approccio fra coetanei, anche oggi, che avviene quasi all'improvviso, con l'inizio della scuola materna?

In passato non c'erano problemi: il bambino era sempre pronto a entrare in contatto con i coetanei e a fare amicizia. Si viveva in grandi famiglie, dove, oltre ai fratelli, c'era un continuo via vai di bambini: cuginetti, vicini di casa, compagni di cortile, di quartiere... Non passava giorno senza che il bambino, già da piccolo, dalla nascita quasi, non fosse attorniato da piccoli coetanei.

C'era quindi una lenta e progressiva «preparazione» che facilitava l'inizio dei primi legami stabili e delle prime amicizie.

Oggi invece l'impatto è molto più brusco. Fino ai tre anni il bambino vive quasi esclusivamente a contatto con gli adulti. E si trova spesso del tutto impreparato al rapporto con i coetanei, che è molto più difficile, più duro di quanto si pensi. Sono gli adulti che tendono a idealizzare le relazioni fra bambini, come se fossero sempre del tutto naturali e idilliache. In realtà richiedono una forte capacità di adattamento, per superare le cocenti delusioni che inevitabilmente riservano. Al punto che spesso, dopo i primi contatti, le rifuggono. Ed esprimono la loro difficoltà ad amalgamarsi coi coetanei rifiutando l'asilo.

È il caso dei bambini che dopo le prime settimane, o i primi mesi di scuola, si ammalano: improvvisamente soffrono di disturbi che sono quasi sempre psicosomatici, privi di una vera causa organica, a cominciare dai misteriosi mal di pancia... Ottengono così, naturalmente in modo del tutto inconsapevole, un duplice risultato: scaricano la loro ansia attraverso un sintomo fisico, e nello stesso tempo fanno un *break*, un intervallo, evitando le situazioni che di quest'ansia sono all'origine.

Perché il primo impatto con i coetanei è quasi sempre deludente, per il bambino?

I bambini sono tutti egocentrici: non riescono ancora a mettersi nei panni degli altri, a vedere le cose anche dal loro punto di vista, e a creare via via quelle piccole mediazioni che consentono di adattarsi l'uno all'altro. L'incontro fra due bambini porta quindi inevitabilmente allo scontro fra due opposti egocentrismi che lascia entrambi frustrati, delusi. È un'esperienza del tutto nuova, e una «brutta sorpresa», per un bambino, trovarsi di fronte a qualcuno che non coglie al volo i suoi messaggi, non si adegua al suo punto di vista, come avviene invece con i genitori, e più in generale, con gli adulti. Improvvisamente non può più far conto sulla condiscendenza, alla quale è abituato. E se ne accorge subito, con sua grande delusione, a cominciare dai giochi.

Se giocando alla guerra, un bambino fa «Pum! Pum!» al papà, questi cade riverso per terra e dice: «Sono morto!». Il coetaneo invece non sta al suo gioco, ma conduce il proprio: magari gli salta addosso, oppure si dimentica «di fare il morto», come si era deciso, e fa invece tutt'altra cosa, la prima che gli viene in mente... Queste piccole frustrazioni sono però molto salutari per il bambino: lo costringono a ridimensionare il suo senso di onnipotenza e il suo egocentrismo. Comincia così a rendersi conto che gli altri non sono lì solo per occuparsi di lui e per accondiscendere ai suoi desideri. E che per mantenere vivo un rapporto, per poterlo continuare, occorre cercare mediazioni, aggiustamenti di tiro, tenendo conto anche delle esigenze degli altri.

Questa nuova consapevolezza, che è alla base di ogni rapporto sociale, il bambino la acquisisce soprattutto attraverso le sue prime relazioni «fra pari», con i coetanei: che sono molto più libere di quelle con gli adulti, ma anche molto più «selvagge». Per poter funzionare, hanno bisogno di nuove norme, nuove regole, che sono gli stessi bambini a darsi: altrimenti anche il gioco e l'amicizia rimangono una «terra di nessuno» aperta a ogni conflitto, in cui è difficile trovare punti di incontro e d'intesa.

Per evitare un impatto troppo improvviso e troppo duro con questo nuovo tipo di rapporti, è molto importante che il bambino non arrivi del tutto impreparato al confronto con i coetanei. E che anche prima dell'inizio della scuola materna abbia occasione di stare con altri bambini, e di tastare insieme a loro il terreno affascinante ma impervio delle prime amicizie.

Come favorire i contatti con i coetanei, prima dell'inizio dell'asilo e rendere così meno difficile il passaggio dall'isolamento infantile in mezzo agli adulti a un mondo di bambini?

I bambini, si sa, sono molto abitudinari. È quindi importante che si crei una consuetudine nei loro incontri, per potersi avvicinare a poco a poco, e infine scegliere il proprio amico, ed essere scelti, in piena libertà, senza la mediazione dei genitori. L'ideale sarebbe trovare un luogo, sempre lo stesso, in cui portare ogni giorno il bambino, in modo che possa ritrovare i medesimi compagni: il cortile di casa, una piazza, i giardini...

Purtroppo oggi, in particolare nelle grandi città, non esistono spazi adatti, a misura di bambino. E se esistono, sono talmente pochi che non sempre si trovano nel proprio quartiere, e richiedono lunghi tragitti per raggiungerli. Si stanno così creando in alcuni grandi centri come Milano e Venezia, piccole comunità che – sull'esempio della «Maison Verte» ideata a Parigi dalla psicoanalista Françoise Dolto – rappresentano altrettanti punti di incontro dove le mamme, insieme ai figli «minori di tre anni», possono ritrovarsi quando lo desiderano.

A differenza degli «asili nido», sono spazi creati non solo per accogliere i bambini, ma anche per dare alle mamme, in particolare quelle che non lavorano, l'opportunità di intrattenersi fra loro e di uscire dall'isolamento che spesso affligge le casalinghe, specialmente quelle provenienti da paesi extracomunitari, quasi sempre sole col loro bambino. Se invece le madri preferiscono utilizzare il tempo per sé, possono affidare il figlio alle operatrici, e tornare a prenderlo qualche ora dopo...

In ogni caso, già verso i due, tre anni, è sempre importante che un bambino conosca altri bambini, e abbia occasione di incontrarli abitualmente: altrimenti rischierà di sentirsi come un piccolo marziano, catapultato su un pianeta sconosciuto quando sarà ora di affrontare, insieme alla scuola materna, anche le prime relazioni con i coetanei e di superarne gli ostacoli.

Inoltre l'abitudine ad avere spazi per sé, da condividere con altri piccoli compagni, faciliterà quel primo distacco «sociale» fra mamma e bambino che coincide con l'inizio dell'asilo: un grande cambiamento di vita che coinvolge entrambi, creando a volte una certa ansietà. Abituandosi a poco a poco a questo reciproco allontanamento, anche la madre si sentirà più tranquilla: con grande vantaggio del bambino, che invece di assorbire l'ansietà della madre, ingigantendo così le sue paure, si sentirà a sua volta più tranquillo e sicuro.

Spesso i genitori cercano di creare occasioni di incontro coi figli dei propri amici. Ma non sempre i bambini «legano» fra loro. Ed è molto raro che facciano davvero amicizia... Perché?

È sempre importante favorire le occasioni di amicizia dei bambini, in particolare se sono più timorosi di altri nel varcare i confini della casa, della famiglia e affrontare le relazioni con gli altri. Ma favorire l'amicizia non significa imporla. Spesso sono proprio le pressioni dei genitori a impedire un nuovo legame fra bambini, che senza interferenze eccessive potrebbe invece svilupparsi in modo ricco e spontaneo. Se due coppie di genitori sono molto affiatate, è naturale che anche i loro figli abbiano spesso occasione di stare insieme. A volte si crea fra i bambini una naturale simpatia. Ma in molti casi, no. E allora è inutile forzarli.

Da piccoli come da grandi, nessuno ci può imporre un amico: deve essere una libera scelta. Se si sentono in qualche modo «obbligati» a fare amicizia, i bambini scappano come lepri, trovano un'infinità di ragioni di antipatia, o di mancanza di *feeling*. Inoltre si ha un bel cercare di farli stare insieme, organizzando pomeriggi di gioco, passeggiate e magari vacanze in gruppo: a meno che si abiti porta a porta, le occasioni di incontro sono sempre troppo poche per creare una vera consuetudine. Anche per questo è raro che si crei fra loro un vero legame, fatto di simpatia reciproca e di intesa.

Giocano insieme, ma sono sempre sul chi vive, come di fronte ad un'imposizione un po' sospetta. E non hanno tutti i torti. Devono stare molto attenti a non litigare, come avviene sempre fra piccoli amici: si accorgono infatti che ogni minimo conflitto non resta quasi mai chiuso nei confini dei loro giochi. Ma rischia di coinvolgere i genitori di entrambi, traformandosi in un affare di famiglia, invece di essere unicamente affar loro. Alle tensioni infantili, inevitabili fra bambini che giocano, si aggiungono così quelle degli adulti...

Questo non significa naturalmente che non si debbano favorire i loro incontri: ma è inutile sperare che si trasformino davvero in qualcosa di così importante, per un bambino, come l'amicizia. Quando succede è quasi sempre un'eccezione.

«Vuoi essere mio amico?»

Come nasce l'amicizia? Che cosa attrae tanto due bambini, da creare fra loro un legame spesso molto intenso, appassionato?

Inizialmente è la somiglianza la vera calamita che attrae indistintamente i bambini fra loro, un po' come succedeva scoprendo la propria immagine allo specchio: «Lui è proprio *come me*!». Si muovono così l'uno verso l'altro, si guardano, si sorridono, si toccano, si scambiano le prime parole, dal semplice «Ciao!», a messaggi già più intenzionali, che colgono sul momento come pretesto per entrare in contatto – «È tua questa palla?», «Mi fai vedere le tue figurine?» – via via fino a «Vuoi giocare con me?» che equivale ad una proposta esplicita di amicizia.

Dopo questa schermaglia di avvicinamento, che ciascuno mette in atto seguendo i rituali infantili più adatti alla propria indole, i giochi sono aperti: possono finire nello spazio di pochi minuti, così come sono nati. O trasformarsi invece nel legame più importante, per il bambino, quando verso i tre anni comincia a staccarsi dalla famiglia: l'amicizia. La molla che la fa scattare non è mai casuale: la scelta di un amico corrisponde sempre a bisogni molto profondi del bambino, che spesso sono «di compensazione». Più che la somiglianza prevale ora l'attrazione fra opposti: si crea così una specie di vaso comunicante, in cui le mancanze dell'uno vengono compensate dall'altro e viceversa.

Non è strano quindi che il bambino un po' timido, delicato, sensibile diventi amico di quello più estroverso, deciso, combattivo: se l'uno si sente più protetto, meno indifeso nei giochi di gruppo, l'altro ha modo di dare prova della sua «forza», in senso positivo, non solo aggredendo ma anche difendendo il più debole. Il quale a poco a poco tenderà a identificarsi con l'amico «più forte», facendo proprie qualità che gli mancano attraverso la spinta imitativa, mentre l'altro tenderà ad affinare la sua personalità, assorbendo dall'amico un tipo di sensibilità e di capacità immaginativa che finora ha avuto poco modo di scoprire dentro di sé e di esprimere. L'amico rappresenta così per il bambino l'altra parte di sé, un nuovo modello in cui riconoscersi: un ulteriore «tassello» da collocare nel mosaico della sua personalità ancora in evoluzione.

Spesso i bambini sono molto attratti dai compagni più grandi di loro, più che dai coetanei: vorrebbero unirsi al loro gruppo, giocare con loro, diventare amici... Ma vengono quasi sempre trattati con condiscenza, e rimessi «al loro posto», fra i più piccoli. Perché? E che cosa li affascina tanto?

L'amico «ideale», quello che tutti i bambini vorrebbero avere, è proprio il compagno più grande, una figura a metà strada fra il mondo degli adulti e quello infantile. È lui che guardano da lontano con sconfinata ammirazione, mentre si esibisce in affascinanti prodezze di cui i più piccoli sono ancora incapaci: un tiro di palla centrato nel cesto o nella rete, un tuffo dall'alto del trampolino, un salto oltre il recinto del giardino, o dal ramo di un albero... Più che dalle capacità fisiche, le bambine invece sono affascinate dagli aspetti «seduttivi» di una compagna più grande: la osservano con estrema attenzione e spesso cercano di imitare il suo modo di parlare, di camminare... E più avanti anche di pettinarsi o di vestirsi.

Questi compagni più grandi appaiono al bambino come figure straordinarie, bambini come loro, che però sono già un passo più in là, e sembrano aver scoperto il grande segreto: come «si fa» a diventare adulti. Fra loro non si stabilisce quasi mai una vera amicizia: al massimo i più grandi affidano ai più piccoli qualche ruolo marginale nei loro giochi, senza mai impegnarsi davvero con loro. E senza farli partecipi dei loro «segreti»... Tuttavia anche loro rappresentano modelli «ideali» molto importanti per il bambino: sono figure mitiche, dai contorni «eroici», come quelle dei genitori o di altri adulti e nello stesso tempo sono idoli più a portata di mano, meno irraggiungibili.

L'importanza delle relazioni fra coetanei

Perché sono così importanti le relazioni fra coetanei? E come influiscono sullo sviluppo del bambino?

Fino ai tre, quattro anni, i veri punti di riferimento del bambino, i modelli che ammira e ai quali si sforza di somigliare sono gli adulti, i genitori: idoli giganteschi, che guarda dal basso verso l'alto, come si guarda la vetta di una montagna, una meta ancora lontana e difficile da raggiungere. Da solo, non può nemmeno provare a scalarla...

Insieme ai coetanei invece può cominciare a fare le prime prove, alla pari, su un terreno più piano, meno impervio anche se certamente non privo di difficoltà e di ostacoli: quello dell'amicizia e del gioco.

Fra di loro, i bambini possono scorazzare liberamente come su una grande prateria ai piedi della montagna, in attesa di cominciarne la scalata. Possono «studiare» come si fa a diventare grandi, e cercare di raggiungere i loro obiettivi, i loro ideali ancora lontani, verificando le proprie capacità e confrontandole con un altro bambino come loro: «Guarda che cosa sono capace di fare! E tu?». C'è anche competitività, nell'amicizia: ma finalmente si tratta di un confronto «ad armi pari», non più in condizioni di inferiorità, come con gli adulti, che consente una prima verifica reale dei propri punti di forza e dei propri limiti.

Il bambino si abitua così a puntare sulle sue risorse, ad accentuarle, equilibrando i suoi punti deboli. C'è chi è più popolare e chi meno. Chi ha già un atteggiamento da leader e chi si sente un gregario o un «seguace»; chi ha continuamente delle idee, e chi le elabora, le rende realizzabili. L'uno salta giù da un albero senza paura, l'altro è imbattibile nelle corse. Andrea inventa giochi più liberi, fantasiosi, Carlo invece stabilisce le regole, crea un ordine... Nel rapporto coi coetanei il bambino ha così modo di sapere in che cosa è «bravo», come e rispetto a chi. Ma soprattutto verifica per la prima volta in modo libero, spontaneo la possibilità di essere accettato e amato anche da altri bambini come lui, al di fuori di qualsiasi vincolo familiare.

L'amico del cuore: i sentimenti in gioco

A vederli, due amici per la pelle sembrano proprio due innamorati. Ma basta un litigio, e tutto va in frantumi. Ed ecco i primi «tormenti», le ripicche, i dolori... Che cosa rende così appassionati e burrascosi questi primi legami infantili? E come consolare un bambino quando soffre?

Il segno dell'amicizia, da bambini come da adulti, è la grande fiducia che ciascuno ripone nell'altro. E lo si vede dalla complicità che si crea anche fra i più piccoli, dal muro che fanno insieme, per difendersi l'un l'altro in caso di difficoltà, dal gusto di scambiarsi le confidenze, di «raccontarsi i segreti», di mostrarsi quei piccoli oggetti che ciascuno nasconde da qualche parte, nella sua «scatolina dei tesori». Non manca poi il rito del dono, dello scambio, per avere sempre con sé qualcosa dell'altro, come una piccola «fede» che suggella la loro intesa: una figurina adesiva, un ciondolo, una sciarpa o una maglietta...

È naturale che quando questa fiducia viene tradita, anche per il più futile motivo, il bambino si senta ferito, rifiutato, abbandonato. Di qui i grandi sbalzi di amore e disamore, di gioia e dolore. Un giorno i genitori lo vedono al colmo della felicità, solo perché sta per incontrare di nuovo il suo piccolo amico dopo una breve separazione. Ed ecco che il giorno dopo piange disperato: «Non ha voluto giocare con me!», «Ha dato a un altro le mie figurine!» e così via... Vien da sorridere, a tanta disperazione. Ma si vede che il bambino soffre davvero: sono ferite che bruciano.

Difficile consolarlo: non nasconde le sue emozioni, è ancora troppo piccolo per farlo. Ma la sua sofferenza, come la sua felicità, sono sentimenti che appartengono solo a lui, proprio come la sua amicizia. E in fondo non chiede di essere consolato: chiede solo di poter comunicare la sua gioia o il suo dolore, come succede agli innamorati. Ci penserà lui, a sciogliere i nodi del suo conflitto, a valutare i torti e le ragioni. E a continuare la sua amicizia o a interromperla, per cominciarne un'altra, altrettanto intensa e appassionata.

In queste prime amicizie il bambino apprende che cosa rende possibile una relazione, che cosa ci si può aspettare dagli altri e che cosa si può dare, che cosa può tollerare e che cosa no, per che cosa si sente di lottare, e quando invece è meglio rinunciare. Impara così a trovare il suo posto, in mezzo agli altri, così come ha fatto nella famiglia.

Gelosie, tradimenti, abbandoni: sono inevitabili nelle prime amicizie o c'è il rischio che il bambino faccia troppo spesso scelte sbagliate?

I bambini hanno sempre una grande capacità di difendersi dalle false amicizie: è troppo forte il loro bisogno di un vero amico. Gli adulti forse possono farne a meno. Ma i bambini, no. Soffrono, e magari molto, per le delusioni, i litigi, i rifiuti, gli abbandoni. Comunque, non rinunciano mai: vanno avanti, ritentano sempre, finché trovano qualcuno in cui avere davvero fiducia. E di cui diventare amico. Imparano così che l'amicizia non è qualcosa di dovuto, ma una conquista.

Certo non mancano quasi mai le rivalità, le recriminazioni, i litigi... Ma la riappacificazione è sempre lì, dietro l'angolo. Anche nell'amicizia, come in ogni sentimento molto intenso, esiste sempre una buona dose di aggressività. C'è la gelosia, che scoppia come un temporale d'agosto non appena un bambino vede l'amico del cuore allontanarsi con un altro senza badargli. C'è un'ombra di invidia, quando l'altro sembra avere qualcosa in più, che il bambino vorrebbe avere e non sempre ha. E c'è la rivalità, quando ciascuno vuole dimostrare di essere migliore dell'altro...

Spesso ci si stupisce dell'intensità con cui il bambino vive questi sentimenti. Ma anche della facilità con cui a volte tutto passa, sembra dimenticato, perché i piccoli contendenti fanno la pace. Oppure si dedicano ad altri interessi, altri giochi, altri amici. E non sempre per leggerezza, volubilità. Ma perché i bambini imparano presto la prima regola che rende così preziosa e nello stesso tempo così mutevole l'amicizia: la sua libertà. Ciascuno è libero di andare e venire, di essere amico se lo desidera, come di non esserlo più, senza obblighi, costrizioni.

Sembra una regola dura da accettare, a volte crudele. Eppure è il primo passo verso una conquista importante: la capacità di stabilire relazioni più libere, autonome rispetto ai vincoli familiari, dai quali il bambino può sempre attingere affetto, fiducia e protezione ogni volta che le sue nuove relazioni vacillano. Quando si sente tradito dal suo amico più caro. Oppure deve affrontare un dolore simile ad un vero e proprio «lutto», quando improvvisamente il suo piccolo compagno scompare per circostanze esterne: un cambiamento di casa, di asilo, di città... L'unico modo per consolarlo, in questi casi, è stargli più vicino, e trovare modo di compensarlo, almeno per un po', di quell'affetto che gli è venuto a mancare.

Gli interventi dei genitori

A volte i genitori si preoccupano nel vedere il figlio troppo succube dell'amico, più deciso e prepotente di lui... «È il caso di intervenire?», si chiedono. «E come?»

Nelle loro amicizie, che nascono quasi sempre dall'attrazione fra opposti, i bambini tendono a formare una coppia complementare, che si compensa a vicenda, un po' come avviene fra gemelli. Si stabilisce così una gerarchia «interna», accettata da entrambi: l'uno è più aggressivo, deciso, e l'altro più disposto a seguirlo. Se fossero entrambi due galletti, la rissa sarebbe continua... È inevitabile quindi che esista quasi sempre un divario di ruolo. Ma i bambini trovano mille modi per riequilibrarlo.

Fra piccoli amici esistono dinamiche segrete, poco visibili, che sfuggono agli adulti. Ma che danno modo anche al bambino apparentemente più succube, più passivo, di riacquistare il proprio potere e ristabilire un equilibrio all'interno della coppia. Meglio quindi non intervenire e lasciare che i bambini sbrighino da soli le loro faccende non solo «di cuore» ma di potere: anche quando vediamo nostro figlio soffrire per qualche torto subito, perché è stato trattato male, perché si sente umiliato...

A volte si può parlarne, ma solo se il bambino manifesta il desiderio di confidarsi e dare così voce a stati d'animo che lasciano ferite brucianti: «L'ho aspettato tutto il pomeriggio, ma non è venuto a giocare con me! E andato a casa di un altro...». Come linea generale è meglio però lasciare che trovi da solo il suo posto nelle relazioni con gli altri, staccandosi dal filo rosso che continua a legarlo alla famiglia, anche a costo di subire qualche frustrazione. È il bambino per primo a sentire il bisogno di superare questi scogli da solo o insieme all'altro diretto interessato: il suo amico. Impara così a mantenere vivo un rapporto che conta molto, per lui, affrontando in modo autonomo i momenti difficili, le delusioni, le piccole umiliazioni.

Solo se il bambino rimane legato a tutti i costi a un «amico del cuore» che si comporta come un piccolo aguzzino nei suoi confronti, le cose si complicano. E sarebbe bene capire perché si lasci invischiare in un legame così poco positivo, imperniato su un gioco un po' ambiguo, dalle sfumature sadomasochistiche, in cui si trova ad avere quasi costantemente il ruolo della vittima: come se preferisse continuare a soffrire, piuttosto che cercare un «vero» amico. L'infanzia sembra un'età lunghissima: ma in fondo è sempre breve, e l'amicizia infantile è troppo importante, perché il bambino sprechi il suo tempo, i suoi sentimenti, le sue aspettative con un amico che non è un amico.

È proprio fra grandi amici che scoppiano anche i grandi litigi. E non sempre i genitori restano neutrali: c'è chi tende a prendere sempre le parti del figlio, chi invece difende quasi sempre l'amico, anche per «dovere d'ospitalità», quando è a casa propria che avvengono i diverbi... E chi cerca di essere un giudice imparziale. Ma fino a che punto è giusto assumere il ruolo di arbitro, in queste contese?

Solo quando il litigio si fa veramente violento, è il caso di intervenire: ma unicamente per separare i contendenti, imporre loro un *break*, ed evitare così che la lite volga al peggio – magari distraendoli con altri giochi – senza mai giudicare chi ha torto e chi ha ragione, chi è «buono» e chi è «cattivo». Altrimenti si introduce una logica che è estranea al mondo dei bambini, e un tipo di giustizia che spesso non ha nulla a che fare con la loro personale idea di ciò che è giusto e ciò che è sbagliato all'interno delle loro relazioni e delle loro «regole del gioco».

È quindi molto controproducente non solo prendere le parti dell'altro, l'amico, ma anche difendere il proprio figlio, per costringere il compagno «cattivo», oppure il gruppo a riparare un torto o un'ingiustizia: «Restituiscigli subito la sua paletta!», «Perché non volete che giochi con voi? Non è giusto "lasciarlo fuori"...». Giusto o no, nei rapporti coi coetanei è inevitabile che ogni bambino si trovi ad affrontare anche piccoli e grandi dispiaceri, come il rifiuto e l'esclusione. Ed è importante che se la sbrighi da solo: l'amicizia è una conquista che passa attraverso anche la capacità di tollerare un «no», senza correre a piangere fra le braccia dei genitori. E obbligarli a «fare giustizia». Sono proprio questi i bambini che più di altri rischiano di non avere veri amici.

Bambini senza amici, bambini «troppo soli»

Ci sono bambini che desiderano disperatamente fare amicizia: ma si sentono continuamente rifiutati. E a volte regalano qualcosa per farsi accettare... «Agli altri bambini non piace giocare con me», dicono. «Se non do niente, non ho amici.» Perché? E come aiutarli?

I bambini che si sentono più esposti al rifiuto sono spesso quelli che ne hanno più paura. È doloroso per tutti sentirsi dire: «No, non voglio essere tuo amico», «No, non voglio giocare con te». Ma alcuni sono talmente angosciati dall'idea di non essere «accettati», che si comportano in modo da trasgredire la prima regola dell'amicizia: la libertà di ciascuno di accettarla o rifiutarla nel modo più spontaneo, seguendo il proprio impulso.

Lo stesso gesto di offrire qualcosa in cambio – un giocattolino, una caramella, una collanina – ha qualcosa di ambiguo, di contorto che risulta male accetto agli altri: contrasta con quel rapporto paritario che è l'amicizia. I bambini sono felici di scambiarsi doni fra loro, quando sono amici. Ma difficilmente accettano il baratto: non possono dare in cambio di un adesivo o di una macchinina la loro disponibilità, il loro affetto, la loro fiducia.

Ricordo il caso di un bambino che all'asilo chiedeva ai compagni: «Vuoi essere mio amico?», e metteva loro in mano una monetina. L'idea di dover «comprare» l'amicizia di un coetaneo, come se non si avesse diritto a un dono spontaneo, reciproco, deriva quasi sempre da esperienze molto precoci e molto profonde di solitudine e di abbandono vissute in famiglia, molto prima di entrare in contatto con i coetanei. La paura del rifiuto è qualcosa che il bambino porta dentro di sé: ed è proprio questa angoscia di non *poter* essere accettato, che lo induce a forme di ricatto affettivo difficilmente tollerate dai compagni.

Fortunatamente in quel mondo a parte che formano i bambini fra loro, c'è sempre modo di incontrarsi... Immergendosi in nuove relazioni infantili, e adattandosi a poco a poco a nuove regole, spesso anche il bambino «senza amici» trova modo di superare le sue paure. E di compensare, proprio attraverso l'amicizia, quel vuoto affettivo che gli crea tanta insicurezza.

All'asilo, se a un bambino piace starsene ogni tanto da solo, isolandosi dal gruppo, c'è il rischio che scatti subito l'allarme: «Se ne sta troppo per conto suo», «È troppo solo», «È timido»... E ci si dà un gran da fare per farlo «socializzare». Ma è davvero un problema del bambino, o una preoccupazione eccessiva degli adulti? E fino a che punto è giusto forzare la sua indole o etichettarlo magari come «poco socievole»?

Oggi si dà una tale enfasi al «bisogno di socializzare» del bambino che si rischia davvero di trasformarlo in un problema, anche quando non lo è affatto. A volte basta che qualcuno non partecipi a tutti i giochi, e preferisca ogni tanto mettersi in disparte, a sfogliare un libro oppure a giocare da solo con le costruzioni, un puzzle, o qualsiasi altra cosa, perché le insegnanti lo giudichino «poco socievole», e informino i genitori di questi suoi «strani» comportamenti. Si dimentica così che ci sono bambini che, pur non avendo alcuna difficoltà a stare con gli altri e a fare amicizia, hanno bisogno di ritagliarsi degli spazi di solitudine, fra un'immersione e l'altra nei giochi di gruppo e nei riti sociali.

Di solito si tratta di bambini sensibili e ricchi di immaginazione, ai quali piace ogni tanto fare una pausa: uscire dal gruppo e crearsi una propria nicchia, ritirandosi in un angolino lontano dal chiasso e dalla confusione, per inseguire le proprie fantasie e i propri sogni, magari con un giocattolo portato da casa... Finito il *break* sono pronti a tornare di nuovo con gli altri, ricaricati di nuove energie e spesso anche di nuove idee, da condividere coi compagni. Inutile quindi preoccuparsi, se ogni tanto un bambino resta da solo.

Il vero problema è che troppo spesso gli adulti hanno paura della solitudine: come se ci fosse qualcosa di pericoloso nello stare con se stessi a riflettere, a pensare, a immaginare. Chissà quali «mostri» potrebbero uscirne... Di riflesso, anche il bambino isolato «fa paura»: si è molto più tranquilli, se sta con gli altri. E allora ci si chiede: «Perché non "socializza"? Che problemi ha? Che cosa gli passa per la testa, quando è solo?». In questo modo, invece di favorire i momenti di «ritiro» creando nell'asilo spazi adatti, si accentua l'ingiunzione a «socializzare» forzando il bambino a stare con gli altri anche quando non ne ha voglia.

Definire «poco socievole», «un po' strano», «timido» chi non «fugge la solitudine», spesso è davvero un grossolano errore di valutazione che rischia di riflettersi in modo negativo sul bambino: come avviene ogni volta che, invece di lasciarlo liberamente esprimere la sua indole, gli si affibbia un'etichetta che riflette non tanto una reale difficoltà del bambino, quanto la nostra incapacità di accettarlo così com'è, senza imporgli i nostri modelli e i nostri schemi.

Naturalmente è diverso il caso dei bambini che hanno una costante tendenza depressiva: allora anche l'isolamento, la solitudine non rappresentano più una pausa salutare e un piacere, ma un sintomo. Definirli «poco socievoli» è ancora una volta una difesa degli adulti, per i quali è difficile ammettere che anche i bambini possano soffrire di questo «mal di vivere». Si sa che la depressione infantile esiste, e che colpisce il quattro per cento della popolazione infantile nei paesi industrializzati: meglio però non vedere, non sapere. E tirare in ballo i soliti problemi di «socializzazione», che sembrano meno inquietanti e più facilmente risolvibili. Invece è estremamente importante saper riconoscere i sintomi della depressione infantile, in modo da aiutare il bambino a guarirne con le cure più adatte. E con molta comprensione.

I giochi di gruppo

Con la scuola materna, cambia la vita del bambino. E cambia anche il suo modo di giocare. Ai giochi «da solo» si alternano ora quelli di gruppo, altrettanto stimolanti, ma molto diversi. Qual è la loro «funzione»?

Inizialmente il gioco di gruppo non è ancora strutturato in modo preciso: le regole naturalmente ci sono, ma sono quelle che si danno gli stessi bambini e che possono cambiare di momento in momento. Continuano così a giocare «per giocare» e non ancora «per vincere», come avverrà in seguito nelle gare competitive, che hanno invece regole ben definite e accettate da tutti, dalle quali non si può sgarrare: altrimenti si è «fuori gioco».

A quattro, cinque anni il bambino conosce perfettamente la differenza fra questi due tipi di gioco, «per giocare» e «per «vincere»: sa che l'unica vera regola del primo è il piacere, l'invenzione, il puro divertimento, come nel gioco «da solo», che ora però si allarga ai suoi compagni. E sa che invece i giochi basati sulle regole insite in ogni gara, creano una maggior eccitazione. E anche una certa tensione: altrimenti, come si fa a vincere?

Giocando «per giocare» i bambini non fanno che ridistribuire nel «piccolo gruppo» i ruoli che prima impersonavano da soli, e a volte con i genitori: la guardia e il ladro, il maestro e lo scolaro, la mamma, le «signore»... Soddisfano così la loro esigenza di nuove relazioni fra coetanei, sottraendosi per la prima volta al predominio diretto o indiretto degli adulti, anche nella finzione ludica. La stessa autonomia la ritrovano poi nelle gare, che stimolano non più l'assimilazione del mondo adulto e dei suoi ruoli attraverso il gioco, ma l'affermazione della propria identità di bambino e del proprio valore su un piano di assoluta parità rispetto ai contendenti.

Per questo è importante che gli adulti – insegnanti d'asilo o genitori – non intervengano nei loro giochi, ma mantengano un ruolo da «spettatore», e a volte, se necessario, da «moderatore», senza partecipare né dettare le regole. Inutile insegnare ai bambini «come si fa» a giocare. Certo, gli si possono dare delle idee e indicare i modi per realizzarle: ma i giochi più belli sono loro a inventarseli, seguendo un'ispirazione che li accomuna, secondo modi e «figure» che si ritrovano nell'immaginario di tutti: come si ritrovano, sotto diverse forme, gli stessi giochi in ogni parte del mondo e in ogni epoca della storia.

Nei giochi di gruppo si forma quasi sempre una specie di spontanea apartheid, di separazione fra maschi e femmine. Perché? Ed è davvero così diverso il loro modo di giocare e di divertirsi da non permettere l'integrazione?

C'è una grande differenza fra i giochi di gruppo maschili e quelli femminili. Il confronto fra maschi ha un impatto più duro e, almeno inizialmente, più difficile da superare. C'è una maggior aggressività nei loro gesti, come lo spingersi, l'urtarsi, nel tentativo di stabilire subito un predominio fisico sull'altro. E c'è anche una maggior rivalità, soggetta però a un'idea gerarchica di tipo verticale – caratteristica dei rapporti maschili – che una volta stabilita viene rispettata incondizionatamente.

Ciascuno ha ben chiaro che esiste nel gruppo un rapporto gerarchico, stabilito dall'età, dalla grandezza fisica, dalla forza muscolare, dall'abilità manuale o ideativa nei giochi e dallo stesso carattere del bambino, più deciso e intraprendente. A questa gerarchia e alle sue regole ciascuno si assoggetta volentieri, perché sa che a tempo debito potrà fare un passo avanti, e rivestire un ruolo superiore: si adatta così a parti marginali, come il raccattapalle, il contapunti, persino all'esclusione, rimanendo tranquillo in «panchina», in attesa di partecipare anche lui al gioco vero e proprio, di essere «della partita» quando arriverà il suo momento. Intanto sta a guardare e si prepara...

Quest'idea di «gerarchia verticale» è quasi del tutto assente invece nei gruppi di bambine che spesso continuano a preferire i giochi «per giocare», di fantasia, di finzione, a quelli «per vincere». Anche quando organizzano delle gare, è difficile che si stabiliscano fra loro delle regole condivise da tutte: c'è sempre qualcuna che, a turno, improvvisamente decide di cambiare gioco, oppure lo interrompe per andare a fare la merenda o qualsiasi altra cosa le venga in mente in quel momento...

Nel loro mondo, certamente più inventivo, fantasioso e «anarchico» di quello maschile, privo com'è di gerarchie e di regole, anche la rivalità sembra minore. In realtà è soltanto meno visibile. I conflitti fra maschi trovano sempre una loro forma di «rappresentazione»: ciascuno può esprimere la sua aggressività anche in un modo fisico, concreto, accettato e condiviso dagli altri. Fra bambine invece le rivalità, i conflitti, le pulsioni aggressive vengono raramente allo scoperto: sono più sotterranei, e spesso più dolorosi e difficili da risolvere.

Quando l'aggressività sommersa finisce per emergere, non viene incanalata verso un obiettivo ma straripa in litigi furibondi, che scoppiano così, non si sa come e perché. E che non lasciano né vincitori né vinti. Anche l'esclusione dai giochi, che prima o poi capita a tutti, provoca maggior dolore nella bambina: a differenza di quanto accade nei gruppi maschili, non ha nessuna regola da seguire per «rimettersi in gioco», e deve trovare da sé i mezzi per reagire.

È quindi difficile, a questa età, che maschi e femmine possano integrarsi nei giochi di gruppo. Se a volte i maschietti preferiscono giocare con le bambine, è perché si sentono impauriti dall'aggressività dei rapporti fra maschi e più attratti dai giochi liberi, di fantasia. Per le bambine invece aggregarsi ai maschi è un modo per esprimere più liberamente anche le proprie pulsioni aggressive, e misurarsi nei giochi di competizione in modo più chiaro. Ma né gli uni né le altre rinunciano ai giochi con i coetanei del proprio sesso: è una scuola di vita indispensabile per scoprire e consolidare la propria identità. E confrontarsi poi con l'altro sesso, man mano che si avvicina la pubertà.

Giocare alla guerra

I bambini hanno sempre giocato alla guerra. Ma non l'avevano mai vista: la conoscevano solo attraverso i western, dove i buoni vincevano sempre, e la causa era sempre quella giusta. Oggi invece che le immagini di sterminio, anche di donne e bambini, scorrono sotto i loro occhi quasi ogni giorno, alla tv, in tutta la loro terribile violenza, è possibile ancora trasformare in gioco la guerra?

Non solo è possibile, ma è necessario. Tutti i bambini hanno un'aggressività che deve trovare uno sbocco anche al di fuori della realtà della vita quotidiana, nel gioco: altrimenti rischia di riversarsi quasi esclusivamente nei rapporti con gli altri o di essere troppo inibita, repressa, dando luogo a comportamenti spesso autolesionistici. E lo sbocco più immediato, più liberatorio, che permette di incanalare le pulsioni aggressive nel mondo immaginario della fantasia, è proprio il gioco della guerra: oggi forse più che in passato.

Giocando con le armi il bambino ottiene infatti un duplice risultato: non si limita a scaricare nel modo più inoffensivo la sua aggressività, come avveniva in passato, ma riesce a controllare l'angoscia provocata dalle terribili immagini che vede alla televisione. Anche quando mima una realtà intollerabile, il gioco ha sempre la funzione di aiutare il bambino a renderla «pensabile», attraverso la fantasia, e quindi a trasformarla, a modificarla, a darle contorni più umani e accettabili. Certo oggi è difficile intravedere una «causa giusta», e collocare i buoni da una parte e i cattivi dall'altra: ma il bambino ci riesce.

Invece di rimproverarlo perché gioca alla guerra o cercare di dissuaderlo, i genitori – anche i più pacifisti – possono aiutarlo a tracciare una linea etica fra ciò che è lecito e ciò che invece è ingiusto: naturalmente senza intervenire nei suoi giochi, ma parlandone lì, dove scaturisce la sua e la nostra angoscia, di fronte alle immagini «dal vivo» della tv. È giusto lottare per difendersi, si può dire a un bambino. È invece profondamente ingiusto, malvagio, disumano, infierire sugli inermi, bombardare un ospedale o una piazza di mercato, uccidere donne, vecchi e bambini... Certo, non c'è guerra in cui sia davvero possibile distinguere completamente il male dal bene: come non è possibile farlo nell'animo umano. Ma al bambino basta sapere che la guerra non è solo caos, come appare dalle sue immagini più terrificanti: e che le distinzioni, sia pure non così nette, fra i «buoni» e i «cattivi» esistono, oggi come sempre.

Non c'è da stupirsi poi se lo vediamo giocare coi compagni a Saddam Hussein e ai marines americani, come succedeva in molte scuole materne durante la Guerra del Golfo, distribuendo le parti dei buoni e dei cattivi come meglio gli pare, e magari alternandole di volta in volta. Benché la fantasia non basti a comprendere la complessità dei fatti storici, certamente può aiutare il bambino a circoscrivere l'angoscia che le loro immagini gli trasmettono. È questa la funzione positiva di giochi apparentemente «distruttivi» come la guerra. Perfino nel pieno del secondo conflitto mondiale i bambini non hanno mai rinunciato a giocare con fucili e pistole, fra un coprifuoco e l'altro...

Ci sono genitori che in nome degli ideali pacifisti si rifiutano di comperare ai propri figli armi-giocattolo. E se potessero, gli proibirebbero anche di giocare alla guerra...

Inutile scandalizzarsi di fronte a questi giochi infantili e proibire ai propri figli le armi-giocattolo, come fanno alcuni genitori. Certo non è il caso di incentivare questo desiderio infantile riempiendo la loro stanza di fucili, bombardieri, missili e carri armati. Ma non è neppure il caso di aggiungere altre frustrazioni a quelle che già ogni bambino si trova ad affrontare nella sua vita quotidiana. Non è proibendogli giochi e giocattoli «distruttivi» che si estirpano nel bambino gli impulsi aggressivi più negativi: al contrario, gli si impedisce di elaborare l'angoscia che provocano.

È talmente forte nel bambino il desiderio di giocare *anche* alla guerra, quando ne sente l'impulso, che se non può avere il suo fucile, se lo inventa: gli può bastare il manico di una scopa, un bastone, o il braccio teso, per sentirsi armato e pronto a lottare, magari contro un nemico immaginario.

Non dimentichiamo che la guerra è così profondamente radicata nella nostra cultura, da essere al centro del primo poema epico che ci è stato tramandato dall'Antica Grecia, l'*Iliade*. Senza contare il continuo scorrere di sangue nella *Bibbia*, a cominciare dalle origini dell'uomo. Figure di guerrieri e di armi, scenari di lotta e di morte sono presenti da sempre nel nostro immaginario, come riflesso della nostra stessa civiltà. È un'illusione pensare che basti la fede pacifista a sradicarle per sempre dalla nostra vita. E dai giochi dei bambini, che di questa nostra cultura sono un riflesso. La pace come valore è un ideale della maturità non una imposizione autoritaria.

La «fobia dell'asilo»

È raro che i bambini raccontino ai genitori quello che succede all'asilo. Se qualcosa non va, lo si viene a sapere dalle insegnanti. Oppure da un im-

provviso rifiuto: «No, non voglio andarci!». Senza contare quei malesseri, privi di una vera causa organica, che costringono il bambino a stare a casa... Quali sono le cause di questa «fobia dell'asilo», così diffusa, soprattutto nei primi tempi?

Il primo impatto con la vita di gruppo può essere molto duro per il bambino, anche se ha già avuto modo di frequentare abitualmente i coetanei prima di iniziare l'asilo. È difficile non sentirsi più centro delle attenzioni, e doversi adeguare improvvisamente alle regole della comunità e ai suoi rituali: dalla spartizione dei giocattoli, agli orari, ai giochi di gruppo. Per tutti la vita d'asilo richiede un grande sforzo d'adattamento, che può risultare particolarmente pesante per chi in famiglia è stato abituato a un eccessivo lassismo o al contrario ha avuto un'educazione troppo rigida: in entrambi i casi c'è una minore capacità di adattarsi alle nuove regole. Per il bambino che non ne ha mai avute, è come imparare di colpo un linguaggio sconosciuto. Chi invece è stato costretto a seguire le norme familiari con una rigidità eccessiva, trova difficile modificarle...

Inoltre, per i bambini che erano abituati a stare a casa con la mamma, l'inizio dell'asilo coincide anche col primo grande distacco: per questo è importante renderlo meno traumatico consentendo alla madre di rimanere accanto al figlio nel corso delle prime settimane, magari in un'altra stanza, dove il bambino può raggiungerla quando vuole. Oltre a rassicurarlo, la sua semplice presenza basta a rendere meno estraneo il nuovo ambiente, mentre il piccolo comincia a familiarizzare con le persone e le cose. E sarà così meno incline alla «fobia dell'asilo».

Ma, come si sa, il problema del distacco e della separazione non è mai risolto una volta per tutte. E può riemergere, magari a distanza di mesi, soprattutto se il bambino attraversa momenti difficili sia all'asilo, nelle relazioni coi compagni e le insegnanti, sia in famiglia. Gli stati di tensione, di conflitto acuiscono sempre la «voglia di mamma», che corrisponde alla «voglia di casa», il luogo che evoca il suo legame con lei, la sua presenza, la sua vicinanza, anche quando non c'è.

È la casa, la mamma, che il bambino desidera quando sta male, quando soffre, quando si sente a disagio: «Voglio tornare a casa!», «Voglio la mamma!». Spesso non lo dice con le parole, ma con quei disturbi psicosomatici, che scoppiano all'improvviso e che appaiono preoccupanti: attacchi d'asma, dolori viscerali, tachicardia, mal di testa... Lo si vede impallidire, oppure arrossarsi, gli manca il respiro, si contorce per il mal di pancia, è tutto sudato: alle insegnanti non resta che chiamare la mamma a casa o in ufficio. Che corre trafelata. «È la tensione. È lo stress...», dice il medico, non riuscendo a trovare nulla di organico, in questi malesseri. Ma è soprattutto la paura del distacco, che si trasforma in «fobia dell'asilo».

Succede quando il bambino si sente troppo solo, umiliato dai compagni, incompreso... Ma succede anche quando, pur trovandosi bene nella scuola, sta vivendo in famiglia conflitti dolorosi, legati a nuove esperienze, nuovi sentimenti: come la gelosia del fratellino che è appena nato e se ne sta lì a casa, fra le braccia della mamma, mentre lui «viene spedito» via, o qualsiasi altra situazione che lo renda più fragile, indifeso, con una gran voglia di tornare piccino, e starsene al sicuro nella sua casa.

Il rifiuto dell'asilo quindi non è necessariamente il segnale che qualcosa non va, in quell'ambiente. Può essere il riflesso di un disagio più personale, privato, che riguarda invece la vita familiare. In ogni caso è sempre un messaggio che il bambino lancia ai genitori: la spia di un malessere che è importante cercare di capire, insieme a nostro figlio, per aiutarlo a riprendere la sua strada con tutta la sicurezza di cui ha bisogno, ora che comincia ad allontanarsi «da casa».

Che cosa succede all'asilo?

Come capire se qualcosa non va all'asilo, in modo da prevenire malesseri e «fobie», aiutando il bambino a superare le sue difficoltà?

I cambiamenti di umore e di comportamento che sembrano addirittura modificare l'indole del bambino sono quasi sempre il segnale di una situazione di disagio. E poiché la sua vita si svolge fra casa e asilo, se in famiglia non ci sono particolari tensioni e tutto corre liscio, è probabilmente il nuovo ambiente a provocare uno stato di malessere che lo rende «diverso» da com'era prima. È il caso del bambino tranquillo, che improvvisamente diventa irrequieto, agitato, nervoso. Del bambino estroverso, aggressivo, che sembra chiudersi in se stesso, diventare timido... Oppure regredisce a fasi precedenti della sua crescita, torna a fare la pipì a letto, ha difficoltà nel linguaggio, non sa più allacciarsi le scarpe, diventa goffo, impacciato.

Prima ancora di cogliere questi indizi «sospetti», si può cercare di conoscere la vita che il bambino conduce all'asilo dalle sue stesse parole, cercando di fargli raccontare quello che succede di giorno in giorno. A questa età infatti non gli viene quasi mai in mente di «parlare dell'asilo»: e non perché abbia qualcosa da nascondere o non succeda mai nulla di interessante, di significativo. Ma perché è come se casa e asilo fossero due parti della sua vita completamente separate, in cui non riesce a trovare alcun punto di contatto.

A tre, quattro anni il bambino vive ancora nel presente più immediato: non appena si lascia l'asilo alle spalle, è un capitolo chiuso, non se ne ricorda quasi più. E si proietta tutto su quanto avviene ora, a casa. Ha quindi bisogno di essere stimolato a parlare, a raccontare. Ed è molto importante che lo faccia. In questo modo non solo ci aiuta a conoscere meglio la sua vita fuori casa, e le eventuali difficoltà in cui può imbattersi, ma gli si offre un suo spazio di conversazione nel corso di quei «riti familiari», come la cena, in cui ciascuno racconta le proprie esperienze della giornata.

Sapere che anche lui ha il diritto di intervenire e di essere ascoltato, come i grandi, lo fa sentire più importante. Ogni volta che si parla *con lui*, e non soltanto *di lui* – come spesso avviene in presenza di adulti – e si sente ascoltato con la stessa attenzione che hanno i grandi quando parlano tra loro, il bambino ha un'ulteriore conferma che i genitori gli danno veramente valore. E questo aumenta la sua autostima.

Come indurre un bambino a parlare della sua «vita d'asilo»?

Si può invitarlo a raccontare che cosa «è successo a scuola», con garbo, senza insistere troppo e senza avere l'aria di sottoporlo ad un interrogatorio, cominciando a chiedergli le cose più banali: se era buono il pranzo, quali giochi gli sono piaciuti di più e così via... Una volta ristabilito un punto di contatto con un passato ormai «lontano», anche se risale a qualche ora prima, sarà lui a riferire gli avvenimenti più significativi. Veniamo così a sapere che per la prima volta ha vinto una gara, che c'è stato un litigio a causa di una palla, e che il suo amico del cuore è intervenuto a difenderlo, che sta nascendo una particolare simpatia con un compagno dell'altro sesso: «Marco mi ha regalato un fiorellino», «Io e Luisa ci siamo scambiati gli adesivi»... E veniamo a sapere anche che quel giorno è stato escluso dal gioco, che la maestra lo ha sgridato perché ha fatto cadere un compagno con uno spintone, che un altro gli ha strappato il suo giocattolo e la maestra ha detto: «I giocattoli sono di tutti!», che durante la colazione gli spaghetti sono volati da un piatto all'altro ed è successo un finimondo...

Naturalmente non dobbiamo aspettarci «grandi racconti», ma piccoli episodi che bastano però ad aprire uno squarcio su questo «mondo a parte» che è l'asilo. Senza dimenticare che non tutto ciò che raccontano i bambini è vero: ciascuno aggiunge spesso qualcosa «di suo», che è una pura invenzione. Tuttavia, anche attraverso le sue «bugie fantasiose», piuttosto frequenti a questa età, il bambino ci comunica qualcosa di molto vero, che sta accadendo dentro di lui. Invece di sgridarlo o di prenderlo in giro – «Ma va'! Quante frottole racconti! Chi vuoi che ti creda?» – è importante cercare di coglierne il significato nascosto, e capire che cosa ci vuole trasmettere con questi suoi racconti. Come i sogni, spesso riflettono i suoi desideri e le sue paure.

Grandi frottole e piccoli furti

Bugie fantastiche e piccoli furti si accompagnano spesso alla vita d'asilo. Quando possono rappresentare davvero un problema, invece di una normale «fase di passaggio»?

Nei comportamenti infantili, che possono apparire «anomali» o contrari alla morale corrente, come le bugie e i piccoli furti, è quasi sempre la «quantità», piuttosto che la «qualità» a tracciare il confine fra normalità e sintomo, proprio come avviene per gli adulti. Per il bambino inoltre molto dipende dall'età: un comportamento che è perfettamente normale a due anni, come le bizze più furibonde, lo è molto meno a cinque, sei anni, quando è ormai «fuori tempo massimo».

Dai tre ai cinque anni è del tutto «normale» che un bambino racconti a volte delle vicende immaginarie, non solo ai genitori, ma ai compagni e agli insegnanti. Ed è «normale» anche che si porti a casa dall'asilo un pezzettino di pongo, un pennarello, un adesivo, proprio come si porta via da casa qualche giocattolino da tenere con sé all'asilo. Non si tratta ancora né di «vere» bugie né di «veri» furti. A questa età il bambino è troppo piccolo per avere chiara l'idea di ciò che è lecito e ciò che non lo è: ha un forte senso del possesso e della giustizia, è vero. Ma sono ancora a senso unico: riguardano solo se stesso. Quanto alle frottole che inventa, è ancora così labile il confine fra il «per finta» e il «per davvero», che hanno poco a che vedere con la menzogna.

Tuttavia se questi comportamenti sono troppo frequenti o «eccessivi» possono diventare un sintomo: il segnale di una situazione di disagio che il bambino sta vivendo e che cerca di «compensare» modificando troppo spesso la realtà coi suoi racconti fantasiosi, o appropriandosi di un oggetto che non gli appartiene, per «vendicarsi» di qualcosa che gli è stato tolto: affetto, comprensione, stima.

Un conto è se un bambino tende ogni tanto ad abbellire la realtà, o a darsi importanza raccontando le sue fantasie *come se* fossero vere: «Io conosco sette lingue straniere!», «So saltare giù da un albero alto dieci metri!», «Mio papà ha quattro macchine!», «Mia mamma ha dieci pellicce e tantissime collane...». Diverso è invece se lo fa in continuazione. Allo stesso modo può essere motivo di preoccupazione se non si limita a portare a casa qualche piccolo oggetto senza importanza, che circola di mano in mano, come un pezzetto di pongo, ma sottrae a qualche compagno l'automobilina o la Barbie.

Anche in questi casi non si tratta di un problema etico o «sociale»: almeno, non ancora. È un problema invece il malessere interiore che il bambino esprime raccontando troppo spesso bugie fantastiche e rubacchiando oggetti che hanno un valore reale e non solo simbolico. Si tratta allora di capire che cosa gli manca veramente, e aiutarlo a «pareggiare i conti» in altro modo, invece di ricorrere a queste compensazioni. Si evita così anche il rischio che il bambino venga etichettato come «bugiardo» o «ladro», peggiorando la situazione di disagio che già sta vivendo.

Bambini «diversi»

Hanno la pelle più scura, i tratti del viso diversi e un diverso modo di parlare: coi piccoli extracomunitari la nuova società «multirazziale» ha fatto da tempo il suo ingresso all'asilo. Come vengono accolti africani, filippini, cinesi dagli altri bambini? Anche in questo loro «mondo a parte» esistono problemi di razzismo?

Spesso si immagina l'asilo come una «comunità ideale», una società dell'utopia al riparo dai mali del mondo, dove regnano giustizia, uguaglianza e fratellanza e dove le differenze razziali, culturali, religiose e sociali non costituiscono più una barriera. Né tanto meno sono motivo di conflitto e di emarginazione dei più deboli. Ma si tratta di un'illusione, che fa sentire più tranquilli gli adulti. In realtà i bambini per primi sono sempre pronti a cogliere qualsiasi differenza nei piccoli coetanei: e a metterla in luce come qualcosa di curioso, di ridicolo, di «strano», con una crudeltà infantile ancora del tutto priva di consapevolezza, che ferisce però profondamente l'altro bambino.

Non occorre neppure avere la pelle nera o gli occhi a mandorla: spesso basta che un bambino abbia «qualcosa di diverso», un abbigliamento un po' strano, troppo agghindato o troppo trasandato, un modo di camminare un po' goffo, che sia troppo grasso o abbia un difetto fisico o di pronuncia, come la balbuzie per diventare immediatamente oggetto di curiosità e ilarità collettiva, un atteggiamento che colpisce il piccolo «diverso» come un insulto.

Non c'è da stupirsi quindi che questo possa accadere anche con i bambini di paesi e di etnie lontani. Né possiamo scandalizzarci, accusando il bambino di essere razzista. Non lo è. Non ancora. Fa parte della natura infantile essere nello stesso tempo affascinati e intimoriti da ogni «diversità». E reagire a ogni forma di attrazione-paura con comportamenti che possono a volte apparire crudeli.

A questa età è «naturale» per un bambino esprimere i suoi impulsi, così, come vengono, senza valutare l'impatto che possono produrre sull'altro. E quindi senza rendersi conto della propria crudeltà. Ed è «naturale» anche coalizzarsi spontaneamente con i bambini più «simili», in modo da formare un gruppo di eguali in contrasto con chi appare diverso.

Non si tratta certo di giustificare questi comportamenti: ma di capire perché si manifestano, riconoscendo che la «natura infantile» non è sempre così «bella» e «innocente», come ci illudiamo che sia. Deve essere educata, e non accettata così com'è – «Sono solo bambini! Non capiscono ancora...» – ma neppure sottoposta ad una pesante disapprovazione: «Vergogna! Non ti rendi conto di come è brutto, cattivo prendere in giro un bambino perché ha la pelle scura?». No, i bambini, da soli, non «se ne rendono conto». Ma sono perfettamente in grado di capire, se vengono educati ad una maggior comprensione della diversità: a cominciare dal fatto che è una condizione reciproca. Non è solo il bambino nero ad essere «diverso» agli occhi del bianco. Anche il bambino bianco, lo è per il nero.

Come educare il bambino a non discriminare i «diversi»? E perché a volte si comporta da «piccolo razzista» anche quando appartiene ad una famiglia ideologicamente contraria ad ogni forma di razzismo e di discriminazione?

In una società multietnica come sta diventando la nostra è importante spiegare al bambino che ci sono tante culture nel mondo, come ci sono tante religioni e tante razze diverse. E che ognuna ha un suo valore e un suo significato che è bene conoscere, per potersi accostare a mente aperta, senza quei pregiudizi e quelle ostilità che sono il riflesso della paura dell'ignoto. Imparando a valorizzare le differenze, a considerarle una ricchezza del mondo, il bambino ne ha meno timore, e può aprirsi a forme di rapporto basate sull'interesse reciproco, la comprensione e l'amicizia.

Questo tipo di educazione può avvenire «sul campo», quando

nell'asilo c'è un clima realmente democratico e le insegnanti sono preparate ad affrontare anche questi problemi, dando voce e ascolto ai bambini di altri paesi e di altre razze, invitandoli a raccontare la loro storia, le loro origini, le loro tradizioni... I suoi compagni saranno affascinati nel sapere che esistono anche modi di vita, cibi, rituali e festività diverse, con valori e significati che non conoscevano e che aprono uno squarcio sulla realtà, oltre i confini della loro casa, del loro quartiere e dell'asilo.

Per questo è meglio evitare scuole materne molto snob ed esclusive, dove il bambino non ha modo di entrare in contatto con realtà sociali differenziate. E dove spesso non occorre appartenere a culture lontane per venire discriminati: è sufficiente essere meno ricchi degli altri. Allora anche il figlio di portinai o di piccoli commercianti rischia di essere messo alla berlina e umiliato, spesso senza che gli altri bambini ricorrano a comportamenti aggressivi o a gesti di esclusione eclatanti: già da piccoli si possono usare le parole con sottile cattiveria... E se gli insegnanti non intervengono, per i bambini è facile pensare che sia giusto così.

Naturalmente molto dipende anche dall'atteggiamento dei genitori di fronte alla questione razziale. Non basta essere ideologicamente «contro» ogni forma di discriminazione se poi nei piccoli frangenti della vita quotidiana si esprime una forma di insofferenza, incomprensione e ostilità che trapela dai gesti, dagli sguardi, dalle parole: ad esempio quando si incontra per la strada un venditore ambulante di colore un po' troppo insistente. O quando un gruppo di ragazzi africani occupa quasi tutti i posti in autobus... Inutile quindi infarcire i nostri figli di bei discorsi ideologici, se poi ci si contraddice sotto i loro occhi nei fatti: i bambini sono sempre molto attenti a captare i messaggi «dal vivo», quelli che emergono dai nostri comportamenti, e che lasciano in loro un segno molto più profondo di tante belle parole.

L'amico immaginario

A molti bambini non bastano gli amici «veri». Spesso se ne inventano uno «immaginario», che gli appartiene, proprio come l'orsacchiotto. In questo caso si tratta però di una presenza invisibile, che esiste soltanto nella loro fantasia. E i genitori a volte si preoccupano, quando vedono il bambino intrecciare un curioso dialogo «per voce sola», con questo suo strano «amico»: «Ma è normale che parli da solo, con un compagno inesistente, che è frutto della sua immaginazione?», si chiedono fra il divertito e il perplesso...

L'amico immaginario è un'invenzione molto comune, fra i bambini : compare di solito verso i tre, quattro anni, quando sentono il bisogno di un vero compagno e nello stesso tempo avvertono le difficoltà sempre presenti nell'amicizia reale, che non è mai quel «paradiso» che spesso gli adulti immaginano. A volte i rapporti fra coetanei possono essere molto deludenti, problematici, conflittuali, e portare a scontri durissimi. Nell'impossibilità di trovare l'amico «ideale» nel mondo esterno, lo evocano nella propria mente, mettendo in scena un teatro interiore, in cui ogni cosa avviene proprio come vorrebbero.

Creando un personaggio come l'amico immaginario, insieme a tutte le vicende che si intrecciano nel suo rapporto con lui, in un continuo gioco di proiezioni e identificazioni, il bambino segue il processo ideativo dell'artista, quando scrive un romanzo, una commedia: come lui inventa i suoi personaggi attribuendo loro non solo una storia, ma un «carattere». Non si tratta quindi di un «sintomo negativo», da tenere sott'occhio, come pensano alcuni genitori. Ma di un'operazione mentale molto creativa: «Ci vorrebbe un amico», pensa il bambino. E se lo inventa, proprio come avviene in ogni gioco di finzione.

Inutile quindi preoccuparsi, per questa curiosa «stranezza», anche quando si prolunga nel tempo?

In passato il fatto che un bambino si inventasse un «amico immaginario» veniva considerato un sintomo abbastanza preoccupante: un eccesso di fantasia che rischiava di allontanarlo dalla realtà invece di favorirne la progressiva integrazione. Anche senza temere che fosse un po' matto, come succede quando si vede un adulto che «parla da solo», si trattava comunque di una stranezza che poteva apparire un po' inquietante. «Perché mai questo bisogno di inventarsi un amico? Non gli bastano quelli veri? Non gli basta il nostro affetto, la nostra presenza? Che cosa gli manca?», si chiedevano i genitori. E a volte se lo chiedono ancora.

A questi interrogativi ha dato una risposta tranquillizzante per tutti un papà molto speciale: il grande psicologo e pedagogista svizzero Jean Piaget, che fu fra i primi a occuparsi direttamente, «dal vivo», di questo aspetto curioso della vita infantile, osservando i comportamenti della figlia Jacqueline dai tre anni in poi. La figura dell'amico immaginario cominciò così a essere rivalutata, anche attraverso il risultato di altri studi e ricerche: e fu considerata non più una semplice «stranezza», né tanto meno un sintomo preoccupante, ma una «bella dimostrazione dell'intelligenza creativa del bambino».

È un po' come l'orsacchiotto o il giocattolo preferito: con una differenza importante, però. Con l'invenzione dell'amico immaginario il bambino non ha più bisogno di un oggetto concreto, da toccare, abbracciare, per sentirsi rassicurato o consolato. Gli basta pensarlo, immaginarlo. Inventarlo. Si tratta quindi di un'operazione mentale completamente simbolica, astratta, che ha una duplice funzione. Dalla fantasia del bambino scaturisce come dalla lampada di Aladino il genio benefico che lo protegge, quando ne ha bisogno: una figura che lo gratifica sempre, compensando così le sue frustrazioni, le sue mancanze, e a volte la sua solitudine. Nello stesso tempo questo personaggio invisibile così caro ai bambini, che si ritrova anche in molti cartoon, favorisce lo sviluppo della sua personalità: è sempre una parte di sé che il bambino rappresenta, nella figura dell'amico immaginario.

«Chi» è l'amico immaginario? Quali aspetti della personalità del bambino porta alla luce?

Spesso è una specie di io ideale, quello che il bambino vorrebbe essere, e non è: un modello da imitare, più grande, più bello, più coraggioso, più sicuro e così via. È il caso della bambina grassa, un po' goffa, impacciata, che inventa un'amica bellissima, che fa la ballerina. Oppure del bambino gracile, mingherlino, che perde sempre nel gioco al pallone, e inventa un amico che vince sempre. Attraverso queste figure immaginarie entrambi cercano di compensare le proprie frustrazioni, identificandosi coi propri compagni più ammirati, e immaginando di poter diventare a loro volta così, crescendo...

In altri casi invece l'amico immaginario può rappresentare gli aspetti più negativi di sé, quelli che il bambino è meno disposto ad accettare, che lo fanno sentire in colpa, che gli creano difficoltà . È un po' come succede nelle prime bugie di discolpa: «Non sono stato io! È stato un *altro*». Il compagno invisibile diventa così *l'altro:* una specie di sosia, di alter-ego su cui il bambino riversa la parte «cattiva» di sé per preservare intatta quella «buona». Non è lui, è un altro, quello che fa le cose che «non si fanno», che disubbidisce, che dice le bugie, che combina disastri... Un bambino di cinque anni, abituato a raccontare le più strabilianti bugie, inventò un compagno che ne raccontava più del Barone di Munchausen, e lo chiamò il signor G. «Sai cosa mi ha raccontato il signor G.?» diceva alla mamma. E via con le frottole... Finché fu solo il signor G. a raccontarle. E il bambino cominciò ad essere invece la bocca della verità.

Le parti che interpreta l'amico immaginario di solito sono molte: oscillano da un ruolo all'altro in un continuo alternarsi di funzioni diverse, dall'«io ideale», al «bambino cattivo», al genio benefico. E non manca quasi mai il compito di «portavoce», un intermediario che rivela ai genitori ciò che il bambino non osa dire apertamente: «Poverino, quando torna a casa non trova mai la mamma e il papà...». E in questo modo lancia il suo messaggio: «Siete sempre fuori. Non state mai a casa, con me...». Mentre il bambino che si sente vittima di una continua sequela di sfortune, lo comunica attraverso le «disgrazie» che continuano a capitare all'amico. «Non gliene va mai bene una, sai cosa gli è successo oggi?» E via con le tragedie, che capitano sempre all'*altro*.

L'amico immaginario non è quindi una «presenza» utile solo al bambino. Lo è anche per i genitori: rivela molti aspetti segreti del suo carattere, della sua personalità e della sua vita interiore, che altrimenti il piccolo non saprebbe come esprimere.

Ci sono genitori che non possono fare a meno di prendere un po' in giro il bambino, per questa sua bizzarra «compagnia». E a volte lo rimproverano, se persiste troppo a lungo: «Non è meglio se giochi coi tuoi amici?».

È talmente utile, questo compagno fedele disposto ad impersonare tutti i ruoli, e a stargli accanto quando ne ha bisogno, che il bambino non vi rinuncia mai, nonostante tutte le occasioni del mondo di fare amicizia: naturalmente senza rinunciare agli amici «veri», con cui continua a giocare, con grande passione.

Ma anche l'amico immaginario è un gioco. E come tutti i giochi infantili, è una cosa molto seria, per lui. Non appena si accorge che i genitori lo prendono in giro, o lo disapprovano per questa sua «compagnia», il bambino tende a proteggere la sua invenzione, continuando in segreto il suo rapporto con l'amico invisibile, senza più comunicare nulla ai genitori.

Ne parla volentieri invece quando lo si ascolta con interesse, con attenzione, senza porgli domande troppo «sospettose», inquisitorie: allora può diventare una figura familiare, di cui il bambino racconta prodezze e disavventure, di solito nei momenti di incontro collettivo, come la cena. Non è il caso però di immedesimarsi troppo nel gioco del bambino, fino a preparare un posto a tavola anche per il compagno invisibile. O dargli due secchielli e due palette, «così gioca anche lui»... Nel gioco infantile c'è sempre un equilibrio molto delicato fra il «per finta» e il «per davvero», che spetta al bambino calibrare, senza l'intervento degli adulti. Come l'orsacchiotto, l'amico immaginario appartiene solo a lui. Sta al bambino evocarne la presenza, oppure no.

Meglio quindi non dare troppa realtà alle sue fantasie, e nemmeno sollecitare troppo le sue confidenze: «Come sta il tuo amichetto?». Ma non dobbiamo neppure trasformare l'amico immaginario in uno spunto di divertimento, e in un argomento di conversazione da solotto, con gli amici. Le fantasie che il bambino ci confida sono segreti che devono essere trattati con tutto il riserbo, la discrezione e il rispetto che meritano.

Esaurite le sue funzioni, anche il compagno immaginario scomparirà. Per restare però fra quegli aneddoti d'infanzia, un po' buffi e un po' teneri, che tendono a svanire dalla memoria del bambino. E che saranno i genitori a ricordare per lui, sul filo della nostalgia, quando ormai l'infanzia sarà lontana, come i suoi giochi e le sue imprevedibili magie.

XXI
Figlio unico, Fratelli, Gemelli

ninna-nanna di due fratellini
che dormivano vicini
uno dormiva ma poi si svegliava
perché l'altro russava russava

Viziato, egoista, prepotente. Ma nello stesso tempo timido, insicuro, emotivamente fragile: un gigante dai piedi d'argilla destinato a crollare al primo scontro con la «dura realtà», fuori dalle mura di casa... In passato non c'erano dubbi: era questo l'identikit del figlio unico. E le prospettive non sembravano molto rosee, per chi si trovava nell'anomala condizione di essere il solo bambino in famiglia. Al punto che molti genitori decidevano di avere un secondo figlio soprattutto per dare un fratello al primo, e non lasciarlo in balia di un destino travagliato...

Oggi la situazione si è capovolta. Col progressivo calo delle nascite, nei paesi occidentali essere figli unici non è più un'eccezione. Ormai è quasi la regola: in particolare in Italia dove il tasso demografico è il più basso del mondo. Al di là del paradosso statistico che assegna, come indice di natalità, 1,3 figli a coppia, le famiglie con un solo figlio sono la stragrande maggioranza. Ci si avvia così verso una società formata in gran parte da figli unici, che per forza di cose dovranno rinunciare a sentirsi davvero gli unici privilegiati come lo erano in famiglia.

Certo nessuno si azzarda più a dire, come fece lo psicologo americano Stanley Hall all'inizio del secolo: «Essere figlio unico è di per sé una malattia». Se così fosse, si tratterebbe di una vera epidemia... Ma come cresce un bambino senza fratelli? Rischia davvero di non uscire dalla gabbia dorata dei suoi privilegi iniziali, e rimanere sempre un po' immaturo, egocentrico, narcisista, incapace di sopportare la minima contrarietà?

I dubbi dei genitori non sono del tutto scomparsi, anche se da tempo si cerca di sfatare i vecchi pregiudizi. I primi a dare un decisivo colpo di boa in favore dei figli unici sono stati gli americani che da oltre vent'anni tendono a metterne in luce, attraverso i risultati di ricerche e statistiche, le qualità, piuttosto che i difetti. Sono stati proprio i tanto bistrattati bambini cresciuti da soli, senza fratelli, a raggiungere i massimi punteggi nelle rigide sele-

zioni della NASA *per i voli spaziali: ventuno dei ventitré primi astronauti erano figli unici. Altro che fragilità emotiva, insicurezza, incapacità di affrontare le difficoltà!*

Senso di responsabilità, determinazione, volontà di emergere, ambizione sono caratteristiche che non sembrano affatto mancare a chi cresce senza fratelli: come confermano ricerche più recenti che danno i figli unici come favoriti nella corsa al successo, insieme ai primogeniti.

Al di là di questa rassicurante inversione di tendenza che va di pari passo con il progressivo assottigliarsi della prole, ai figli unici viene certamente a mancare qualcosa di importante: quella famiglia-ombra che fratelli e sorelle tendono a formare fra loro svincolandosi dai «grandi», un po' come avviene nel mondo dei Peanuts *di Schultz. Su questa società di soli bambini, capace di sottrarsi a volte all'influenza predominante degli adulti, come fanno Charlie Brown e i suoi compagni, chi ha fratelli può sempre contare. A differenza del figlio unico, non potrà sfuggire invece alle gelosie e alle rivalità sempre presenti in questo microcosmo infantile all'interno della famiglia. Come pure ai perenni conflitti tra fratelli nella spartizione di tutto: dai giocattoli agli affetti.*

Ci sono quindi vantaggi e svantaggi, sia che il bambino cresca da solo che in compagnia di fratelli. E lo stesso succede ai gemelli: identici o no, si trovano nella condizione invidiabile di non sentirsi mai soli, con un piccolo compagno sempre accanto, ancor prima di nascere. Un alter ego, un sosia, che rischia però di diventare una presenza ingombrante, da cui è difficile separarsi, crescendo, per trovare ciascuno la propria identità e la propria strada. Come sempre, il compito dei genitori è di aiutare i propri figli – unici, fratelli o gemelli che siano – a trarre il meglio dalla loro condizione, superando di volta in volta gli aspetti che possono apparire più negativi: a cominciare dalla solitudine del figlio unico, la rivalità tra fratelli e la difficoltà di separazione dei gemelli.

Il privilegio di essere unico: vantaggi e rischi

Il figlio unico rischia davvero di «crescere male», come si diceva una volta? E di restare per sempre un bambino viziato, egoista, ma anche insicuro e spesso infelice?

In passato, fino agli anni sessanta, esisteva davvero una «patologia del figlio unico», che raggruppava un mosaico di disturbi piuttosto frequenti: eccessiva dipendenza dalla madre, difficoltà di rapporto con gli altri, incapacità di tollerare le minime frustrazioni, fragilità emotiva... Tutti sintomi che corrispondevano al cliché del bambino viziato, quale in effetti il figlio unico tendeva ad essere: un piccolo tiranno che regnava incontrastato fra le mura domestiche e mal sopportava di vedere il suo trono vacillare, non appena metteva piede fuori di casa.

Oggi le cose sono cambiate. La famiglia è sempre meno chiusa in se stessa: c'è un continuo flusso fra la vita familiare e la realtà esterna, favorito dai servizi sociali come l'asilo nido e la scuola materna che consentono al bambino un continuo contatto con i coetanei. E incrementato dalla televisione che, nonostante tutti i suoi i suoi pericoli, rappresenta anche per i più piccoli un'immersione quotidiana negli avvenimenti che accadono nel mondo.

Con questa maggior apertura all'esterno, è meno facile che il bambino cresca con l'intima convinzione di essere davvero «unico» per tutti, non solo per i genitori. E di poter mantenere sempre e ovunque, per qualche segreta ragione, un eterno diritto al privilegio, come se tutto gli sia «dovuto»: dalla pesca più grossa, al giocattolo più ambito, al posto in prima fila al teatro dei burattini... Se non se ne accorge da solo, ci penseranno gli altri a fargli capire che non sono lì per soddisfare i suoi desideri, o per farsi da parte al suo passaggio, proprio come davanti ad un piccolo imperatore...

L'immersione nella realtà sociale e nei rapporti con gli altri contribuisce così a far cadere molte pericolose illusioni del figlio unico. Ma sono i genitori che per primi possono aiutare il bambino ad essere meno egocentrico, evitando di «viziarlo», come succede ancora troppo spesso con i figli unici, oltre naturalmente a favorire il contatto con i coetanei per farli sentire meno soli, meno isolati in mezzo agli adulti.

Se si abitua un bambino ad avere tutto ciò che vuole, senza negargli mai niente, continuerà a pensare che tutto gli è dovuto. E sarà più difficile per lui uscire dall'infinito egocentrismo infantile, comune a tutti i bambini. E imparare a tollerare le frustrazioni, i rinvii, le attese. Non c'è nessuno più indifeso, vulnerabile del bambino «viziato», quando si accorge che non può avere tutto e subito. E che per ottenere qualcosa, deve conquistarsela.

Quali sono i vantaggi del figlio unico? E quali risvolti negativi possono avere i suoi privilegi?

Il figlio unico gode certamente di molti vantaggi, e non solo materiali: l'assenza di fratelli fa sì che il suo sviluppo psicologico e affettivo segua un percorso molto più lineare, «semplificato», che gli consente fin dall'inizio di mettersi in relazione con la madre nel modo più semplice, naturale, per aprirsi poi al rapporto con il padre, senza invasioni di campo da parte di altri piccoli rivali.

Questa «semplificazione» dell'ambiente familiare e del triangolo edipico, come osservava Winnicott, rende più facile al bambino «scoprire gradualmente la complessità del mondo e delle relazioni con gli altri, secondo un ritmo adeguato al suo sviluppo». Inoltre l'amore esclusivo dei genitori, quando non è reso soffocante da un carico eccessivo di ansietà e apprensioni, «può dare al bambino un senso di stabilità che rappresenta un'ottima base di partenza per il resto della vita».

Anche in altri aspetti molto importanti della vita infantile, come le cure e l'educazione, il figlio unico è privilegiato: come lo sono tutti i primogeniti, almeno finché non arriva il fratellino. Non a caso sia gli uni che gli altri sviluppano spesso le stesse qualità: intelligenza precoce, senso di responsabilità, ambizione... Tutte doti che possono però avere un risvolto negativo, soprattutto se i genitori, ancora inesperti e quindi più apprensivi, impongono al bambino regole troppo rigide e obiettivi troppo elevati.

Alla precocità dell'intelligenza può accompagnarsi così l'immaturità affettiva del bambino abituato a compiacere i genitori, piuttosto che a riconoscere ed esprimere i suoi desideri e i suoi sentimenti più profondi: di qui la «fragilità emotiva» di molti figli unici e primogeniti, che pur avendo un «io» molto sviluppato e forte sul piano razionale, su quello affettivo si sentono invece «labili», insicuri, in balia degli altri come lo sono stati dei genitori.

Allo stesso modo anche il senso di responsabilità e l'ambizione possono mostrare il loro lato negativo, quando queste qualità sono accentuate a dismisura da genitori troppo esigenti, e incapaci di tollerare la delusione per qualsiasi piccolo insuccesso del figlio. Si ingigantisce così quel giudice interiore che è il «Superio», plasmato sulle figure dei genitori e come loro intransigente e punitivo. Di qui la tendenza di molti figli unici e primogeniti ad essere troppo esigenti e critici verso se stessi, a sentirsi in colpa per il minimo errore, e a porsi ideali troppo ambiziosi, irraggiungibili: col rischio di non essere mai contenti.

Un figlio solo e tante aspettative

Quando si ha un solo figlio, spesso si finisce per concentrare su di lui tutte le proprie aspettative di genitori. E anche le ansietà, le apprensioni, la paura che possa succedergli «qualcosa di male»... Si tende così ad essere da un lato troppo esigenti, e dall'altro iperprotettivi. Con quali riflessi sul bambino?

È umano che le ansie e le aspettative siano maggiori quando si ha un unico figlio: è solo su di lui che si gioca la possibilità di crescere bene un bambino e dimostrarsi buoni genitori. L'importante è essere consapevoli di questa tendenza, in modo da arginare la propria ansietà, ed evitare di fare del bambino lo specchio dei propri desideri. Senza dimenticare che per «crescere bene» il bambino deve poter affrontare le difficoltà che incontra via via, cercando di superare da solo gli ostacoli e correndo anche rischi di insuccesso, di fallimento. Rischi che ci sono sempre, e che i genitori per primi devono saper accettare, anche quando hanno un solo figlio.

Se gli si spiana troppo la strada, e gli si indicano sempre gli obiettivi da raggiungere, senza lasciarlo libero di seguire le sue inclinazioni e i suoi desideri, lo si rende succube dei genitori, della loro continua protezione. E gli si toglie il piacere della conquista: i successi li ottiene sempre «per procura», attraverso i genitori. Mai in prima persona. Anche crescendo, gli sembrerà «strano» muoversi da solo nel mondo, capire quali sono gli obiettivi a cui tiene, e darsi da fare per perseguirli.

A volte la paura che il figlio unico corra dei rischi è tale che il bambino non si sente più in diritto neppure di soffrire, di sentirsi infelice, di farsi male: perché i genitori non lo sopportano, soffrono troppo. E questo lo capisce al volo, dall'ansietà che legge nei loro occhi, nella loro voce, nei loro gesti... Ma è una grossa limitazione, per i bambini, man mano che crescono, sentire questo divieto interiore che impedisce loro di correre i propri rischi. E di affrontare il mondo, anche quando gli appare ostile.

È proprio l'eccesso di amore, di attenzione, di possessività, il vero rischio del figlio unico: soprattutto quando i genitori continuano a credere di rappresentare tutto il suo mondo, anche quando non è più così: e non è giusto che lo sia. Il bambino continuerà ad avere la sensazione che i legami familiari siano sempre più importanti di qualsiasi altra relazione: e questo gli impedirà di aprirsi davvero agli altri, e di dare un autentico valore ai nuovi rapporti.

Mai senza amici

La solitudine è l'aspetto più negativo della condizione di figlio unico. Come compensare la mancanza di fratelli?

Crescere da soli comporta inevitabili svantaggi, rispetto a chi può contare invece sulla compagnia dei fratelli e sulla solidarietà che si crea fra bambini, nonostante le gelosie, le competizioni, i conflitti. Per compensare questa mancanza, la cosa più importante è rendere meno «solitaria» l'infanzia del figlio unico, aprendo la propria casa ad altri bambini e favorendo i suoi incontri abituali coi coetanei, a cominciare dai due anni.

Questa apertura ad altre relazioni, sia prima che dopo l'inizio della scuola materna, diventa indispensabile nei casi in cui il padre è spesso assente o i genitori sono separati. Se alla mancanza di fratelli si aggiunge anche la presenza troppo labile, saltuaria del padre, il legame fra mamma e bambino rischia di formare un circolo chiuso e di esaurirsi in se stesso. Proprio perché il figlio unico ha un legame particolarmente intenso ed esclusivo con la madre, il padre ha un ruolo ancora più decisivo nel favorire la loro separazione, e nello stimolare il bambino ad aprirsi a nuovi rapporti.

Abituandosi fin da piccolo a stare coi coetanei e a giocare con loro, il figlio unico potrà in parte compensare la mancanza di fratelli. E avrà meno la tendenza, tipica della sua condizione, a diventare adulto prima del tempo, imitando i grandi e preferendo la loro compagnia a quella di altri bambini. Ci sono molti figli unici che preferiscono aiutare la mamma o il papà nelle loro faccende, trafficando coi loro «attrezzi» del mestiere, dalle pentole al bricolage, piuttosto che stare coi coetanei: come se avessero perso il gusto del gioco fine a stesso e il piacere di una fantasia illimitata nell'inventare instancabilmente nuovi modi di giocare.

Tutti tesi ad imitare il mondo adulto, scimmiottando i grandi, i figli unici troppo soli sono bambini che sembrano aver rinunciato al diritto infantile di essere incoerenti, irresponsabili e impulsivi, come lo sono tutti i bambini che giocano. Ed è per questo che spesso assumono già da piccoli un'aria seria, compunta, quasi da «vecchietti»: atteggiamento che perdono subito, non appena tornano ad essere bambini insieme agli altri bambini.

Giocare coi coetanei è importante per tutti, ma lo è in modo particolare per i figli unici: in assenza di fratelli, possono così diluire nei rapporti con altri bambini sentimenti importanti come la gelosia e la rivalità, che altrimenti riverserebbero unicamente sui genitori, nel chiuso della famiglia e del triangolo edipico. Per tutti i bambini è difficile sentirsi «legittimati» ad esprimere anche i loro sentimenti di ostilità, di odio: e a maggior ragione lo è per i figli unici, che non hanno occasione di sfogare nei rapporti coi fratelli la loro naturale aggressività. Attraverso il gioco coi coetanei, anche loro possono trovare infiniti modi di esprimere le pulsioni aggressive, e imparare a dosarle con la sicurezza di non fare del male a coloro che amano.

Certo le amicizie infantili non possono sostituire completamente la ricchezza di esperienze che comporta il rapporto con fratelli e sorelle di età diverse. Ma gli amici hanno un grande vantaggio: è il bambino a sceglierseli. E non è costretto ad accettarli così come sono: se non vanno bene, può sempre cambiarli. È questa libertà di scelta che rende l'amicizia spesso più forte e carica di investimenti affettivi di molti legami fra fratelli che mal si sopportano. E preferiscono condurre vite parallele, evitando di incontrarsi.

Le difficoltà nei rapporti con gli altri

Spesso è proprio il figlio unico a vivere più intensamente il problema della rivalità con gli altri bambini. E a soffrire di più di gelosia nei confronti degli amichetti. Eppure questi «tormenti» gli sono stati risparmiati in famiglia, dove non ha piccoli rivali di cui essere geloso...

Paradossalmente questi problemi nascono proprio dalla mancanza di un'esperienza importante, che accomuna sia i figli unici che gli ultimogeniti: entrambi non hanno modo di confrontarsi con i conflitti che provoca la gelosia per la nascita del fratellino e la rivalità verso l'intruso. Questi sentimenti sono presenti nella fantasia di ogni bambino, e sono legati alla paura più antica che ognuno porta dentro di sé: quella dell'abbandono. Con la nascita di un fratellino, questi «fantasmi» prendono corpo, diventano concreti, reali: e si dileguano, man mano che il bambino li affronta e li supera acquistando così maggior sicurezza e fiducia in se stesso.

Al figlio unico manca l'esperienza, sempre sconvolgente per un bambino, di sentir nascere dentro di sé l'odio per un rivale che minaccia il suo rapporto con la madre e con il padre. Ma gli manca anche la possibilità di un confronto reale con le sue paure più angosciose, e la verifica del fatto che si tratta solo di fantasie. Gli manca insomma un fratellino non solo da odiare come un terribile rivale, ma anche da amare non appena si accorge che non costituisce una vera minaccia.

Proprio perché in famiglia non ha mai dovuto confrontarsi con un vero rivale, suo pari, e non è mai stato costretto a spartire nulla con nessuno, il figlio unico vive nel costante allarme di perdere i suoi privilegi, e immagina rivali anche dove non ce ne sono. Ma anche questo è naturale: gelosia e rivalità sono esperienze che rappresentano un passaggio «obbligato», per raggiungere la maturità affettiva. Non avendo rivali, il figlio unico se li inventa: che altro può fare?

È geloso di tutto: non solo dei suoi amici, ma anche delle sue cose, dei suoi spazi, del suo tempo, che tende a riempire di rituali rassicuranti. Guai se qualcuno sposta gli oggetti in camera sua, modificando l'ordine che ha dato ai suoi beni personali, o gli impone un improvviso cambiamento di orari... Mal sopporta qualsiasi cosa crei una specie di perturbazione nel suo mondo, e nelle sue abitudini. Queste piccole manie provocano una certa insofferenza nei genitori: ma non sono capricci, sono forme di rassicurazione necessarie per il figlio unico, che tendono a scomparire da sole, man mano che acquista sicurezza e fiducia in se stesso.

Come vive il figlio unico l'inserimento nella scuola materna? La rivalità con gli altri bambini e l'abitudine a non spartire mai nulla possono creargli difficoltà particolari?

Il timore di possibili rivali, la possessività e il bisogno di attirare l'attenzione sono presenti in tutti i bambini fin dai primissimi anni di vita. Ma lo sono in modo più accentuato nei figli unici. E questo rende spesso più difficile la loro integrazione coi coetanei, all'asilo, soprattutto se non hanno avuto modo di stemperarli, frequentando abitualmente altri bambini prima. In questi casi l'impatto può essere davvero troppo duro, per loro. Anche se sul piano intellettuale sono sicuramente avvantaggiati, lo sono molto meno per quanto riguarda la stabilità emotiva. Sono spesso più sensibili e più fragili degli altri nei primi scontri. O al contrario, molto più aggressivi, proprio perché si sentono più vulnerabili.

È il caso di un bambino di quattro anni, che trasformava ogni gioco di gruppo in una lotta per la supremazia, e non riusciva a diventare amico di nessuno. Dava spintoni, faceva dispetti, si intrometteva in modo aggressivo nei giochi degli altri, ma soprattutto cercava di attirare l'attenzione degli insegnanti su di sé. «È meglio per me quando non ci sono altri bambini, vero?», diceva alla mamma, quando veniva a prenderlo.

Anche se non vengono espresse così platealmente, rivalità e bisogno di attenzione sono sempre molto intensi nel figlio unico che si sente improvvisamente defraudato delle sue sicurezze «familiari». Spesso cerca nelle insegnanti un'ancora di salvataggio stabilendo con loro un rapporto privilegiato, simile a quello coi genitori. Ma non sempre trova la stessa condiscendenza. E anche questo è utile per aiutarlo a inserirsi nel gruppo, e a scendere dal suo piedestallo iniziando finalmente un rapporto alla pari con altri bambini: che spesso hanno i suoi stessi problemi, essendo in gran parte figli unici come lui.

È proprio questa la funzione della scuola materna, soprattutto oggi che i bambini si trovano sempre più soli in una società di adulti e di anziani. Sarebbe un vero peccato rinunciarvi, solo perché il primo impatto è troppo difficile: passate le prime settimane, o i primi mesi, tutto diventerà più facile. E i figli unici, oggi così numerosi, potranno formare fra loro una piccola famiglia, al riparo dai problemi e dalle tensioni del mondo adulto, nel quale sono troppo spesso coinvolti.

Senza fratelli, sono bambini che in casa non possono condividere nulla con altri bambini: neanche quei momenti difficili, quelle tensioni che a volte si creano in ogni famiglia. Per permettere ai figli unici di rimanere bambini senza immergerli troppo nel nostro mondo adulto e nei suoi problemi, è importante aiutarli a superare le difficoltà che incontrano nell'inserirsi in quella società di bambini che è la scuola materna. Sentiranno così meno la mancanza di fratelli, rivali e alleati, di fronte ad un mondo di adulti che rischia di sovrastarli.

La gelosia del fratellino

«Quando mi regalate un fratellino?»: è una richiesta che spesso i bambini fanno con insistenza ai genitori, come se chiedessero loro un giocattolo nuovo. Ma non appena il fratellino nasce, scoppia la gelosia. Alcuni la esprimono apertamente, con una aggressività verbale di una violenza a volte sorprendente: «Come è brutto! Piange e si sporca sempre: perché non lo buttiamo nella spazzatura?». Altri invece non dicono niente: se ne stanno tutti torvi in un angolo, a guardare la mamma che allatta il fratellino: e il loro silenzio appare più minaccioso di qualsiasi parola... Perché dopo averlo tanto desiderato ora lo vorrebbero far scomparire?

Fa parte dei desideri infantili «avere un bambino», tutto per sé. E poiché è un desiderio impossibile, i bambini immaginano di poterlo realizzare per procura, attraverso la madre. Di qui le richieste, spesso insistenti, di un fratellino: un bambolotto più straordinario di qualsiasi giocattolo, perché è «vivo», proprio come loro. Non appena nasce però il bambino si trova a far fronte ad una duplice, amara delusione. Il fratellino non appartiene a lui, ma ai genitori, e soprattutto alla mamma, che non se ne stacca quasi mai. Non è un piccolo amico con cui giocare, come desiderava. È un estraneo, un intruso, un rivale che prende il suo posto fra le braccia della mamma e nel suo cuore.

La gelosia nasce così: quando la più antica delle paure, l'angoscia dell'abbandono, del rifiuto, dell'esclusione prende corpo nella figura di quel temibile rivale che è il fratellino. È tutto il suo mondo che il bambino sente minacciato, quando improvvisamente compare questo piccolo intruso che usurpa il suo posto in famiglia, e gli «porta via» la mamma. Era già abituato alla sua assenza, e alla sofferenza per la sua mancanza, quando non era lì, accanto a lui. Ora è molto peggio: la mamma c'è, è presente. Eppure è come se non ci fosse, non è a lui che dedica le sue attenzioni, le sue parole, il suo affetto, ma a un altro. Ed è terribile, per un bambino, vederla assorbita in un mondo dal quale si sente escluso, mentre intreccia il suo nuovo legame d'amore col fratellino.

Non c'è da stupirsi quindi che il bambino reagisca con estrema violenza a questa minaccia così concreta, reale. E prenda subito le sue difese: cominciando dalla migliore, l'attacco. Di qui la sua aggressività, palese o nascosta, contro il rivale. Non c'è bambino che in modo più o meno inconscio, non desideri la «morte del fratellino»: ma si tratta di una fantasia di sparizione, che non ha nulla a che fare con la morte vera e propria, il cui significato sfugge ancora alla mente infantile.

In realtà è lui il primo a preoccuparsi, se il neonato si ammala, non sta bene: e non solo perché si sente in colpa, per l'avverarsi dei suoi desideri. Ma perché scopre improvvisamente di amare proprio quel fratello che solo poco prima odiava al punto da desiderare che sparisse. Veder trasformarsi in amore l'odio che ha sentito nascere dentro di sé nei confronti del piccolo usurpatore, è un'esperienza fondamentale nello sviluppo affettivo: il bambino sa che le sue pulsioni aggressive non solo non distruggono il rivale, ma possono convivere con l'amore.

Dall'ostilità all'amore

L'ostilità che il bambino manifesta contro il fratello appena nato spesso preoccupa i genitori. C'è davvero il rischio che gli faccia male?

Fortunatamente si tratta di un'aggressività soprattutto verbale: esiste tutta una piccola antologia di «frasi terribili», contro il fratellino, pesanti come piombo, che lasciano esterrefatti i genitori. «Com'è brutto! È rosso come un pomodoro. Perché non lo riportate indietro?» è stata l'accoglienza di un bambino di tre anni al fratellino, non appena il neonato ha fatto il suo ingresso in casa, fra le braccia della mamma di ritorno dalla clinica, festeggiato da tutti. Ma c'è anche chi non nasconde desideri più drastici di rapida eliminazione dell'intruso: «Quando muore *di nuovo*?». Altri hanno invece una reazione meno immediata: meditano fra loro qualche soluzione più accomodante, mascherata magari da buoni sentimenti, come la generosità, prima di lanciare la loro proposta: «Perché non lo regaliamo alla zia Giancarla? Poverina, lei non ha bambini...».

Non mancano poi le grandi effusioni d'affetto, per il nuovo venuto, che il bambino vorrebbe coccolare e tenere in braccio. Ma non appena la mamma accondiscende alle sue richieste e glielo «cede» per un attimo, ecco che fa capolino una gelosia strisciante: «Se lo stringo, si rompe?», chiede. E dal pericoloso luccichio dei suoi occhi si capisce che non desidera altro. Meglio stare attenti anche quando si mostra troppo premuroso, e accorre prima della mamma alla culla del neonato che piange. Non importa se ha tutta l'aria di volerlo consolare, mentre si china su di lui. C'è sempre il rischio che, non visto, gli si butti addosso...

È giusto quindi proteggere il neonato dall'aggressività, palese o nascosta, sempre presente nella gelosia che ogni bambino prova per il fratellino. Ma senza sgridare o punire il piccolo Otello: non si farebbe che renderlo ancora più geloso. E lo si indurrebbe a reprimere le sue pulsioni aggressive, mentre è importante che possa esprimerle, sia verbalmente sia nel gioco, senza sentirsi in colpa. Lasciamogli quindi dire le sue frasi terribili, e maltrattare in pace il suo orsacchiotto: l'importante è che non maltratti il fratellino, ancora così inerme e indifeso. La gelosia non è una «colpa» da punire, né un difetto da correggere: anche se il bambino la manifesta in modo molto infantile, spesso paradossale, è una ferita che brucia, e che lo fa soffrire, proprio come succede da adulti. E a volte anche di più.

I dolori del piccolo Otello

Come comportarsi col bambino, quando si trasforma in un piccolo Otello? È possibile aiutarlo a superare senza soffrire troppo questa prima fase acuta di gelosia per il rivale?

Ci sono molti accorgimenti che i genitori sensibili possono prendere per rassicurare il bambino e attenuare i suoi motivi di gelosia. Ed è soprattutto la mamma che può farlo, perché è su di lei che si concentra la paura di abbandono e di esclusione del figlio maggiore, mentre vede frantumarsi il legame privilegiato che li univa. E sente sfuggirgli il suo amore «esclusivo», che si riversa ora su un altro bambino. Prima di pretendere che il primogenito voglia bene al fratellino, rimproverandolo per la sua ostilità, è importante confermargli il proprio amore. E insegnargli a poco a poco a condividerlo col più piccolo.

Prima ancora che nasca il fratellino, e che si accorga lui stesso che la mamma è incinta, è meglio informarlo di ciò che sta avvenendo, e rispondere alle sue domande sulla nascita e sul sesso. Potrà così seguire la trasformazione della madre nel corso della gravidanza, per vederla poi tornare come prima: un'esperienza che dà al bambino la certezza che qualsiasi cambiamento avvenga, tutto si riassesta. E lui può riprendere ad adagiarsi comodamente fra le braccia della mamma, come non succedeva più negli ultimi mesi di gravidanza, quando il pancione glielo impediva. Vi sono poi piccoli ma importanti accorgimenti per favorire i primi rapporti tra loro. Il bambino più grande sarà contento di vedere che la mamma tiene, anche in clinica, la sua fotografia sul comodino. Gli si può dire inoltre che il fratellino, venendo al mondo, gli ha portato proprio il regalo che più desiderava. Può essere un buon inzio per una lunga storia.

Quando poi il fratellino è nato, a volte bastano piccoli stratagemmi, per aiutare il bambino a dividere con il nuovo venuto l'affetto e l'attenzione della mamma senza farlo sentire «messo da parte»: mentre ci si occupa del più piccolo, si può dimostrare al più grande di non averlo dimenticato, parlando con lui, chiedendogli qualche piccolo aiuto, scambiando le proprie impressioni. Durante l'allattamento invece la condivisione è meno facile: è questo il momento in cui il neonato richiede tutta l'attenzione della madre, portando così al suo apice la gelosia del maggiore.

Tuttavia assistere all'allattamento del più piccolo è un'esperienza straordinariamente positiva per il bambino, nonostante il dolore che provoca. Tutto quanto di peggio poteva temere sta avvenendo lì, sotto i suoi occhi: un «altro» si appropria della madre, del suo seno, del suo nutrimento, mentre lui viene lasciato in disparte, dimenticato, abbandonato a se stesso. Ma non appena la mamma si rivolge di nuovo a lui con l'affetto e la tenerezza di sempre, si accorge che il suo mondo non è crollato, che il suo legame con la madre è intatto, che i genitori continuano a volergli bene e non si dimenticano di lui... Acquista così una nuova sicurezza, e una nuova maturità affettiva, mentre la paura dell'abbandono, così angosciante nella fantasia, nella realtà della sua vita quotidiana si fa sempre più inconsistente.

Certo, continua ad essere geloso del rivale. A questa età, l'amore è così smisurato che non si accontenta di essere suddiviso: richiede un rapporto esclusivo. E la gelosia è tanto più forte, quanto più è intenso il legame con la madre. Per quanti accorgimenti si prendano per attenuare questo sentimento, non lo si può mai cancellare del tutto. Si può però aiutare il bambino a soffrire di meno, riservando ogni giorno momenti «speciali» da dedicare solo a lui, per fare insieme «cose da grandi»: sfogliare un libro, guardare la tv, chiacchierare, uscire da soli per una passeggiata, andare al cinema o in pizzeria... Se si valorizzano i vantaggi della sua condizione di fratello maggiore, mettendo in luce quello che ha «in più» rispetto al fratellino, non soffrirà più così tanto, per quello che ha «in meno». E si sentirà fiero di essere il più grande.

A volte l'arrivo del fratellino coincide con l'allontanamento del figlio maggiore da casa, per le più svariate ragioni. E i genitori pensano che sia meglio così per tutti: si evitano tensioni, conflitti, nel periodo delicato del dopo parto...

È molto importante invece che il bambino viva in prima persona, giorno per giorno, i cambiamenti che avvengono in famiglia con la nascita del fratellino. E che possa esprimere la sua gelosia, i suoi sentimenti ostili, le sue paure, in modo da non covarli dentro di sé, ingigantendoli nella sua immaginazione, insieme all'angoscia dell'abbandono. È meglio quindi evitare che questo evento coincida con l'allontanamento del figlio maggiore da casa, anche quando non mancano buone ragioni per farlo.

È vero, la mamma dopo il parto è stanca, si deve già occupare del neonato ed «è meglio che il più grande vada per qualche tempo dai nonni». È vero, ha compiuto tre anni, e «deve cominciare ad andare all'asilo». E così via... Ma è anche vero che se viene allontanato da casa proprio quando arriva il fratellino, nel suo cuore la minaccia di abbandono non è più una fantasia: diventa un fatto reale. Le soluzioni alternative, dopotutto, non mancano: si può rinviare di qualche mese l'inizio dell'asilo, chiedere che qualcuno venga ad aiutare la mamma a casa, invece di «mandar via» il bambino, proprio ora, che ha bisogno più che mai di mantenere ben saldo il suo posto in famiglia. E soprattutto sarà il papà a concedere più tempo e più interesse al primogenito. È lui il più adatto a introdurre il figlio nel mondo esterno mostrandogli gli aspetti positivi, curiosi, avventurosi di tutto ciò che sta al di fuori delle pareti di casa.

Quando il più grande ritorna piccino

Dopo la nascita del fratellino, ci sono bambini che tendono a regredire, tornando a loro volta piccini: vogliono il biberon, si fanno imboccare a tavola, riprendono a fare la pipì a letto, non sanno più allacciarsi le scarpe, diventano goffi nei movimenti... Perché? E come reagire?

Anche questa è una strategia di difesa che il bambino mette in atto, del tutto inconsapevolmente, per riconquistare il suo posto, che sente usurpato dal fratellino. Invece di aggredirlo verbalmente, o di denigrarlo agli occhi dei genitori, concentra la sua attenzione sul rivale, come succede spesso anche da adulti. E si chiede: «Perché la mamma lo preferisce a me? Che cos'ha, che io non ho?». Entra così in competizione con lui, imitandolo: e torna piccino, come il suo contendente.

A cosa valgono tutte quelle conquiste che avevano tanto entusiasmato i genitori, man mano che cresceva? Meglio rinunciarvi, se ora contano così poco da non attirare più tutto il loro interesse. Il bambino cerca così di vincere la gara col suo rivale, usando i suoi stessi mezzi: la passività, la dipendenza, l'incapacità... I meccanismi che inducono il bambino geloso del fratellino a «regredire» sono quasi trasparenti: ma proprio perché ne è inconsapevole, è inutile cercare di «farlo ragionare», oppure sgridarlo. Meglio sorvolare sul fatto che ha ripreso a succhiare il pollice, o si fa di nuovo imboccare e mostrarsi orgogliosi invece per le sue conquiste più recenti, senza lesinare le lodi per come disegna bene, come sa fare le capriole, come salta in alto...

Nella maggior parte dei casi, è inutile preoccuparsi per queste «regressioni». Passeranno presto, soprattutto se si sta al gioco, e si consente al bambino di tornare ogni tanto piccino, proprio come se giocasse a «fare il neonato». Senza dimenticare di ricordargli» però che anche lui lo è stato: non solo «per finta», ma «per davvero». È questo il momento di sfogliare insieme l'album delle sue fotografie, in modo che possa avere bene impresse nella mente le immagini di quando era piccolo. E mentre guarda le foto, raccontiamogli i piccoli aneddoti che rendono così speciale la sua storia, così simile a quella del fratellino, quando anche lui veniva allattato, curato, circondato di mille piccole attenzioni. Si accorgerà così che al «rivale» non viene dato nulla, che lui stesso non abbia già avuto. E che nessuno potrà mai togliergli.

Rivalità tra fratelli

Rivalità, gelosie, piccole invidie: non mancano quasi mai nel legame tra fratelli, man mano che crescono. Si amano, certo. Ma a volte si detestano. Si alleano contro gli altri e litigano fra loro. Si abbracciano e fanno a botte. Ogni occasione è buona per passare dall'affetto al risentimento, dalla tenerezza all'aggressività: come se ci fosse sempre un conto in sospeso. fra lo-

ro... «Ma è naturale questo clima di competizione continua?», si chiedono i genitori. «O siamo noi che abbiamo sbagliato in qualcosa?»

Non c'è niente di più naturale della rivalità tra fratelli. È nel segno della competizione e della lotta per la difesa del proprio posto in famiglia che nasce e si sviluppa il loro legame. Per trasformarsi poi in affetto e solidarietà, non appena i bambini si accorgono che il fratello non è solo un nemico da sconfiggere: è anche un compagno con cui stringere una forte alleanza, e far fronte comune contro un mondo di adulti che a volte li minaccia dall'alto con i suoi rimproveri, le sue imposizioni, i suoi castighi. Oppure rischia di sommergerli con le sue tensioni, i suoi conflitti, i suoi problemi, tanto più grandi di loro.

E allora è importante avere un fratello a cui stringersi, per non sentirsi soli con la propria paura, la propria insicurezza e fragilità. Come è importante anche avere un fratello più grande al quale guardare, per imparare come si fa a crescere, seguendo le sue orme. Oppure uno più piccolo da tenere per mano per dargli sicurezza. E sentirsi così più sicuri, più grandi, più «importanti»: «Vieni! Ti insegno io...».

Ma per quanto i fratelli possano andare d'accordo e aiutarsi l'un l'altro, stabilendo fra loro una segreta alleanza, non rinunciano mai al confronto, alla competizione, alla lotta. Per tutta l'infanzia – e a volte anche oltre – resta fra loro una buona dose di rivalità, di gelosia, a volte di invidia. Per una ragione molto semplice, di pura sopravvivenza: attingono alle stesse risorse, materiali e affettive. E devono faticosamente imparare a spartire tutto: dai giocattoli, allo spazio di casa, all'amore dei genitori.

Si battono così per avere ciascuno «qualcosa in più». O almeno per essere sicuri di non avere niente «in meno». Il confronto è continuo. Tutto viene soppesato al milligrammo: dalla fetta di torta alle dimostrazioni di affetto, di stima da parte della mamma e del papà. Guai se la bilancia non è in perfetto equilibrio: prima o poi viene la resa dei conti, che i fratelli sbrigano fra loro. Ed ecco i litigi improvvisi, le botte a sorpresa, i dispetti... Se poco prima si amavano, adesso si odiano, come veri nemici. Per poi allearsi di nuovo.

Questo continuo oscillare fra la pace e la guerra non è affatto negativo, come a volte può sembrare. Per il bambino, così assolutista, è un'esperienza importante scoprire che i sentimenti si modificano, si trasformano, si alternano. E che può addirittura amare e odiare il proprio fratello senza che accada nulla di irreparabile. Invece di sentirsi in colpa per i suoi sentimenti ostili prova così un enorme sollievo nel constatare che il loro legame sopravvive intatto anche all'odio. Inutile preoccuparsi, quindi. Dietro la vistosa facciata di litigi, botte e rivalse, ci sono sentimenti positivi meno appariscenti, che spesso sfuggono ai genitori. Ma che segnano in modo indelebile l'infanzia del bambino, a volte più della rivalità.

L'amore fraterno privo di ombre è una realtà solo nelle favole: come in quella di Hansel e Gretel dove i due bambini affrontano tutti i pericoli del mondo la mano nella mano, e trovano in questa unità la forza per sopravvivere. Ed è vero che in situazioni particolarmente difficili, angoscianti, anche nella vita reale i fratelli dimenticano ogni rivalità, ogni rancore, per appoggiarsi l'uno all'altro. Ma è molto meglio che possano esprimere anche i loro sentimenti negativi, la loro ostilità, il loro odio a volte, oltre che il loro affetto, piuttosto che essere costretti da circostanze drammatiche a rinunciare alla loro naturale rivalità per difendersi da un mondo che li schiaccia.

È questo che caratterizza un buon legame fraterno: la possibilità di essere nello stesso tempo alleati e rivali, di lottare per difendere il proprio posto nella famiglia e affermare se stessi, come succederà poi nella vita, e nello stesso tempo sapere che si può sempre contare sull'aiuto e l'affetto reciproci, quando ce n'è bisogno.

Le preferenze dei genitori

Ogni genitore ha le sue preferenze. E i figli se ne accorgono, anche se si cerca di nasconderle. Ma come nascono? Perché ci si sente più vicini all'uno piuttosto che all'altro? E fino a che punto possono soffrirne i bambini?

Ogni bambino è diverso dall'altro, come è diverso il suo carattere, l'aspetto fisico, il modo di comportarsi e di mettersi in relazione con i genitori. Ma è diverso anche il significato che ciascuno riveste per la madre o per il padre e il tipo di legame che si crea fra loro. È molto umano che una mamma non riesca a nascondere del tutto l'affetto particolare che prova per il figlio che corrisponde di più al «bambino immaginario» che ha sempre sognato: per il maschio, che ha sempre desiderato, oppure per la femmina, con la quale si identifica di più. Allo stesso modo è umano che un padre provi più tenerezza per la figlia. Oppure che dia al maschio la sensazione di aspettarsi di più da lui, come se fosse il «più importante», facendo sentire la bambina in secondo piano... Anche l'ordine di nascita può influire: si preferisce allora il figlio che è nato in un momento particolare della propria vita, che ha segnato una tappa importante nella propria storia, o nel legame di coppia.

Sono preferenze naturali, istintive, che gli stessi genitori riconoscono. E che di solito si «neutralizzano», senza creare eccessive disparità affettive tra i figli: se uno è il prediletto della madre, l'altro lo sarà del padre. Si ristabilisce così un equilibrio anche nelle differenze: e i bambini non ne soffrono troppo. La mamma tende a preferire il figlio maschio? Poco male, se il padre compensa la bambina con il suo affetto e la sua stima. È al figlio più debole, più fragile, magari malaticcio e sempre bisognoso di cure che la madre dedica più attenzioni e forse più amore? I conti tornano se il padre si sente più in sintonia col figlio «forte», pieno di energia, di vitalità, di entusiasmo, che rispecchia meglio le sue aspettative.

In ogni caso le preferenze, come i sentimenti da cui nascono, non sono quasi mai «immutabili»: sono soggette a oscillazioni, a modifiche, che riflettono l'adeguamento dei genitori ai diversi bisogni dei figli, man mano che crescono. Ciascuno attraversa a turno le sue «fasi difficili»: e in questi periodi è naturale che le attenzioni dei genitori si concentrino su di lui, per spostarsi poi sull'altro figlio, quando lancia i suoi Sos, in modo più o meno esplicito...

Tutto questo fa parte dei naturali equilibri che si stabiliscono nella famiglia. Se non è possibile evitare le preferenze, certo si può fare in modo che non acuiscano la normale dose di rivalità già presente fra fratelli: l'importante è mantenere un'imparzialità di fondo, saper dosare cure e attenzioni, spostandole ora verso l'uno e ora verso l'altro, senza mai dare ai figli l'impressione che i giochi siano già fatti. E i posti ormai assegnati una volta per tutte: da una parte il prediletto, e dall'altro la pecora nera.

Giudizi e confronti: le «etichette»

La contrapposizione tra fratelli spesso è accentuata dai giudizi e dai confronti dei genitori. Uno è più bravo, ubbidiente. L'altro è un simpatico monello. Uno è più fantasioso, pieno di idee, ma così «svagato»... L'altro è più serio, responsabile, «si può far conto su di lui». E così via... Con quali riflessi sui figli?

Nei continui rapporti con i figli è quasi impossibile non lasciarsi sfuggire di tanto in tanto le proprie impressioni sui loro comportamenti e sul loro modo di essere. E a volte è necessario intervenire decisamente con l'uno o con l'altro quando qualcosa non va. Ma un conto è dire: «Hai compiuto una brutta azione. Non è così che ci si comporta: non farlo più». Ben altra risonanza hanno invece frasi come: «Sei proprio cattivo! Guarda tuo fratello, invece, com'è bravo: impara da lui...». Nel primo caso ci si limita a disapprovare un comportamento del figlio, invitandolo a non perseverare nel suo errore.

Nel secondo invece si giudica negativamente il bambino come persona, e si aggiunge sale alla ferita portandogli ad esempio il fratello: col risultato di incitarlo più all'odio che all'emulazione. E indurlo così a comportarsi sempre peggio.

In ogni caso è importante che le nostre parole non rappresentino mai un giudizio definitivo, senza appello, sia nel bene che nel male. Anche gli apprezzamenti più positivi, rischiano di inchiodare il bambino a un ruolo che magari non sente suo. E che gli pesa addosso come una condanna: impossibile per lui non dimostrarsi sempre bravo, intelligente, serio, responsabile, ubbidiente. Altrimenti c'è il rischio di deludere i genitori e di perdere il loro amore. Le cose non vanno meglio per chi invece si sente relegato per sempre nel ruolo di monello, simpatico finché si vuole, ma inaffidabile, incline com'è a combinare disastri. E quindi sempre in secondo piano, rispetto al fratello, quando si tratta di affidare ai figli delle responsabilità...

Che lo si voglia o no, questi giudizi non rimangono quasi mai isolati, come una impressione «oggettiva» dei genitori, ma stabiliscono dei confronti personali che pungono sul vivo i figli. E possono avere riflessi molto negativi per chi ne esce inesorabilmente perdente. Non c'è niente di più doloroso per un bambino che sentirsi chiuso in un ruolo senza sbocchi, senza possibilità di modifiche e di cambiamenti.

Il fratello è «il più bravo»: e lo sarà sempre. Oppure è il più intelligente, il più buono, quello che «dà maggiori soddisfazioni»... E lo sarà per sempre. Se sono loro, la madre, il padre a dirlo, chi mai potrà cambiare questo verdetto? Le parole dei genitori restano incise nel cuore dei figli come nel marmo: difficile non portarle con sé tutta la vita. E possono essere un peso terribile, quando esprimono giudizi negativi che coinvolgono la personalità stessa del bambino e segnano la sua identità con un'etichetta difficile da cancellare.

Sono proprio questi giudizi, questi confronti che acuiscono la rivalità fra fratelli: una gara che ha sempre in palio l'amore dei genitori, il desiderio di conquistarne l'«esclusiva». E che i figli devono poter giocare liberamente fra loro, misurandosi l'un l'altro, fino a rinunciare alla vittoria, e a trovare nella condivisione degli affetti un vero legame di fratellanza.

La spartizione dei beni

I bambini sono attentissimi alla spartizione dei «beni materiali» in famiglia. E molti litigi scoppiano proprio per il possesso di questo o quell'ogget-

to, che nessuno vuol cedere all'altro. Quali accorgimenti si possono prendere per evitare conflitti eccessivi?

Ci sono piccole regole da seguire per «dare a ciascuno il suo», secondo i suoi bisogni senza creare, però, disparità eccessive. E senza obbligare i figli a condividere e a prestarsi ogni cosa: dal giubbotto al trenino o alla bambola, allo scaffale dei giocattoli. La comunità dei beni fra fratelli è sempre difficile, anche da adulti. E lo è in particolar modo da piccoli, quando il desiderio di possesso è così forte da diventare una necessità.

Non si tratta di egoismo, di mancanza di generosità: il bambino ha bisogno di sapere che ci sono cose che appartengono solo a lui e alle quali può affezionarsi proprio perché non gli verranno mai tolte. Per quanto è possibile, è meglio soddisfare questo bisogno di proprietà individuale, sia nell'abbigliamento che nei giocattoli. Senza dimenticare di assegnare a ciascuno i suoi spazi, soprattutto quando i figli hanno una cameretta in comune: dagli scaffali all'angolo del gioco o dello studio.

Ci penseranno loro a mettere in comune le loro «proprietà», se lo desiderano. Il senso di fratellanza è una conquista, e un piacere anche nella condivisione delle piccole cose. Se lo si impone come un dovere, è solo una maschera, dietro cui ognuno continua a covare i suoi risentimenti e a rimuginare sulle ingiustizie, vere o presunte, di cui si sente vittima.

Maschi e femmine: legami diversi

In che modo la differenza di sesso influisce sui rapporti tra fratelli? E sono più conflittuali fra loro i maschi o le femmine?

Di solito la rivalità è meno accentuata e meno visibile fra fratello e sorella: la differenza sessuale tende già a stabilire percorsi diversi da seguire per affermare se stessi e consolidare il proprio posto in famiglia e nel cuore dei genitori. Ciascuno percorre la sua strada in modo parallelo, e gli scontri ravvicinati, frontali, sugli stessi obiettivi, sono molto più rari. A volte la conflittualità tende anzi a scomparire del tutto, per lasciar posto ad un senso di fratellanza molto forte. La sorella maggiore avrà piacere di prendersi cura del fratellino, giocando a fare la mamma con lui e non solo con le sue bambole. Se invece è il maschio il più grande, sarà fiero di assumere un atteggiamento tenero e protettivo, di stampo paterno, verso la sorella più piccola.

Non sempre naturalmente lo scenario familiare è così idilliaco:

anche fra maschi e femmine possono scatenarsi odi feroci, carichi di rancore e di desiderio di rivalsa, soprattutto se i genitori mostrano preferenze eccessive per l'uno o per l'altro. Anche in questi casi i loro conflitti però tendono ad essere molto più sotterranei, e spesso più profondi e duraturi, di quanto non succeda tra fratelli dello stesso sesso, che invece non esitano a regolare subito i loro conti, magari facendo a botte o inventando nuovi dispetti.

La rivalità più grave, e a volte pericolosa per l'aggressività che scatena, è quella fra maschi: nelle loro lotte è in gioco la supremazia fisica. E se c'è fra i due una vera disparità di forza, il più piccolo rischia non tanto di farsi male, come temono i genitori. Ma di essere profondamente ferito nella sua stessa identità di maschio dal fratello maggiore, che facendo valere la «legge del più forte» lo sottopone a continue sconfitte umilianti: ed eccolo concludere la lotta premendo il ginocchio sullo stomaco del più piccolo, dopo averlo riverso al suolo. Oppure gli stringe i polsi mentre si divincola, fino a ridurlo all'immobilità...

Come sempre nelle lotte fra maschi, anche in queste contese infantili ci sono in gioco correnti omosessuali sotterranee che possono emergere in modo più forte se tra fratelli c'è una grande disparità fisica: anche senza far nulla di male al più piccolo, coi suoi gesti il maggiore afferma la propria virilità a scapito di quella del fratello, che viene ridotto ad una condizione totalmente passiva assumendo così nella fantasia infantile un'immagine «femminile».

È giusto quindi intervenire quando i fratelli maschi fanno a botte fra loro, e il piccolo rischia di soccombere, e di farsi realmente male, separando i due contendenti, senza dare giudizi di merito. Né consolare troppo il più piccolo, mettendo così in luce la sua debolezza e facendolo sentire una femminuccia, mentre l'altro rimugina in disparte nuove vendette... Ma bisogna stare molto attenti che, non visti dai genitori, i fratelli non proseguano le loro lotte impari, in un gioco che rischia di diventare «sadomasochista».

Le umiliazioni inflitte dai fratelli maggiori ai più piccoli rischiano di influire in modo distorto sulla sua stessa identità sessuale, come una «macchia» difficile da cancellare. Le botte invece, passata l'ammaccatura, non lasciano alcun segno... Sempre che non trascendano fino a implicare significati più profondi, di predominio virile, invece di essere un semplice regolamento di conti fra bambini.

Fra sorelle l'ostilità è sempre molto meno evidente, proprio come succede anche nelle relazioni fra bambine. Le pulsioni aggressive non mancano, ma scorrono fra loro in modo più sotterraneo. E trovano sbocchi molto meno vistosi del fare a botte. C'è naturalmente anche chi si dà i pizzicotti, si tira i capelli, si graffia... Di solito però le aggressioni fisiche non sono così frequenti, come fra maschi. Le bambine trovano altri mezzi, più sofisticati e meno appariscenti per risolvere gelosie, invidie, rivalse... Tendono così a misurarsi fra loro sul terreno della bellezza, dell'intelligenza, della simpatia, della capacità di attirare su di sé complimenti e attenzione... Ed è sempre su questo terreno che lanciano le loro frecce avvelenate, provocando magari in modo un po' subdolo l'umiliazione della rivale.

È strano che ancora così piccole rispolverino tutto il vecchio armamentario della seduzione e della rivalità femminile, anche senza alcun condizionamento da parte della madre, che magari ha preferito rinunciare da tempo a questi orpelli, e non sembra affatto apprezzare le loro contese. Eppure basta osservarle, queste sorelline apparentemente così dolci, per vedere come sappiano già scegliere d'istinto, a colpo sicuro, l'arma più adatta per avere la meglio l'una sull'altra. La più piccola è la più bella? La sorella maggiore punta subito tutto sull'intelligenza, l'umorismo, la capacità di prendersi gioco della «bellezza di famiglia». La quale, pur essendo magari altrettanto intelligente, va sul sicuro e accentua in mille modi le sue capacità seduttive più estetiche che intellettuali...

Ordine di nascita: come influisce sul carattere

Due, tre figli, nati a distanza più o meno ravvicinata: e così diversi fra loro nell'indole, nelle attitudini, nei comportamenti, nell'approccio alla vita e alle relazioni con gli altri. Eppure i genitori sono gli stessi. L'ambiente, gli stimoli culturali, le condizioni economiche e in parte i caratteri ereditari, gli stessi. Come mai? L'ordine di nascita può davvero determinare differenze così profonde fra fratelli? E come influisce sui rapporti che si intrecciano fra loro?

Le profonde differenze che ci sono tra fratelli stupiscono sempre: prima di tutto i genitori, che si trovano a dover adottare comportamenti diversi con ciascuno dei figli. «Sono come le piante» diceva una mamma «che per crescere bene hanno bisogno una di sole, l'altra di ombra, una di molta acqua, l'altra di poca...» Naturalmente sono molti i fattori che rendono i bambini, nati dagli stessi genitori e cresciuti nello stesso ambiente, spesso così diversi fra loro da lasciar intravedere già da piccoli una vita e un destino altrettanto diversi: dalle componenti genetiche, alle caratteristiche psicologiche, ai condizionamenti ambientali... Tra questi fattori del tutto individuali, gioca però un ruolo abbastanza rilevante anche l'ordine di nascita, soprattutto per quanto riguarda la formazione del carattere. E non è strano: l'ordine di nascita assegna a ciascun figlio un posto diverso in famiglia, che spesso prefigura il ruolo che si assumerà poi nella vita, nel mondo, sia pure con le inevitabili trasformazioni individuali.

Se i primogeniti appaiono spesso più responsabili, seri, posati, a volte un po' scontrosi, con una certa tendenza all'ordine, alla metodicità, all'autodisciplina, è perché seguono tutti uno stesso percorso che li porta ad assumere precocemente atteggiamenti più adulti degli altri fratelli. Dopo aver goduto, almeno per un certo periodo, la situazione di privilegio del figlio unico, devono affrontare il «dramma della detronizzazione», con la nascita del secondogenito. E per riacquistare di nuovo una posizione di supremazia, finiscono per identificarsi maggiormente coi genitori, assumendo atteggiamenti più adulti e responsabili. Questo favorisce una forte coscienza di sé e dei propri valori, che li porta spesso ad assumere posizioni «importanti» anche nella vita.

Ciò non toglie che dietro la facciata di personcina sicura e ordinata, si intraveda la fragilità del bambino al quale è stato assegnato troppo presto un ruolo di responsabilità. Ed è proprio questo che bisognerebbe evitare, pur lasciandogli il piacere di sentirsi «più grande». Altrimenti sarà proprio lui, il primogenito apparentemente così sicuro di sé, a rivelare crescendo forme di dipendenza affettiva più accentuate e maggior difficoltà di distacco dalla madre, insieme a una certa chiusura nel rapporto con gli altri, mentre l'aggressività contro i fratelli viene spesso camuffata da atteggiamenti un po' pedanti, intransigenti, «moralistici»: come se il primogenito fosse insofferente della maggior spensieratezza con cui i più piccoli vivono la loro infanzia. È importante quindi valorizzare le doti del figlio maggiore, senza però caricarlo di compiti troppo gravosi, facendogli assumere il ruolo di «secondo genitore». È vero che essendo il più grande ha molti diritti, che gli altri non hanno. Ma troppo spesso gli si toglie quello più importante: il diritto di essere bambino.

I figli che «arrivano dopo» si trovano spesso avvantaggiati rispetto al primo: con loro i genitori sono meno esigenti, più permissivi... Perché? Che riflessi ha questo diverso atteggiamento sul loro carattere? E come si conquistano il loro posto in famiglia?

Certo il secondogenito e l'ultimo nato hanno una vita più facile, in famiglia: dopo il rodaggio col primo figlio, i genitori si sentono meno inesperti, impacciati, più sciolti. Hanno meno paura di sbagliare e sono meno apprensivi: lasciano più autonomia, più libertà ai figli, facilitando così il loro distacco e la loro indipendenza. Meno condizionati, i figli più piccoli sono spesso più inclini a fare di testa loro: e questo facilita la loro intraprendenza e la loro creatività, a cominciare dai giochi.

A differenza del primogenito, entrambi hanno dovuto ingaggiare una lotta impari nel tentativo di eclissare il più grande, investito di maggiore responsabilità e tenuto in maggior considerazione da parte dei genitori. La loro competizione, pur scaturendo da un sentimento negativo come l'invidia, spesso sa trasformarsi in un confronto costruttivo se invece di crogiolarsi in inutili rancori si differenziano dal primo figlio mettendo in luce le proprie capacità e le proprie inclinazioni diverse. Proprio perché sono arrivati «dopo» o «ultimi» in famiglia, sono sospinti dalla volontà di dimostrarsi i «primi», ciascuno a suo modo.

Il secondogenito, assillato prima dalla gelosia del maggiore e poi geloso a sua volta dell'ultimo nato, si trova preso fra due fuochi nei giochi di rivalità. Fra il re detronizzato e il nuovo piccolo sovrano, ha una posizione intermedia, «di mezzo», a volte un po' in ombra, che gli consente però di affinare qualità molto utili nella vita. Per sopravvivere è costretto a sviluppare doti da piccolo diplomatico, giostrandosi con estrema abilità nelle relazioni con gli altri, e mostrando una grande scioltezza nell'assumere ora un ruolo e ora l'altro, secondo le situazioni, come un pesce nell'acqua: proprio come succede in famiglia, dove si trova ad essere nello stesso tempo il minore, rispetto al primogenito, e il maggiore rispetto al più piccolo. È lui che fa da paciere, nei litigi. È lui il confidente ora dell'uno e ora dell'altro. Ed è sempre a lui che i genitori si rivolgono, per capire cosa succede, tra i fratelli. Di tutti, è spesso il secondogenito che sviluppa il carattere più duttile, amabile, simpatico. E che è capace di grandi generosità.

Il rischio è che resti sempre lì, « a metà strada», indeciso fra obiettivi diversi da raggiungere, più incline ad adattarsi alle esigenze degli altri e a emularli che a individuare le proprie inclinazioni, ad affermare la propria personalità. La sua posizione rispetto ai fratelli è infatti la più delicata, fluida, meno precisa: stretto fra il più grande e il più piccolo, oscilla in una continua altalena fra il tentativo di emulare il maggiore, di essere alla sua altezza agli occhi dei genitori, e quello di imitare invece il più piccolo per riconquistare i privilegi che erano stati suoi e che gli sono stati tolti. Proprio perché la posizione di intermediario tende a mettere in ombra il secondogenito, meno problematico degli altri e spesso anche meno stimolato dai genitori, è importante aiutarlo a scoprire e a dar valore alle sue doti più nascoste, e non solo a quelle più appariscenti: come l'equilibrio, la diplomazia, la socievolezza, il carattere allegro...

«Gli ultimi saranno i primi»: in molti casi è una profezia che si avvera, per i figli più piccoli. Spesso coltivano «sogni di gloria». E, per quanto possibile si danno da fare per realizzarli, almeno in parte... Da che cosa nasce questa grande voglia di emergere?

L'ultimo nato sembra davvero il più fortunato di tutti. Ma anche nella sua «fortuna» c'è il rovescio della medaglia. Come al figlio unico, gli vengono risparmiati i tormenti della gelosia per la nascita di un nuovo fratellino. E spesso è proprio lui il più geloso di tutti: ha più privilegi, ma meno diritti degli altri. È il più coccolato, vezzeggiato, ma rischia di essere eternamente il «più piccolo», e venir privato così di molte cose che spettano di diritto ai più grandi, dalla fiducia riposta in loro dai genitori, all'autorità che tutti in misura diversa possono esercitare in famiglia: tranne lui.

È vero, molte cose che sono state proibite ai più grandi, a lui vengono concesse senza batter ciglio, da genitori diventati più «permissivi». Una maggior condiscendenza che i fratelli più grandi non esitano a fargli pagare, escludendolo dai loro giochi e assumendo atteggiamenti di distaccata superiorità. Inoltre non è detto che il più coccolato sia davvero il più amato: soprattutto quando la sua nascita è vissuta dalla madre come un obbligo a ricominciare tutto daccapo, ora che i figli maggiori sono già grandi e cominciano a sbrigarsela da soli. Oppure rappresenta un'esperienza già vissuta, in un certo senso «scontata», alla quale la madre partecipa con minor coinvolgimento e passione. Privilegi, coccole, condiscendenza tendono così a compensare il minor impegno, le minori aspettative che a volte i genitori hanno verso l'ultimo nato.

Non è strano quindi che proprio il più piccolo si senta un po' «trascurato», sia geloso dei fratelli maggiori e dei loro «diritti acquisiti». Ma proprio per questo non esita a mettere a frutto la sua maggior libertà e autonomia per affermare se stesso con molta più forza e determinazione dei fratelli, trasformandosi spesso in una piccola peste e in un ribelle per vocazione. È il più piccolo: e il suo desiderio più forte è far valere i propri diritti, di solito con lealtà e coraggio, e acquistare il credito che ancora nessuno gli concede, facendo «grandi cose». Di qui i suoi sogni di gloria, la sua costante spinta a emergere e a capovolgere così la situazione dimostrandosi «il più grande» di tutti.

Mai come per l'ultimo nato il ventaglio delle possibilità che gli si offrono è tanto ampio: si aggrega ad una famiglia già formata, in cui le dinamiche affettive sono già ben delineate, e i giochi in parte già fatti. In fondo gli si lascia fare quello che vuole, essere «chi» vuole. Il suo destino è quindi più libero, più aperto in qualsiasi senso: sia nel bene che nel male. La sua voglia di emergere lo porterà più facilmente a «distinguersi»: e se non ci riesce con le «grandi imprese», ci proverà con le malefatte.

È importante quindi che la sua libertà, il suo coraggio, il suo spirito di iniziativa vengano incanalati, in modo da non disperdersi inutilmente in direzioni sbagliate o da esaurirsi in un ribellismo a vuoto, privo di veri obiettivi. In fondo è proprio il più piccolo, su cui sembrano convergere le attenzioni e le coccole di tutti, che si sente più spesso abbandonato a se stesso, allo sbaraglio. E che forse ha più bisogno degli altri di sentirsi davvero amato, e non solo vezzeggiato e tollerato: tanto si sa, è il più piccolo...

Gemelli: una «condizione felice»

Si somigliano come due gocce d'acqua, si dice. Ed è vero: l'uno sembra lo specchio dell'altro, il suo «doppio». Sono gemelli identici: fecondati dallo stesso seme, concepiti dallo stesso ovulo, hanno lo stesso patrimonio genetico, lo stesso sesso, le stesse caratteristiche e predisposizioni fisiche. La loro somiglianza, che si ritrova perfino nelle impronte digitali, fa quasi vacillare il principio di identità. Chi è l'uno e chi è l'altro? A volte è perfino la madre, a chiederselo. È così facile confonderli, scambiarli, che già dalla nascita si ricorre a piccoli «segni di riconoscimento»: un braccialetto, una catenina che li distingua... Ma come si riflette su di loro questa confusione di identità? Ed è giusto cercare di «dividerli» subito, come oggi si tende a fare?

In passato si tendeva ad accentuare la somiglianza dei gemelli identici, eliminando ogni differenza anche nel modo di vestirli, di pettinarli e scegliendo per loro gli stessi oggetti di uso quotidiano, dalle tazzine del latte, ai giocattoli... La loro «identicità» ha sempre suscitato interesse, meraviglia e un certo divertito stupore per gli scambi di persona a cui dà luogo, come in certe «commedie degli equivoci». E i genitori ne andavano talmente fieri, da trattarli come se fossero davvero «identici». Tutto questa tendeva a favorire una confusione di identità non solo fisica, ma psicologica, fra i gemelli: al punto che spesso era quasi impossibile per loro separarsi, sia da bambini che da adolescenti. E a volte anche da adulti.

Quella che appare fin dall'inizio come una «condizione felice», che consente al bambino di non sentirsi mai solo, e di poter sempre contare su un legame privilegiato ed esclusivo di amore e di complicità col proprio gemello, può rivelarsi negativa, quando rappresenta un limite, allo sviluppo armonico delle singole personalità: che può avvenire solo attraverso la reciproca differenziazione. Come è emerso dalle ricerche di molti studiosi di «gemellologia».

È proprio il mancato riconoscimento della identità individuale di ciascuno – sostituita da quella «gemellare» già nei primissimi rapporti che legano il bambino alla madre – a provocare la cosiddetta «sindrome del gemello»: la sensazione di una incolmabile incompletezza in assenza del proprio alter ego, come se il proprio io si spezzasse in due, e ne mancasse una metà. Di qui la tendenza a ricostituire sempre la coppia gemellare per ritrovare la propria unità e sentirsi di nuovo completi, che è alla base dell'attaccamento quasi morboso e della forte complicità che viene talvolta a crearsi fra loro, non solo nell'infanzia ma anche nella vita adulta. Tra due gemelline, Emma era decisamente dominante per fisicità e temperamento. Quando chiedevano ad Anna, la più sottomessa: «Come ti chiami?», questa rispondeva con orgoglio: «Emma». Ci volle del tempo e la sensibilità di genitori intelligenti e partecipi perché ciascuna diventasse se stessa, indipendentemente dall'altra.

Ponendo in luce i rischi, piuttosto che i vantaggi della condizione di gemelli, gli studi fatti in questo campo hanno sollecitato una brusca inversione di tendenza. «Questi bambini bisogna dividerli!», è il nuovo imperativo categorico che condiziona ormai da tempo i comportamenti dei loro genitori. Un diktat che si è rivelato però in molti casi altrettanto dannoso dell'eccessivo compiacimento, così diffuso in passato, nel rendere i gemelli sempre più identici fra loro. E sempre più inseparabili.

Troppo spesso infatti «dividere i gemelli», e dividerli «da subito», significa imporre loro separazioni troppo precoci, e spesso crudeli, alle quali non sono ancora pronti: come la scelta di asili nido e scuole materne diversi, magari distanti fra loro, da un capo all'altro della città, con grande perdita di tempo e aumento di stress per i genitori. Oppure la decisione di affidarli l'uno alla nonna e l'altro alla babysitter, quando la mamma lavora...

Nelle prime esperienze di separazione comuni a tutti i bambini, i gemelli si trovano così ad affrontare un duplice distacco: non solo dalla madre e dall'ambiente familiare, ma anche dal proprio compagno di sempre, il loro piccolo sosia. Si «raddoppia» così il carico di angoscia, di dolore, di paura dell'abbandono, sempre presente in ogni forma di separazione infantile: col rischio che la frustrazione eccessiva imposta ai gemelli renda ancora più indissolubile il loro legame più profondo e segreto, quello interiore, alimentato dal reciproco senso di mancanza e di nostalgia.

Il primo legame con la madre: chi è l'uno e chi è l'altro?

Come favorire una progressiva separazione, non solo fisica ma interiore, fra gemelli identici? E rendere così meno stretto, meno avvolgente il filo invisibile che li lega senza togliere nulla al loro piacere di stare insieme?

È la madre che fin dall'inizio può aiutare i gemelli a distinguersi l'uno dall'altro, riconoscendoli lei per prima come due persone separate e diverse, nonostante la loro singolare somiglianza. È lei, e forse lei soltanto, infatti, che può cogliere quelle minime, quasi impercettibili differenze che rendono diversi i gemelli identici già appena nati. Attraverso i primi contatti di pelle, mentre li allatta, li cura, è difficile che ad una madre sfuggano quei piccoli segni di riconoscimento, non solo fisici, ma di comportamento, che invece passano del tutto inosservati agli occhi degli altri familiari e degli estranei. Se per chiunque altro è difficile, quasi impossibile, distinguere i due neonati, lei invece può farlo, a volte senza esitazione: purché si sforzi di cogliere le differenze, piuttosto che le somiglianze.

È il caso di una madre abituata ad allattare i gemelli, avvolta in uno scialle di lana rosso. Uno dei due era talmente attratto da quel colore brillante che mentre succhiava si staccava di tanto in tanto dal seno per fissarlo incantato. L'altro invece non prestava alcuna attenzione allo scialle, e fissava lo sguardo negli occhi della madre. Che non aveva dubbi su chi fosse l'uno, e chi l'altro: «Li riconosco dal carattere», diceva. Di episodi come questi ce ne sono un'infinità, nelle piccole vicende delle cure quotidiane, che raggruppati insieme delineano già due modi molto diversi di affrontare le prime esperienze della vita. E impediscono alla madre di confondere i due figli.

Nonostante tutti i vantaggi della loro condizione, quello che davvero può mancare ai gemelli, identici o no, è quel rapporto privilegiato, esclusivo con la madre necessario a tutti i bambini per costruire il nucleo più profondo della coscienza di sé, come individuo. Se tendono a creare fra loro un legame indissolubile, spesso è proprio perché è mancato loro, all'inizio della vita, un legame privilegiato con la madre. È quindi importante che la mamma, pur oberata dal difficile compito di occuparsi contemporaneamente di due neonati, sappia trovare spazio per un rapporto esclusivo con ciascuno di loro, creando così quel particolare legame materno che ha sempre connotazioni diverse, da figlio a figlio.

In questo modo ciascuno sa che il suo valore, e il significato stesso della sua esistenza, non dipendono dal suo legame col gemello e dall'infinità di cose che li uniscono e li rendono così simili fra loro. Ma dalla sua unicità di persona, dotata di una identità indivisibile e di una storia irripetibile.

Vita coi gemelli

Abbigliamento, oggetti, giocattoli: oggi molti genitori si sforzano di diversificarli, per abituare così i gemelli a essere diversi, anche quando i piccoli preferirebbero vestire allo stesso modo e avere le stesse cose. Come è meglio comportarsi nelle piccole vicende della vita quotidiana?

In fondo importa poco differenziare i gemelli rendendo diverso il loro aspetto, in modo quasi automatico, proprio come era automatico un tempo vestirli e pettinarli allo stesso modo. È importante invece che anche queste scelte esteriori rispecchino le differenze di gusto. Se preferiscono vestire allo stesso modo, è inutile negar loro questo piacere. Meglio capire perché lo desiderano: se è solo un gioco, un'idea divertente, che favorisce i loro scherzi, il loro «scambio delle parti», perché proibirglielo? Ma la questione cambia se è «necessario» per loro apparire sempre uguali, ai propri occhi prima ancora che a quelli degli altri.

È inutile imporre ai gemelli di essere diversi. È importante invece aiutarli a scoprire e a esprimere le loro differenze, senza trattarli mai allo stesso modo: ma ciascuno come se fosse l'«unico», sia quando lo si coccola, sia quando lo si rimprovera. E anche quando si cerca di individuare i suoi problemi, di capire che cosa lo disturba o lo fa soffrire: le difficoltà dei gemelli non sono sempre «di coppia». Ognuno ha le sue. E sono loro i primi a saperlo: crescendo viene spontaneo ai gemelli aiutarsi reciprocamente, compensando l'uno le mancanze dell'altro o correndo in soccorso del fratello non appena lo sentono «in pericolo».

Riescono a sbrigarsela così bene da soli, che spesso si interviene solo per rimproverarli o punirli, quando le combinano davvero troppo grosse: in questi casi è difficile sapere chi dei due è il responsabile, tanto si spalleggiano a vicenda. Inutile sottoporli ad interrogatori di terzo grado: non confesseranno mai, né tanto meno diranno: «È stato lui!». Non resta quindi che passare a forme di «giustizia collettiva»: l'unica che i gemelli possono tollerare, a differenza dei fratelli che la scambierebbero invece per un'enorme ingiustizia. Ma anche questo fa parte della «condizione felice» dei gemelli, che rende così particolare il loro amore fraterno: è un loro «vantaggio», non un rischio.

È importante altresì non lasciare che i gemelli, visto che sanno sbrigarsela così bene, affrontino da soli i problemi che ciascuno di loro incontra via via nel corso della crescita. È bello che sappiano aiutarsi a vicenda. Ma non sono autosufficienti. Hanno bisogno anche loro, come tutti i bambini, di poter contare sul sostegno individuale, e non «collettivo», dei genitori.

Gli accordi segreti e le rivalità

Le grandi affinità fra gemelli, identici o no, sono evidenti. Come è evidente la loro forte complicità. Quali sono invece le differenze meno visibili, più segrete, che emergono nel loro stesso rapporto «di coppia»?

Le differenze di carattere, di temperamento, di personalità sono sempre molto forti nelle coppie di gemelli. Se a prima vista non traspaiono è perché sono nascoste sotto la vernice del loro mutuo accordo. Proprio come nelle coppie molto affiatate, fa parte della loro segreta complicità non rivelare agli altri chi dei due in realtà comanda, ma stabilire fra loro ruoli precisi, che corrispondono perfettamente alle diverse inclinazioni e attitudini di ciascuno.

Nessuno come i gemelli è capace di distribuire le funzioni con tanta equità, mettendo la persona giusta al posto giusto in quel piccolo stato a due che formano fra loro. Anche se a volte sembra un po' autarchico, autosufficiente, di solito non è uno stato dai confini chiusi. Al contrario, le coppie di gemelli sono quasi sempre molto estroverse, socievoli, aperte alle relazioni con gli altri. Ma anche in questo loro aprirsi al mondo esiste una strategia ben precisa, concordata prima quasi «a tavolino».

Anche nei gemelli non identici, e magari di sesso diverso, esiste una segreta simmetria che porta a suddividere compiti e responsabilità, all'interno della coppia. Dei due, è il più estroverso, intraprendente, «aggressivo» chi si occupa delle «relazioni esterne», mentre quello più portato all'introspezione, più ricco di intuito e di idee si occupa degli «affari interni». Apparentemente è il «ministro degli esteri» che appare il leader, quello dei due che prende le iniziative e le impone all'altro, in realtà la suddivisione dei poteri spesso è molto più complessa: in molti casi è proprio il gemello apparentemente più debole e sottomesso, succube del «più forte», ad avere in mano la situazione. È lui a valutare i pro e i contro e a decidere: «Va bene così». Non importa se, quando i gemelli intrecciano una nuova amicizia, fanno un dispetto ai fratelli, chiedono ai genitori qualcosa di importante, in genere è solo uno, sempre lo stesso, a farsi avanti, a parlare. È l'altro, quello che gli sta a fianco silenzioso, che ha deciso non solo che cosa dire, ma «quando, come e perché».

Tra gemelli di sesso diverso a volte le cose si complicano: spesso è proprio la bambina ad assumere il ruolo di leader, mentre il maschietto appare più sottomesso. E questo a volte impensierisce i genitori. «Chi dei due è il maschio e chi la femmina?», si chiedono. E spronano il figlio a farsi avanti, a dire la sua. Ad imporsi. Mentre cercano di indurre la bambina a lasciare più spazio al fratello. E magari, a tacere, qualche volta. Ma nella maggior parte dei casi è inutile che gli adulti intervengano per ristabilire un equilibrio: è qualcosa che in genere i gemelli sanno trovare da soli. Anche fra maschio e femmina ciascuno riesce ad esprimere se stesso, e la propria diversità, indipendentemente dal sesso e dai suoi stereotipi. Proprio come esiste tra gemelli un linguaggio segreto che solo loro conoscono, esiste anche una segreta capacità di conoscersi, di capirsi.

Gelosia, invidia e rivalità sono sentimenti davvero estranei al legame fra gemelli e al loro tipo di amore fraterno, come a volte può sembrare?

La rivalità è un sentimento che esiste fra gemelli molto prima di quanto non avvenga tra fratelli: i suoi «germi», ancora del tutto privi di qualsiasi connotazione emotiva, sono già presenti nel corso della vita prenatale e durante l'esperienza della nascita. Fra i due c'è sempre uno più forte, più grosso, più «prepotente» che si impone sull'altro: gli «mette i piedi in testa», e non solo metaforicamente, come dimostrano alcune ecografie, in cui si vede il più piccolo raggomitolato sotto il più grande, con la testa china, su cui premono i piedini dell'altro...

Nel parto, uno nasce prima e l'altro dopo, spesso con sofferenze maggiori. E durante l'allattamento, quello più gracile, delicato, di solito è anche quello che piange meno per la fame e aspetta paziente il suo turno, dopo che il fratello molto più esigente coi suoi strilli, è stato acquietato con la sua poppata. A volte invece è il più «aggressivo» che viene messo a tacere, e fatto aspettare non solo quando ha fame, ma quando entrambi levano le braccia per essere sollevati dalla culla o dalla carozzina, o esprimono «in contemporanea» la stessa richiesta, l'uno in modo più perentorio, e l'altro più quieto, tranquillo.

Sono frustrazioni che anche i fratelli sperimentano di tanto in tan to. Ma per i gemelli si tratta di piccoli dolori inevitabili, che fanno parte della loro stessa condizione: e che a poco a poco accettano di buon grado, soprattutto se i genitori sanno dosare equamente fra loro anche le piccole «ingiustizie» cercando di capire le loro diverse esigenze, e il loro modo di esprimerle. Non è detto che chi piange più forte abbia più fame. E non è detto che chi tende le braccia con maggior insistenza abbia bisogno di essere coccolato per primo.

In ogni caso la rivalità tra gemelli, con tutte le gelosie e le piccole invidie che comporta, ha una funzione salutare nel loro sviluppo, soprattutto nel primo anno di vita: uno di fronte all'altro tra le braccia della mamma o nella carrozzina, i due piccoli tendono davvero a confondersi fra loro, così come si confondono con la mamma e il suo seno. Solo quando uno viene posato prima dell'altro nel lettino, o sollevato per primo dal passeggino, come capita a turno a tutti e due, ciascuno di loro si accorge che qualcosa «non va». La sincronia si spezza. E avverte senza possibilità di dubbio che ha di fronte qualcuno di molto diverso da sé: un'altra persona.

Non tutto il male vien per nuocere, quindi: al contrario, è proprio la rivalità il primo spartiacque che separa un gemello dall'altro. Quanto al particolare amore fraterno, che appare spesso molto più intenso che non tra fratelli, quasi eccessivo, non è detto che lo sia. Di sicuro i gemelli odiano il fatto di venir separati. Ma anche per loro, crescendo, come succede sempre tra fratelli, ci sono momenti di grande ostilità. E solo quando scoprono la possibilità di odiarsi, possono cominciare ad amarsi davvero.

Meglio quindi che anche loro a volte facciano a botte, piuttosto che tenersi per mano come la coppietta di Peynet per tutta l'infanzia e magari per tutta la vita. I litigi, i rancori, gli odi infantili, che tutti i bambini vivono nei confronti dei fratelli, fanno apprezzare ai gemelli i periodi di solitudine. Ed è proprio allora che si accorgono, come ha osservato Donald W. Winnicott, che «è più facile diventare una persona completa da soli che in compagnia del proprio fratello gemello»

ninna-nanna il Tempo cammina
cammina cammina e non si ferma mai
è Passato oramai

«A piccoli passi»
di Silvia Vegetti Finzi
e Anna Maria Battistin
Oscar saggi
Arnoldo Mondadori Editore

Questo volume è stato stampato
presso Mondadori Printing S.p.A.
Stabilimento NSM - Cles (TN)
Stampato in Italia - Printed in Italy